O OUTRO LADO
DA MEIA-NOITE

OBRAS DO AUTOR PUBLICADAS PELA EDITORA RECORD

As areias do tempo
Um capricho dos deuses
O céu está caindo
Escrito nas estrelas
Um estranho no espelho
A herdeira
A ira dos anjos
Juízo final
Lembranças da meia-noite
Manhã, tarde & noite
Nada dura para sempre
A outra face
O outro lado da meia-noite
O plano perfeito
Quem tem medo de escuro?
O reverso da medalha
Se houver amanhã

INFANTOJUVENIS
Conte-me seus sonhos
Corrida pela herança
O ditador
Os doze mandamentos
O estrangulador
O fantasma da meia-noite
A perseguição

MEMÓRIAS
O outro lado de mim

COM TILLY BAGSHAWE
Um amanhã de vingança (sequência de
Em busca de um novo amanhã)
Anjo da escuridão
Depois da escuridão
Em busca de um novo amanhã (sequência de *Se houver amanhã*)
Sombras de um verão
A senhora do jogo (sequência de *O reverso da medalha*)
A viúva silenciosa
A fênix

Sidney Sheldon
O OUTRO LADO DA MEIA-NOITE

56ª EDIÇÃO

tradução de **ANA LUCIA DEIRÓ CARDOSO**

EDITORA RECORD
RIO DE JANEIRO • SÃO PAULO
2025

CIP-BRASIL. CATALOGAÇÃO NA FONTE
SINDICATO NACIONAL DOS EDITORES DE LIVROS, RJ

Sheldon, Sidney, 1917-2007

S548o   O outro lado da meia-noite / Sidney Sheldon; tradução de Ana Lucia
56ª ed.   Deiró Cardoso. – 56ª ed. – Rio de Janeiro: Record, 2025.

Tradução de: The other side of midnight
ISBN 978-85-01-09397-4

1. Romance americano. I. Cardoso, Ana Lucia Deiró. II. Título.

CDD: 813
11-0268   CDU: 821.111(73)-3

Título original em inglês:
THE OTHER SIDE OF MIDNIGHT

Copyright © 1974 by Sidney Sheldon Family Limited Partnership

Texto revisado segundo o Acordo Ortográfico da Língua Portuguesa de 1990.

Todos os direitos reservados. Proibida a reprodução, no todo ou em parte,
através de quaisquer meios. Os direitos morais do autor foram assegurados.

Direitos exclusivos de publicação em língua portuguesa somente para o Brasil
adquiridos pela
EDITORA RECORD LTDA.
Rua Argentina, 171 – Rio de Janeiro, RJ – 20921-380 – Tel.: (21) 2585-2000,
que se reserva a propriedade literária desta tradução.

Impresso no Brasil

ISBN 978-85-01-09397-4

Seja um leitor preferencial Record.
Cadastre-se no site www.record.com.br e receba
informações sobre nossos lançamentos e nossas promoções.

Atendimento e venda direta ao leitor:
sac@record.com.br

Para Jorja
Que me dá prazer de mil maneiras

Agradecimentos

DESEJO EXPRESSAR MINHA gratidão àqueles que generosamente me ajudaram a colorir o mosaico deste romance com os fragmentos de suas lembranças, conhecimentos e técnicas.

Em alguns pontos, tomei liberdades literárias porque senti que daria força à narrativa; mas todos os erros fatuais são de minha inteira responsabilidade.

Meus sinceros agradecimentos dirigem-se aos seguintes:

Em Londres:

Sra. V. Shrubsall, Divisão de História da Aeronáutica, Ministério da Defesa da Grã-Bretanha, pelas preciosas informações acerca do Esquadrão das Águias, o grupo de pilotos americanos que voou com a RAF antes de os Estados Unidos entrarem na Segunda Guerra Mundial.

Earl Boebert, pelo material adicional sobre o Esquadrão das Águias.

Em Paris:

André Weil-Curiel, ex-vice-prefeito de Paris, pelas sugestões e lembranças sobre a época da ocupação alemã, que muito me ajudaram.

Sra. Chevaulet, arquivista-chefe da Comédie Française, por me permitir o acesso a seus arquivos referentes à história do teatro francês.

Claude Baigneres, jornalista do *El Figaro*, por sua assistência à minha busca de fontes originais de informação sobre a ocupação da França.

Em Atenas:

Sra. Aspa Lambrou, que abriu magicamente todas as portas e foi constante e generosa em sua ajuda.

Jean Pierre de Vitry D'Avaucourt, piloto particular de Aristóteles Onassis, por sua orientação técnica e suas sugestões.

Costas Efstathiades, eminente advogado, por sua orientação acerca dos procedimentos do Direito Criminal grego.

Em Los Angeles:

Raoul Aglion, conselheiro econômico do Banco Nacional de Paris, por ter compartilhado seus conhecimentos sobre a história e os hábitos franceses.

Com exceção dos vários líderes da História mundial mencionados, todos os personagens deste livro são fictícios.

Prólogo

Atenas: 1947

ATRAVÉS DO PARA-BRISA poeirento de seu carro, o chefe de polícia Georgios Skouri contemplava os edifícios e hotéis do centro de Atenas, como se fossem peças gigantescas de um boliche cósmico, caindo fila após fila, desabando lentamente numa dança de desintegração.

— Vinte minutos — assegurou-lhe o policial ao volante. — Não há tráfego.

Skouri concordou distraidamente e voltou a olhar os edifícios. Aquilo era uma ilusão de ótica que o fascinava. O terrível sol de agosto envolvia os prédios em trêmulas ondas de calor, através das quais pareciam despencar sobre a calçada em cascatas de aço e vidro.

Eram 12h10; as ruas estavam quase desertas e os poucos pedestres à vista não tinham ânimo para prestar muita atenção aos três carros da polícia que corriam para o leste, em direção ao aeroporto de Hellenikon, distante 38 quilômetros do centro de Atenas. O chefe Skouri ia no carro da frente. Em circunstâncias normais ele teria ficado no escritório arejado e confortável, enquanto seus subordinados sairiam para trabalhar sob o tórrido calor do meiodia; mas as circunstâncias não eram nada normais e Skouri tinha fortes razões para comparecer em pessoa. A primeira delas eram as personalidades estrangeiras esperadas naquele dia, vindas de várias partes do mundo: era preciso recepcioná-las condignamente e ajudá-las a passar pela alfândega com um mínimo de incômodo. A segunda razão — e a mais importante — era a imprensa: o aeroporto estaria repleto de repórteres e cinegrafistas estrangeiros. Skouri não era nenhum idiota e tinha-lhe ocorrido pela manhã, enquanto se barbeava, a ideia de que sua carreira nada teria a perder se ele aparecesse nos noticiários, tomando os dignitários sob seus cuidados. Fora uma sorte extraordinária o fato de um acontecimento desse porte, de repercussão mundial, ter ocorrido em seu território, e ele seria estúpido se não tirasse partido disso. Tinha discutido o assunto cuidadosamente com as duas pessoas que lhe eram mais chegadas: a esposa e a amante. Ana, mulher de meia-idade, feia e amarga, descendente de camponeses, dera-lhe ordens para ficar bem longe do aeroporto e permanecer em segundo plano, de modo que não pudessem culpá-lo se algo saísse errado. Melina, doce, jovem e linda, aconselhara-o a receber os dignitários, pois achava, como ele próprio, que um acontecimento como esse poderia projetá-lo subitamente para a fama. Se Skouri manejasse bem a situação, ganharia no mínimo um aumento de salário e — se Deus ajudasse — poderia mesmo ser promovido a comissário de polícia quando o atual se aposentasse. Pela centésima vez, Skouri pensou na ironia do fato de que Melina era sua esposa e Ana sua amante, imaginando, uma vez mais, onde poderia ter errado.

Agora pensava no que estava a sua espera. Precisaria tomar providências para que tudo saísse perfeito no aeroporto, e 12 de seus melhores homens o acompanhavam. Sabia que o maior problema seria a imprensa, pois ficara estupefato com o número de repórteres de importantes jornais e revistas que invadiram Atenas, vindos do mundo inteiro. Ele próprio fora entrevistado seis vezes — cada uma num idioma diferente — e suas respostas tinham sido traduzidas em alemão, inglês, japonês, francês, italiano e russo. Mal começara a provar o gosto da fama quando o comissário o chamara para informá-lo de que não era conveniente para o chefe de polícia comentar publicamente um julgamento de assassinato ainda não realizado. Skouri tinha certeza de que o verdadeiro motivo do comissário era inveja, mas decidira prudentemente não forçar o assunto e recusara novas entrevistas. O comissário, entretanto, não poderia reclamar se por coincidência Skouri aparecesse no aeroporto, em plena atividade, enquanto os cinegrafistas estivessem focalizando as personalidades recém-chegadas.

Quando o carro varou a avenida Sygrou e dobrou a esquina junto ao mar, em direção a Phaleron, Skouri sentiu um aperto no estômago. Achavam-se agora a cinco minutos do aeroporto e ele conferiu, mentalmente, a lista de celebridades que chegariam a Atenas antes do anoitecer.

ARMAND GAUTIER estava sofrendo de enjoo aéreo. Tinha um profundo pavor de viajar de avião, decorrente do excessivo amor que devotava a si mesmo e a sua vida, o que, somado à turbulência costumeira ao largo da costa grega no verão, contribuíra para lhe provocar uma náusea violenta. Alto e magro como um asceta, a testa ampla e uma expressão perpetuamente sardônica, aos 22 anos Gautier fora um dos criadores da Nouvelle Vague na sofrida indústria cinematográfica francesa, e nos anos seguintes atingira êxitos ainda maiores no teatro. Reconhecido agora como um dos maiores diretores do mundo, vivia seu papel na íntegra. Até 20 minutos antes, o voo fora extremamente agradável, uma vez que as aeromoças o tinham reconhecido e mimado, além de deixar bem claro que estariam disponíveis para outras atividades. Vários passageiros aproximaram-se dele durante a viagem para dizer o quanto admiravam seus filmes e peças, mas Gautier se interessara especialmente pela bonita universitária inglesa que estudava no Saint Anne, de Oxford. Ela estava preparando uma tese de mestrado sobre teatro e escolhera Gautier como tema. A conversa correra bem até a garota mencionar o nome de Noelle Page.

— Você costumava dirigi-la, não é mesmo? — perguntou a universitária. — Espero conseguir entrar no julgamento dela. Vai ser um circo.

Gautier deu por si agarrado aos braços da poltrona e ficou surpreso com a intensidade de sua própria reação. Mesmo depois de tantos anos, a lembrança de Noelle causava-lhe uma dor tão aguda como antes. Ninguém o tocara tanto quanto Noelle e ninguém jamais o conseguiria. Desde que lera sobre sua prisão três meses antes, Gautier não fora capaz de pensar em mais nada. Tinha-lhe enviado cartas e telegramas, oferecendo-se para ajudar no que fosse possível, porém não recebera qualquer resposta. Não tivera intenção de assistir ao julgamento, mas compreendera que não conseguiria ficar longe. Procurara convencer-se de que era porque queria ver se ela mudara desde o tempo em que viveram juntos, mas admitira que havia outra razão: seu lado teatral precisava estar presente ao drama, para observar o rosto de Noelle na hora em que o juiz decretasse sua vida ou sua morte.

A voz metálica do piloto veio pelo intercomunicador anunciar a chegada a Atenas em três minutos, e a emoção da perspectiva de rever Noelle fez com que Gautier esquecesse o enjoo.

O Dr. Israel Katz voara da Cidade do Cabo, onde era neurologista-residente e chefe de equipe no Groote Schuur, o grande hospital recentemente construído. Tido como um dos maiores neurocirurgiões do mundo, as revistas médicas viviam publicando suas inovações e entre seus pacientes contavam-se um primeiro-ministro, um presidente e um rei.

Homem de meia-idade, com um rosto forte e inteligente, fundos olhos castanhos e longas mãos finas e inquietas, o Dr. Katz recostou-se em sua poltrona no avião da BOAC. Estava cansado e por isso começava a sentir aquela dor familiar na perna direita, que não existia mais, amputada seis anos antes por um gigante que empunhava um machado.

Fora um dia cansativo. Fizera uma cirurgia antes do amanhecer, visitara meia dúzia de pacientes e depois deixara uma reunião de diretores do hospital com o intuito de pegar o avião para Atenas e assistir ao julgamento. Sua mulher Ester tentara dissuadi-lo:

— Não há nada que você possa fazer por ela agora, Israel.

Talvez tivesse razão, mas um dia Noelle Page arriscara a vida para salvar a dele e o Dr. Katz tinha uma dívida para com ela. Pensava em Noelle agora e sentiu a mesma sensação indescritível que sempre experimentara perto dela, como se sua simples lembrança pudesse dissipar os anos que os separavam. Era uma fantasia romântica, naturalmente, pois nada poderia jamais trazer de volta aqueles anos. O Dr. Katz sentiu o avião estremecer quando o trem de pouso foi abaixado e a descida começou. Olhou pela janela e viu o Cairo que se estendia lá embaixo, onde ele passaria para um avião da TAE, em direção a Atenas e a Noelle. Seria ela culpada? Enquanto o avião apontava para a pista, ele pensava naquele outro terrível assassinato que Noelle cometera em Paris.

PHILIPE SOREL, do convés de seu iate, contemplava o porto do Pireu que se aproximava. Ele apreciava a viagem por mar, pois era uma das raras oportunidades que tinha para escapar de seus admiradores. Sorel era um dos poucos sucessos de bilheteria garantidos do mundo e, no entanto, sua probabilidade de não atingir o estrelato fora tremenda. Não era um homem bonito, pelo contrário: tinha o rosto de um boxeador derrotado em suas últimas 12 lutas, seu nariz fora quebrado várias vezes, o cabelo era ralo e ao andar mancava ligeiramente. Mas nada disso importava, pois Philipe Sorel tinha sex appeal. Era um homem educado, de voz suave, cuja combinação de gentileza e aparência máscula enlouquecia as mulheres e fazia dele um herói aos olhos dos homens. Agora, à medida que seu iate se aproximava do porto, Sorel perguntava a si mesmo, uma vez mais, o que estava fazendo ali. Adiara um filme que desejava fazer para comparecer ao julgamento de Noelle e sabia muito bem que seria um alvo fácil para a imprensa, sentado dia após dia no tribunal sem a proteção de seus empresários e agentes. Os repórteres certamente interpretariam mal sua presença, considerando-a um golpe publicitário dado à custa do julgamento de sua ex-amante. Sob todos os ângulos, a experiência prometia ser penosa, mas Sorel precisava rever Noelle, precisava descobrir se havia algum meio de ajudá-la. À medida que o iate deslizava para o cais de pedra branca, ele pensava na Noelle que conhecera, com quem vivera e que amara, chegando a uma conclusão: Noelle era perfeitamente capaz de matar.

ENQUANTO O IATE de Philipe Sorel se aproximava da costa da Grécia, o assistente especial do presidente dos Estados Unidos encontrava-se a 100 milhas aéreas a noroeste do aeroporto de Hellenikon, a bordo de um Clíper da Pan Am. William Fraser, na casa dos 50 anos, era um belo homem, grisalho, de rosto vincado e maneiras autoritárias. Olhava para um documento que tinha nas mãos, porém havia mais de uma hora não virava a página nem fazia qualquer movimento. Conseguira uma licença para fazer aquela viagem, embora o momento fosse extremamente impróprio, no meio de uma crise do Congresso. Fraser sabia que as próximas semanas seriam muito dolorosas, mas ao mesmo tempo sentia que não tinha escolha. Aquela viagem era uma expedição punitiva, e tal ideia proporcionava-lhe um frio prazer. Fez um esforço para deixar de pensar no julgamento que começaria no dia seguinte e olhou pela janela do avião. Lá embaixo, no mar, avistou uma embarcação de recreio que se balançava a caminho da Grécia, cuja costa surgia ao longe.

AUGUSTE LANCHON PASSARA três dias enjoado e apavorado. Enjoado porque o barco que tomara em Marselha fora apanhado pela cauda de um mistral, e apavorado porque temia que sua mulher descobrisse o que ele estava fazendo. Aos 60 e poucos anos,

Auguste Lanchon era um homem gordo, careca, de pernas curtas e rosto marcado pela varíola, com olhos de porco e lábios finos, entre os quais pendia constantemente um charuto barato. Era dono de uma butique em Marselha e não tinha dinheiro — ou assim dizia à mulher — para tirar férias, como os ricos. Evidentemente, dizia a si mesmo, aquilo não era de fato um período de férias. Precisava rever sua querida Noelle. Desde que ela o deixara, Lanchon acompanhara sua carreira avidamente pelas colunas sociais em jornais e revistas. Quando ela estrelou sua primeira peça, Lanchon fora de trem até Paris para vê-la, mas a estúpida secretária de Noelle não permitira que os dois se encontrassem. Depois, ele assistira a seus filmes, revendo-os uma e outra vez, lembrando-se de como Noelle um dia o amara. Certo, esta viagem seria cara, mas ele sabia que valeria cada tostão que lhe custasse. Sua preciosa Noelle haveria de se lembrar de como tinham se divertido juntos e se voltaria para ele em busca de proteção. Lanchon subornaria um juiz ou outro funcionário qualquer da justiça — se não saísse muito caro —, Noelle seria libertada e ele a instalaria num apartamentozinho em Marselha, onde ela estaria disponível sempre que ele a quisesse.

Desde que sua mulher não descobrisse.

Na cidade de Atenas, Frederick Stavros trabalhava em seu minúsculo escritório no segundo andar de um velho edifício, no bairro pobre de Monastiraki. Stavros era um jovem cheio de vida, ávido e ambicioso, que lutava para sobreviver na profissão que escolhera. Como não podia pagar um assistente, era obrigado a fazer sozinho toda aquela cansativa pesquisa legal. Geralmente odiava esta parte do trabalho, mas desta vez não se importava, porque sabia que, se ganhasse este caso, seus serviços passariam a ser tão solicitados que ele nunca mais teria preocupações. Poderia casar-se com Elena e começar uma família. Mudaria para um luxuoso conjunto de salas, contrataria assistentes jurídicos e entraria para um clube da moda, como o Lesky de Atenas, onde se conhecem ricos clientes em potencial. A metamorfose já começara: quando saía às ruas, Frederick Stavros era sempre reconhecido e abordado por alguém que vira sua foto nos jornais. Em poucas semanas, saltara do anonimato para a evidência decorrente de ser o advogado de defesa de Larry Douglas. No íntimo, Stavros admitia que o seu era o cliente errado; seria muito melhor defender a fabulosa Noelle Page do que um joão-ninguém como Larry Douglas, mas ele próprio era um joão-ninguém e lhe bastava o fato de passar a ser um dos principais personagens do caso de assassinato mais sensacional do século. Se os acusados fossem absolvidos, haveria glória suficiente para todos. Apenas uma coisa preocupava Stavros, e ele pensava nisso o tempo todo: os dois réus eram acusados do mesmo crime, mas outro advogado defendia Noelle Page. Se ela fosse absolvida e Larry Douglas condenado... Stavros estremeceu e procurou não pensar em tal possibilidade. Os repórteres viviam perguntando se ele acreditava na culpa dos acusados e Stavros achava graça da ingenuidade deles. Que importava se fossem culpados ou inocentes? Mereciam a melhor defesa que o dinheiro pudesse pagar. Pela parte que lhe tocava, Stavros reconhecia o exagero desta afirmação, mas quanto ao advogado de Noelle Page... era outra coisa. Napoleon Chotas assumira a defesa e não havia no mundo um criminalista mais brilhante. Chotas jamais perdera um caso importante. Ao pensar nisso, Frederick Stavros sorriu para si mesmo. Não seria capaz de confessá-lo a ninguém, mas o fato era que estava planejando chegar ao sucesso à custa do talento de Napoleon Chotas.

ENQUANTO FREDERICK STAVROS trabalhava em seu esquálido escritório de advogado, Napoleon Chotas participava de um jantar em black tie, numa luxuosa residência do rico bairro de Kolonaki. Chotas era magro, macilento, com olhos de sabujo, grandes e tristes, no rosto enrugado. Escondia um cérebro brilhante por trás daquela aparência suave e ligeiramente aturdida. Enquanto se ocupava da sobremesa, Chotas pensava preocupado no julgamento que começaria no dia seguinte. A maior parte da conversa durante o jantar girara em torno do assunto. Fora uma discussão generalizada, pois os convidados eram suficientemente discretos para não fazerem perguntas diretas a ele, mas ao fim da noite, quando o *ouzo* e o conhaque fluíam mais livremente, a anfitriã perguntou:

— Diga-nos, você acha que eles são culpados?

Chotas replicou inocentemente:

— Como poderiam ser? Um deles é meu cliente.

Ouviram-se risos apreciativos.

— Como é realmente Noelle Page?

Chotas hesitou.

— É uma mulher fora do comum — respondeu cautelosamente. — Bonita, talentosa...

Surpreendeu-se ao descobrir sua própria relutância em falar sobre Noelle. Além do mais, não havia maneira de captar Noelle com palavras. Até poucos meses antes, Chotas fazia dela uma vaga ideia, de uma figura atraente que esvoaçava pelas colunas sociais e enfeitava capas de revistas de cinema. Nunca a vira e, se chegara a pensar nela, fora com aquele desprezo indiferente que sentia por todas as atrizes. Apenas corpo e nenhum cérebro. Mas, por Deus, como se enganara! Desde que a encontrara, Chotas se apaixonara desesperadamente por ela. Por causa de Noelle Page, quebrara sua principal norma: jamais se envolver emocionalmente com o cliente. Chotas recordava nitidamente a tarde em que fora procurado para assumir sua defesa. Estivera arrumando as malas para uma viagem. Nada, pensara ele, poderia impedi-lo de fazer aquela viagem. Mas duas palavras foram suficientes. Em sua mente, Chotas reviu o mordomo entrando no quarto, entregando-lhe o telefone e dizendo: "Constantin Demiris."

A ILHA ERA INACESSÍVEL, exceto por helicóptero ou iate, e tanto o campo de pouso quanto o porto eram patrulhados 24 horas por dia por guardas armados e cães pastores alemães treinados. Aquele era o território privado de Constantin Demiris e ninguém entrava sem ser convidado. No correr dos anos a ilha fora visitada por reis, rainhas, presidentes e ex-presidentes, artistas de cinema, cantores de ópera, escritores e pintores famosos. Todos saíam deslumbrados. Constantin Demiris era o terceiro homem mais rico do mundo e um dos mais poderosos, além de ter classe, bom gosto e saber como gastar dinheiro para criar beleza.

Demiris descansava agora em sua biblioteca ricamente decorada, à vontade numa grande poltrona, fumando um dos cigarros egípcios que eram feitos especialmente para ele, e pensava no julgamento que começaria pela manhã. A imprensa havia meses tentava aproximar-se dele, mas Demiris simplesmente se mantivera inatingível. Bastava o fato de que sua amante ia ser julgada por assassinato, bastava o envolvimento, embora indireto, de seu nome no caso. Recusara-se a contribuir para o escândalo concedendo entrevistas. Imaginava o que Noelle estaria sentindo agora, em sua cela na prisão da rua Nicodemus. Estaria dormindo? Acordada? Em pânico ante o calvário a sua espera? Demiris recordou sua última conversa com Napoleon Chotas. Confiava em Chotas, sabia que o advogado não o decepcionaria, depois de ele ter deixado bem claro que não lhe importava a culpa ou a inocência de Noelle: o advogado deveria esforçar-se para merecer cada tostão do tremendo honorário que Demiris lhe estava pagando para defendê-la. Não, ele não tinha razões para se preocupar, o julgamento correria bem. E já que era um homem que jamais se esquecia de coisa alguma, Constantin Demiris sabia que a flor preferida de Catherine Douglas era a *Triantafylia*, a bela rosa grega. Estendeu a mão para um bloco de apontamentos na escrivaninha e anotou: *Triantafylias. Catherine Douglas.*

Era o mínimo que podia fazer por ela.

LIVRO PRIMEIRO

Catherine

Chicago: 1919-1939

1

Toda grande cidade possui uma imagem própria, uma personalidade que lhe confere seu caráter específico. Na década de 1920, Chicago era um gigante dinâmico e inquieto, imaturo e sem educação, preso ainda em parte ao violento passado que fora a era dos magnatas que contribuíram para seu nascimento: William B. Ogden e John Wentworth, Cyrus McCormick e George M. Pullman. Era um reino que pertencia a gente como Philip Armour, Gustavus Swift e Marshall Field, domínio de gangsters profissionais, homens frios como Hymie Weiss e Al Capone, o Scarface.

Uma das mais antigas lembranças de infância de Catherine Alexander era a da ida a um bar em companhia do pai, do chão coberto de serragem e da vertiginosa altura do tamborete para o qual seu pai a içara. Ele pedira um enorme copo de cerveja para si e um Green River para ela. Catherine tinha 5 anos e se lembrava de como o pai ficara orgulhoso quando pessoas desconhecidas se aproximaram para admirá-la; todos os homens pediram cerveja e ele pagou. Catherine lembrava-se de ter-se encostado várias vezes ao braço dele, para se assegurar de sua presença protetora. Seu pai acabara de voltar à cidade na noite anterior e ela sabia que logo tornaria a partir, pois era vendedor e lhe tinha explicado que seu trabalho o obrigava a viajar a cidades distantes, passando às vezes meses longe de Catherine e de sua mãe, mas que só assim podia voltar trazendo belos presentes. A menina tentara desesperadamente fazer um trato com o pai: desistiria dos presentes se ele desistisse de viajar. O pai achara muita graça, dizendo que Catherine era uma criança precoce, e depois partiu. Passaram-se seis meses até que a menina voltou a vê-lo. Durante aqueles primeiros anos, Catherine via a mãe diariamente, mas esta lhe parecia uma figura vaga e indefinida, enquanto o pai, que encontrava esporadicamente, parecia-lhe nítido e cheio de vida. Catherine o via como um homem bonito, alegre e bem-humorado, dado a gestos de carinho e generosidade. Quando ele voltava para casa, era uma festa — dias de presentes, prazeres e surpresas.

Quando Catherine tinha 7 anos, seu pai perdeu o emprego e a vida mudou. Transferiram-se de Chicago para Gary, em Indiana, onde ele foi trabalhar numa joalheria e Catherine entrou para a escola. Estabeleceu um relacionamento distante e cauteloso com as outras crianças, mas tinha pavor das professoras, que interpretavam seu retraimento como presunção. O pai jantava em casa todas as noites e, pela primeira vez na vida, Catherine se sentia numa verdadeira família, igual às outras. Aos domingos, os três iam a Miller Beach, andar a cavalo pelas dunas de areia por algumas horas. Catherine gostara da vida em Gary, mas aquilo durou apenas seis meses, pois seu pai tornou a perder o emprego e a família se mudara para Harvey, um subúrbio de Chicago. Lá, as aulas já haviam começado e Catherine se tornou a "novata", excluída das amizades já formadas, passando a ser vista como uma criança solitária. Apoiadas na segurança de seus grupinhos, as outras crianças só se aproximavam daquela tímida recém-chegada para ridicularizá-la cruelmente.

Durante os anos seguintes, Catherine forjara uma armadura de indiferença para se defender contra a agressão das outras crianças. Quando alguém varava a armadura, ela revidava com uma sagacidade afiada e cáustica, que visava a afastar seus carrascos para que a deixassem em paz, mas cujo inesperado efeito fora bem diverso. Escrevendo para o jornalzinho da escola, Catherine fez a crítica de um musical encenado por seus colegas de classe e disse: "Tommy Belden faria um solo de trompete no segundo ato, mas ele o arrebentou." Comentaram muito a frase e — a grande surpresa — Tommy Belden a abordou no pátio no dia seguinte para dizer que achara engraçado.

O professor de inglês mandou que os alunos lessem *Capitão Horácio Hornblower*. Catherine detestou o livro e sua apreciação se resumiu numa única frase: "O barco dele em marcha era pior do que parado."* O professor, que velejava nos fins de semana, deu-lhe um 10. Os colegas começaram a repetir as tiradas de Catherine e em pouco tempo ela se tornou a humorista da escola.

Por esta época, Catherine completou 14 anos e seu corpo começou a sugerir o desabrochar de uma mulher. Ela passava horas na frente do espelho, tentando descobrir um meio de modificar a catástrofe que se refletia nele. Por dentro, era a própria Myrna Loy, que enlouquecia os homens com sua beleza, mas o espelho, seu inimigo implacável, refletia apenas a massa confusa de cabelos negros, impossíveis de controlar, os solenes olhos cinzentos, a boca que parecia nunca parar de crescer e o nariz ligeiramente arrebitado. Talvez não fosse propriamente *feia*, arriscava Catherine para si mesma, mas o fato é que ninguém moveria uma palha para contratá-la como artista de cinema. Tentou imaginar-se como modelo, encovando as faces e ensaiando um olhar sensual, mas o resultado foi deprimente. Ensaiou outra pose, os olhos bem

---

*O sabor da frase *"his barque was worse than his bight"* é intraduzível por significar uma transposição para linguagem náutica do provérbio *"his bark is more than his bite"*, equivalente ao nosso "cão que ladra não morde". (*N. do T.*)

abertos, um grande sorriso, a expressão ávida, mas nada adiantou, pois também não fazia o gênero da típica americana. Não fazia gênero algum. Chegou à triste conclusão de que seu corpo seria satisfatório, mas apenas isso e, afinal, o que ela desejava mais que tudo no mundo era ser especial, era vir a ser lembrada, se tornar alguém e nunca, nunca, nunca morrer.

No verão de seus 15 anos, Catherine leu *Ciência e Saúde*, de Mary Baker Eddy, e durante duas semanas passou uma hora por dia diante do espelho decidindo que sua imagem se tornaria bela. Tudo o que conseguiu descobrir de novo foi uma floração de acne no queixo e uma espinha na testa. Desistiu de comer doces, de ler Mary Baker Eddy e de se olhar no espelho.

Tinham voltado para Chicago e viviam num apartamento pequeno e melancólico na zona norte, em Rogers Park, onde os aluguéis eram baratos. O país caminhava para uma depressão econômica cada vez mais profunda e o pai de Catherine estava trabalhando menos e bebendo mais, engalfinhando-se com a mulher numa série interminável de discussões que afastavam Catherine de casa. Ela ia até a praia, a alguns quarteirões de distância, e andava pela areia, seu corpo magro parecendo criar asas com as rajadas de vento. Passava horas a fio contemplando o inquieto lago cinzento, sentindo um anseio desesperado de algo que não sabia definir. Desejava alguma coisa com tal intensidade que às vezes mergulhava numa dor insuportável.

Catherine descobrira nos livros de Thomas Wolfe a própria imagem da suave nostalgia que encontrava em si mesma, mas a sua era a nostalgia de um futuro que ainda não existira, como se algum dia, em algum lugar, ela tivesse vivido uma vida maravilhosa que agora ansiava por viver outra vez. Seus ciclos menstruais haviam começado e, enquanto fisicamente se transformava em mulher, compreendia que seus anseios e necessidades, esses desejos dolorosos que sentia, não eram físicos e nada tinham a ver com sexo. Era uma ambição violenta e premente de ser reconhecida, de sobressair dentre os bilhões de pessoas que fervilhavam sobre a Terra, de modo que todos a conhecessem e comentassem ao vê-la passar: "Lá vai Catherine Alexander, a grande..." A grande *o quê?* Este era o problema. Ela não sabia o que queria, apenas que o queria desesperadamente. Nas tardes de sábado, quando tinha dinheiro, Catherine ia ao cinema, ao State and Lake, ao McVickers ou ao Chicago. Deixava-se absorver completamente no mundo sofisticado e maravilhoso de Cary Grant e Jean Arthur, ria com Wallace Berry e Marie Dressler e sofria com os infortúnios românticos de Bette Davis. Conseguia identificar-se mais com Irene Dunne do que com sua própria mãe.

Quando cursava o último ano do colégio, Catherine pôde reconciliar-se com seu superinimigo, o espelho. O reflexo agora era de uma garota de rosto vivo, interessante, de cabelos negros, pele branca e suave. Os traços eram delicados e regulares, a boca ampla e sensível, os olhos cinzentos, inteligentes. O corpo era bonito, os seios firmes, os quadris suavemente ondulados e as pernas bem-feitas. A imagem de Catherine dava uma impressão de indiferença, de altivez, que ela própria não reconhecia em si, como se seu reflexo possuísse uma característica que não pertencesse a sua pessoa. Achava que isso talvez fosse parte daquela armadura protetora que usava desde os tempos de criança.

O PAÍS ESTAVA PRESO nas garras da Depressão, que o estrangulavam cada vez mais, e o pai de Catherine vivia envolvido em grandes negócios que jamais se concretizavam, construindo sonhos e inventando maneiras de ganhar milhões de dólares, como um tipo de macaco para encaixar acima das rodas do carro e que abaixava apertando-se um botão no painel. Nenhum fabricante de automóveis se interessou. Outro invento foi um painel luminoso giratório para anúncios no interior de lojas;

conseguiu despertar uma onda de interesse que rapidamente se dissipou. Ralph, seu irmão mais novo que vivia em Omaha, emprestou-lhe dinheiro para transformar um caminhão em sapataria ambulante, que percorreria a vizinhança. A ideia foi discutida horas a fio com Catherine e sua mãe.

— Não pode falhar — dizia ele. — Imaginem um sapateiro em domicílio! Ninguém fez isso antes. Se agora tenho um Sapatomóvel, que pode fazer 20 dólares por dia, terei 120 dólares por semana; com dois caminhões serão 240 por semana. Em um ano terei 20 caminhões, ou seja, 2.400 dólares por semana, 125 mil por ano. E isto é só o começo...

Dois meses mais tarde o sapateiro e o caminhão desapareciam, pondo fim a mais um sonho.

Catherine, que era a primeira aluna da classe, alimentara esperanças de ir para a Universidade Northwestern, mas mesmo com uma bolsa de estudos a coisa não seria fácil e ela sabia que estava próximo o dia em que seria obrigada a abandonar os estudos para arranjar um emprego. Pretendia trabalhar como secretária, mas estava decidida a jamais desistir daquele sonho que viria a dar um profundo e maravilhoso significado a sua vida, embora o fato de não saber que sonho e que significado seriam esses tornasse tudo ainda mais triste e inútil. Dizia para si mesma que aquilo devia ser crise de adolescência, mas, fosse como fosse, era um inferno. Ela concluía amargamente: *Os jovens são jovens demais para enfrentar a adolescência.*

Havia dois rapazes que se diziam apaixonados por Catherine. Um era Tony Korman, que um dia entraria para o escritório de advocacia do pai e que era 30 centímetros mais baixo do que ela. Era um garoto pálido, com olhos úmidos e míopes que a adoravam. O outro era Dean McDermott, gordo e tímido, que pretendia ser dentista. E havia também Ron Peterson, mas este se situava numa categoria à parte. Era o astro do futebol do colégio e todo mundo dizia que a coisa mais fácil para ele seria ganhar uma bolsa de estudos para atletas. Alto, de ombros largos, bonito como um ídolo de cinema, Ron era o rapaz mais popular do colégio.

A única razão por que Catherine não ficava noiva dele imediatamente era o fato de que Ron não tomava conhecimento de sua existência. Sempre que passava por ele no corredor da escola, seu coração disparava. Vivia imaginando algo inteligente e provocante para dizer, a fim de que ele a convidasse para sair, mas quando se aproximava ficava com a língua presa e acabavam passando um pelo outro em silêncio. Como o *Queen Mary* e uma barcaça de lixo, pensava Catherine desanimadamente.

O PROBLEMA FINANCEIRO estava se tornando crítico. Com o aluguel atrasado três meses, só não eram despejados porque a proprietária era fascinada pelo pai de Catherine, seus planos e invenções grandiosas. Observando o pai, Catherine sentia uma tristeza lancinante, pois, se ele ainda parecia aquele mesmo homem alegre e otimista, podia-se ver através da fachada desgastada que o *charme* maravilhoso e descuidado, que punha cores alegres em tudo que ele fazia, tinha se desintegrado. Para Catherine, ele lembrava um garotinho dentro de um corpo de meia-idade, criando sonhos de futuro glorioso para esconder os patéticos fracassos do passado. Mais de uma vez vira o pai dar jantares no Henrici para 12 convidados e depois pedir dinheiro a um deles para cobrir a despesa e, naturalmente, uma farta gorjeta, pois ele tinha uma reputação a manter. Apesar de tudo isso e de saber que ele fora sempre um pai superficial e indiferente para com ela, Catherine o amava. Amava o entusiasmo e a energia sorridente daquele homem, num mundo de pessoas carrancudas e sombrias, onde sua alegria era uma dádiva que ele jamais deixara de distribuir generosamente. Afinal, pensava Catherine, seu pai, com aqueles maravilhosos sonhos que nunca se concretizavam, era mais feliz que sua mãe, que tinha medo de sonhar. Em abril ela morreu de um ataque cardíaco. O apartamento ficou cheio de amigos e vizinhos que foram dar os pêsames, com aquela piedade falsamente respeitosa que a tragédia costuma inspirar.

A morte reduzira a mãe de Catherine a um minúsculo ser enrugado, sem alento nem vitalidade — ou talvez, pensava ela, fosse a vida que o fizera. Tentava recordar experiências partilhadas com a mãe, alegrias que tiveram juntas, momentos em que se sentiram mais próximas uma da outra, mas o que lhe vinha à mente era sempre a imagem do pai, sorridente, impetuoso e alegre. Como se a vida da mãe tivesse sido uma sombra esmaecida, que fugia ante a luz do sol da memória. Contemplando aquela figura de cera no caixão, dentro de um simples vestido preto de gola branca, Catherine pensava no desperdício que fora a vida de sua mãe. Para que vivera? Aquelas antigas sensações de Catherine voltaram a penetrá-la, a ambição de ser alguém, de deixar gravada sua passagem pelo mundo, para não terminar seus dias numa anônima sepultura, sem ninguém saber nem se importar com o fato de que Catherine Alexander vivera, morrera e retornara ao pó.

O tio Ralph e sua esposa Pauline vieram de Omaha para o enterro. Dez anos mais novo que o pai de Catherine, Ralph era completamente diferente do irmão. Bem-sucedido no comércio de vitaminas por correspondência, era um homem grande e todo quadrado, ombros, mandíbulas, queixo — e mentalidade, pensava Catherine. Sua mulher parecia um passarinho, cheia de palpitações e gorjeios. Mas eram boa gente e Catherine sabia que o tio emprestara muito dinheiro ao irmão, porém nada havia em comum entre ela e eles. Tal como a mãe de Catherine, eram pessoas desprovidas de sonhos.

Depois do enterro, tio Ralph quis ter uma conversa com ela e seu pai. Sentaram-se na minúscula sala de visitas do apartamento, com Pauline esvoaçando em volta com café e bolinhos.

— Sei que as coisas têm sido duras para vocês do ponto de vista financeiro — disse Ralph ao irmão. — Você é um grande sonhador, sempre foi; mas é meu irmão e eu não posso deixar que você se afunde. Conversei sobre isto com Pauline. Quero que venha trabalhar comigo.

— Em Omaha?

— Além de ter chance de ganhar a vida, você e Catherine poderão morar conosco. Nossa casa é grande.

Catherine levou um choque. Omaha! Aquilo seria o fim de seus sonhos.

— Preciso pensar no assunto — estava dizendo seu pai.

— Nós vamos pegar o trem das seis horas — respondeu Ralph. — Decida antes de partirmos.

Sozinho com Catherine, seu pai gemeu:

— Omaha! Aposto que lá não há nem mesmo uma barbearia decente.

Mas Catherine sabia que ele estava representando para ela. Não tinha escolha, com ou sem barbearia decente, pois a vida finalmente o encurralara. Catherine imaginou o que ia ser dele, obrigado a se adaptar a um serviço rotineiro e monótono, com horário a cumprir; tal como um passarinho capturado batendo as asas contra as grades da gaiola, morrendo por falta de liberdade. Quanto a ela, teria de esquecer a ideia de entrar para a Northwestern. Já se candidatara a uma bolsa, mas não obtivera resposta. Naquela tarde, seu pai telefonou ao irmão para dizer que aceitava o emprego.

Na manhã seguinte, Catherine procurou o diretor do colégio para dizer que iria transferir-se para uma escola de Omaha. De pé, junto a sua escrivaninha, o diretor falou antes que ela pudesse dizer qualquer coisa:

— Parabéns, Catherine, você acaba de ganhar uma bolsa integral para a Universidade Northwestern.

Discutiu o assunto com o pai naquela noite e chegaram à conclusão de que ele iria para Omaha enquanto Catherine passaria a morar num alojamento do campus da universidade.

Assim, dez dias depois, ela se despedia do pai na estação da rua La Salle. Sentiu-se profundamente sozinha quando ele partiu, com a tristeza do adeus à pessoa que mais amava no mundo; mas ao mesmo tempo estava ansiosa para que o trem partisse, deliciosamente excitada com a perspectiva de liberdade, de viver pela primeira vez sua própria vida. Ficou parada na plataforma, olhando o rosto do pai colado à janela do trem para vê-la ainda uma vez; um homem gasto, mas ainda bonito, que continuava a acreditar firmemente que um dia conquistaria o mundo.

MATRICULAR-SE NA UNIVERSIDADE foi um acontecimento tremendamente excitante para Catherine, pois tinha um significado especial que ela não podia traduzir em palavras: era a chave que abriria a porta para todos os sonhos e grandes ambições que havia tanto tempo a consumiam. Catherine olhou a sua volta, para as centenas de estudantes que faziam fila para se matricular, no imenso saguão da universidade, e pensou: *Um dia todos vocês saberão quem eu sou e dirão: "Eu fui colega de Catherine Alexander."* Ela se inscreveu no maior número possível de matérias e foi encaminhada a um alojamento. Naquela mesma tarde arranjou emprego de caixa no Roost, uma lanchonete movimentada, próxima ao campus. O salário, de 15 dólares por semana, não era propriamente uma fortuna, mas cobriria os livros e as despesas essenciais.

Em meados do primeiro ano, Catherine chegou à conclusão de que a única virgem existente no campus era ela própria. Durante os anos anteriores ouvira várias vezes fragmentos de conversas dos mais velhos acerca de sexo. A coisa parecia sensacional e Catherine tinha medo de que não existisse mais quando ela fosse suficientemente crescida para tomar parte. Agora, parecia que tais temores foram justificados, pelo menos quanto à parte que lhe tocava. Sexo parecia ser o único assunto na universidade, discutido nos dormitórios, nas salas de aula, nos banheiros e no Roost. A franqueza das conversas impressionava Catherine.

— Jerry é incrível. Parece o King Kong.

— Você está se referindo ao pau ou aos miolos dele?

— Ele não precisa de miolos, querida. Ontem, consegui seis vezes.

— Você já saiu com Ernie Robbins? Ele é baixinho, mas é uma potência.

— Alex me convidou para sair esta noite. O que você acha?

— Não perca tempo com Alex. Ele me levou até a praia na semana passada, arrancou minha calça e começou a me agarrar e eu a ele, só que não consegui encontrá-lo.

Gargalhada geral.

Catherine achava aquelas conversas vulgares e nojentas, mas procurava não perder uma só palavra. Era um exercício de masoquismo. Enquanto as garotas descreviam suas aventuras sexuais, Catherine se imaginava na cama com um rapaz, fazendo amor loucamente. Isto lhe dava uma dor na virilha e ela apertava os punhos entre as coxas, com força, tentando sentir uma dor maior que a fizesse esquecer a outra. *Meu Deus,* pensava, *vou morrer virgem. A única virgem de 19 anos na Northwestern. Na universidade coisa nenhuma, provavelmente no país inteiro! A Virgem Catherine. A Igreja vai me canonizar e vão acender velas para mim uma vez por ano. Que há de errado comigo?,* perguntava a si mesma, e respondia: *Eu sei o que é. Ninguém convida você e são necessários dois para jogar esse jogo. Quer dizer, precisa-se de dois para jogar direito.*

O nome mais citado nas conversas das garotas era o de Ron Peterson, que entrara para a Northwestern com uma bolsa de estudos para atletas e se tornara tão popular quanto o fora no colégio. Elegeram-no representante da classe dos calouros. Catherine o viu na turma de latim, no dia em que começaram as aulas. Achou-o mais bonito ainda do que no colégio, pois seu corpo havia se desenvolvido e o rosto adquirira uma expressão de maturidade indiferente e segura de si. Depois da aula Ron se encaminhou para ela e o coração de Catherine disparou.

— *Catherine Alexander?*

— *Olá, Ron.*

— *Você está fazendo esta matéria?*

— *Estou.*

— *Que chance para mim!*

— *Por quê?*

— *Por quê? Ora, eu nada sei de Latim, mas você é um gênio e assim vamos nos dar muito bem. O que você vai fazer esta noite?*

— *Nada de especial. Você quer estudar?*

— *Temos muito tempo para estudar. Vamos à praia, onde poderemos ficar sozinhos.*

RON ESTAVA OLHANDO para ela.

— Ei!... ãh...? — Tentava lembrar-se do nome. Catherine engoliu em seco, também procurando lembrar.

— Catherine — disse ela rapidamente. — Catherine Alexander.

— Isso mesmo. Que lugar este aqui, hein? Genial, não é?

Catherine tentou infundir entusiasmo à voz, para agradá-lo, concordar com ele, atraí-lo.

— Ah, é! É o mais...

Ron estava olhando para uma garota loura sensacional que o esperava na porta.

— A gente se vê — disse ele, enquanto ia ao encontro da garota.

Assim terminou a história da Cinderela e do Príncipe Encantado, pensou ela. *Viveram felizes para sempre, ele com seu harém, e ela, numa desolada caverna do Tibete.*

De vez em quando, Catherine via Ron pelo campus, sempre ao lado de uma garota diferente, às vezes duas ou três. *Meu Deus, será que ele nunca se cansa?*, pensava ela, ainda sonhando com o dia em que Ron viria pedir ajuda em Latim, mas ele nunca mais falou com ela.

À noite, em sua cama solitária, Catherine imaginava todas as outras garotas fazendo amor com os namorados, e o rapaz que inventava para si mesma era sempre Ron Peterson. Em sua imaginação ele a despia, depois ela fazia o mesmo com ele, lentamente, como nas novelas românticas. Tirava a camisa, acariciando-lhe suavemente o peito, depois desabotoava a calça e tirava a cueca. Ele a tomava nos braços e a levava para a cama. Neste ponto o senso de humor era mais forte e Catherine imaginava Ron perdendo o equilíbrio e caindo no chão, gemendo de dor nas costas. *Idiota*, dizia a si mesma, *você não consegue nem fantasiar direito.* Talvez devesse entrar para um convento. Ficava imaginando se as freiras têm fantasias sobre sexo, se para elas é pecado se masturbar, se os padres têm relações sexuais.

Catherine estava sentada no pátio fresco e cheio de árvores de uma deliciosa abadia nos arredores de Roma, correndo os dedos sobre a superfície morna de um velho tanque ornamental. Abriu-se o portão e um padre alto entrou no pátio. Usava chapéu de abas largas, uma longa batina preta e era a cara de Ron Peterson.

— Ah, scusi, signorina *— murmurou ele. — Não sabia que tinha visitas.*

Catherine levantou-se rapidamente.

— Eu não deveria estar aqui — desculpou-se. — É que o lugar é tão lindo que tive de me sentar para contemplá-lo.

— Você é bem-vinda. — Ele se aproximou, os olhos escuros e ardentes. — Mia cara... eu menti para você!

— Mentiu para mim?

— Sim. — Os olhos dele eram penetrantes. — Sabia que você estava aqui, porque eu a segui.

Catherine sentiu um arrepio de prazer.

— Mas você é um padre...

— Bella signorina, *sou homem antes de ser padre.*

Ele se inclinou para tomá-la nos braços mas tropeçou na bainha da batina e caiu no tanque. Que droga!

RON PETERSON IA todo dia ao Roost depois da aula e sentava-se na mesa do canto, onde logo aparecia um grupo de amigos, transformando o lugar num centro de barulhentas conversas. Catherine ficava atrás do balcão, junto ao caixa, e quando Ron entrava cumprimentava-a distraidamente, seguindo em frente. Nunca a chamara pelo nome. *Ele esqueceu*, lamentava Catherine, mas não deixava de sorrir para ele todos os dias ao vê-lo entrar, esperando que o rapaz dissesse olá, sugerisse um programa, pedisse um copo d'água, perguntasse sobre sua virgindade, qualquer coisa. Tratava-a como se fosse parte da mobília. Examinando as garotas presentes com objetividade, Catherine concluiu que apenas uma era mais bonita do que ela própria: Jean-Anne, uma loura sulista fantástica, a garota que mais se via em companhia de Ron. De resto, Catherine tinha certeza de ser mais inteligente que todas elas juntas. Então, Santo Deus, que havia de errado com ela? Por que nem um único rapaz a convidava para sair? Teve a resposta no dia seguinte.

Caminhava apressadamente pelo *campus* em direção ao Roost quando viu Jean-Anne e uma garota morena desconhecida aproximarem-se dela através do gramado.

— Ei, é a Senhorita Cérebro — disse Jean-Anne.

E a Senhorita Peituda, pensou Catherine com inveja.

— Foi terrível a prova de Literatura, não foi? — disse em voz alta.

— Não seja modesta — disse Jean-Anne friamente. — Você sabe Literatura para ensinar. E não é só isso que você tem para nos ensinar, não é mesmo, querida?

Alguma coisa na maneira como ela falou fez Catherine enrubescer.

— Eu... não entendo o que você quer dizer.

— Deixe-a em paz — disse a morena.

— Por quê? — perguntou Jean-Anne. — Quem ela pensa que é, afinal? — Voltou-se para Catherine. — Você quer saber o que todo mundo diz a seu respeito?

Por Deus, não.

— Quero.

— Você é lésbica.

Catherine olhou-a incrédula.

— Eu sou *o quê*?

— Lésbica, meu bem. Você não engana ninguém com essa fachada de santinha.

— Isso... isso é ridículo — gaguejou Catherine.

— Você achou mesmo que poderia enganar a gente? — perguntou Jean-Anne. — Só falta mesmo escrever na testa.

— Mas eu... eu nunca...

— Os rapazes ficam duros por sua causa mas você não dá chance de eles meterem.

— Mas, olhe...

— Foda-se — disse Jean-Anne. — Não gostamos do seu tipo.

As duas se afastaram, deixando Catherine petrificada.

Naquela noite, ficou na cama, incapaz de conciliar o sono.

— *Quantos anos tem, Srta. Alexander?*

— *Dezenove.*

— *Já teve alguma relação sexual com homens?*

— *Nunca.*

— *Você gosta de homens?*

— *Toda garota gosta, não é?*

— *Já teve vontade de ter relações sexuais com mulheres?*

Catherine pensou seriamente naquilo. Já tivera inclinações por outras garotas, por professoras, mas aquilo fazia parte do crescimento. Agora, procurou pensar em fazer amor com uma mulher, seus corpos entrelaçados, os lábios unidos, mãos femininas e suaves acariciando-a. Estremeceu. *Não. Eu sou normal*, disse em voz alta. Mas, se era normal, por que estava ali deitada sozinha? Por que não estava lá fora sendo comida como o resto da humanidade? Talvez fosse frígida. Talvez precisasse de uma operação qualquer, provavelmente uma lobotomia.

Quando o céu do leste começou a clarear através da janela do dormitório, Catherine ainda não tinha dormido, mas chegara a uma conclusão. Ela ia perder a virgindade e o felizardo seria o queridinho de todas as mulheres, Ron Peterson.

Noelle

Marselha-Paris: 1919-1939

2

ELA NASCEU PRINCESA REAL.

Suas primeiras lembranças eram de um berço branco com dossel rendado, enfeitado com fitas cor-de-rosa e cheio de bichinhos de pelúcia, lindas bonecas e chocalhos dourados. Cedo aprendeu que, abrindo a boca e gritando, alguém logo aparecia para segurá-la e confortá-la. Quando tinha seis meses, seu pai a levara ao jardim no carrinho e dissera ao vê-la tocar as flores: "São lindas, princesa, mas você é mais linda que todas elas."

Era bom quando o pai a levantava com seus braços fortes e a carregava até a janela da casa, de onde se viam os telhados de altos edifícios: "Aquilo lá é o nosso reino, princesa", dizia ele. Apontando os longos mastros oscilantes dos navios ancorados no porto, acrescentava: "Está vendo aqueles grandes navios? Um dia serão todos seus."

Várias pessoas visitavam o castelo para vê-la, mas apenas poucos escolhidos tinham permissão para pô-la no colo. Os demais a contemplavam no berço, impressionados com seus traços incrivelmente delicados, seu belo cabelo louro e a pele suave, cor de mel, enquanto o pai dizia orgulhoso: "Qualquer um diria que ela é uma princesa!" E, inclinando-se sobre o berço, acrescentava: "Algum dia virá um belo príncipe, que a fará sonhar." Delicadamente, seu pai ajeitava o cobertor cor-de-rosa que a envolvia e ela mergulhava num sono satisfeito. Todo o seu mundo era um sonho cor-de-rosa, composto de navios, altos mastros e castelos, e foi só aos 5 anos de idade que ela compreendeu que era filha de um peixeiro marselhês, que os castelos avistados pela janela eram os armazéns em torno do fedorento mercado de peixe onde seu pai trabalhava e que sua frota era composta por velhos barcos pesqueiros, que saíam todo dia de Marselha antes do amanhecer, para voltar no começo da tarde e despejar sua carga malcheirosa sobre o cais.

Era este o reino de Noelle Page.

Os amigos do pai de Noelle costumavam chamar-lhe a atenção sobre aquilo tudo.

— Você não deve pôr essas ideias malucas na cabeça dela, Jacques. A menina vai ficar pensando que é melhor que os outros.

E as profecias deles se realizaram.

Marselha é aparentemente uma cidade violenta, com aquele tipo de violência primitiva característico das cidades portuárias, que vivem cheias de ávidos marinheiros com dinheiro para gastar e aproveitadores, prontos para ganhá-lo... Mas, ao contrário do restante do povo francês, os marselheses possuem um senso de solidariedade decorrente da luta em comum pela sobrevivência, já que o sustento da cidade vem do mar. Os pescadores de Marselha pertencem à família universal dos homens que vivem da pesca e estão acostumados a compartilhar as tempestades e as calmarias, os súbitos desastres e as colheitas generosas.

Os vizinhos de Jacques Page participavam de sua felicidade em ser pai de uma menina tão extraordinária. Todos consideravam um milagre o fato de se ter gerado uma verdadeira princesa na poeira daquela cidade suja e dissoluta. Os pais de Noelle viviam maravilhados com a exótica beleza da filha. Sua mãe era uma camponesa pesada, de rosto grosseiro, com seios caídos, quadris largos e pernas grossas, enquanto o pai era compacto, de ombros largos e os olhinhos espertos de bretão, com um cabelo da cor da areia das praias normandas. No começo, ele pensara que a natureza tinha cometido um erro e aquela estranha criatura loura com jeito de fada não pertencia realmente a ele e à mulher; acreditara que com o tempo Noelle se transformaria numa garota comum e feiosa como as filhas de seus amigos. Mas o milagre prosseguiu e desabrochou, pois Noelle ficava mais linda a cada dia que passava.

A mãe, porém, não se surpreendera tanto quanto o marido com o aparecimento da beldade loura na família. Nove meses antes do acontecimento, ela conhecera um marinheiro norueguês recém-saído de um cargueiro, um *viking* forte e gigantesco, de cabelos louros e sorriso atraente, que passara um atarefado quarto de hora em sua cama no minúsculo apartamento, enquanto o marido trabalhava. Ao ver como seu bebê era louro e lindo, a mãe de Noelle sentira muito medo. Vivera apavorada à espera do momento em que o marido apontaria para ela o dedo acusador, exigindo a identidade do verdadeiro pai. Mas, por incrível que fosse, alguma profunda necessidade de afirmação levara-o a aceitar a criança como sua, e costumava alardear para os amigos: "Ela deve ter herdado algum sangue escandinavo da minha família, mas vê-se bem que tem os meus traços." Sua mulher ouvia e concordava em silêncio, pensando como os homens são mesmo idiotas.

Noelle gostava da companhia do pai, de sua alegria desajeitada e dos cheiros esquisitos que emanavam dele, mas ao mesmo tempo tinha medo de sua violência. Ficava fascinada quando ele gritava e esbofeteava a mulher, cego de raiva. A mãe berrava de dor, mas havia algo além da dor em seus gritos, algo selvagem e sexual, que enchia Noelle de ciúmes e de vontade de estar no lugar da mãe.

Mas com Noelle ele era sempre delicado. Gostava de levá-la ao cais para mostrá-la aos homens rudes e violentos com quem trabalhava. Ela era conhecida por todo o cais como Princesa e se orgulhava disso, tanto pelo pai quanto por si mesma. Procurava agradar o pai e, como ele gostasse de comer, aprendeu a preparar seus pratos favoritos, de modo que aos poucos foi ocupando o lugar da mãe na cozinha.

Aos 17 anos, Noelle havia cumprido as promessas de sua beleza infantil. Tornara-se uma mulher exótica, de traços finos e delicados, olhos cor de violeta e cabelos absolutamente louros, contrastando com a pele suave e dourada como se tivesse sido mergulhada em mel. Seu corpo era impressionante, os seios fartos mas firmes, a cintura bem marcada, quadris arredondados, pernas longas e bem torneadas. Tinha uma voz peculiar, suave e musical. Havia em Noelle uma sensualidade marcante, mas não residia aí seu fascínio, e sim no fato de que por trás daquela sensualidade parecia existir uma ilha inexplorada de inocência, e a combinação dessas características era irresistível. Ela não podia andar na rua sem deixar de ouvir propostas dos transeuntes, mas não eram as propostas costumeiras às prostitutas da cidade, pois mesmo os homens mais estúpidos percebiam nela algo de especial, algo que nunca tinham visto antes e que talvez não voltassem a ver, de modo que cada um deles se dispunha a pagar tudo que pudesse para tentar fazer daquilo parte de si mesmo, ao menos por alguns instantes.

Também o pai de Noelle tinha consciência de sua beleza e, para falar a verdade, praticamente não pensava em outra coisa. Percebia o interesse que ela despertava nos homens. Embora nem ele nem a mulher jamais falassem sobre sexo com Noelle, estava certo de que ela ainda era virgem, ainda conservava aquele precioso capital feminino, e sua mente esperta de camponês meditava exaustivamente sobre a melhor maneira de tirar partido daquele golpe de sorte que a vida lhe proporcionara. Seu dever era cuidar para que a beleza da filha trouxesse o máximo de proveitos para ela e para si próprio, pois afinal ele a gerara, alimentava, vestia e educava — Noelle devia tudo ao pai e agora já era hora de recompensá-lo. Se pudesse arranjar-lhe um amante rico, seria bom para ela e, quanto a ele, poderia ter a vida desafogada que merecia, pois estava ficando cada vez mais difícil para um homem honesto ganhar a vida. A sombra da guerra começara a se estender sobre a Europa; os nazistas haviam invadido a Áustria num golpe fulminante que deixara a todos atordoados, e poucos meses mais tarde ocuparam a região dos sudetos, dirigindo-se em seguida para a Eslováquia. Embora Hitler afirmasse que não pretendia prosseguir nas conquistas, todos sentiam que haveria um conflito de grandes proporções. Esses acontecimentos haviam causado forte impacto sobre a França: os produtos começaram a escassear nas lojas e mercados à medida que o governo se preparava para um esforço global de resistência. Jacques temia que dentro em breve a pesca fosse suspensa e, então, que seria dele? A única saída para seu problema era arranjar um amante adequado para a filha, mas o caso era que ele não conhecia nenhum homem rico; todos os seus amigos eram tão pobres quanto ele próprio e Jacques não estava disposto a deixar homem algum se aproximar de Noelle se não tivesse condições de pagar seu preço.

A própria Noelle acabou fornecendo por acaso a solução para o dilema de Jacques Page. Nos últimos meses, vinha tornando-se cada vez mais inquieta; continuava bem na escola, mas esta começava a saturá-la. Disse ao pai que desejava arranjar um emprego. Ele a observou em silêncio, avaliando sagazmente todas as possibilidades.

— Que tipo de emprego? — perguntou.

— Não sei — replicou Noelle. — Talvez eu possa trabalhar como modelo, *papa*.

Simples assim.

Na semana seguinte, Jacques Page foi para casa todos os dias depois do trabalho. Tomava banho com cuidado, para tirar o cheiro de peixe das mãos e do cabelo, vestia seu melhor terno e descia até a Canebière, a rua principal que ia do velho porto até os bairros mais elegantes da cidade. Subia e descia a rua, examinando todas as butiques, um camponês desajeitado num mundo de sedas e rendas, mas não se incomodava com o fato de estar deslocado. Tinha um único objetivo, que atingiu quando chegou ao Bon Marché, a melhor loja de Marselha. Mas não foi por isso que Jacques a escolheu, e sim porque seu proprietário era Auguste Lanchon, homem de 50 e poucos anos, feio, careca, de pernas curtas, com uma boca ávida e inquieta. A mulher dele era miúda, com um perfil semelhante a um machado bem afiado, e trabalhava na sala de costura, supervisionando os alfaiates em altos brados. Jacques Page olhou bem para o Sr. Lanchon e sua esposa e concluiu que a solução de seu problema fora encontrada.

Lanchon não gostou quando aquele estranho malvestido entrou em sua loja e o interpelou rudemente:

— Sim? Que posso fazer pelo senhor?

Jacques Page piscou um olho, espetou o dedo no peito de Lanchon e sorriu maliciosamente.

— O caso, *monsieur*, é o que eu posso fazer pelo senhor. Vou deixar minha filha trabalhar para o senhor.

Auguste Lanchon encarou espantado o grosseirão a sua frente.

— Que história é essa? Deixar sua filha...

— Ela estará aqui amanhã às 9 horas.

— Mas eu não...

Jacques Page já se fora e poucos minutos depois Lanchon esquecera completamente o incidente. Às 9 horas da manhã seguinte, deu com o homem entrando pela loja; estava a ponto de dar ordem ao gerente para expulsá-lo quando deparou com Noelle atrás do pai. Os dois se aproximaram enquanto o velho dizia sorridente:

— Aqui está ela para trabalhar.

Auguste Lanchon olhou para a garota e umedeceu os lábios.

— Bom-dia, *monsieur* — disse Noelle sorrindo. — Meu pai disse que o senhor tem um emprego para mim.

Lanchon assentiu, incapaz de proferir uma palavra.

— É, eu... eu acho que podemos dar um jeito — gaguejou finalmente, enquanto examinava o rosto e o corpo de Noelle sem conseguir acreditar no que via. Já estava imaginando a sensação de ter aquele corpo jovem despido sob o seu. Jacques Page disse:

— Bem, deixo vocês dois à vontade para se entenderem.

Deu-lhe um tapa amigável no ombro e uma piscadela cheia de insinuações, que tornaram suas intenções bastante claras para Lanchon.

DURANTE AS PRIMEIRAS semanas, Noelle se sentiu como se transportada para outro mundo. As mulheres que frequentavam a loja usavam roupas lindas e tinham maneiras adoráveis, enquanto os homens que as acompanhavam eram totalmente diferentes dos rudes e turbulentos pescadores entre os quais ela crescera. Teve a impressão de que pela primeira vez na vida o cheiro de peixe desaparecera de suas narinas: nunca tivera consciência dele, porque sempre fizera parte de si, mas agora tudo mudara repentinamente e graças a seu pai. Ela se orgulhava da maneira como ele se entendia com o Sr. Lanchon. Vinha duas ou três vezes por semana à loja e saía com o proprietário para tomar um conhaque ou uma cerveja; quando voltavam, havia um ar de camaradagem entre eles. No início, Noelle não simpatizara com o patrão, mas sua atitude para com ela sempre fora respeitosa. Uma das moças lhe contou que certa vez a Sra. Lanchon pegara o marido no depósito com uma modelo e quase o castrara com um par de tesouras. Noelle percebia que os olhos de Lanchon não se despregavam dela, mas, como ele continuasse perfeitamente respeitoso, imaginava satisfeita que talvez tivesse medo de seu pai.

Em casa também o ambiente se tornara subitamente mais agradável. Jacques parara de bater na mulher e as constantes discussões tinham cessado. Apareceram bifes e assados às refeições e, depois do jantar, o pai acendia um cachimbo novo, espalhando o aroma refinado do fumo que guardava numa bolsinha de couro. Além disso, comprara um terno novo para os domingos. Pelas conversas que ele mantinha com os amigos, Noelle podia perceber que a situação internacional piorava gradualmente, mas, enquanto os outros pareciam alarmados com as iminentes ameaças à sua sobrevivência, Jacques Page se mostrava estranhamente despreocupado.

No dia 1º de setembro de 1939 as tropas de Hitler invadiram a Polônia e dois dias depois a Grã-Bretanha e a França declararam guerra à Alemanha. Começou a mobilização, que de repente inundou as ruas de uniformes. Todos pareciam conformados com os acontecimentos, com uma sensação de déjà-vu, como se assistissem a um velho filme que já fora visto. Talvez os outros países tivessem razões para temer o poderio do exército alemão, mas a França se sentia invencível, já que possuía a Linha Maginot, fortaleza inexpugnável, capaz de impedir a invasão do país durante uns mil anos. Foi decretado toque de recolher e racionamento, mas nada disso preocupava Jacques Page, que parecia outro homem, mais tranquilo. A única vez em que Noelle o viu em fúria foi numa noite em que a pegou, na cozinha, beijando um rapaz com quem saía ocasionalmente. As luzes se acenderam de repente e lá estava Jacques Page na porta, tremendo de raiva.

— Fora — gritou para o rapaz apavorado. — E fique longe de minha filha, seu porco imundo!

O garoto fugiu em pânico. Noelle tentou explicar ao pai que nada haviam feito de errado, mas ele estava furioso demais para escutar.

— Não vou deixar que você se desperdice — urrava. — Ele é um joão-ninguém, não serve para a minha princesa.

Noelle custou a dormir naquela noite, pensando maravilhada no amor que seu pai lhe dedicava e jurando para si mesma jamais voltar a fazer algo que lhe desagradasse.

Certa noite, apareceu uma cliente na loja quase na hora de fechar e Lanchon mandou Noelle apresentar alguns vestidos. Quando ela terminou, todos já tinham ido embora menos Lanchon e sua mulher, que estava cuidando da contabilidade no escritório. Noelle entrou no vestiário para trocar de roupa e estava de sutiã e calcinha quando Lanchon apareceu. Ficou olhando para ela com os lábios trêmulos e, antes que Noelle pudesse enfiar o vestido, ele se aproximou num movimento rápido, metendo a mão entre suas pernas. Noelle teve um arrepio de nojo e tentou desvencilhar-se, mas Lanchon a segurava fortemente, chegando a machucá-la.

— Você é linda — sussurrou. — Linda mesmo. Vou fazer você se divertir muito.

Naquele instante a Sra. Lanchon o chamou e ele teve de soltar Noelle, saindo apressadamente.

A caminho de casa, ela ficou pensando se contaria ou não a seu pai o que acontecera. Ele provavelmente mataria Lanchon e, embora Noelle o detestasse e mal tolerasse sua proximidade, queria o emprego, e além disso seu pai poderia ficar desapontado se ela saísse. Resolveu nada dizer por enquanto. Procuraria contornar a situação sozinha.

Na sexta-feira seguinte, a Sra. Lanchon teve de viajar para Vichy, porque sua mãe adoecera. Lanchon levou-a à estação, voltou correndo à loja, chamou Noelle ao escritório e a informou de que iria com ele passar o fim de semana fora. Noelle ficou atordoada, pensando inicialmente que aquilo era brincadeira.

— Nós vamos a Viena — balbuciou Lanchon. — Lá existe um dos maiores restaurantes do mundo, Le Pyramide. É muito caro, mas não tem importância porque eu sou muito generoso com as pessoas que me tratam bem. A que horas você estará pronta?

— Nunca — foi tudo que Noelle conseguiu articular, olhando para ele. — Nunca.

Saiu correndo do escritório enquanto Lanchon, após um momento de choque, o rosto vermelho de raiva, agarrava o telefone em sua mesa. Uma hora mais tarde Jacques Page entrava na loja. Foi um alívio para Noelle vê-lo aproximar-se e ela pensou que provavelmente o pai pressentira algo de errado e viera socorrê-la. Lanchon estava parado na porta do escritório quando Page agarrou o braço da filha e a empurrou lá para dentro. Lanchon se virou para encará-la.

— Que bom que você apareceu, *papa* — disse Noelle. — Eu...

— O Sr. Lanchon me contou que lhe fez uma esplêndida oferta e você recusou.

Noelle ficou petrificada.

— Oferta? Ele me chamou para passar o fim de semana fora.

— E você disse não?

Antes que Noelle pudesse responder o pai levantou a mão e a esbofeteou com força. Ela ficou imóvel, mal podendo acreditar, enquanto seus ouvidos zuniam e através de uma espécie de névoa a voz de seu pai dizia: "Estúpida! Estúpida! Já é hora de começar a pensar em alguém além de você mesma, sua cadelinha egoísta!" E bateu novamente.

Meia hora mais tarde, enquanto Jacques Page olhava da calçada, Noelle e o Sr. Lanchon partiam de carro para Viena.

O QUARTO DO HOTEL tinha uma grande cama de casal, móveis baratos e um lavatório no canto, pois o Sr. Lanchon não era homem de esbanjar dinheiro. Deu uma pequena gorjeta ao camareiro e, mal este se retirou, virou-se para Noelle e começou a lhe arrancar as roupas. Segurou-lhe os seios com as mãos úmidas e quentes, apertando-os com força. "Meus Deus, você é linda!", ofegava. Tirou-lhe a saia e a calcinha, empurrando-a para a cama. Noelle se deixou cair, mecanicamente, como se estivesse em estado de choque. Não dissera uma palavra durante a viagem e Lanchon temera que ela fosse passar mal, pois nunca poderia explicar-se com a polícia e muito menos com sua mulher.

Despiu-se às pressas, jogando a roupa no chão e subiu na cama ao lado daquele corpo ainda mais esplêndido do que ele imaginara.

— Seu pai me disse que você nunca foi comida. Bem, eu vou lhe mostrar o que é um homem — disse ele numa careta, enquanto passava sua gorda barriga por cima dela e enfiava-lhe o membro entre as pernas. Começou a empurrar cada vez mais forte, penetrando-a, mas Noelle nada sentia, apenas o eco da voz de seu pai, que gritava: *Você devia dar graças pelo fato de um cavalheiro tão bom como o Sr. Lanchon querer cuidar de você. Tudo que você precisa fazer é ser boazinha com ele. Faça isso por mim. E por você mesma.* A cena fora um pesadelo e ela estivera certa de que o pai não entendera bem a coisa, mas, ao tentar explicar, ele a esbofeteara de novo, gritando: *Você vai fazer o que eu estou mandando. Qualquer moça agradeceria uma oportunidade dessas.* Sua oportunidade. Noelle olhou para o corpo disforme de Lanchon, para o rosto ofegante, animalesco, com aqueles olhinhos de porco. Era este o príncipe para o qual seu pai a vendera, o pai adorado que a amava e que não toleraria que ela se desperdiçasse com alguém que não a merecesse. Noelle se lembrou dos bifes que de repente haviam aparecido na mesa, dos cachimbos e ternos novos e teve vontade de vomitar.

Nas horas seguintes, Noelle teve a impressão de que morria e renascia. Morrera uma princesa e nascera uma vagabunda. Aos poucos foi tomando consciência de onde se encontrava e do que estava acontecendo, enchendo-se de um ódio até então desconhecido. Jamais perdoaria seu pai por aquela traição. Não conseguia odiar Lanchon, pois compreendia que não passava de um homem, fraco como todos os homens. De agora em diante, decidiu, aquela fraqueza seria a sua força. Aprenderia a usá-la. Seu pai tinha razão, ela era uma princesa e o mundo lhe pertencia. Acabara de descobrir como se apossar dele e era muito fácil. Os homens dominavam o mundo pela força, o dinheiro e o poder, consequentemente era preciso dominar os homens, ou pelo menos um deles. Mas para consegui-lo era preciso se preparar e ela tinha ainda muito que aprender. Aquilo era apenas o começo.

Noelle concentrou a atenção no Sr. Lanchon. Deitada sob o corpo dele, procurou sentir, experimentar a sensação de ter o membro masculino dentro de si e do que ele era capaz de fazer a uma mulher.

No delírio de possuir aquela linda criatura, Lanchon nem notava que ela nada estava sentindo, mas não teria se importado se soubesse. Bastava contemplá-la para se excitar com uma intensidade que havia muito não sentia. Estava acostumado ao corpo de sua mulher, um corpo de meia-idade, mais parecendo uma sanfona, e também à mercadoria gasta das prostitutas de Marselha, de modo que ter esta menina nova em folha em suas mãos mais parecia um milagre.

Mas o milagre estava apenas começando para Lanchon. Após ter possuído Noelle pela segunda vez, ela falou:

— Fique parado.

Começou a explorar o corpo dele com a língua, a boca e as mãos, experimentando coisas novas e encontrando seus pontos sensíveis, usando-os até fazer Lanchon gritar de prazer. Era como apertar uma série de botões: quando fazia *isto*, ele gemia; quando fazia *aquilo*, ele se contorcia em êxtase. Era muito fácil. Tal foi a escola de Noelle, assim foi sua educação e assim teve início seu poder.

Ficaram lá três dias e nenhuma vez foram ao Le Pyramide. Durante aqueles dias e aquelas noites, Lanchon ensinou a Noelle o pouco que sabia sobre sexo e ela descobriu muito mais.

Ao retornarem a Marselha, Lanchon era o homem mais feliz de toda a França. Já tivera vários casinhos com balconistas, com encontros em *cabinet particuliers*, um tipo de restaurante provido de reservados com sofás; regateava com prostitutas, sempre fora sovina ao presentear suas amantes e também para com a mulher e os filhos. Agora, porém, deu consigo dizendo generosamente:

— Vou instalar você num apartamento, Noelle. Você sabe cozinhar?

— Sei — respondeu Noelle.

— Ótimo. Almoçarei com você todos os dias e faremos amor. Duas ou três vezes por semana irei jantar. — Deu-lhe um tapinha no joelho. — Que acha disso?

— Parece maravilhoso — disse Noelle.

— Vou dar-lhe uma mesada. Não será muito — acrescentou rapidamente —, mas o bastante para você sair de vez em quando e comprar coisas bonitas. Só peço que você não tenha encontros com ninguém senão comigo. Você agora me pertence.

— Como queira, Auguste — respondeu Noelle.

Lanchon suspirou satisfeito e, quando voltou a falar, sua voz se tornara suave:

— Nunca senti isso por ninguém antes. Você sabe por quê?

— Não, Auguste.

— Porque você me faz sentir jovem. Nós vamos ter uma vida maravilhosa juntos.

Chegaram tarde da noite a Marselha, viajando em silêncio, cada um com seus sonhos.

— Vejo você amanhã às 9 horas na loja — disse Lanchon. Pensou um pouco e acrescentou: — Se estiver muito cansada pela manhã, durma mais um pouco. Pode chegar às 9h30.

— Obrigada, Auguste.

Ele puxou um punhado de francos e lhe entregou.

— Aqui está. Amanhã à tarde você procura um apartamento e deixa isso como depósito até que eu possa ir vê-lo.

Noelle olhava o dinheiro ainda na mão dele.

— Algo errado? — perguntou Lanchon.

— Quero que tenhamos um lugar bem bonito — disse Noelle. — Onde possamos nos divertir bastante.

— Não sou um homem rico — protestou ele.

Noelle sorriu compreensivamente e passou a mão na coxa dele. Lanchon a encarou por um longo instante e depois assentiu.

— Você tem razão — concordou. Pegou a carteira e começou a tirar notas, enquanto observava o rosto de Noelle. Quando ela pareceu satisfeita, parou, emocionado com sua própria generosidade. Afinal, que mal havia naquilo? Lanchon era um negociante esperto e sabia que ali estava a garantia de que Noelle jamais o abandonaria.

Ela o observou afastar-se satisfeito e depois subiu, arrumou suas coisas, tirou as economias do esconderijo que usava e às 10 horas daquela mesma noite tomou um trem para Paris.

QUANDO O TREM chegou a seu destino, nas primeiras horas da manhã seguinte, a Estação PLM estava cheia de ansiosos viajantes recém-chegados e de outros que, também ansiosos, deixavam a cidade. O barulho era ensurdecedor, as pessoas gritando alegres boas-vindas ou despedidas chorosas, acotovelando-se brutalmente, mas Noelle não se importou. No momento em que desceu do trem, antes mesmo de ver a cidade, sentiu que estava em sua casa. De repente Marselha pareceu um lugar estranho, e Paris, a cidade à qual ela pertencia. Era uma sensação esquisita, que lhe subia à cabeça, e Noelle saboreou-a, absorvendo o ruído, a multidão, o entusiasmo. Tudo aquilo lhe pertencia, a única coisa a fazer era tomar posse. Pegou sua mala e se encaminhou para a saída.

Lá fora, sob o sol que brilhava, com o tráfego girando loucamente por todos os lados, Noelle hesitou, lembrando-se de repente de que não tinha para onde ir. Pegou o primeiro táxi da fila estacionada em frente à estação.

— Para onde?

Ela hesitou.

— O senhor conhece algum hotel que não seja caro?

O motorista virou-se para examiná-la.

— Você é nova na cidade?

— Sou.

— Deve estar precisando de emprego, suponho — disse ele.

— Estou.

— Você está com sorte — comentou o motorista. — Por acaso já trabalhou como modelo?

O coração de Noelle deu um salto.

— Para falar a verdade, já — respondeu.

— Minha irmã trabalha numa das grandes casas de modas — informou ele. — Hoje mesmo ela comentou comigo que uma das garotas deixou o emprego. Quer ir ver se a vaga ainda está desocupada?

— Seria maravilhoso — respondeu Noelle.

— Para levar você até lá vai custar 10 francos.

Ela enrugou a testa.

— Mas vale a pena — prometeu o motorista.

— Está bem.

Noelle se encostou no assento. O motorista engrenou e o táxi mergulhou no tráfego louco que se dirigia ao centro da cidade. Ele falou o tempo todo, mas Noelle não ouviu uma palavra, pois estava contemplando a visão da sua cidade. Por causa do racionamento, a cidade estava um pouco triste, mas para Noelle parecia absolutamente mágica. Tinha elegância, classe, até um aroma peculiar. O táxi passou em frente à Notre-Dame, atravessou a Pont Neuf em direção à margem direita e dobrou na Avenida Foch. Ao longe Noelle viu a Torre Eiffel dominando a cidade. O motorista notou a expressão de seu rosto através do espelho retrovisor.

— Bonita, não?

— É linda — respondeu Noelle suavemente. Ainda não conseguira acreditar que estava em Paris. Era o reino digno de uma princesa... digno dela.

O táxi parou em frente a um escuro edifício de pedra, na rua Provence.

— Chegamos — disse o motorista. — São dois francos a corrida e 10 francos para mim.

— Como vou saber se o emprego ainda está disponível? — perguntou Noelle.

O motorista deu de ombros.

— Já lhe disse que a garota acabou de deixar o emprego. Se você não quer entrar, eu a levo de volta à estação.

— Não — disse Noelle rapidamente.

Abriu a bolsa e deu os 12 francos ao motorista. Ele olhou para o dinheiro, depois para ela, e Noelle, embaraçada, pegou mais um franco e lhe entregou. O motorista agradeceu com a cabeça e, sem dar um sorriso, observou-a tirar a mala do táxi. Quando já ia se afastando, Noelle perguntou:

— Como é o nome da sua irmã?

— Jeanette.

Depois que o táxi partiu, Noelle se voltou para olhar a fachada do prédio. Não havia qualquer tabuleta, mas, afinal, uma grande loja não precisa disso, pensou ela, todo mundo devia saber onde ficava. Pegou a mala, foi até a porta e tocou a campainha. Foi atendida por uma empregada de avental preto, que olhou para ela com ar desinteressado.

— Sim?

— Desculpe-me — disse Noelle. — Falaram-me que aqui há uma vaga para modelo.

A mulher piscou.

— Quem indicou você?

— O irmão de Jeanette.

— Entre.

Ela se afastou para dar passagem a Noelle, que se viu num hall decorado no estilo de 1800. Um enorme candelabro Baccarat pendia do teto e outros se espalhavam pelo aposento; através de uma porta aberta via-se a sala de estar cheia de móveis antigos, com uma escada para o andar superior. Sobre uma mesa ricamente talhada, havia exemplares do *Figaro* e do *L'Echo de Paris*.

— Espere aqui enquanto eu vou ver se a Sra. Delys pode recebê-la agora.

— Obrigada — disse Noelle.

Deixou a mala no chão e se aproximou do grande espelho na parede. Estava com a roupa amarrotada pela viagem de trem e se sentiu arrependida de ter agido impulsivamente, vindo ali antes de se arrumar um pouco. Era importante causar boa impressão. Mas ao mesmo tempo, ao se observar, reconhecia que estava linda. Noelle encarava sua própria beleza com a maior naturalidade, sem presunção, considerando-a um bem que devia ser utilizado como outro qualquer. Virou-se ao ver pelo espelho uma moça descendo a escada, bonita e bem-feita de corpo, vestindo blusa branca de gola alta e uma longa saia marrom. Percebia-se que ali as modelos eram de alta classe. A moça sorriu ligeiramente para Noelle e foi para a sala de visitas. Logo depois a Sra. Delys entrou. Era uma mulher de 40 e poucos anos, baixa e atarracada, olhos frios, calculista. Usava um vestido que Noelle avaliou nuns 2 mil francos, pelo menos.

— Regina me disse que você está procurando emprego — falou.

— É verdade, madame.

— De onde você é?

— De Marselha.

Madame Delys bufou:

— Recreio de marinheiros bêbados...

O rosto de Noelle se anuviou mas a Sra. Delys bateu amigavelmente em seu ombro.

— Não tem importância, meu bem. Quantos anos você tem?

— Dezoito.

— Ótimo — disse ela balançando a cabeça. — Acho que meus clientes vão gostar de você. Tem parentes em Paris?

— Não.

— Excelente. Está disposta a começar a trabalhar imediatamente?

— Oh, sim — confirmou Noelle entusiasmada.

Ouviram-se risos no andar de cima e logo depois uma garota ruiva descia a escada pelo braço de um homem gordo de meia-idade. A garota vestia apenas uma fina camisola.

— Já terminaram? — perguntou a Sra. Delys.

— Deixei Angela exausta — disse o homem sorrindo. — Quem é esta pequena beldade? — perguntou ao ver Noelle.

— É Yvette, nossa nova garota — disse a Sra. Delys e acrescentou sem hesitar: — Ela é de Antibes, é filha de um príncipe.

— Nunca trepei com uma princesa — exclamou o homem. — Quanto é?

— Cinquenta francos.

— Você está brincando... Trinta.

— Quarenta. E pode acreditar que vale o dinheiro que custa.

— Combinado.

Ao se voltarem para Noelle, ela havia desaparecido.

DURANTE HORAS A FIO Noelle caminhou pelas ruas de Paris. Desceu a Champs-Elysées por um lado e subiu pelo outro, perambulando pela arcada do Lido, parando em cada vitrine para contemplar a incrível quantidade de joias, vestidos, acessórios de couro e perfumes, imaginando como seria Paris quando *não* estivesse sob racionamento. Os artigos nas vitrines eram de enlouquecer e, enquanto por um lado ela se sentia a própria camponesa simplória, por outro, estava certa de que um dia tudo aquilo lhe pertenceria. Atravessou o Bois, desceu o Faubourg Saint-Honoré e seguiu a avenida Victor-Hugo, até começar a sentir cansaço e fome. Deixara a bolsa e a mala na casa da Sra. Delys, mas não tinha a menor intenção de voltar lá. Mandaria alguém buscá-las.

Não ficara chocada nem perturbada com o que acontecera, simplesmente sabia qual a diferença entre uma cortesã e uma prostituta. As prostitutas não alteram o curso da História, as cortesãs, sim. Mas, por enquanto, estava sem um centavo e precisava arranjar um meio de sobreviver até o dia seguinte, quando procuraria um emprego. O entardecer começara a tingir o céu, enquanto os comerciantes e porteiros de hotéis tratavam de instalar cortinas negras, prevendo possíveis ataques aéreos. Para resolver seu problema imediato, Noelle precisava achar quem lhe pagasse um bom jantar. Pediu informações a um guarda e rumou para o Hotel Crillon, cuja fachada era sombria, com as janelas cobertas por venezianas de ferro, mas lá dentro o hall era uma obra-prima de elegância suave e discreta. Noelle entrou, confiante, como se estivesse em sua própria casa, e sentou-se numa cadeira de frente para o elevador. Como nunca fizera isso antes, estava um pouco nervosa, mas pensava em como fora fácil manobrar Auguste Lanchon, prova de que para lidar com os homens bastava aprender uma única lição: um homem fica fácil quando está excitado, mas é difícil de manobrar quando não o está. De modo que seria preciso apenas mantê-lo excitado até conseguir dele o que se desejasse. Agora, observando o hall, Noelle concluiu que seria coisa fácil atrair a atenção de algum sujeito sem compromisso, provavelmente a caminho de um jantar solitário.

— *Pardon, mademoiselle.*

Noelle levantou a cabeça para encarar um homem alto, de terno preto. Nunca vira um detetive antes, mas não teve a menor dificuldade para identificar aquele.

— *Mademoiselle* está esperando alguém? — perguntou ele.

— Sim — respondeu Noelle, esforçando-se para impedir que sua voz tremesse. — Estou esperando um amigo.

De repente, lembrou-se de seu vestido amassado e do fato de estar sem bolsa.

— Seu amigo está hospedado no hotel?

Ela sentiu uma onda de pânico dentro de si.

— Ah... não, não exatamente.

O homem a examinou por um instante e disse num tom mais enérgico:

— Posso ver seus documentos?

— Eu... estou sem eles, eu os perdi — gaguejou Noelle.

— Talvez *mademoiselle* tenha de me acompanhar — disse o detetive segurando-lhe o braço com mão firme e Noelle se levantou. No mesmo instante alguém lhe segurou o outro braço e disse:

— Desculpe o atraso, *chérie*, mas sabe como são esses malditos coquetéis, a gente tem de abrir caminho para sair deles. Está esperando há muito tempo?

Ela se voltou espantada para ver quem estava falando e deu com um homem alto, esguio mas musculoso, usando uma farda desconhecida. Seu cabelo era quase azul de tão negro, tinha um bico de viúva na testa e olhos da cor do mar na tempestade, com cílios longos e espessos. Seu rosto parecia saído de uma antiga moeda florentina, um rosto irregular, cujos dois perfis diferiam ligeiramente, como se o artífice da moeda tivesse feito algum movimento em falso. Era uma face extraordinariamente cheia de vida e mobilidade, pronta para sorrir, para rir, para franzir-se, e só não chegava a ser femininamente bela porque terminava num queixo forte e másculo, marcado por uma fenda acentuada. Ele indicou o detetive:

— Este homem está incomodando você? — Tinha a voz grave e falava francês com um levíssimo sotaque.

— N... não — disse Noelle desnorteada.

— Peço desculpas, senhor — dizia o detetive do hotel. — Eu me enganei. Temos tido problemas ultimamente com... — voltou-se para Noelle. — Por favor, *mademoiselle,* aceite minhas desculpas.

— Bem, não sei — disse o estranho para Noelle. — O que você acha?

Ela engoliu em seco e assentiu depressa com a cabeça.

— *Mademoiselle* está sendo bondosa — disse o estranho ao detetive. — Tenha cuidado daqui por diante.

Tomou o braço de Noelle e os dois se encaminharam para a porta. Quando chegaram à rua, Noelle disse:

— Não sei como lhe agradecer, *monsieur*.

— Sempre detestei policiais — disse o estranho, sorrindo. — Quer que chame um táxi para você?

Noelle olhou-o, sentindo voltar o pânico ao se lembrar da situação em que estava.

— Não.

— Está bem. Boa-noite — disse o homem.

Encaminhou-se para o ponto e já ia entrando num táxi quando olhou para trás, dando com Noelle parada no mesmo lugar, imóvel, olhando para ele. Da porta do hotel o detetive observava-os. O estranho hesitou e voltou até lá.

— É melhor você sair daqui — aconselhou. — Nosso amigo ainda está interessado em você.

— Não tenho para onde ir — respondeu ela.

O estranho balançou a cabeça e enfiou a mão no bolso.

— Não quero seu dinheiro — disse Noelle rapidamente.

— O que você quer, então? — perguntou ele, surpreso.

— Jantar com você.

Ele sorriu e disse:

— Desculpe, tenho um compromisso e já estou atrasado.

— Então vá. Eu me arranjarei — respondeu ela.

Pondo o dinheiro de volta no bolso, o homem disse:

— Faça como quiser, benzinho. *Au revoir*.

Dirigiu-se novamente para o táxi enquanto Noelle olhava espantada, imaginando o que haveria de errado com ela. Sabia que tinha agido estupidamente, mas também sabia que não poderia ter feito outra coisa. Desde que dera com os olhos naquele homem, tivera uma sensação até então desconhecida, uma onda de emoção tão forte que parecia palpável. Não sabia o nome dele, provavelmente jamais tornaria a vê-lo. Espiou na direção do hotel e viu que o detetive se encaminhava diretamente para ela. A culpa fora sua, agora não conseguiria sair da enrascada. Sentiu a mão de alguém no ombro e, ao se virar, o estranho segurou-lhe o braço, levou-a para o táxi e entrou rapidamente atrás dela. Deu um endereço ao motorista e o táxi partiu, deixando na calçada o detetive que os observava.

— E o seu compromisso? — perguntou Noelle.

— É uma festa — disse o homem. — Um a mais não vai fazer diferença. Sou Larry Douglas. Como se chama?

— Noelle Page.

— De onde você é, Noelle?

Ela se voltou para aqueles brilhantes olhos escuros e disse:

— De Antibes. Sou filha de um príncipe.

Ele riu, deixando à mostra os dentes brancos e perfeitos.

— Sorte sua, princesa — disse.

— Você é inglês?

— Americano.

Noelle reparou no uniforme.

— Os Estados Unidos não estão na guerra.

— Estou na RAF — explicou ele. — Acabaram de organizar um grupo de pilotos americanos. Chama-se Esquadrão das Águias.

— Mas por que você vai lutar pela Inglaterra?

— Porque a Inglaterra está lutando por nós, só que ainda não descobrimos isso — disse ele.

Noelle sacudiu a cabeça:

— Não acredito nisso. Hitler é apenas um palhaço alemão.

— Talvez, mas um palhaço que sabe o que os alemães querem: dominar o mundo.

Noelle ficou ouvindo fascinada, enquanto Larry discutia a estratégia militar de Hitler, o súbito recuo da Liga das Nações, o pacto de defesa mútua entre Japão e Itália — não pelo que ele dizia, mas porque era bom olhar seu rosto enquanto falava. Os olhos negros cintilavam de entusiasmo, iluminados por uma vivacidade dominante e irresistível. Ela jamais encontrara alguém assim. Ele era — coisa rara — um esbanjador de si mesmo. Aberto, caloroso, vivaz, partilhava a si próprio e aproveitava a vida, fazendo com que os outros também aproveitassem, como um ímã atraindo para sua órbita todos os que se aproximavam.

Chegaram à festa, num pequeno apartamento da rua Chemin Vert cheio de gente, na maioria jovens, rindo e falando alto. Larry apresentou Noelle à anfitriã, uma ruiva agressivamente sexy, e em seguida desapareceu na multidão. Noelle o viu de relance algumas vezes, cercado de garotas ansiosas por atrair sua atenção, mas, contudo, pensou ela, Larry parecia desprovido de vaidade, como se não soubesse o quanto era atraente. Alguém arranjou um drinque para Noelle e outro alguém se ofereceu para lhe trazer um prato de comida do bufê, mas sua fome subitamente desapareceera. Noelle desejava apenas estar com o americano, tirá-lo do bando de garotas que o envolvia. Vários homens se aproximaram e procuraram conversar, mas Noelle não lhes dava atenção. Desde o momento em que chegaram à festa, o americano a ignorara totalmente, como se ela não existisse. *E por que não?*, pensava. Por que se ocuparia dela, quando todas as garotas presentes estavam a sua disposição? Dois homens estavam falando com ela ao mesmo tempo, mas Noelle não conseguia prestar-lhes atenção e, como a sala se tornasse de súbito extremamente abafada, ela começava a procurar um jeito de ir embora quando uma voz falou a seu ouvido: "Vamos embora." Poucos momentos depois ela e o americano estavam na rua, sob o ar fresco da noite. A cidade estava escura e silenciosa, por causa dos invisíveis alemães lá em cima; os carros deslizavam pelas ruas como peixes silenciosos num mar negro.

Não conseguiram encontrar um táxi, de modo que foram andando. Jantaram num pequeno bistrô da Place des Victoires e

Noelle descobriu que estava faminta. Observava o americano a sua frente, imaginando o que estaria acontecendo com ela. Era como se ele tivesse tocado uma profunda nascente desconhecida dentro dela, que nunca se sentira tão feliz. Conversaram sobre mil coisas. Noelle falou sobre seu passado, o americano contou que era do sul de Boston, descendente dos irlandeses de lá. Sua mãe nascera em Keny County.

— Onde você aprendeu a falar francês tão bem? — perguntou Noelle.

— Eu costumava passar o verão em Cap d'Antibes quando era pequeno. Meu pai era um dos grandes da Bolsa de Valores, até que os ursos o pegaram.

— Ursos?

Foi assim que Larry passou a explicar tudo sobre os segredos da Bolsa, enquanto Noelle não dava importância alguma ao que ele dizia, desde que continuasse falando.

— Onde você está morando?

— Em lugar nenhum.

Ela contou sobre o motorista de táxi, a Sra. Delys e o sujeito gordo que acreditara naquela história de princesa e oferecera 40 francos para ir com ela, enquanto Larry ria às gargalhadas.

— Você lembra onde é a casa?

— Lembro.

— Vamos indo, princesa.

Ao chegarem à casa da rua Provence, a porta foi aberta pela mesma empregada de uniforme. Seus olhos brilharam ao dar com o belo americano, mas se apagaram ao ver quem o acompanhava.

— Queremos ver a Sra. Delys — disse Larry.

Os dois entraram no hall. Havia várias garotas na sala ao lado. A empregada entrou e poucos momentos depois apareceu a Sra. Delys.

— Boa-noite, *monsieur* — disse ela. E para Noelle: — Espero que você tenha mudado de ideia.

— Não mudou — disse Larry alegremente. — Há umas coisas da princesa com a senhora. — A Sra. Delys olhou-o intrigada. — A mala e a bolsa.

Após um momento de hesitação, ela deixou o aposento e logo depois reapareceu a empregada com as coisas de Noelle.

— *Merci* — disse Larry. — Vamos embora, princesa.

NAQUELA MESMA NOITE, Noelle e Larry se instalaram num hotel pequeno e limpo da rua Lafayette. Não houve necessidade de discutir o assunto, pois era inevitável para ambos. Quando fizeram amor, Noelle sentiu a coisa mais excitante que jamais experimentara, uma explosão primitiva e selvagem que sacudiu a ambos. Durante toda a noite, Noelle ficou nos braços dele, apertando-o contra si e sentindo uma felicidade que nunca julgara possível.

Na manhã seguinte, acordaram, fizeram amor e saíram para explorar a cidade. Larry era um guia maravilhoso, que transformou Paris num brinquedo adorável para distrair Noelle. Almoçaram nas Tuileries, passaram a tarde na Mal Maison e durante horas perambularam pela Place des Vosges, ao fim da Notre-Dame, na parte mais antiga da cidade, construída por Luís XIII. Larry mostrou-lhe lugares que não constavam dos itinerários rotineiros dos turistas, a Place Maubert, com sua colorida feira, o Cais de la Mégisserie, cheio de gaiolas com pássaros de cores brilhantes e animais barulhentos. Visitaram o Marché de Buci entre a gritaria dos mascates apregoando os méritos dos caixotes de tomates, das ostras envolvidas em algas, dos queijos cuidadosamente rotulados. Foram ao Du Pont em Montparnasse, jantaram no Bateau Mouche e terminaram tomando sopa de cebola em Les Halles às 4 da madrugada, entre açougueiros e choferes de caminhão. Nesse meio-tempo Larry arranjara um grande grupo de amigos, porque ele possuía o dom do riso, concluiu Noelle, que não conhecera o riso guardado dentro de si até que ele o despertara. Era como um dom dado por um deus. Estava grata a Larry e profundamente apaixonada por ele. Amanhecia quando voltaram ao hotel e Noelle estava exausta, mas Larry, cheio de energia, como um dínamo incansável. Ela o contemplava, deitada na cama, enquanto ele olhava pela janela o sol se elevando sobre os tetos de Paris.

— Eu amo Paris — disse ele. — É como um templo erguido às melhores coisas que o homem já fez, uma cidade de beleza, de comida e de amor. Não necessariamente nessa ordem — disse, rindo para ela.

Noelle ficou olhando enquanto ele se despia e se deitava a seu lado. Abraçou-o, amando a sensação de tê-lo e o perfume masculino que vinha dele. Pensou na traição de seu pai, concluindo que errara ao igualar todos os homens a ele e a Lanchon. Agora sabia que também havia homens como Larry Douglas e que para ela jamais existiria algum outro.

— Você sabe quais foram os dois maiores homens que já existiram, princesa? — perguntou ele.

— Você — disse Noelle.

— Wilburn e Orville Wright. Eles deram ao homem a verdadeira liberdade. Você já andou de avião? — Ela sacudiu a cabeça. — Minha família tinha uma casa de veraneio em Montauk, é na ponta de Long Island, e quando eu era pequeno costumava observar as gaivotas varando o ar por cima da praia, acompanhando a correnteza, e daria minha alma para estar com elas lá em cima. Antes de ter aprendido a andar eu já sabia que queria ser piloto. Quando tinha 9 anos um amigo da família me levou para andar num velho bimotor e aos 14 anos tive minha primeira aula de voo. É quando estou voando que me sinto realmente vivo.

E mais tarde:

— Vai haver uma guerra mundial. A Alemanha quer se apossar de tudo.

— Não tomará a França, Larry. Ninguém pode atravessar a Linha Maginot.

Ele fez um muxoxo:

— Eu já a atravessei uma centena de vezes. — Ela o olhou espantada. — Pelo ar, princesa. Vai ser uma guerra aérea... a minha guerra.

E depois, casualmente:

— Por que não nos casamos?

Foi o momento mais feliz da vida de Noelle.

O DOMINGO FOI UM DIA calmo e preguiçoso. Tomaram o café da manhã num pequeno bar ao ar livre em Montmartre, voltaram para o hotel e passaram quase o dia inteiro na cama. Noelle mal podia acreditar que alguém pudesse ser tão feliz. Quando faziam amor era fantástico, mas para ela bastava estar perto de Larry, ficar deitada ouvindo-o falar, olhá-lo enquanto se movimentava pelo quarto. Estranho, pensava, como as coisas se concatenavam. Ela crescera sendo chamada de princesa pelo pai e agora, mesmo tendo começado por brincadeira, era assim que Larry a tratava. Quando estava com ele, Noelle *era* alguém. Larry lhe devolvera a fé nos homens, ele era seu mundo, e Noelle sabia que nunca precisaria de mais nada, mas parecia incrível que pudesse ter tanta sorte, que também Larry sentisse o mesmo por ela.

— Eu só pretendia pensar em casamento depois que a guerra acabasse — disse ele. — Mas, que diabo, os planos são feitos para serem alterados, não é, princesa?

Ela concordou, plena de uma felicidade que parecia prestes a explodir.

— Vamos casar no campo, numa *mairie* qualquer. A não ser que você queira um grande casamento — continuou ele.

Noelle sacudiu a cabeça.

— Será maravilhoso no campo.

— Combinado — assentiu Larry. — Preciso me apresentar de volta ao esquadrão hoje à noite. Encontro você aqui na sexta-feira que vem. O que acha?

— Eu... não sei se aguentarei ficar longe de você tanto tempo — disse Noelle com a voz trêmula.

Larry tomou-a nos braços e perguntou:

— Você me ama?

— Mais que a minha vida — respondeu ela com sinceridade.

Duas horas mais tarde Larry estava a caminho da Inglaterra. Não deixara que ela o acompanhasse ao aeroporto, pois detestava despedidas, dissera. Dera-lhe um punhado de francos: "Compre um vestido de noiva, princesa. Vejo você na semana que vem." E assim partira.

Noelle passou a semana em estado de euforia, passeando pelos lugares que visitara com Larry, sonhando durante horas com a vida que teriam em comum. Os dias pareciam arrastar-se, os minutos teimavam em não passar, a ponto de Noelle pensar que estava enlouquecendo.

Procurou seu vestido de noiva numa dúzia de lojas até encontrar exatamente o que queria, um modelo de Madeleine Vionett, de organza branco com corpete alto, mangas compridas com seis botões de pérola e três anáguas de crinolina. Custou mais do que ela imaginara gastar, mas Noelle não hesitou. Usou todo o dinheiro que Larry lhe deixara e quase todas as economias que trouxera consigo. Todo o seu ser estava centrado em Larry; imaginava maneiras de agradá-lo, procurava lembrar-se de casos, de anedotas que o divertiriam, e se sentia como uma colegial.

E assim foi que Noelle esperou pela sexta-feira numa agonia de impaciência. Quando o grande dia finalmente chegou, ela se levantou ao amanhecer, levou duas horas para tomar banho e se vestir, trocando de roupa várias vezes, tentando adivinhar de qual delas Larry mais gostaria. Pôs o vestido de noiva, mas tirou-o depressa, com medo de dar azar. Estava tremendamente entusiasmada.

Às 10 horas, diante do espelho do quarto, Noelle descobriu que jamais estivera tão linda. Não se olhava com vaidade, apenas se alegrava por Larry, pelo fato de poder oferecer a ele aquela dádiva. Ao meio-dia Larry ainda não chegara e ela começou a lamentar o fato de ele não ter mencionado a que horas pretendia chegar. Telefonava para a portaria do hotel a cada 10 minutos, perguntando se havia algum recado, e a todo instante punha o fone no ouvido para verificar se estava funcionando. Às 6 horas da tarde Larry ainda não dera sinal de vida, nem à meia-noite, enquanto Noelle, encolhida numa cadeira, tinha os olhos fixos no telefone, desejando que ele tocasse. Adormeceu, para acordar com o nascer do sol de sábado, com o corpo frio e entorpecido por ter passado a noite na cadeira. O vestido escolhido com tanto cuidado estava amarrotado e correra um fio da meia.

Noelle trocou de roupa e passou o dia inteiro no quarto, diante da janela aberta, dizendo para si mesma que, se ficasse onde estava, Larry acabaria aparecendo, mas que, se saísse dali, algo terrível aconteceria com ele. À medida que a manhã de sábado se escoava para a tarde, ela se sentia cada vez mais certa de que houvera um acidente. O avião de Larry caíra e ele provavelmente jazia num campo ou num hospital, ferido ou morto. A imaginação de Noelle se povoou de visões apavorantes, enquanto ela passava a noite em claro, doente de preocupação, com medo de sair do quarto e sem saber como descobrir o paradeiro de Larry.

Como nada tivesse acontecido na manhã de domingo, a resistência de Noelle se esgotou. Precisava telefonar para Larry, mas como? Com a guerra, as chamadas internacionais se haviam tornado difíceis e ela não sabia ao certo onde Larry estava, apenas que pertencia a um esquadrão americano da RAF. Ligou para a telefonista do hotel perguntando como fazer, mas a resposta foi enfática:

— É impossível.

Noelle expôs a situação e talvez tenham sido suas palavras ou o tom desesperado da voz, mas, sem saber como, duas horas depois estava falando com o Ministério da Guerra em Londres. Lá não puderam ajudá-la, mas transferiram a chamada para o Ministério da Aeronáutica em Whitehall, que por sua vez a colocou em contato com Operações de Combate, onde a chamada foi cortada antes que Noelle pudesse obter qualquer informação. Passaram-se quatro horas até conseguir outra chamada e a essa altura Noelle estava à beira da histeria. O setor de Operações Aéreas não pôde informar e sugeriu que ela falasse com o Ministério da Guerra.

— Eu já falei com eles! — gritou Noelle ao telefone, enquanto começava a soluçar e a voz masculina dizia em inglês do outro lado da linha:

— Por favor, senhorita, não fique tão preocupada. Espere um instante.

Noelle segurava o fone, certa de que não adiantava mais, de que Larry estava morto e ela jamais saberia como nem onde ele morrera. Já ia pôr o fone no gancho quando a voz disse alegremente ao seu ouvido:

— O que a senhorita procura é o Esquadrão das Águias, os ianques, que estão aquartelados em Yorkshire. Embora seja irregular, vou colocá-la em contato com o campo de pouso deles, Church Fenton. O pessoal lá poderá ajudá-la. — E a linha emudeceu.

Já eram 11 horas da noite quando Noelle conseguiu outra chamada e uma voz falou:

— Base Aérea de Church Fenton. — O telefonema estava tão ruim que ela mal podia ouvir, como se a voz estivesse falando do fundo do mar, também com dificuldade para entendê-la. — Fale, por favor — disse a voz.

A essa altura os nervos de Noelle estavam tão destroçados que ela mal podia controlar a voz.

— Estou procurando o... — não sabia qual era o posto dele. Tenente? Capitão? Major? — Estou procurando Larry Douglas. Sou a noiva dele.

— Não estou ouvindo, senhorita. Pode falar mais alto, por favor?

À beira do pânico, Noelle repetiu aos gritos, certa de que o homem no outro extremo da linha estava tentando esconder o fato de que Larry morrera. Por um instante a chamada melhorou milagrosamente e ela ouviu a voz como se viesse do quarto ao lado.

— Tenente Larry Douglas?

— Sim — disse ela num esforço para controlar a emoção.

— Um momento, por favor.

Noelle teve a impressão de esperar uma eternidade, até que a voz voltou e disse:

— O tenente Larry Douglas está de licença pelo fim da semana. Se o caso for urgente, ele poderá ser encontrado no salão do Hotel Savoy em Londres, na festa do general Davis.

E o fone emudeceu.

QUANDO A CAMAREIRA veio limpar o quarto no dia seguinte, encontrou Noelle semi-inconsciente, caída no chão. A camareira hesitou por um momento, com vontade de não se envolver. Por que essas coisas sempre aconteciam nos quartos sob *sua* responsabilidade? Inclinou-se, tocando a testa de Noelle, e viu que ela ardia em febre. Resmungando, foi até o saguão e pediu ao porteiro para mandar o gerente subir. Uma hora depois, parava uma ambulância em frente ao hotel e dois jovens internos, carregando uma padiola, eram levados ao quarto de Noelle. Ela estava inconsciente quando um deles levantou-lhe a pálpebra e colocou um estetoscópio sobre seu peito, para ouvir o chiado que lhe acompanhava a respiração.

— Pneumonia — disse para seu companheiro. — Vamos levá-la daqui.

Puseram Noelle na maca e cinco minutos depois a ambulância corria em direção ao hospital, onde a transferiram para uma tenda de oxigênio. Passaram-se quatro dias até que Noelle recobrasse por completo a consciência, arrastando-se com relutância para fora das trevas esverdeadas do esquecimento, sabendo subconscientemente que algo terrível acontecera, mas lutando para não se lembrar de que se tratava. À medida que aquela coisa horrível se aproximava da superfície de sua mente, ela se debatia para mantê-la a distância, até que de repente a coisa se tornou clara e nítida. Larry Douglas. E Noelle começou a chorar, sufocada por soluços, até mergulhar numa espécie de sono. Sentiu que alguém segurava delicadamente a sua mão e teve certeza de que Larry voltara, de que tudo estava bem. Abriu os olhos e deu com um estranho de uniforme branco, tomando seu pulso.

— Bem, seja bem-vinda! — exclamou ele alegremente.

— Onde estou? — perguntou Noelle.

— No Hotel-Dieu, o Hospital Municipal.

— O que estou fazendo aqui?

— Está em tratamento. Você teve pneumonia dupla. Meu nome é Israel Katz.

Ele era jovem, de rosto forte e inteligente, com olhos fundos.

— Você é meu médico?

— Interno — disse ele sorrindo. — Eu trouxe você para cá. Estou satisfeito por você ter melhorado, não tínhamos certeza de que conseguiria.

— Há quanto tempo estou aqui?

— Quatro dias.

— Você pode me fazer um favor? — perguntou Noelle fracamente.

— Se for possível.

— Telefone para o Hotel Lafayette e pergunte... — Ela hesitou. — Pergunte se há algum recado para mim.

— Bem, estou muito ocupado...

Noelle apertou-lhe a mão com força.

— Por favor, é importante. Meu noivo deve estar tentando entrar em contato comigo.

O interno sorriu.

— Não o culpo. Está certo, cuidarei disso para você. Agora, procure dormir.

— Não enquanto você não me der a resposta.

Ele saiu e Noelle ficou lá deitada, esperando. Lógico que Larry tentara entrar em contato com ela, só que houvera algum terrível mal-entendido, que ele depois explicaria e tudo ficaria bem novamente. Passaram-se duas horas antes que Israel Katz reaparecesse. Ele se aproximou da cama carregando uma valise.

— Eu trouxe suas roupas. Fui pessoalmente ao hotel.

Noelle levantou os olhos e Israel notou que o rosto dela estava tenso.

— Sinto muito. Não havia recado algum — disse, embaraçado.

Noelle ficou olhando para ele durante muito tempo e depois, com os olhos enxutos, virou o rosto para a parede.

Dois dias depois recebeu alta e Israel Katz veio despedir-se.

— Você tem para onde ir? Ou algum emprego? — perguntou ele.

Noelle sacudiu a cabeça.

— Em que você trabalha?

— Sou modelo.

— Talvez eu possa ajudá-la.

Ela pensou no motorista de táxi e em Madame Delys.

— Não estou precisando de ajuda — disse.

Israel Katz escreveu um nome num pedaço de papel.

— Se mudar de ideia, vá a este endereço. É uma pequena casa de modas que pertence a minha tia. Vou falar com ela sobre você. Você tem dinheiro?

Noelle não respondeu. Ele tirou alguns francos do bolso e lhe entregou.

— Aqui está. Lamento não ter mais, mas os internos não são bem pagos.

— Obrigada — disse Noelle.

Sentada num barzinho de calçada, tomando um café, Noelle se pôs a pensar sobre a maneira de reunir os destroços de sua vida. Sabia que precisava sobreviver, pois agora tinha um objetivo: estava cheia de ódio, profundo e causticante, que consumia tudo sem deixar lugar para mais nada. Era uma fênix vingadora, surgindo das cinzas das emoções que Larry Douglas extinguira, e não descansaria enquanto não o destruísse. Não sabia como nem quando, mas tinha certeza de que um dia o conseguiria.

Por enquanto, precisava de um emprego e de um lugar onde dormir. Abriu a bolsa, pegou o papel que o jovem interno lhe dera, olhou-o por um momento e tomou a decisão. Naquela mesma tarde foi procurar a tia de Israel Katz e conseguiu um lugar como modelo na pequena loja de segunda classe na rua Boursault.

A tia de Israel Katz era uma mulher de meia-idade, grisalha, com cara de harpia e alma de anjo. Era mãe para todas as garotas e estas a adoravam. Chamava-se Sra. Rose. Além de dar a Noelle um adiantamento do salário, arranjou-lhe um pequeno apartamento perto da loja. A primeira coisa que Noelle fez quando começou a arrumar suas coisas foi pendurar o vestido de noiva bem na frente do armário, de modo que fosse a primeira coisa que visse ao acordar e a última ao se despir para dormir.

NOELLE DESCOBRIU QUE estava grávida antes que houvesse qualquer sinal visível, antes de fazer qualquer exame, antes mesmo de a menstruação falhar. Sentia a nova vida que se formava em seu ventre enquanto ficava deitada à noite, olhando para o teto, e, pensando nisso, seus olhos se iluminavam com um brilho selvagem primitivo.

Em seu primeiro dia de folga, telefonou para Israel Katz e combinou um encontro para almoçarem juntos.

— Estou grávida — contou-lhe.

— Como é que você sabe? Fez algum exame?

— Não preciso de nenhum exame.

Ele balançou a cabeça.

— Noelle, muitas mulheres pensam que estão grávidas e não estão. Quantas vezes suas regras falharam?

Ela ignorou a pergunta, impaciente.

— Preciso de sua ajuda.

Ele a encarou:

— Para se livrar do bebê? Já discutiu o assunto com o pai?

— Ele não está aqui.

— Você sabe que aborto é ilegal. Eu posso me meter numa encrenca terrível.

Noelle estudou-o por um momento.

— Qual é o seu preço?

O rosto dele se endureceu:

— Você acha que tudo tem preço, Noelle?

— É claro — disse ela com naturalidade. — Tudo pode ser comprado e vendido.

— Isto inclui você?

— Inclui, mas eu sou muito cara. Você vai me ajudar?

Houve uma longa hesitação.

— Está bem, mas vou querer fazer uns exames primeiro.

— Muito bem.

Na semana seguinte, Israel Katz arranjou para Noelle ir ao laboratório do hospital e, quando o resultado dos exames ficou pronto, ele telefonou para a casa de modas.

— Você tinha razão — disse. — Está grávida.

— Eu sei.

— Tomarei as providências para você fazer uma curetagem no hospital. Disse a eles que seu marido morreu num acidente e você não tem condições de ter a criança. Poderemos operar no próximo sábado.

— Não — disse Noelle.

— Sábado é ruim para você?

— Ainda não estou preparada para o aborto, Israel. Só queria saber se poderia contar com sua ajuda.

Madame Rose percebeu a transformação de Noelle, não apenas no físico, mas algo muito mais profundo, uma irradiação, um brilho interior que parecia iluminá-la. Ela ostentava um sorriso constante, como se acalentasse algum maravilhoso segredo.

— Você arranjou um amante — disse madame Rose. — Vê-se em seus olhos.

Noelle concordou.

— Ele faz bem a você. Conserve-o.

— Vou conservá-lo — prometeu Noelle. — Tanto quanto puder.

Três semanas mais tarde, Israel Katz telefonou.

— Você não me deu notícias — disse. — Fiquei imaginando se teria esquecido.

— Não — disse Noelle. — Penso nisso o tempo todo.

— Como se sente?

— Ótima.

— Estive olhando o calendário e me parece que é tempo de fazermos o trabalho.

— Ainda não estou pronta, Israel.

Outras três semanas se passaram até que Israel Katz telefonasse novamente.

— Que tal jantar comigo?

— Está bem.

Combinaram encontrar-se num café barato da rua Chat-qui-Pêche. Noelle quase sugeriu um restaurante melhor, mas se lembrou do que Israel dissera sobre o salário dos internos. Quando chegou ele já a esperava. Conversaram sobre vários assuntos durante o jantar e só na hora do café Israel abordou o que o preocupava:

— Você ainda quer fazer o aborto?

Noelle olhou-o surpreendida.

— É claro.

— Então precisa fazê-lo imediatamente. Já está com mais de dois meses de gravidez.

Ela sacudiu a cabeça:

— Não, ainda não, Israel.

— É a primeira vez que você engravida?

— É.

— Então deixe que eu lhe diga uma coisa. Até os três meses, o aborto costuma ser coisa fácil. O embrião ainda não está completamente formado e basta uma simples curetagem; mas depois dos três meses... — ele hesitou — é preciso outro tipo de operação e a coisa se torna perigosa. Quanto mais se espera, mais perigosa fica. Quero que você se opere agora.

Noelle se inclinou para a frente:

— Como está o bebê?

— Agora? — ele deu de ombros. — Só um aglomerado de células. É claro que já tem todos os núcleos necessários para formar um ser humano completo.

— E depois dos três meses?

— O embrião se torna uma pessoa.

— Ele pode sentir coisas?

— Responde a golpes e a sons fortes.

Ela o encarava, os olhos presos aos dele.

— Pode sentir dor?

— Creio que sim. Mas está protegido pelo saco amniótico. — De repente ele sentiu um arrepio desagradável. — Seria difícil alguma coisa feri-lo.

Noelle abaixou os olhos para a mesa, silenciosa e pensativa. Israel Katz observou-a um instante e depois disse timidamente:

— Noelle, se você quer ter o bebê e está com medo pelo fato de que ele não terá pai... bem, estou disposto a me casar com você e dar um nome à criança.

Ela ergueu a cabeça, surpreendida.

— Já lhe disse que não quero esse bebê, quero fazer um aborto.

— Então, pelo amor de Deus, faça-o! — gritou Israel e abaixou a voz ao perceber que outros clientes do restaurante estavam olhando. — Se você esperar mais tempo, não haverá um só médico na França que queira fazê-lo. Não compreende? Se esperar demais, correrá perigo de vida!

— Eu compreendo — disse Noelle calmamente. — Se eu fosse ter o bebê, que dieta você me indicaria?

Ele passou a mão pelo cabelo, perplexo.

— Muito leite, frutas e carnes magras.

Naquela noite, a caminho de casa, Noelle parou no mercado da esquina próxima a seu apartamento e comprou duas garrafas de leite e uma grande caixa de frutas frescas.

Dez dias depois, entrou no escritório da Sra. Rose, contou-lhe que estava grávida e pediu uma licença.

— De quanto tempo? — perguntou a Sra. Rose, observando o corpo de Noelle.

— Seis ou sete semanas.

Madame Rose suspirou:

— Tem certeza de que o que vai fazer é a melhor solução?

— Estou certa disso — replicou Noelle.

— Não há nada que eu possa fazer?

— Nada.

— Muito bem. Volte logo que puder. Direi ao encarregado do caixa que lhe dê um adiantamento de seu salário.

— Obrigada, madame.

Durante as quatro semanas seguintes, Noelle só saiu do apartamento para comprar mantimentos. Não sentia fome, comendo muito pouco por si mesma, mas bebia enorme quantidade de leite para o bebê e se empanturrava de frutas. Não estava sozinha no apartamento, pois o bebê lhe fazia companhia e ela conversava frequentemente com ele. Sabia que era menino, assim como soubera que estava grávida, e lhe dera o nome de Larry.

— Quero que você se torne grande e forte — dizia ao tomar o leite. — Quero que você esteja saudável... sadio e forte para a hora de você morrer.

Passava o dia deitada na cama, planejando sua vingança contra Larry e o filho dele. O que existia em seu corpo não fazia parte dela, pertencia a Larry e ela ia matá-lo. Era a única coisa que Larry lhe deixara e ela a destruiria, assim como ele tentara destruí-la. Como Israel Katz compreendera mal! Ela não estava interessada num embrião disforme, que não percebia nada. Queria que a cria de Larry sentisse o que lhe iria acontecer, que sofresse tanto quanto ela sofrera. O vestido de noiva estava agora pendurado ao lado da cama, sempre à vista, um talismã de maldade, uma lembrança da traição dele. *Primeiro o filho de Larry, depois Larry.*

O telefone tocava com frequência, mas Noelle se deixava ficar deitada, perdida em seus devaneios, até que novamente ficasse mudo. Tinha certeza de que era Israel Katz tentando entrar em contato com ela.

Certa noite, bateram à porta. Noelle continuou deitada, ignorando a visita, mas, como continuassem a bater, levantou-se lentamente e abriu. Lá estava Israel Katz, uma expressão preocupada no rosto.

— Santo Deus, estou lhe telefonando há dias!

Notou-lhe o ventre protuberante.

— Pensei que tivesse feito com outra pessoa.

Ela sacudiu a cabeça:

— Não, é você quem vai fazer.

Israel encarou-a espantado.

— Você não entendeu nada do que eu disse? É tarde demais! Ninguém vai querer fazer.

Ele reparou nas garrafas de leite vazias, nas frutas frescas sobre a mesa e olhou para ela.

— Você *quer* mesmo o bebê. Por que não admite isso?

— Diga-me, Israel, como ele é agora?

— Quem?

— O bebê. Já tem olhos e ouvidos? Tem dedos nas mãos e nos pés? Pode sentir dor?

— Por Deus, Noelle, pare com isso. Você fala como se... como se...

— Como o quê?

— Nada. — Ele sacudiu a cabeça desanimado. — Não entendo você.

Ela sorriu docemente.

— Não, você não entende.

Ele ficou parado um momento, tomando uma decisão.

— Está bem. Estou me arriscando demais por você, mas, se está decidida a fazer o aborto, vamos acabar logo com isto. Tenho um amigo médico que me deve um favor e ele...

— Não.

Israel encarou-a.

— Larry ainda não está pronto.

Três semanas depois, Israel Katz foi acordado às 3 horas da manhã pelo *concierge* furioso, que esmurrava sua porta:

— Telefone, *Monsieur* Coruja Noturna! — gritava. — E diga a quem lhe está telefonando que estamos no meio da noite e as pessoas de respeito estão dormindo!

Israel se levantou atordoado e desceu sonolento para o saguão, em direção ao telefone, imaginando o que teria acontecido. Pegou o fone.

— Israel?

Não reconheceu a voz no outro extremo da linha.

— Sim?

— Agora... — era um sussurro, incorpóreo e anônimo.

— Quem está falando?

— Agora. Venha agora, Israel.

Havia algo de lúgubre na voz, uma tonalidade extraterrena que lhe produziu um calafrio na espinha.

— Noelle?

— Agora...

— Por Deus! — explodiu ele. — Não vou fazê-lo. É tarde demais. Você vai morrer e eu não quero ser responsável. Trate de ir para um hospital.

Houve um estalido em seu ouvido e ele ficou parado, segurando o fone, até batê-lo com força e voltar para o quarto, a cabeça girando. Sabia que nada mais poderia fazer agora, ninguém poderia. Ela estava grávida havia cinco meses e meio. Ele a avisara várias vezes, mas ela não quisera ouvir. Bem, a responsabilidade era dela, ele não queria tomar parte naquilo.

Começou a se vestir o mais depressa que podia, enquanto seu estômago embrulhava.

QUANDO ISRAEL ENTROU no apartamento, deparou com Noelle caída no chão, numa poça de sangue, com uma hemorragia. Seu rosto estava lívido, mas não mostrava os sinais da agonia que lhe triturava o corpo. Usava algo parecido com um vestido de noiva. Israel se ajoelhou junto dela.

— O que aconteceu? Como foi que...

Parou quando seus olhos deram com o cabide de metal retorcido e ensanguentado que jazia aos pés dela.

— Jesus Cristo!

Ficou tomado de raiva e, ao mesmo tempo, de um sentimento terrivelmente frustrante de impotência. O sangue estava saindo mais depressa agora, não havia um momento a perder.

— Vou chamar uma ambulância — disse, levantando-se.

Noelle estendeu a mão e agarrou-o pelo braço, com uma força surpreendente, puxando-o para junto de si.

— O bebê de Larry está morto — disse, e seu rosto estava iluminado por um lindo sorriso.

Durante seis horas uma equipe de seis médicos trabalhou para salvar a vida de Noelle. O diagnóstico era septicemia, útero perfurado, poluição do sangue e choque. Todos os médicos achavam pouco provável que ela sobrevivesse, mas às 6 horas da tarde seguinte estava fora de perigo e dois dias depois já podia conversar, sentada na cama. Israel foi vê-la.

— Os médicos dizem que é um milagre você estar viva, Noelle.

Ela sacudiu a cabeça. Simplesmente não era hora de ela morrer. Vingara-se de Larry, mas aquilo fora apenas o começo, haveria mais ainda, muito mais. Precisava encontrá-lo primeiro, mas haveria de consegui-lo.

Catherine

Chicago: 1939-1940

3

Os FORTES VENTOS DE GUERRA que sopravam pela Europa não passavam de suaves brisas alertadoras ao atingirem a costa dos Estados Unidos.

No campus da Universidade Northwestern, mais alguns rapazes entraram para o ROTC,* havia manifestações de estudantes incitando o Presidente Roosevelt a declarar guerra à Alemanha e alguns alunos veteranos se alistaram nas Forças Armadas. Em geral, porém, o mar continuava calmo e mal se podia adivinhar o movimento submerso da onda que em breve varreria o país.

Enquanto se dirigia para seu trabalho de caixa no Roost, naquela tarde de outubro, Catherine Alexander imaginava se a guerra, caso acontecesse, mudaria sua vida. Havia alguma coisa que ela precisava mudar e estava decidida a fazê-lo o mais cedo possível. Morria de vontade de saber qual a sensação de ser abraçada e amada por um homem e sabia que o desejava em parte por causa

---

*Reserve Officers Training Corps: Corpo de Treinamento de Oficiais da Reserva. (*N. do T.*)

de suas necessidades físicas, mas também porque sentia que estava perdendo uma experiência importante e maravilhosa. Santo Deus, e se ela fosse atropelada e no exame *post mortem* descobrissem que era virgem! Não, era preciso dar um jeito nisso sem demora.

Catherine deu uma olhada cuidadosa pelo Roost mas não viu o rosto que procurava. Quando, uma hora depois, Ron Peterson apareceu com Jean-Anne, ela sentiu um arrepio pelo corpo e seu coração começou a bater com força. Virou-se de costas quando passaram por ela, espiando de soslaio enquanto se dirigiam para o lugar habitual e se sentavam.

Havia grandes faixas penduradas pela lanchonete: "EXPERIMENTE NOSSO HAMBURGER DUPLO ESPECIAL...", "EXPERIMENTE A DELÍCIA DOS APAIXONADOS...", "EXPERIMENTE NOSSO MALTE TRIPLO..."

Catherine respirou fundo e se aproximou da mesa. Ron estudava o cardápio, tentando tomar uma decisão.

— Não sei o que pedir — dizia ele.

— Está com muita fome? — perguntou Jean-Anne.

— Estou faminto.

— Então experimente isto.

Os dois levantaram os olhos, surpreendidos, e deram com Catherine de pé, ao lado da mesa. Ela entregou a Ron um papel dobrado, virou as costas e voltou ao caixa. Ron leu o bilhete e caiu na gargalhada, enquanto Jean-Anne o observava friamente.

— É alguma piada particular ou todo mundo pode ficar sabendo?

— É particular — disse Ron sorrindo, enquanto enfiava o papel no bolso.

Ron e Jean-Anne se retiraram logo depois. Ele nada disse ao pagar a conta, mas deu uma longa olhada, especulativa, para Catherine, sorriu e foi embora de braço dado com Jean-Anne. Catherine ficou olhando, sentindo-se uma idiota que não sabia nem como passar uma cantada bem-sucedida num rapaz.

Quando seu turno terminou, ela vestiu o casaco, deu boa-noite à garota que fora substituí-la e saiu. Estava uma noite quente de outono, pela qual saltitava uma brisa refrescante, vinda do lago. O céu parecia de veludo púrpura, com suaves estrelas distantes, que pareciam quase ao alcance da mão. Era uma noite perfeita — para quê? Catherine fez uma lista mental.

Posso ir para casa lavar o cabelo.

Posso ir à biblioteca estudar Latim para a prova de amanhã.

Posso ir ao cinema.

Posso me esconder entre os arbustos e violentar o primeiro marinheiro que passar.

Posso dar um jeito de ser presa.

Isso, decidiu ela.

Ao começar a atravessar o campus em direção à biblioteca, um vulto se aproximou, saindo de trás de um poste.

— Alô, Cathy. Para onde vai?

Era Ron Peterson, sorrindo para ela, e o coração de Catherine começou a bater tanto que chegou a lhe sair do peito. Viu-o bater sozinho, atravessando o ar. Percebeu que Ron Peterson olhava-a fixamente. Não era de admirar, pois quantas garotas que conhecia seriam capazes de fazer aquilo com o coração? Ela desejou desesperadamente pentear o cabelo, retocar a maquiagem e conferir a altura de suas meias, mas procurou disfarçar o nervosismo. Regra número um: manter a calma.

— Hum... — murmurou.

— Para onde você vai?

Deveria mostrar-lhe a lista? Por Deus, não! Ele a julgaria louca. Aquela era sua grande chance e não podia fazer nada que a prejudicasse. Levantou para ele um par de olhos tão quentes e convidativos quanto os de Carole Lombard em *Nada é sagrado*.

— Não tenho nenhum plano em especial — disse sedutoramente.

Ron a observava, ainda em dúvida, pois algum instinto primitivo o tornara cauteloso.

— *Gostaria* de fazer algo especial? — perguntou.

Pronto, aí estava a proposta, o ponto-limite de onde não se pode voltar.

— Sugira alguma coisa — disse ela —, e eu serei sua.

Catherine se encolheu por dentro. Aquilo soara tão idiota, ninguém dizia "sugira alguma coisa, e eu serei sua", senão nas piores novelas de Fannie Hurst. Na certa ele giraria nos calcanhares e iria embora. Mas não foi. Inacreditavelmente, Ron sorriu, tomou-lhe o braço e disse:

— Vamos.

Catherine caminhava ao lado dele, perplexa com a simplicidade da coisa. Estava a caminho de ser possuída — e começou a tremer por dentro. Se ele descobrisse que era virgem, seria o fim. E sobre o que falaria quando estivesse na cama com ele? As pessoas falam enquanto estão fazendo amor ou esperam até terminar? Ela não queria parecer mal-educada, mas não tinha a menor ideia das regras do jogo.

— Você já jantou? — perguntou Ron.

— Eu?

Olhou para ele, tentando raciocinar. Deveria dizer que sim? Neste caso ele a levaria direto para a cama e a coisa se resolveria de uma vez por todas.

— Não — disse rapidamente. — Não jantei.

Por que fui dizer isto? Estraguei tudo. Mas Ron não parecia perturbado.

— Ótimo. Você gosta de comida chinesa?

— É a minha preferida.

Ela detestava comida chinesa, mas certamente os deuses não levariam em conta uma pequena mentira na noite mais importante de sua vida.

— Há um bom restaurante chinês em Estes, o Lum Fong's. Você conhece?

Não, mas jamais o esqueceria enquanto vivesse.

O que fez você na noite em que perdeu a virgindade?

Oh, fui ao Lum Fong's primeiro e jantei comida chinesa com Ron Peterson.

Foi bom?

Claro. Mas sabe como é comida chinesa, uma hora depois eu estava novamente excitada.

Haviam chegado ao carro de Ron Peterson, um Reo marrom, conversível. Ele segurou a porta para Catherine entrar e ela se sentou no lugar em que haviam se sentado todas as garotas que invejava. Ron era atraente, bonito, um atleta. E maníaco sexual. Daria um bom título de filme: *A virgem e o maníaco sexual*. Talvez ela devesse ter insistido num restaurante melhor, como o Henrici's, no Loop, de modo que Ron pensasse: *Este é o tipo de garota que eu quero levar para apresentar à minha mãe.*

— Um centavo por seus pensamentos — disse ele.

Oh, *formidável!* Muito bem, quer dizer que ele não era o conversador mais brilhante do mundo. Mas não era por isso que ela estava ali, era? Olhou docemente para Ron.

— Estava apenas pensando em você — disse, encostando-se nele, que sorriu.

— Eu me enganei mesmo a seu respeito, Cathy.

— Foi?

— Sempre achei você muito retraída, quer dizer, não parecia interessar-se por homens.

A palavra que você está procurando é lésbica, pensou Catherine, mas disse:

— É porque eu gosto de escolher a hora e o lugar.

— Fico feliz por você me ter escolhido.

— Eu também.

E era verdade, ela estava realmente feliz. Podia estar certa de que Ron era um bom amante, pois fora testado e aprovado por todas as alunas galinhas existentes num raio de 200 quilômetros. Seria humilhante ter sua primeira experiência sexual com alguém que fosse tão ignorante quanto ela própria, mas Ron era um mestre. Depois daquela noite, não se chamaria mais de Santa Catherine — em vez disso provavelmente se tornaria conhecida como Catherine, a Grande. E desta vez saberia a que este "Grande" se referiria. Estava disposta a ser fantástica na cama. O truque era não entrar em pânico. Todas as coisas maravilhosas que lera naqueles livrinhos verdes, que costumava manter escondidos de seus pais, estavam a ponto de acontecer com ela própria. Seu corpo se transformaria num órgão cheio de estranhas melodias. Oh, sabia que da primeira vez iria doer, sempre doía, mas não deixaria Ron perceber. Mexeria bastante seu traseiro, porque os homens detestavam quando a mulher ficava lá, imóvel. E quando Ron a penetrasse, ela morderia os lábios para disfarçar a dor e a esconderia sob um grito *sexy*.

— O que foi isso?

Catherine se voltou para Ron, espantada, dando-se conta de que gritara de verdade.

— Eu... eu não disse nada.

— Você soltou um grito engraçado.

— Foi mesmo? — deu um risinho forçado.

— Você está a milhões de quilômetros de distância.

Catherine analisou a frase e concluiu que não era boa. Precisava ser mais como Jean-Anne. Pôs a mão no braço dele e chegou mais perto.

— Estou bem aqui — disse, tentando imitar a voz rouca de Jean Arthur em *Jane Calamidade*.

Ron olhou-a confuso, mas a única coisa que viu em seu rosto foi um ardor ansioso.

O Lum Fong's era um restaurante chinês de aparência sombria num prédio já bem velho, situado sob o elevado. Durante todo o jantar ouviram o estrondo dos trens que corriam acima de suas cabeças, fazendo chocalhar os pratos. O restaurante era igual a mil outros restaurantes chineses espalhados pelo país, mas Catherine absorveu cuidadosamente os detalhes do reservado onde se sentaram, gravando na memória o papel de parede barato e sujo, o bule de chá lascado, as manchas de molho na mesa.

Um pequeno garçom chinês veio perguntar se queriam drinques. Catherine já provara uísque algumas vezes na vida e o detestara, mas já que hoje era Ano-Novo, 4 de Julho, o Fim da Virgindade, achou que convinha comemorar.

— Aceito um *old-fashioned*, com cereja.

— Uísque e soda — disse Ron.

O garçom se inclinou, afastando-se, e Catherine pôs-se a imaginar se seria verdade que as orientais eram feitas obliquamente.

— Não sei por que não nos tornamos amigos antes — dizia Ron. — Todo mundo diz que você é a garota mais inteligente de toda a universidade.

— Você sabe como as pessoas exageram.

— E é um bocado bonita.

— Obrigada.

Ela tentou tornar sua voz parecida com a de Katharine Hepburn em *Alice Adams* e lançou-lhe um olhar significativo. Não era mais Catherine Alexander, era uma máquina de sexo, prestes a entrar para o time de Mae West, Marlene Dietrich, Cleópatra. Sob o prepúcio, seriam todas irmãs.

O garçom trouxe o drinque e ela o tomou de um só gole, rápido e nervoso. Ron observou surpreendido.

— Calma — avisou. — Esse negócio é um bocado forte.

— Eu aguento — assegurou Catherine confiante.

— Outra rodada — disse ele ao garçom. Estendeu o braço sobre a mesa e acariciou a mão dela.

— Engraçado. Todo mundo na escola tinha você sob um conceito errado.

— Nada disso. Ninguém na escola me tinha.

Ele a encarou. *Cuidado, não seja espirituosa.* Na cama, os homens dão preferência a garotas com glândulas mamárias em excesso, músculos glúteos ao máximo e cérebros extremamente pequenos.

— Eu sentia uma... uma coisa por você havia muito tempo — disse ela às pressas.

— Você disfarçou muito bem.

Ron tirou do bolso o bilhete que ela escrevera, abriu-o e leu em voz alta, rindo:

— "Experimente a garota do caixa." Por enquanto, eu a estou achando melhor que a Banana Split.

Acariciou-lhe os braços de cima até embaixo, o que lhe deu uma série de arrepios ao longo da espinha, tal como diziam os livros. Talvez, depois daquela noite, ela escrevesse um manual sobre sexo para instruir todas as pobres virgens idiotas que não sabiam o que era a vida. Após o segundo drinque, Catherine começava a ter pena delas.

— É uma pena.

— O quê?

Falara alto outra vez. Resolveu ser ousada:

— Eu estava sentindo pena de todas as virgens do mundo — disse.

Ron sorriu e levantou o copo:

— Vou beber a isto.

Catherine observou-o sentado à sua frente, obviamente satisfeito com a companhia dela. Não havia motivo para se preocupar, tudo corria maravilhosamente. Ele perguntou se ela queria outro drinque, mas Catherine recusou. Não pretendia estar em estupor alcoólico quando fosse deflorada. *Deflorada! Será que ainda se usavam palavras como esta?* Seja como for, queria recordar cada momento, cada sensação. *Santo Deus! Não estava usando nada! Será que ele tinha? É claro que um homem tão experiente como Ron*

Peterson teria algo para colocar, alguma proteção para que ela não ficasse grávida. E se ele esperasse o mesmo dela? Se pensasse que uma garota experiente como Catherine Alexander certamente estaria usando alguma proteção? Seria conveniente abrir o jogo e perguntar a ele? Concluiu que preferiria morrer ali mesmo na mesa. Poderiam levar seu corpo e lhe dar um funeral segundo o ritual chinês.

Ron pediu o jantar de seis pratos por 1,75 dólar, e Catherine fingiu comer, mas daria no mesmo se aquilo fosse cartolina chinesa. Estava ficando tão tensa que não sentia o gosto de nada. Sua língua ficara subitamente seca e o céu da boca parecia dormente. *E se tivesse acabado de sofrer um derrame?* Mantendo relações sexuais logo depois de ter um derrame, provavelmente morreria. Talvez devesse avisar Ron, pois prejudicaria sua reputação se achassem uma garota morta em sua cama. Ou, quem sabe, talvez a reforçasse.

— O que há? — perguntou ele. — Você está pálida.

— Sinto-me ótima — disse Catherine temerariamente. — Apenas excitada por estar com você.

Ron olhou-a de maneira aprobatória, os olhos castanhos estudando cada detalhe de seu rosto, descendo até o busto e deixando-se ficar por ali.

— Também me sinto assim — replicou ele.

O garçom levara os pratos e Ron pagara a conta. Olhou para ela, mas Catherine não conseguia se mover.

— Você quer mais alguma coisa? — perguntou-lhe.

Se quero? Oh, claro! Quero estar num barco, lentamente a caminho da China. Quero estar no caldeirão de um canibal, sendo cozida para o jantar. Quero minha mãe! Ron observava, esperando. Ela respirou fundo.

— Não... não consigo pensar em mais nada.

— Ótimo. — Ele pronunciou a palavra devagar, tornando-a comprida e interminável, parecendo colocar uma cama sobre a mesa que os separava. — Então vamos.

Levantou-se e Catherine o acompanhou. A sensação de euforia causada pelos drinques desaparecera e suas pernas começaram a tremer. Saíram para o ar cálido da noite quando de repente Catherine teve uma ideia que a encheu de alívio: *Ele não vai me levar para a cama esta noite. Os homens nunca o fazem logo da primeira vez que saem com uma garota. Vai me convidar de novo para jantar, iremos ao Henrici's e poderemos nos conhecer melhor. Conhecer realmente um ao outro. Aí provavelmente nos apaixonaremos loucamente e ele me levará para conhecer seus pais e tudo correrá bem... Eu não sentirei este pânico estúpido.*

— Você tem preferência por algum motel? — perguntou Ron.

Catherine olhou-o, sem fala. Adeus aos sonhos de um suave serão musical em companhia dos pais dele. O desgraçado pretendia levá-la para a cama num motel! Bom, era aquilo que ela queria, não era? Não fora para isso que escrevera aquele bilhete maluco?

A mão de Ron estava agora no ombro dela, deslizando ao longo do braço. Teve a sensação de algo quente na virilha. Engoliu em seco e disse:

— Quem viu um motel viu todos.

Ron olhou-a de modo estranho, mas limitou-se a dizer:

— OK, vamos andando.

Entraram no carro e rumaram para oeste. O corpo de Catherine se transformara num bloco de gelo, mas sua mente girava com uma velocidade febril. A última vez que estivera num motel fora aos oito anos, quando atravessara o país com o pai e a mãe. Agora estava indo para um na companhia de um completo desconhecido. Que sabia ela sobre Ron, afinal? Só que era bonito, popular e que sabia reconhecer uma garota fácil quando a via. Ron estendera a mão e pegara a dela.

— Você está com as mãos frias — comentou.

— Mãos frias, pernas quentes.

Oh, Cristo, pensou ela, *lá vou eu de novo.* Por alguma razão as palavras da canção "Ah, Sweet Mystery of Life" (Ah, doce mistério da vida) começaram a atravessar seu pensamento. Bem, ela estava a caminho de descobrir sobre o que era aquilo tudo, os livros, os comerciais excitantes, as palavras ligeiramente disfarçadas nas canções românticas — "Rock Me in the Cradle of Love" (Embale-me no Berço do Amor), "Do It Again" (Faça outra vez), "Birds Do It" (Os passarinhos fazem) — OK, pensou, *agora Catherine Alexander vai fazer também.*

Ron dobrou para o sul na rua Clark. De ambos os lados da rua à frente viam-se enormes olhos vermelhos que piscavam, letreiros de néon cheios de vida dentro da noite, alardeando suas ofertas de paraísos baratos e provisórios para jovens amantes impacientes.

Motel Suave Repouso, Motel Noite Completa, Entre Hotel (*aquela tinha de ser freudiana!*), Repouso do Viajante. A falta de imaginação era impressionante, mas provavelmente os donos daqueles motéis viviam muito ocupados para se preocupar com o estilo literário, apressando os jovens casais fornicadores a subir e descer das camas.

— Este é praticamente o melhor deles — disse Ron, apontando para um letreiro luminoso à frente: Estalagem Paraíso — vagas.

Aquilo era simbólico. Havia uma vaga no paraíso e ela, Catherine Alexander, iria preenchê-la.

Ron entrou com o carro num pátio vizinho ao pequeno escritório de paredes brancas, onde havia um letreiro dizendo: "Toque a campainha e entre." O pátio era cercado por umas duas dúzias de bangalôs de madeira numerados.

— O que acha? — perguntou Ron.

Parece o Inferno de Dante. É como o Coliseu de Roma no tempo em que os cristãos eram atirados aos leões. Como o Templo de Delfos no momento de uma vestal encontrar o seu leão.

Catherine teve outra vez aquela sensação de excitamento na virilha.

— Ótimo — disse. — Simplesmente ótimo.

Ron sorriu astutamente:

— Volto já.

Pôs a mão no joelho de Catherine, acariciou-a até a coxa, deu-lhe um beijo rápido e impessoal, saltou do carro e entrou no escritório. Ela ficou lá sentada, olhando, tentando esvaziar a mente. Ouviu uma sirena ao longe. *Oh, meu Deus*, pensou desesperada, *é uma batida! Estão sempre dando batidas nesses lugares!*

A porta do escritório se abriu, dando passagem a Ron, que segurava uma chave, aparentemente surdo para o som da sirena que se aproximava cada vez mais. Chegou ao carro pelo lado de Catherine e abriu a porta.

— Tudo certo — disse.

A sirena parecia um anjo ameaçador, gritando em direção a eles. Será que a polícia os prenderia apenas por estarem no pátio?

— Venha — disse Ron.

— Você não está ouvindo?

— Ouvindo o quê?

A sirena passou adiante, ululando ao longo da rua e sumindo na distância. Diabos!

— Os passarinhos — disse ela, fracamente.

Havia uma expressão de impaciência no rosto de Ron.

— Se há algo errado... — disse.

— Não, não — interrompeu Catherine depressa. — Estou indo.

Saiu do carro e os dois se encaminharam para um dos bangalôs.

— Espero que você tenha pego meu número da sorte — disse ela alegremente.

— O que você falou?

Catherine olhou-o e de repente percebeu que não proferira palavra alguma. Sua boca estava completamente seca.

— Nada — resmungou.

Chegaram à porta e o número era 13. Exatamente o que ela merecia, um sinal dos céus de que ficaria grávida, de que Deus se preparava para castigar Santa Catherine.

Ron destrancou a porta e a abriu para ela passar. Apertou o interruptor e Catherine entrou. Mal podia acreditar. O quarto parecia consistir apenas numa enorme cama, pois o resto da mobília se resumia a uma poltrona de aparência desconfortável em um canto, uma pequena penteadeira com espelho e, ao lado da cama, um rádio quebrado com uma fenda para se introduzir a moeda. Ninguém jamais se enganaria ao entrar: aquele quarto era obviamente nada mais que o lugar aonde um rapaz levava uma garota para trepar. Não seria possível dizer: Bem, aqui estamos no pavilhão de esqui, ou no quarto das manobras militares, ou na suíte nupcial do Ambassador. Não. Era apenas um ninho de amor barato. Catherine se virou para ver o que Ron estava fazendo e viu-o colocar a tranca na porta. *Bem. Se o Esquadrão do Vício quisesse pegá-los, teria de derrubar a porta primeiro.* Ela se imaginou sendo levada nua por dois policiais enquanto um fotógrafo batia seu retrato para a primeira página do *Chicago Daily News.*

Ron se aproximou e a abraçou.

— Está nervosa? — perguntou ele.

Catherine olhou-o e forçou um sorriso que deixaria Margaret Sullavan orgulhosa.

— Nervosa? Ron, não seja bobo.

Ele a examinava, pouco convencido.

— Você já fez isto antes, não fez, Cathy?

— Eu não mantenho uma agenda.

— Estou achando você estranha desde o começo.

Pronto, já era coisa. Ele daria um pontapé no seu traseiro virgem e a mandaria tomar um banho frio. Bem, ela não deixaria que aquilo acontecesse, não naquela noite.

— Estranha como?

— Não sei — dizia Ron numa voz perplexa. — Num momento você parece bem excitada, sabe como é, por dentro do jogo, e no momento seguinte seu pensamento parece estar em outra coisa e você se torna fria como gelo. É como se fossem duas pessoas diferentes. Qual delas é a verdadeira Catherine?

Fria como gelo, disse automaticamente para si mesma, e em voz alta:

— Vou lhe mostrar.

Abraçou-o e beijou-o nos lábios, sentindo cheiro de comida chinesa. Ele a beijou com força, puxando-a para si. Acariciou-lhe os seios, empurrando a língua em sua boca. Catherine sentiu uma umidade quente dentro de si, enquanto notava que sua calça ficava molhada. *Aqui vou eu*, pensou, *vai acontecer mesmo! Vai acontecer mesmo!* Apertou-o com mais força, sentindo uma excitação crescente, quase insuportável.

— Vamos tirar a roupa — disse Ron com a voz rouca. Afastou-se dela e começou a tirar a jaqueta.

— Não, deixe que eu tiro — disse ela.

Havia uma nova segurança em sua voz. Se esta era a noite das noites, iria fazê-lo direito. Se lembraria de tudo que lera ou ouvira, de modo que Ron não pudesse depois se divertir com as garotas da universidade contando sobre como fizera amor com uma virgenzinha idiota. Seu busto podia não ter as medidas do de Jean-Anne, mas seu cérebro valia mil vezes mais e ela o poria a funcionar para tornar Ron tão feliz na cama que ele mal poderia suportar. Tirou-lhe a jaqueta, colocou-a na cama, estendendo a mão para tirar a gravata.

— Espere — disse Ron. — Quero ver você se despir.

Catherine olhou-o, engoliu em seco, puxou o fecho lentamente e tirou o vestido. Ficou de sutiã, calcinha, combinação, sapatos e meias.

— Continue — insistiu ele.

Hesitou um instante e depois se inclinou, tirando a combinação. *Leões, dois, cristãos, zero,* pensou.

— Sensacional! Continue — repetia Ron.

Ela se sentou lentamente na cama, tirando com cuidado os sapatos e meias, tentando fazê-lo da maneira mais *sexy* que podia. De repente sentiu Ron atrás de si, abrindo-lhe o sutiã e deixando-o cair sobre a cama. Depois, ele a fez levantar-se e puxou-lhe a calcinha para baixo. Catherine respirou fundo e fechou os olhos, desejando estar em outro lugar, com outro homem, um ser humano que a amasse, que ela amasse, que lhe geraria crianças saudáveis para levarem seu nome, alguém capaz de lutar por ela, de matar por ela e de quem seria a companheira e adoradora. *Prostituta na cama, grande cozinheira na cozinha, anfitriã encantadora na sala de visitas...* um homem capaz de matar um filho da puta como Ron Peterson por ter ousado trazê-la a este quarto sórdido e degradante. Sua calça caiu no chão e Catherine abriu os olhos.

Ron a contemplava, uma expressão admirada no rosto.

— Por Deus, Cathy, você é linda — disse ele. — Linda mesmo.

Inclinou-se para beijar-lhe o seio e ela viu de relance o espelho da penteadeira. Parecia uma farsa francesa, nojenta e suja. Tudo dentro dela, menos aquela dor quente na virilha, dizia que aquilo era mesquinho, feio e errado, mas agora não era mais possível parar. Ron estava arrancando a gravata e desabotoando a camisa, o rosto afogueado. Abriu o cinto e ficou de cuecas, depois se sentou na cama para tirar os sapatos e as meias.

— Estou falando sério, Cathy — disse, com a voz embargada pela emoção. — Você é a coisa mais linda que já vi.

Suas palavras apenas aumentaram o pânico. Ron se levantou com um grande sorriso de antecipação e deixou que as cuecas escorregassem para o chão. Seu pênis estava firmemente ereto, parecendo um salame enorme e inchado, com cabelo em volta. Era o maior e mais incrível que Catherine já vira na vida.

— O que achou? — disse ele, contemplando-o orgulhoso.

Sem pensar, Catherine falou:

— Salame em fatias com legumes; pegue a alface e a mostarda!

E ficou imóvel, vendo-o descer.

DURANTE O PRIMEIRO ano de Catherine na universidade, ocorreu uma mudança na atmosfera do campus.

Pela primeira vez, percebia-se uma preocupação crescente acerca do que estava acontecendo na Europa, e a sensação cada vez mais forte de que os Estados Unidos iriam se envolver. O sonho de Hitler, sobre os mil anos de domínio do Terceiro Reich, estava prestes a se tornar realidade. Os nazistas haviam ocupado a Dinamarca e invadido a Noruega.

Durante os últimos seis meses as conversas nos campi pelo país haviam mudado de tom e, em vez de sexo, roupas e festas, falava-se de ROTC, alistamento, empréstimo e arrendamento. Um número cada vez maior de rapazes aparecia em fardas do Exército e da Marinha.

Um dia, Susie Roberts, colega de turma de Catherine, deteve-a no corredor.

— Quero me despedir, Cathy. Estou de partida.

— Para onde você vai?

— Para o Klondike.*

— *Klondike?*

— Washington, D.C. Todas as garotas estão encontrando ouro por lá. Dizem que há pelo menos cem homens para cada uma. — Ela olhou para Catherine. — Por que você continua aqui? A escola está insuportável. Há um mundo inteiro esperando lá fora.

— Não posso sair daqui agora — disse Catherine.

---

*Região que foi objeto de uma das mais célebres "corridas do ouro" no Canadá, iniciada em 1896. (*N. do T.*)

Não sabia bem por quê: nada havia que a prendesse em Chicago. Correspondia-se regularmente com o pai em Omaha e nas duas ou três vezes por mês em que conversavam pelo telefone ele sempre dava a impressão de estar numa prisão.

Ela agora estava sozinha. Quanto mais pensava em Washington, mais atraente lhe parecia. Naquela noite telefonou para o pai, dizendo que queria deixar os estudos e ir trabalhar em Washington. Ele perguntou se gostaria de ir para Omaha, mas Catherine sentiu a relutância em sua voz: ele não queria que a filha também caísse na armadilha.

Na manhã seguinte, ela procurou o orientador das alunas para avisá-lo de que deixaria a universidade. Enviou um telegrama a Susie Roberts e, no dia seguinte, pegou o trem para Washington.

Noelle

Paris: 1940

4

NUM SÁBADO, 14 de junho de 1940, o 5º Exército alemão entrou numa Paris perplexa. A Linha Maginot acabara transformando-se no maior fiasco da história das guerras, e a França jazia indefesa ante uma das mais poderosas máquinas militares que o mundo jamais conhecera.

O dia começara com uma estranha névoa cinzenta encobrindo a cidade, uma nuvem assustadora, de origem desconhecida. Durante as últimas 48 horas, o som de um tiroteio intermitente rompera o silêncio incomum e assustado de Paris. O rugido dos canhões vinha de fora da cidade, mas os ecos reverberavam em seu coração. Houvera uma avalancha de boatos transportada pelo rádio, pelos jornais e pelas vozes das pessoas. Os boches estavam invadindo a costa da França... Londres fora destruída... Hitler entrara em acordo com o governo britânico... Os alemães iam desintegrar Paris com uma nova bomba mortífera. Inicialmente, cada boato fora visto como um verdadeiro evangelho, gerando seu pânico próprio, mas a sucessão de crises acabou exercendo um efeito soporífero, como se mente e corpo, incapazes de absorver mais terror, se recolhessem a uma concha protetora feita de apatia. Agora, as fábricas de boatos pararam completamente de funcionar, as gráficas já não imprimiam jornais e as emissoras de rádio nada mais transmitiam, mas o instinto das pessoas assumira o lugar das máquinas e os parisienses sentiam que aquele seria um dia decisivo. A nuvem cinzenta fora um presságio.

E então, o enxame de gafanhotos alemães começou a invadir a cidade.

DE REPENTE, PARIS se tornou uma cidade cheia de fardas estrangeiras e pessoas diferentes, falando um idioma esquisito e gutural, correndo em grandes Mercedes com bandeiras alemãs pelas largas avenidas arborizadas ou abrindo caminho pelas calçadas que agora lhes pertenciam. Eram os verdadeiros *über Mensch*,* destinados a conquistar e dominar o mundo.

Em apenas duas semanas tinha ocorrido uma transformação surpreendente. Por toda parte apareceram letreiros em alemão, estátuas de heróis franceses foram derrubadas, e a suástica hasteada em todos os edifícios do governo. Os esforços dos alemães para erradicar tudo que era gaulês atingiram proporções ridículas. Nas torneiras, as palavras que indicavam "frio" e "quente" foram trocadas de *froid* e *chaud* para *kalt* e *heiss*. A Place de Broglie em Estrasburgo virara Adolf Hitler Platz. Estátuas de Lafayette, Ney e Kleber foram dinamitadas por pelotões nazistas, enquanto as inscrições nos monumentos aos mortos foram substituídas por *Gefallen für Deutschland*.

As tropas alemãs de ocupação estavam se divertindo. Embora temperada demais e coberta por muitos molhos, a comida francesa constituía uma agradável alternativa para as rações de guerra. Os soldados não sabiam, nem se importavam, que aquela fosse a

---

* Em alemão no original. (*N. do T*)

cidade de Baudelaire, Dumas e Molière. Para eles, Paris era uma prostituta extravagante, ávida e excessivamente maquiada, com as saias levantadas acima dos quadris, e eles a violentavam, cada um a sua maneira. Os soldados das tropas de assalto obrigavam garotas francesas a se deitarem com eles, às vezes sob a ameaça de baionetas, enquanto seus líderes, como Goering e Himmler, violavam o Louvre e as ricas propriedades particulares que sofregamente confiscavam aos mais recentes inimigos do Reich.

Se nessa época de crise para a França a corrupção e o oportunismo subiram à superfície, o mesmo ocorreu com o heroísmo. Uma das armas secretas da Resistência eram os *pompiers*, os bombeiros, que na França existem sob a jurisdição do exército. Os alemães haviam confiscado dúzias de edifícios para uso do exército, da Gestapo e de vários ministérios, e evidentemente todos conheciam a localização desses edifícios. Num quartel da Resistência em Saint Remy, vários líderes costumavam estudar atentamente grandes mapas da cidade, localizando cada um deles; depois designavam especialistas e seus respectivos alvos, de modo que no dia seguinte um carro, em alta velocidade, ou um ciclista, aparentemente inofensivo, passavam diante dos prédios e jogavam pela janela uma bomba caseira. Até esse ponto, o dano causado era leve; a engenhosidade do plano estava no que vinha depois.

Os alemães chamavam os *pompiers* para extinguir o fogo. Ora, em toda parte do mundo, quando há um incêndio, costumase dar completa liberdade aos bombeiros e assim ocorria em Paris. Os *pompiers* invadiam correndo os edifícios enquanto os alemães saíam humildemente do caminho e ficavam olhando, enquanto aqueles destruíam tudo o que estivesse à vista com mangueiras de alta pressão, machados e — quando havia oportunidade — suas próprias bombas incendiárias. Deste modo, a Resistência conseguiu destruir valiosos arquivos alemães, trancados nas fortalezas da Wehrmacht e da Gestapo. Passaram-se quase seis meses até o Alto-Comando alemão descobrir o plano, mas até então já haviam sofrido danos irreparáveis. A Gestapo nada conseguiu provar, mas todos os *pompiers* foram arrebanhados e enviados à frente russa para combater.

Havia escassez de tudo, desde comida até sabonete. Faltavam gasolina, carne e laticínios, pois os alemães confiscavam tudo. As lojas que vendiam artigos de luxo permaneciam abertas, mas seus únicos clientes eram os soldados, que pagavam em marcos da ocupação, os quais diferiam dos marcos comuns apenas pela falta da margem branca nas cédulas e pelo fato de que a promessa de pagamento impressa não tinha assinatura.

— Quem resgatará isto? — gemiam os comerciantes franceses.

E os alemães sorriam:

— O Banco da Inglaterra.

Mas nem todos os franceses sofriam, pois para aqueles que tinham dinheiro e relações sempre havia o mercado negro.

A VIDA DE NOELLE PAGE mudara muito pouco com a ocupação. Ela estava trabalhando como manequim de Chanel, na rua Candon, num edifício de pedra com 150 anos de idade, cuja fachada era comum, mas o interior, ricamente decorado. A guerra, como todas as guerras, criara milionários da noite para o dia e não faltavam clientes. Noelle recebia mais propostas do que nunca, com a diferença de que agora a maioria delas era em alemão. Quando estava de folga sentava-se durante horas nos pequenos bares de calçada da Champs-Elysées ou da Margem Esquerda, perto da Pont Neuf. Havia centenas de homens em uniforme alemão, muitos acompanhados por garotas francesas. Os civis franceses à vista eram velhos demais ou aleijados, e Noelle supunha que os jovens tivessem sido enviados para campos de concentração ou recrutados pelo serviço militar. Ela era capaz de identificar os alemães num relance, mesmo quando não usavam farda. Tinham uma expressão arrogante no rosto, a expressão característica dos conquistadores desde os dias de Alexandre e Adriano. Noelle não os odiava, nem gostava deles; simplesmente não a afetavam.

Ela estava muito ocupada com sua vida, planejando cuidadosamente cada movimento. Sabia muito bem qual era seu objetivo e tinha certeza de que nada poderia detê-la. Logo que conseguiu dinheiro suficiente, contratou um detetive particular que cuidara do divórcio de um modelo com quem ela trabalhava. Ele se chamava Christian Barbet e funcionava num pequeno escritório caindo aos pedaços na rua Saint Lazare. A placa da porta, que dizia

ENQUÊTES
PRIVÉES ET COMMERCIALES
RECHERCHES
RENSEIGNEMENTS
CONFIDENTIELS
FILATURES
PREUVES

era quase maior que o escritório. Barbet, baixo e careca, com dentes amarelos e quebrados, era estrábico e tinha os dedos manchados de nicotina.

— O que posso fazer por você? — perguntou a Noelle.

— Desejo informações sobre alguém na Inglaterra.

Ele piscou, desconfiado:

— Que tipo de informação?

— Qualquer coisa. Se ele está casado, com quem se dá. O que for possível.

Barbet coçou os testículos com cuidado, encarando-a.

— Ele é inglês?

— Americano. É piloto do Esquadrão das Águias da RAF.

O detetive alisou o topo da careca, preocupado.

— Não sei não — resmungou. — Estamos em guerra. Se me pegarem tentando trazer informações da Inglaterra sobre um aviador... — Sua voz se extinguiu e ele deu de ombros significativamente: — Os alemães atiram primeiro e perguntam depois.

— Não é informação militar que eu quero — explicou Noelle, abrindo a bolsa para tirar um maço de francos, que Barbet observou avidamente.

— Tenho contatos na Inglaterra — disse ele com cuidado —, mas vai sair caro.

E assim começara. Passaram-se três meses antes que o pequeno detetive telefonasse para Noelle. Ela foi ao escritório e suas primeiras palavras foram: "Ele está vivo?" Quando Barbet confirmou, ela sentiu o corpo relaxar de alívio e Barbet pensou: *Deve ser maravilhoso ser tão amado por alguém.*

— Seu namorado foi transferido — disse a ela.

— Para onde?

Barbet consultou um bloco de apontamentos sobre a mesa:

— Ele pertencia ao 609º Esquadrão da RAF e foi transferido para o 121º Esquadrão, em Martlesham East, em East Anglia. Está pilotando os Hurri...

— Isto não me interessa.

— Você está pagando — disse Barbet. — Convém saber o quê. — Consultou novamente seus apontamentos. — Ele está pilotando Hurricanes agora, antes pilotava American Buffaloes.

Virou a página e acrescentou:

— Agora a coisa se torna meio particular.

— Continue — disse Noelle.

Barbet deu de ombros:

— Há uma lista de garotas com quem ele tem dormido. Eu não sabia se você queria...

— Eu lhe disse: tudo que for possível.

Havia uma entonação estranha na voz dela que o desconcertava. Algo ali não era normal, algo soava falso. Christian Barbet era um investigador de terceira categoria que atendia clientes de terceira categoria, mas por isso mesmo desenvolvera um faro animal para a verdade, um nariz hábil em descobrir fatos. A linda moça de pé em seu escritório o perturbava. De início, pensara que estava tentando envolvê-lo em alguma espionagem, depois concluíra que se tratava de uma esposa abandonada em busca de provas contra o marido. Enganara-se quanto a isto e agora não fazia a menor ideia do que sua cliente queria, ou por quê. Entregou-lhe a lista de namoradas de Larry Douglas e observou seu rosto enquanto lia. Parecia que estava lendo uma lista de compras. Olhou para ele ao terminar e disse uma coisa que Christian Barbet não estava absolutamente preparado para ouvir:

— Estou muito satisfeita.

Ele a encarou, piscando várias vezes.

— Por favor, telefone quando tiver mais alguma coisa para me informar.

Muito tempo depois de a cliente ter saído, Barbet ainda se achava sentado no escritório, olhando pela janela e quebrando a cabeça para descobrir o que ela realmente procurava.

Os teatros de Paris haviam começado a florescer outra vez. Os alemães os frequentavam para comemorar a glória de suas vitórias e para exibir as belas francesas que levavam no braço como troféus. Quanto aos franceses, iam ao teatro para esquecer durante algumas horas o fato de serem um povo infeliz e derrotado.

Noelle fora ao teatro algumas vezes em Marselha, mas assistira a peças pobres, amadoras, representadas por atores de quarta categoria, para plateias indiferentes. Em Paris o teatro era algo bem diverso, vivo, brilhante, cheio do espírito e da graça de Molière, Racine e Colette. O inigualável Sacha Guitry inaugurara seu teatro e Noelle fora vê-lo representar. Assistiu a uma remontagem de *A morte de Danton*, de Büchner, e a uma peça chamada *Asmodée*, de um jovem e promissor autor cujo nome era François Mauriac. Na Comédie Française viu *A verdade de cada um*, de Pirandello, e *Cyrano de Bergerac*, de Rostand. Sempre sozinha, Noelle permanecia alheia aos olhares de admiração dos que a cercavam, completamente absorvida pelo drama que se desenrolava no palco. Na magia criada por trás das luzes da ribalta, havia algo com que ela se identificava. Assim como os atores no palco, também estava representando um papel, fingindo ser outra pessoa, escondendo-se por trás de uma máscara.

Uma determinada peça de Jean-Paul Sartre — *Huis Clos* — afetava-a profundamente. Era estrelada por Philipe Sorel, um dos ídolos da Europa, feio, baixo e atarracado, com um nariz quebrado no rosto de boxeador, mas que ao falar, por um passe de mágica, transformava-se num homem sensível e bonito. *Como na história do Príncipe e do Sapo*, pensava Noelle, *só que ele é os dois ao mesmo tempo*. Foi vê-lo repetidas vezes, sentada na primeira fila, tentando apreender o segredo de seu magnetismo.

Certa noite, durante o intervalo, um lanterninha veio entregar-lhe um bilhete que dizia: "Tenho visto você na plateia noite após noite. Por favor venha hoje aos bastidores e deixe-me conhecê-la. P. S." Noelle leu e releu, saboreando o bilhete, não porque tivesse algum interesse por Philipe Sorel, mas porque compreendeu ser aquilo o começo que estivera procurando.

Foi aos bastidores após o espetáculo e um velho à saída do palco conduziu-a ao camarim de Sorel. Encontrou-o sentado diante do espelho, vestindo apenas um calção, tirando a maquiagem. Observou Noelle pelo espelho e disse finalmente:

— É incrível. Você é ainda mais linda vista de perto.

— Obrigada, Monsieur Sorel.

— De onde você é?

— Marselha.

Sorel se virou para vê-la melhor. Seus olhos a examinaram lentamente, dos pés à cabeça, sem perder um detalhe, enquanto Noelle permanecia imóvel sob seu escrutínio.

— Está procurando emprego? — perguntou ele.

— Não.

— Eu nunca pago — disse Sorel. — Tudo que você pode conseguir de mim é uma entrada permanente para minha peça. Se quer dinheiro, vá trepar com um banqueiro.

Noelle continuou a observá-lo calmamente, até que Sorel falou:

— O que está procurando, afinal?

— Acho que estou procurando você.

Cearam juntos e depois se dirigiram ao apartamento de Sorel, na bonita rua Maurice Banes, com vista para a esquina onde esta se transformava no Bois de Boulogne. Philipe Sorel era um hábil amante, surpreendentemente atencioso e desprendido. Nada esperara de Noelle além da beleza e ficou maravilhado com sua versatilidade na cama.

— Cristo! — disse ele. — Você é fantástica. Onde aprendeu tudo isso?

Noelle refletiu por um instante. Não era realmente questão de aprendizado, e sim de sentimento. Para ela, o corpo do homem constituía um instrumento a ser tocado, a ser explorado até sua máxima profundidade, onde ela podia encontrar as cordas mais sensíveis e se apoiar nelas, usando seu próprio corpo para criar estranhas harmonias.

— Nasci sabendo.

Seus dedos começaram a dançar levemente em volta dos lábios dele, como ligeiras borboletas, descendo para o peito e o estômago. Ao ver que ele começava a ficar rijo e ereto outra vez, levantou-se e entrou um instante no banheiro. Ao voltar, introduziu o pênis enrijecido em sua boca, que estava quente, cheia de água morna.

— Oh, Cristo — gemeu ele.

Passaram a noite inteira fazendo amor e, pela manhã, Sorel convidou Noelle para ir morar com ele.

Noelle viveu com Philipe Sorel durante seis meses. Não se sentia feliz nem infeliz. Sabia que sua presença o deixava em êxtase, mas isso não tinha para ela a menor importância. Considerava-se uma simples estudante, decidida a aprender algo novo a cada dia que passava, e ele era a escola que estava frequentando, pequena fração de seu grande plano. Para ela, nada havia de pessoal naquela relação, pois não dava coisa alguma de si mesma, erro que cometera duas vezes, mas que jamais se repetiria. Só havia lugar para um homem no pensamento de Noelle, e esse homem era Larry Douglas. Quando passava pela Place des Victoires, por algum parque ou restaurante onde estivera com ele, sentia o ódio fervilhar dentro de si, sufocando-a tanto que mal podia respirar, e junto com o ódio havia algo mais, algo que não conseguia identificar.

Estava com Sorel havia dois meses quando recebeu um telefonema de Christian Barbet.

— Tenho outro relatório para você — disse o detetive.

— Ele está bem? — perguntou Noelle imediatamente.

Barbet sentiu novamente aquela sensação de desconforto.

— Está — respondeu.

— Irei agora mesmo — disse ela, com a voz cheia de alívio.

O relatório se compunha de duas partes. A primeira referia-se à carreira militar de Larry. Derrubara cinco aviões alemães, sendo o primeiro americano na guerra a se tornar um ás, além de ter sido promovido a capitão. A segunda parte do relatório interessava mais a Noelle. Larry tornara-se muito popular nos meios sociais de guerra em Londres e ficara noivo da filha de um almirante inglês. Seguia-se uma relação das mulheres com quem Larry dormira, desde coristas até a esposa do subsecretário de um ministério.

— Quer que eu prossiga com isto? — perguntou Barbet.

— É claro — respondeu Noelle, tirando um envelope da bolsa e entregando-o a Barbet.

— Telefone-me quando tiver mais alguma coisa.

E saiu. Barbet suspirou e levantou os olhos para o teto.

— *Folle* — disse pensativamente. — *Folle*.

SE PHILIPE SOREL TIVESSE tido alguma suspeita do que se passava na mente de Noelle, teria ficado perplexo. Ela parecia totalmente dedicada a ele, fazendo tudo de que ele precisava: preparava pratos maravilhosos, fazia compras, supervisionava a limpeza do apartamento e fazia amor sempre que ele tinha vontade. E nada pedia. Sorel se congratulava por ter encontrado a amante perfeita, levando-a a toda parte e apresentando-a a todos os seus amigos, que ficavam encantados com ela e o consideravam um homem de muita sorte.

Certa noite, enquanto ceavam depois do espetáculo, Noelle disse:

— Quero ser atriz, Philipe.

Ele sacudiu a cabeça:

— Deus sabe que você é suficientemente bonita, Noelle, mas eu estou cansado de atrizes, passei a vida no meio delas. Você é diferente e quero que continue assim. Não quero partilhar você com ninguém. — Bateu-lhe de leve na mão. — Não lhe dou tudo de que você precisa?

— Sim, Philipe — respondeu ela.

Quando voltaram ao apartamento aquela noite, Philipe quis fazer amor e, ao terminarem, estava exausto. Noelle nunca se mostrara tão excitante e Sorel deu graças pelo fato de que a única coisa de que ela precisava era a orientação firme de um homem.

O aniversário de Noelle foi no domingo seguinte e Philipe Sorel deu um banquete no Maxim's para comemorá-lo. Alugou o salão privado no andar superior, decorado de macio veludo vermelho e revestido com painéis de madeira bem escura. Noelle ajudara a fazer a lista de convidados, tendo incluído um nome sem que Philipe soubesse. Havia 40 pessoas na festa, erguendo brindes à aniversariante e trazendo numerosos presentes. Terminado o jantar, Sorel se levantou, ligeiramente cambaleante, graças à quantidade de *brandy* e champanhe que tomara.

— Amigos — disse com a voz um tanto pastosa. — Todos nós bebemos à saúde da moça mais linda do mundo e lhe demos presentes encantadores, mas eu tenho um presente que será uma grande surpresa. — Olhou para Noelle com um sorriso radiante e se dirigiu ao grupo: — Noelle e eu vamos nos casar.

Um grito geral de aprovação partiu dos convidados, que se precipitaram para abraçar Sorel e dar votos de boa sorte à futura noiva, que continuava sentada, sorrindo para todos e murmurando agradecimentos. Um dos convidados não se levantara. Sentado à mesa no extremo do salão, fumava com uma longa piteira e assistia à cena com ar irônico. Noelle percebera que ele a estivera observando durante todo o jantar. Era um homem alto e muito magro, com o rosto expressivo e melancólico, que parecia divertir-se com tudo que acontecia a sua volta, mais um observador do que participante da festa.

Noelle o encarou e sorriu.

Armand Gautier era um dos maiores diretores franceses, encarregado do Repertório Francês de Teatro, e suas produções eram aplaudidas no mundo inteiro. Tê-lo como diretor de uma peça ou filme era garantia quase infalível de sucesso. Tinha reputação de um talento especial para lidar com atrizes e já criara meia dúzia de estrelas importantes.

Sorel falava, ao lado de Noelle:

— Ficou surpresa, minha querida?

— Sim, Philipe.

— Quero que nos casemos imediatamente. Faremos a cerimônia em minha *villa*.

Por cima do ombro dele Noelle via Armand Gautier, que a observava, sorrindo aquele seu sorriso enigmático. Alguns amigos se aproximaram, afastando Philipe, e quando Noelle se virou, deu com Gautier de pé a seu lado.

— Parabéns — disse ele com um toque de zombaria na voz. — Você pescou um grande peixe.

— Pesquei?

— Philipe Sorel é um bom partido.

— Pode ser, para alguém — disse Noelle com indiferença.

Gautier olhou-a surpreendido.

— Está tentando me dizer que você não está interessada?

— Não estou tentando lhe dizer nada.

— Boa sorte. — Ele se virou, afastando-se.

— *Monsieur* Gautier...

Ele parou.

— Poderia vê-lo esta noite?

Armand Gautier considerou-a por um momento, depois deu de ombros:

— Se quiser.

— Irei a sua casa. Está bem assim?

— Sim, naturalmente. O endereço é...

— Eu tenho o endereço. À meia-noite?

— À meia-noite.

ARMAND GAUTIER VIVIA num antigo mas elegante prédio de apartamentos na rua Marbeuf. Noelle foi escoltada por um porteiro pelo saguão e levada ao quarto andar por um ascensorista, que lhe indicou o apartamento de Gautier. Ela tocou a campainha e poucos momentos depois Gautier abriu a porta, vestindo um robe estampado.

— Entre — disse ele.

Noelle entrou no apartamento e, embora não se julgasse uma conhecedora, sentiu o bom gosto da decoração e a autenticidade dos objetos de arte.

— Perdoe-me por não estar vestido — desculpou-se Gautier. — Estive ao telefone.

Noelle encarou-o:

— Não será preciso vestir-se.

Dirigiu-se para o sofá, sentando-se, e Gautier sorriu.

— Foi a impressão que eu tive, Srta. Page, mas estou intrigado com uma coisa. Por que eu? Você está noiva de um homem famoso e rico. Tenho certeza de que, se procura atividades extracurriculares, não lhe será difícil encontrar homens mais atraentes do que eu, inclusive mais ricos e jovens. O que quer de mim?

— Quero que me ensine a representar.

Armand Gautier olhou-a por um momento e suspirou.

— Estou decepcionado. Esperava algo mais original.

— Seu negócio é trabalhar com atores.

— Com atores, não com amadores. Já representou alguma vez?

— Não. Mas você vai me ensinar. — Ela tirou o chapéu e as luvas e perguntou: — Onde é seu quarto?

Gautier hesitou. Sua vida era cheia de lindas mulheres querendo entrar para o teatro, querendo um papel melhor ou o papel principal numa peça, ou um camarim maior. Eram um tormento e ele sabia que não seria idiota a ponto de se envolver com mais uma. Mas, ao mesmo tempo, não havia necessidade de se envolver, pois ali estava uma linda garota se atirando em seus braços. Tudo se resumiria a levá-la para a cama e depois mandá-la embora.

— Por ali — disse ele, indicando uma porta.

Observou Noelle caminhando em direção ao quarto e imaginou o que pensaria Philipe Sorel se soubesse que sua futura esposa iria passar a noite ali. Mulheres... Prostitutas, todas elas. Gautier serviu-se de *brandy* e deu vários telefonemas. Quando finalmente entrou no quarto, Noelle estava nua a sua espera, na cama. Foi forçado a admitir que se tratava de uma bela obra da natureza. O rosto era de tirar o fôlego, e o corpo, perfeito, com a pele cor de mel e o triângulo de macios pelos dourados entre as pernas. Gautier aprendera por experiência que as garotas muito bonitas são quase sempre narcisistas, tão preocupadas com o próprio ego que acabam decepcionando na cama. Na opinião delas, a contribuição que devem ao ato sexual se resume em sua simples presença, de modo que o homem acaba fazendo amor com uma boneca de massa, imóvel, e ainda deve mostrar-se agradecido pela experiência. Ah, bem, talvez ele pudesse ensinar alguma coisa a esta.

Enquanto Noelle o observava, Gautier se despiu deixando as roupas descuidadamente espalhadas pelo chão e se aproximou da cama.

— Não vou dizer que você é linda, pois já deve ter ouvido isto muitas vezes.

— A beleza se perde — disse Noelle com um movimento de ombros — se não for usada para dar prazer.

Gautier olhou-a surpreendido, depois sorriu:

— Concordo. Vamos usar a sua.

Como a maioria dos franceses, Gautier se orgulhava de ser um amante talentoso. Divertia-se com as histórias que ouvia sobre os alemães e os americanos, cuja ideia de fazer amor consistia em montar numa garota, ter um orgasmo imediato, pôr o chapéu na cabeça e partir. Os americanos tinham até uma frase a respeito: "Lá vai, tome; obrigado, madame."* Quando Armand Gautier se envolvia emocionalmente com uma mulher, usava diversos recursos para aumentar o prazer do ato. Havia sempre um jantar perfeito, os vinhos certos. Organizava o cenário artisticamente, de modo que agradasse aos sentidos, com o quarto delicadamente perfumado, ao som de música suave. Excitava suas mulheres com doces palavras de amor e, mais tarde, com a linguagem rude da sarjeta. E era adepto das preliminares manuais que precedem o ato sexual.

---

*A frase vale pelo sentido onomatopaico em inglês: *"Wham, bam, thank you Ma'am."* (N. do T.)

No caso de Noelle, abriu mão de tudo isso. Para espetáculo de uma só noite, não era preciso perfume, nem música, nem carinhos vazios. Ela simplesmente estava ali para ser comida e seria uma completa idiota se pensasse que podia trocar o que todas as mulheres têm entre as pernas pela genialidade enorme e única que Armand Gautier tinha na cabeça.

Começara a subir nela quando Noelle o deteve:

— Espere — murmurou ela.

Enquanto ele a observava espantado, Noelle apanhou dois pequenos tubos que colocara sobre a mesinha de cabeceira, espremeu o conteúdo de um deles na palma da mão e começou a friccionar-lhe o pênis.

— O que é isso? — perguntou Gautier.

— Você vai ver — disse ela sorrindo.

Beijou-o nos lábios, a língua penetrando em sua boca com movimentos rápidos e leves. Depois se afastou e começou a mover a língua em direção à barriga, enquanto seu cabelo roçava o corpo dele como leves dedos de seda. Gautier sentiu que seu membro começava a se erguer. Ela passou a língua ao longo de suas pernas, até os pés, e começou a chupar-lhe os dedos suavemente. O pênis estava rijo e ereto agora, quando ela o montou. À medida que penetrava nela, o calor da vagina agia sobre o creme que passara nele e a sensação se tornou insuportavelmente excitante. Enquanto ela o cavalgava, movendo-se para cima e para baixo, sua mão esquerda acariciava-lhe os testículos, que começaram a esquentar. Havia mentol no creme em seu pênis e a sensação de frio, dentro do calor dela, junto com o calor nos testículos, levou-o a um completo frenesi.

Fizeram amor a noite inteira e cada vez Noelle agia de maneira diferente. Foi a mais incrível experiência sensual que ele já tivera.

De manhã, Armand Gautier disse:

— Se eu conseguir reunir forças para me mover, vou me vestir e levar você para tomar o café da manhã.

— Continue deitado aí — disse Noelle, encaminhando-se para o armário, onde escolheu um dos robes e o vestiu. — Descanse. Volto já.

Trinta e cinco minutos depois reapareceu, com uma bandeja onde havia suco de laranjas frescas, uma deliciosa omelete de linguiça temperada, croissants quentes com manteiga e geleia, além de um bule de café forte. Estava extraordinariamente bom.

— Você não vai comer? — perguntou Gautier.

— Não — disse Noelle sacudindo a cabeça.

Sentara-se numa poltrona, vendo-o comer. Estava ainda mais bonita, com o robe entreaberto mostrando a curva dos seios adoráveis e com o cabelo despreocupadamente despenteado.

Armand Gautier reformulara radicalmente sua primeira avaliação de Noelle. Ela não era uma simples trepada fácil para qualquer homem, era um verdadeiro tesouro. No entanto, ele já encontrara vários tesouros ao longo de sua carreira teatral e não estava disposto a perder tempo e talento de diretor com os sonhos de estrelato de uma amadora qualquer, por mais bonita e hábil na cama que fosse. Era um homem dedicado, que levava a arte a sério; sempre evitara compromissos antes e não estava disposto a comprometer-se agora. Na noite anterior planejara dormir com Noelle e mandá-la embora de manhã, mas agora, observando-a enquanto tomava o café, tentava descobrir um meio de conservá-la como amante até se cansar dela, sem encorajar seus sonhos de atriz. Sabia que teria de usar alguma isca e explorou o terreno cuidadosamente.

— Você pretende se casar com Philipe Sorel? — perguntou.

— Claro que não — respondeu ela. — Não é isso que eu quero.

Chegara a hora.

— E o que você quer? — perguntou Gautier.

— Já lhe disse — repicou ela calmamente. — Quero ser atriz.

Gautier mordeu outro croissant, para ganhar tempo.

— É claro — disse. E acrescentou: — Há vários bons professores de arte dramática a quem eu poderia encaminhar você, Noelle, e eles...

— Não — disse ela, que o contemplava carinhosamente, como que ansiosa para concordar com tudo que ele sugerisse, mas ao mesmo tempo deixando-o sentir que dentro dela havia um núcleo de aço.

Podia-se dizer aquele "não" de muitas maneiras, com raiva, censura, desapontamento, mau humor; mas Noelle dissera-o com suavidade — e total determinação. A coisa se mostrava mais difícil do que ele previra. Por um momento, foi tentado a dizer, como dizia a dúzias de garotas todas as semanas, que não tinha tempo a perder com ela. Mas, pensando nas sensações incríveis que experimentara durante a noite, reconheceu que seria um idiota se a deixasse partir tão cedo. Ela, certamente, valia um pequeno, muito pequeno, compromisso.

— Muito bem — disse. — Vou dar-lhe o texto de uma peça para estudar. Quando tiver memorizado, lerá para mim e saberei quanto talento tem. Então, veremos o que fazer com você.

— Obrigada, Armand — disse ela.

Não havia triunfo em sua voz, nem mesmo qualquer sinal de satisfação, apenas a simples constatação do inevitável. Pela primeira vez, Gautier sentiu uma leve pontada de dúvida, mas aquilo era ridículo, pois ele era um mestre no manejo das mulheres.

Enquanto Noelle se vestia, Armand Gautier entrou em seu estúdio coalhado de livros e esquadrinhou as fileiras de gastos volumes familiares até que, com um sorriso estranho, escolheu *Andrômaca*, de Eurípedes. Voltou ao quarto e entregou a peça a Noelle.

— Aqui está, minha querida. Quando tiver decorado o papel nós o passaremos juntos.

— Obrigada, Armand. Você não vai se arrepender.

Quanto mais pensava, mais satisfeito se sentia Gautier com seu truque. Noelle levaria uma ou duas semanas para aprender o papel, ou — o que era mais provável — viria até ele para confessar que não conseguia aprendê-lo. Ele a consolaria, explicando as dificuldades da arte de representar, e então poderiam estabelecer uma relação livre das ambições dela. Combinaram jantar juntos naquela noite e Noelle saiu.

De volta ao apartamento que partilhava com Philipe Sorel, Noelle o encontrou a sua espera, completamente bêbado.

— Sua cadela — gritou ele. — Onde esteve a noite inteira?

Não importava o que ela dissesse, pois Sorel sabia que após ouvir suas desculpas, bateria nela, a levaria para a cama e a perdoaria. Mas, em vez de se desculpar, Noelle disse apenas:

— Estive com outro homem, Philipe. Agora vim buscar minhas coisas.

E enquanto Sorel a observava perplexo, sem conseguir acreditar, Noelle entrou no quarto e começou a fazer as malas.

— Pelo amor de Deus, Noelle, não faça isso — implorou ele. — Nós nos amamos, vamos nos casar.

Ele falou sem parar durante a meia hora seguinte, discutindo, ameaçando, bajulando, mas, quando Noelle terminou de arrumar as coisas e partiu, Sorel ainda não compreendia por que a perdera, pois não sabia que jamais a tivera realmente.

ARMAND GAUTIER ESTAVA dirigindo uma peça que deveria estrear dentro de duas semanas e passou o dia inteiro ensaiando no teatro. Quando estava no trabalho, via de regra não pensava em outra coisa, pois parte de sua genialidade residia em sua capacidade de concentração no trabalho. Nada mais existia para ele além das quatro paredes do teatro e dos atores com quem trabalhava. Mas naquele dia foi diferente e Gautier deu consigo pensando toda hora em Noelle e na noite incrível que haviam passado juntos. Os atores repassavam uma cena e paravam, à espera de seus comentários, e Gautier de repente percebia que não prestara atenção. Furioso consigo mesmo, tentou concentrar-se no que estava fazendo, mas a visão do corpo despido de Noelle e a lembrança das coisas fantásticas que lhe fizera continuavam a persegui-lo. No meio de uma cena dramática, descobriu que estava andando pelo palco em plena ereção e teve de se retirar.

Porque possuía espírito analítico, tentou descobrir o que havia naquela garota para afetá-lo a tal ponto. Era realmente bonita, mas ele já dormira com algumas das mulheres mais lindas do mundo. Era uma autoridade em fazer amor, mas não a primeira que encontrava. Havia algo mais, algo que o diretor não conseguia captar integralmente. Então se lembrou daquele "não", sentindo que aí estava uma pista. Havia nela alguma força irresistível, que a faria conseguir tudo que quisesse. Havia algo que jamais fora tocado e, assim como outros homens antes dele, Armand Gautier compreendeu que embora Noelle o tivesse afetado mais profundamente do que admitia, ele próprio não a atingira e esse era um desafio que sua masculinidade não podia recusar.

Passou o dia num estado de espírito confuso. Olhava com tremenda antecipação para a noite próxima, não tanto por desejar fazer amor com Noelle, mas porque queria provar a si mesmo que estava fazendo tempestade em copo d'água. Queria que ela o decepcionasse, para poder afastá-la de sua vida.

Enquanto se amavam naquela noite, Armand Gautier procurou tornar-se consciente dos truques e artifícios empregados por ela, para se convencer de que era tudo mecânico, sem emoção. Mas estava enganado. Ela se entregou por completo, dedicando-se apenas a lhe proporcionar prazer, um prazer que jamais conhecera, e se regozijando com a felicidade dele. Quando o dia amanheceu, Gautier estava mais enfeitiçado que nunca.

Noelle preparou novamente o café da manhã, desta vez composto de *crêpes* delicados com bacon e geleia, além do café quente, mais uma vez magnífico.

"Muito bem", disse Gautier para si mesmo. "Você encontrou uma garota linda de se ver, que sabe fazer amor e cozinhar. Bravo! Mas basta isto para um homem inteligente? Quando se acaba de amar e de comer, precisa-se conversar. Sobre o quê poderá ela conversar com você?"

A resposta era que isso realmente não tinha importância.

Não foi feita qualquer referência à peça e Gautier fazia votos de que Noelle a tivesse esquecido ou não fosse capaz de memorizar as falas. Quando ela saiu de manhã, prometeu jantar com ele aquela noite.

— Você conseguirá livrar-se de Philipe? — perguntou Gautier.

— Eu o abandonei — disse Noelle tranquilamente, dando seu novo endereço.

Gautier a encarou por um momento e disse:

— Compreendo.

Mas de fato nada compreendia.

PASSARAM A NOITE juntos outra vez e, quando paravam de fazer amor, conversavam. Ou melhor, Gautier falava e Noelle parecia tão interessada que ele deu por si relembrando coisas que não mencionava havia anos, assuntos pessoais que não discutia com ninguém. Não se falou sobre a peça que ela ficara de ler e Gautier se congratulou por ter resolvido tão bem o problema.

Na noite seguinte, após o jantar, quando Gautier já se encaminhava para o quarto, Noelle disse:

— Espere um pouco.

Ele se virou, surpreendido.

— Você disse que me ouviria recitar a peça.

— Bem... sim, é claro — gaguejou Gautier. — Logo que você estiver preparada.

— Estou pronta.

Ele sacudiu a cabeça:

— Não quero que você a leia, *chérie* — disse. — Quero ouvi-la recitar de memória para poder avaliar suas capacidades de atriz.

— Já memorizei — replicou Noelle.

Ele a olhou, incrédulo. Era impossível decorar o papel em apenas três dias.

— Está pronto para me ouvir? — perguntou ela.

Armand Gautier não tinha escolha.

— É claro — disse, fazendo um gesto em direção ao centro da sala. — Aqui será seu palco e a plateia ficará deste lado.

Sentou-se num grande e confortável sofá.

Noelle começou a recitar a peça e Gautier sentiu os primeiros arrepios percorrerem seu corpo — era sua marca pessoal, que lhe aparecia sempre que se via diante do verdadeiro talento. Não que Noelle fosse perita, longe disso; sua inexperiência transparecia em cada gesto, cada movimento. Mas possuía algo muito mais importante do que a mera habilidade, além de uma honestidade rara, um talento natural que conferia a cada fala uma cor e um sentido novos.

Quando terminou o monólogo, Gautier disse calorosamente:

— Creio que um dia você será uma grande atriz, Noelle. Falo sério. Vou mandá-la para Georges Faber, o melhor professor de arte dramática de toda a França, e, trabalhando com ele, você poderá...

— Não.

Olhou-a surpreso. Novamente aquele "não" suave, indiscutível e final.

— Não o quê? — perguntou confuso. — Faber não aceita ninguém senão os maiores atores. Só aceitará você porque indicarei.

— Vou trabalhar com você — disse Noelle.

Gautier sentiu a raiva crescer dentro de si.

— Eu não preparo ninguém — disse rispidamente. — Não sou professor, dirijo atores profissionais. Quando você se tornar profissional, eu a dirigirei. — Lutava para disfarçar a raiva em sua voz. — Está entendendo?

Noelle assentiu:

— Sim, Armand, eu compreendo.

— Então, muito bem.

Abrandado, tomou-a nos braços e recebeu um beijo caloroso. Agora sabia que se preocupara sem necessidade, ela era uma mulher igual às outras, que precisava ser dominada. Não teria mais problemas com ela.

O amor daquela noite superou tudo que já acontecera antes, provavelmente devido à excitação reforçada pela breve discussão que tiveram, pensou Gautier, que lhe disse a certa altura:

— Você é realmente capaz de se tornar uma grande atriz, Noelle. Terei muito orgulho de você.

— Obrigada, Armand — murmurou ela.

Noelle preparou o café pela manhã e Gautier saiu para o teatro. Não houve resposta quando ele telefonou durante o dia e, ao chegar a casa, à noite, ela não estava lá. Gautier esperou, mas, como Noelle não aparecesse, passou a noite em claro, imaginando se poderia ter havido algum acidente. Tentou telefonar para o apartamento dela, mas ninguém atendeu. Mandou um telegrama que ficou sem resposta e, ao passar pelo apartamento após os ensaios, tocou inutilmente a campainha.

Gautier passou a semana seguinte desvairado. Os ensaios estavam se transformando em batalhas, pois ele gritava com todo mundo e perturbava a tal ponto os atores que seu diretor de cena sugeriu um dia que parassem, com o que Gautier concordou. Depois que os atores se retiraram, ele se sentou sozinho no palco, tentando compreender o que lhe acontecera. Dizia a si mesmo que Noelle não passava de mais uma mulher, uma loura barata e ambiciosa com alma de balconista que desejava ser estrela. Procurou denegri-la de todas as maneiras possíveis, mas acabou percebendo que não adiantava. Naquela noite, perambulou pelas ruas de Paris, embriagando-se em pequenos bares onde ninguém o conhecia. Tentou imaginar meios de entrar em contato com Noelle, mas foi inútil. Não havia ao menos alguém com quem pudesse falar a respeito dela, exceto Philipe Sorel, mas aquilo, evidentemente, estava fora de cogitação.

Uma semana depois do desaparecimento de Noelle, Armand Gautier chegou a casa às 4 da madrugada, bêbado, abriu a porta e entrou na sala. Todas as luzes estavam acesas e Noelle, vestindo um de seus robes, lia um livro, enroscada numa poltrona. Levantou os olhos ao vê-lo entrar e disse:

— Olá, Armand.

Gautier a contemplava, o coração desafogado, enquanto era invadido por uma sensação infinita de alívio e felicidade.

— Amanhã começaremos a trabalhar — disse ele.

Catherine

Washington: 1940

5

WASHINGTON ERA A CIDADE mais excitante que Catherine jamais vira. Sempre considerara Chicago o centro do mundo, mas Washington era uma revelação. Ali estava o verdadeiro coração dos Estados Unidos, o centro palpitante do poder. De início, ela ficara perplexa com a variedade de fardas que enchiam as ruas: Exército, Marinha, Força Aérea Naval, e pela primeira vez sentira como coisa real a sombria perspectiva da guerra.

Em Washington, a presença física da guerra estava em toda parte. Aquela era a cidade onde a guerra, se acontecesse, teria início; ali seria declarada, mobilizada e dirigida: era a cidade que tinha nas mãos o destino do mundo e ela, Catherine Alexander, faria parte daquele lugar.

Estava morando com Susie Roberts num apartamento de quarto andar, alegre, colorido e acolhedor, com uma boa sala, dois pequenos quartos contíguos, um minúsculo banheiro e uma *kitchenette* feita para anões. Susie parecera feliz ao recebê-la e suas primeiras palavras foram:

— Vá correndo desfazer as malas e passe a ferro seu melhor vestido. Você tem um convite para jantar hoje à noite.

— Por que demorou tanto para avisar? — perguntou Catherine, perplexa.

— Cathy, em Washington são as garotas que mantêm caderninhos de telefones. Esta cidade está tão cheia de homens solitários que chega a dar pena.

Jantaram no Hotel Willard naquela primeira noite. O acompanhante de Susie era um congressista de Indiana, e o de Catherine, um intermediário de Oregon, sendo que ambos estavam em Washington sem as esposas. Após o jantar, foram dançar no Washington Country Club. Catherine esperava que seu acompanhante pudesse lhe arranjar um emprego, mas em vez disso o que ele ofereceu foi um passeio de carro terminando no apartamento dela mesma, o que Catherine recusou com agradecimentos.

Susie levou o congressista para casa e Catherine foi deitar-se. Logo depois ouviu-os entrar no quarto de Susie e a cama começou a ranger. Catherine apertou um travesseiro contra os ouvidos para abafar o som, mas era impossível. Imaginou Susie na cama com seu parceiro, amando-se selvagem e apaixonadamente. Ao levantar para tomar café na manhã seguinte, encontrou Susie já de pé, alegre e radiante, pronta para ir trabalhar. Catherine procurou as proverbiais rugas e outros sinais de orgia, mas nada havia, pelo contrário, Susie parecia luminosa e sua pele estava perfeita. *Meu Deus*, pensou ela, *é o Dorian Gray feminino. Quando eu aparentar 110 anos de idade, ela ainda estará maravilhosa.*

Dias depois, na hora do café, Susie disse:

— Ouvi falar de um emprego que a poderá interessar. Uma das garotas na festa de ontem à noite disse que vai voltar para o Texas. Só Deus sabe como é que alguém que saiu do Texas pode querer voltar para lá. Lembro-me de ter ido a Amarillo há alguns anos...

— Onde ela trabalha? — interrompeu Catherine.

— Quem?

— A garota — disse Catherine, pacientemente.

— Ah, ela trabalha com Bill Fraser. Ele é o encarregado das relações públicas do Departamento de Estado. No mês passado foi capa da *Newsweek*, que fez uma reportagem com ele. Acho que o trabalho lá deve ser mole. Como foi só ontem à noite que ela falou a respeito, acho que você passará a frente das outras garotas se for lá agora.

— Obrigada — disse Catherine, agradecida. — William Fraser, lá vou eu.

Vinte minutos depois, estava a caminho do Departamento de Estado. Chegando lá, um guarda lhe indicou o escritório de William Fraser e ela pegou o elevador. *Relações Públicas. Parecia ser exatamente o tipo de trabalho que desejava.*

Catherine parou no corredor, do lado de fora do escritório, para conferir a maquiagem no espelhinho que levava na bolsa. Serviria. Ainda não eram 9h30 e o campo devia estar livre para ela. Abriu a porta e entrou.

A sala de espera estava cheia de garotas, de pé, sentadas, encostadas na parede, todas parecendo falar ao mesmo tempo. A frenética recepcionista, sitiada atrás de sua mesa, tentava inutilmente estabelecer um pouco de ordem.

— O Sr. Fraser está ocupado agora — repetia sem cessar. — Não sei quando poderá vê-la.

— Ele está ou não está entrevistando secretárias? — perguntou energicamente uma das garotas.

— Sim, mas... — A recepcionista olhou desesperada a multidão a sua volta. — Meu Deus, isto é ridículo!

A porta do corredor se abriu e entraram mais três garotas, empurrando Catherine para o lado.

— A vaga já foi preenchida? — perguntou uma delas.

— Talvez ele queira um harém — comentou outra. — Nesse caso todas nós poderemos ficar.

A porta da outra sala se abriu e um homem apareceu. Tinha pouco menos de dois metros de altura e o corpo quase delgado do não atleta que vai três vezes por semana ao clube para manter a forma. Seu cabelo crespo e louro estava grisalho nas têmporas, os olhos eram azuis e brilhantes, o queixo forte e quase ameaçador.

— Que diabos está acontecendo aqui, Sally? — perguntou, numa voz grave e autoritária.

— Essas moças ouviram falar da vaga, Sr. Fraser.

— Jesus! Nem eu mesmo tinha conhecimento dela até uma hora atrás. — Seus olhos percorreram a sala. — É como os tambores da selva.

Quando os olhos dele se voltaram em sua direção, Catherine deu seu melhor sorriso, significando eu-serei-uma-grande-secretária, mas os olhos passaram adiante, voltando à recepcionista.

— Preciso de um número da *Life* que saiu três ou quatro semanas atrás — disse. — Um que tem o retrato de Stalin na capa.

— Vou mandar buscar, Sr. Fraser — respondeu a recepcionista.

— Preciso dele já — disse, encaminhando-se para sua sala.

— Telefonarei para o escritório da *Time-Life* — disse a recepcionista — e verei se eles conseguem arranjar.

Fraser parou na porta.

— Sally, estou com o senador Borah ao telefone. Quero ler para ele um trecho daquela revista. Você tem dois minutos para encontrá-la.

Entrou em sua sala e fechou a porta.

As garotas se entreolharam e deram de ombros. Catherine ficou parada, raciocinando, e de repente se virou, abrindo caminho para sair.

— Ótimo, menos uma — comentou uma das garotas.

A recepcionista pegou o telefone e ligou para "Informações".

— O número do escritório da *Time-Life* — disse.

A sala ficou em silêncio enquanto as garotas a observavam.

— Obrigada.

Desligou para em seguida discar outro número.

— Alô, aqui é do escritório do Sr. William Fraser no Departamento de Estado. O Sr. Fraser precisa de um número atrasado da *Life* imediatamente. É o que tem Stalin na capa... Vocês não guardam números atrasados aí? Com quem devo falar?... Compreendo. Obrigada. — Desligou.

— Está sem sorte, meu bem — disse uma das garotas.

Outra acrescentou:

— Eles têm cada gracinha, não é? Se ele quiser me visitar hoje à noite, eu lerei para ele.

Ouviram-se risos. O interfone apitou e a recepcionista apertou rapidamente o botão.

— Seus dois minutos se esgotaram — disse a voz de Fraser. — Onde está a revista?

A recepcionista respirou fundo:

— Acabo de falar com o escritório da *Time-Life*, Sr. Fraser, e eles disseram que será impossível obter...

A porta se abriu e Catherine entrou correndo, segurando uma *Life* com o retrato de Stalin na capa. Abriu caminho até a mesa e entregou a revista à recepcionista, que a olhava incrédula.

— Eu... eu estou com a revista aqui, Sr. Fraser. Já vou levá-la.

Levantou-se, deu um sorriso agradecido a Catherine e correu para a outra sala. As outras garotas dirigiram a Catherine olhares subitamente hostis.

Cinco minutos depois, a porta da sala de Fraser se abriu e ele apareceu em companhia da recepcionista, que apontou para Catherine:

— É esta a garota.

William Fraser olhou-a especulativamente:

— Quer entrar, por favor?

— Sim, senhor.

Catherine o acompanhou sentindo os olhos das outras moças como punhais em suas costas e Fraser fechou a porta. Tinha um escritório burocrático, típico de Washington, mas a decoração era de classe, levando a marca de seu gosto pessoal para mobiliário e arte.

— Sente-se, senhorita...

— Alexander. Catherine Alexander.

— Sally me disse que você apareceu com a *Life*.

— Sim, senhor.

— Imagino que não trazia na bolsa, por acaso, uma revista de três semanas atrás.

— Não, senhor.

— Como a encontrou tão depressa?

— Desci até a barbearia. Sempre há revistas velhas espalhadas pelas barbearias e consultórios de dentistas.

— Compreendo. — Fraser sorriu e seu rosto vincado ficou menos grave. — Não creio que eu tivesse pensado nisso — disse. — Você é sempre tão inteligente assim?

Catherine lembrou-se de Ron Peterson e respondeu:

— Não, senhor.

— Está procurando emprego de secretária?

— Não exatamente. — Reparou na expressão de surpresa dele. — Mas aceito — acrescentou depressa. — O que queria realmente era ser sua assistente.

— Por que não começa hoje como secretária? — disse Fraser, secamente. — Amanhã passará a ser minha assistente.

Catherine olhou-o esperançosa:

— Quer dizer que fico com o emprego?

— Em período experimental.

Ele pressionou o botão do intercomunicador e se inclinou para o aparelho.

— Sally, queira por favor agradecer às senhoritas. Diga-lhes que a vaga foi preenchida.

— Ah, sim, senhor. Obrigada, Sr. Fraser.

Ele desligou.

— Trinta dólares por semana está bom para você?

— Sim, senhor. Obrigada, Sr. Fraser.

— Você pode começar amanhã às 9 horas. Peça a Sally um formulário para preencher com seus dados pessoais.

SAINDO DO ESCRITÓRIO, Catherine se encaminhou para o *Washington Post*, onde o policial na recepção a deteve.

— Sou a secretária particular de William Fraser — disse, com imponência. — Do Departamento de Estado. Preciso de informações do arquivo daqui.

— Que espécie de informação?

— Sobre William Fraser.

O guarda a considerou por um momento e disse:

— É o pedido mais estranho que já me fizeram esta semana. Seu chefe tem incomodado você ou qualquer coisa assim?

— Não — disse ela desconcertantemente. — Pretendo escrever um trabalho sobre ele.

Cinco minutos depois, um funcionário a conduzia ao arquivo. Retirou a pasta referente a William Fraser e Catherine começou a ler.

Uma hora mais tarde, tornara-se uma das maiores autoridades mundiais em William Fraser. Ele tinha 45 anos, formara-se com louvor em Princeton, abrira uma agência de publicidade — Associadas Fraser — que viera a ser uma das maiores do ramo e havia um ano que se afastara em licença, a pedido do Presidente, a fim de trabalhar para o governo. Fora casado com Lydie Campion, moça rica da sociedade, estava divorciado havia quatro anos, sem filhos. Era milionário, tinha uma casa em Georgetown e outra, de veraneio, em Bar Harbor, no Maine. Seus passatempos eram tênis, iatismo e polo. Vários artigos se referiam a ele como "um dos melhores partidos dos Estados Unidos".

Ao chegar a casa, Catherine deu as boas notícias a Susie e esta insistiu para que saíssem a fim de comemorar, já que havia dois ricos cadetes de Anápolis à disposição.

O acompanhante de Catherine era um rapaz bastante agradável, mas durante todo o tempo ela o comparou mentalmente a William Fraser, o que fez o rapaz parecer imaturo e chato. Imaginava se iria apaixonar-se por seu novo patrão. Não experimentara nenhuma sensação infantil de arrepio em sua presença, mas sentira algo diferente, uma admiração por ele como pessoa, um sentimento de respeito. Concluiu que a sensação de arrepio provavelmente só existia nos romances baratos.

Os cadetes levaram-nas a um pequeno restaurante italiano, nos arredores de Washington, onde tiveram um excelente jantar e depois foram assistir a *Arsênico e Alfazema*, que Catherine adorou. Ao fim da noite, os rapazes levaram-nas para casa e Susie os convidou para um drinque antes de dormir. Quando se tornou aparente que eles se aprontavam para passar a noite lá, Catherine se desculpou, dizendo que precisava ir dormir. Seu acompanhante protestou:

— Nós ainda nem começamos. Olhe só para eles.

Susie e o outro rapaz abraçavam-se apaixonadamente no sofá. O parceiro de Catherine agarrou-lhe o braço:

— Pode estourar uma guerra a qualquer momento — disse ansiosamente.

Antes que Catherine pudesse detê-lo, ele pegou sua mão e colocou-a sobre algo rijo entre suas pernas.

— Você não seria capaz de mandar para a luta um homem nestas condições, não é mesmo?

Catherine tirou a mão, tentando não se irritar.

— Pensei muito nisso — disse calmamente — e decidi que só irei para a cama com os feridos.

Virou-se e entrou em seu quarto, trancando a porta. Mas não conseguiu dormir, pensando em William Fraser, no novo emprego e naquela coisa entre as pernas do garoto de Anápolis. Continuava deitada, pensando, até uma hora mais tarde, quando a cama de Susie começou a ranger loucamente. A partir de então foi impossível dormir.

Às 8h30 da manhã seguinte Catherine chegava ao escritório, encontrando a porta destrancada e a luz acesa na sala de espera. Ouviu uma voz masculina vinda da outra sala e dirigiu-se para lá. William Fraser estava em sua escrivaninha, ditando para um gravador. Levantou os olhos ao vê-la entrar, desligando o aparelho.

— Chegou cedo — disse ele.

— Queria dar uma olhada no ambiente e me organizar antes de começar.

— Sente-se.

Havia alguma coisa no tom de sua voz que a intrigou. Ele parecia aborrecido. Catherine se sentou.

— Não gosto de bisbilhoteiros, Srta. Alexander.

Ela sentiu seu rosto enrubescer.

— Eu... não compreendo.

— Washington é uma cidade pequena. Não é uma cidade, apenas uma porcaria de aldeia. Nada acontece aqui sem que todo mundo fique sabendo em cinco minutos.

— Ainda não compreendo...

— O redator do *Post* me telefonou dois minutos depois de você chegar lá para perguntar por que minha secretária estaria fazendo pesquisa a meu respeito. — Catherine ficou atordoada, sem saber o que dizer. — Encontrou todos os mexericos que queria?

Ela sentiu o embaraço transformar-se rapidamente em raiva.

— Eu não estava bisbilhotando — levantou-se. — A única razão por que procurava informações a seu respeito era a necessidade de saber para que tipo de homem iria trabalhar. — Sua voz tremia de indignação. — Acho que uma boa secretária deve adaptar-se a seu chefe e queria saber a que eu precisaria me adaptar. — Fraser continuava sentado, com um ar hostil. Catherine o encarou, odiando-o, prestes a chorar. — Não precisa mais se preocupar com isso, Sr. Fraser. Vou-me embora.

Virou-se, dirigindo-se para a porta.

— Sente-se — disse Fraser, a voz semelhante a uma chicotada. Catherine se voltou, assustada. — Não tolero malditas prima-donas.

Ela explodiu:

— Não sou nenhuma...

— Ok, perdoe-me. Agora, sente-se. Por favor.

Pegou um cachimbo na mesa e acendeu. Catherine ficou parada, sem saber o que fazer, completamente humilhada.

— Não creio que isto vá dar certo — começou ela. — Eu...

Fraser tragou, apagando o fósforo.

— Claro que vai dar certo, Catherine — disse calmamente. — Você não pode despedir-se agora. Pense na trabalheira que eu teria para arranjar outra secretária. — Catherine olhou-o, notando o brilho divertido em seus luminosos olhos azuis. Ele sorriu e os lábios dela se curvaram relutantemente num pequeno sorriso, enquanto ela se deixava cair numa cadeira. — Assim é melhor. Alguém já lhe disse que você é excessivamente sensível?

— Creio que sim. Sinto muito.

Fraser se recostou em sua cadeira.

— Ou talvez seja eu o supersensível. Dá dor de barriga ser chamado de "um dos melhores partidos dos Estados Unidos".

Catherine desejou que ele não usasse palavras como aquelas. *Mas o que a incomodava mais*, pensou, *barriga ou partido*? Talvez Fraser tivesse razão, talvez seu interesse por ele não fosse tão impessoal como pretendia. Talvez no subconsciente...

— ...alvo para todas as solteiras idiotas do mundo — dizia Fraser. — Você não acreditaria se eu lhe contasse como as mulheres chegam a ser agressivas.

Não acreditaria? Experimente a garota do caixa. Catherine corou ao pensar naquilo.

— É suficiente para deixar um homem maluco — suspirou Fraser. — Já que esta parece ser a Semana Nacional da Pesquisa, fale-me de você. Algum namorado?

— Não — disse ela. — Isto é, nenhum em especial — acrescentou rapidamente.

Fraser olhou-a de modo zombeteiro.

— Onde mora?

— Divido um apartamento com uma ex-colega de classe.

— Da Northwestern.

Ela o encarou surpreendida, depois compreendeu que ele deveria ter lido o formulário que preenchera.

— Sim, senhor.

— Vou contar-lhe uma coisa a meu respeito que não está nos arquivos do jornal. Sou um filho da puta para se trabalhar junto. Você vai ver que sou justo, mas também perfeccionista. Não é fácil viver comigo. Acha que consegue?

— Vou tentar — disse Catherine.

— Ótimo. Sally instruirá você na rotina daqui. A coisa mais importante que você deve lembrar é que sou viciado em café. Gosto dele forte e quente.

— Eu lembrarei.

Ela se levantou, dirigindo-se para a porta.

— E, Catherine?

— Sim, Sr. Fraser?

— Quando chegar a casa esta noite, procure praticar dizendo alguma obscenidade na frente do espelho. Se continuar estremecendo a cada vez que eu soltar um palavrão, vou acabar louco.

Ele estava implicando novamente, fazendo-a sentir-se uma criança.

— Sim, Sr. Fraser — respondeu friamente, saindo depressa da sala e quase batendo a porta atrás de si.

O encontro não transcorrera nem um pouco do jeito que ela imaginara. Já não gostava de William Fraser. Achava-o um grosseirão convencido, autoritário e arrogante. Não era de admirar que tivesse se divorciado. Bem, já que estava ali, começaria, mas decidiu procurar outro emprego, onde trabalhasse para um ser humano, não para um déspota.

Quando Catherine saiu da sala, Fraser se recostou na cadeira com um sorriso nos lábios. Ainda havia garotas assim, tão terrivelmente jovens, tão intensas e dedicadas? Em sua raiva, com os olhos chispando e os lábios trêmulos, Catherine lhe parecera tão indefesa que Fraser tivera vontade de tomá-la nos braços e protegê-la. De si mesmo, admitiu pesaroso. Ela possuía uma certa polidez antiquada que ele quase esquecera que as moças costumavam ter. Era encantadora, inteligente e tinha ideias próprias. Seria a melhor secretária que já tivera e, lá no fundo, tinha a sensação de que ela viria a ser mais que isso. Quanto mais, não sabia ao certo. Já se queimara tantas vezes que um sistema de alarme automático dava sinal sempre que alguma mulher o emocionava, de modo que tais ocasiões acabaram por se tornar muito raras. Seu cachimbo se apagara, ele o acendeu de novo, ainda com o sorriso nos lábios. Pouco depois, ao chamá-la para um ditado, Catherine se mostrou cortês, mas fria. Esperou que Fraser dissesse algo pessoal para poder mostrar-lhe como estava indiferente, mas ele se manteve distante e formal. É óbvio, pensou Catherine, que esqueceu por completo o incidente da manhã. Até que ponto iria a insensibilidade dos homens?

Apesar de tudo, achou o novo emprego fascinante. O telefone tocava sem cessar, e os nomes dos que chamavam enchiam-na de entusiasmo. Durante a primeira semana o vice-presidente dos Estados Unidos telefonou duas vezes, além de meia dúzia de senadores, o Secretário de Estado e uma famosa atriz que viera à cidade fazer publicidade de seu último filme. O clímax da semana foi atingido quando houve um telefonema do presidente

Roosevelt, tornando Catherine tão nervosa que deixou cair o fone, cortando a ligação.

Além dos telefonemas, Fraser mantinha uma sucessão de encontros no escritório, em seu clube ou em algum dos mais famosos restaurantes da cidade. Após as primeiras semanas, encarregou Catherine de marcar tais encontros e fazer as reservas, de modo que ela começou a descobrir quem Fraser queria ver e quem queria evitar. O trabalho era tão interessante que, ao fim de um mês, ela esquecera por completo a ideia de procurar outro emprego.

Seu relacionamento com Fraser permanecia num nível muito impessoal, mas agora ela já o conhecia suficientemente bem para compreender que seu ar distante não significava descortesia, mas sim dignidade, uma parede de reserva que servia de escudo contra o mundo. Ela desconfiava de que Fraser era na verdade muito só, que embora seu trabalho o obrigasse a ser gregário, intimamente era um homem solitário. Sentia também que William Fraser estava fora de seu alcance. *Assim como a maioria dos machos americanos* — concluiu.

Saía com Susie ocasionalmente, mas como quase sempre seus parceiros não passavam de atletas sexuais, casados, preferia ir ao teatro ou ao cinema sozinha. Viu Gertrude Lawrence e um novo comediante chamado Danny Kay em *A dama no escuro*, *Nossa vida com papai* e *Alice em armas*, com um jovem ator, Kirk Douglas. Adorou *Kitty Foyle*, com Ginger Rogers, porque a fez lembrar-se dela própria. Certa noite, assistindo a *Hamlet*, viu Fraser num camarote acompanhado por uma moça exótica, usando um vestido branco muito caro que Catherine vira nas páginas da *Vogue*. Não imaginava quem fosse a jovem. Fraser marcava seus próprios encontros particulares e ela nunca sabia aonde ele ia, nem com quem. Fraser olhou através do teatro e a viu. Não tocou no assunto na manhã seguinte, até terminar o primeiro ditado.

— Que achou do *Hamlet*? — perguntou ele.

— A peça vai fazer sucesso, mas não gostei muito dos atores.

— Gostei dos atores — disse ele. — Especialmente da moça que fez Ofélia.

Catherine assentiu, preparando-se para sair.

— Você não gostou da Ofélia? — insistiu ele.

— Se quer minha opinião — disse Catherine cuidadosamente —, não pensei que ela fosse capaz de manter a cabeça fora d'água.

Virou-se e saiu.

Chegando ao apartamento naquela noite, encontrou Susie a sua espera.

— Houve uma visita para você — disse ela.

— Quem?

— Um homem do FBI. Estão investigando você.

Meu Deus, pensou, *eles descobriram que eu sou virgem e deve haver alguma lei contra isso em Washington.* Em voz alta, perguntou:

— Por que o FBI estaria me investigando?

— Porque agora você trabalha para o Governo.

— Ah!

— Como é o seu Sr. Fraser?

— O meu Sr. Fraser é legal — disse Catherine.

— Acha que ele gostaria de mim?

Catherine examinou sua alta e graciosa companheira:

— Para a sobremesa.

Com o correr das semanas, Catherine passou a conhecer as secretárias que trabalhavam nos escritórios próximos. Várias delas mantinham casos com os chefes e não pareciam dar importância ao fato de eles serem casados ou não. Tinham inveja de Catherine porque trabalhava para William Fraser.

— Como é realmente o Menino de Ouro? — perguntou uma delas certo dia no almoço. — Já lhe passou alguma cantada?

— Oh, ele não perde tempo com isso — disse Catherine energicamente. — Eu apenas chego às 9 da manhã, nós rolamos no sofá até uma hora e então fazemos um intervalo para o almoço.

— Falando sério, o que acha dele?

— Resistível — mentiu Catherine.

Seus sentimentos para com William Fraser haviam se abrandado consideravelmente desde aquela primeira discussão. Ele falara a verdade ao dizer que era perfeccionista. Sempre que cometia um erro, era repreendida, mas ele se mostrava justo e compreensivo. Ela já o vira deixar de lado seus próprios problemas para ajudar outras pessoas, pessoas que nada podiam fazer por ele — e o fazia de maneira a não receber qualquer crédito depois. Sim, Catherine gostava muito de Fraser, mas ninguém tinha nada com isso senão ela própria.

Certa ocasião em que havia muito trabalho para pôr em dia, Fraser pediu a Catherine que jantasse em sua casa, de modo que pudessem ficar trabalhando até tarde. Talmadge, o motorista de Fraser, ficou esperando com a limusine estacionada diante do prédio, de modo que várias secretárias que saíam observaram maliciosamente enquanto Fraser introduzia Catherine no banco traseiro, sentando-se em seguida a seu lado. A limusine deslizou suavemente para o tráfego do final da tarde.

— Vou arruinar sua reputação — disse Catherine.

Fraser riu.

— Vou dar-lhe um conselho. Se algum dia quiser ter um caso com um homem público, faça-o abertamente.

— E o perigo de pegar um resfriado?

Ele sorriu:

— Quero dizer, leve seu amado, se é que ainda se usa tal termo, a lugares públicos, restaurantes famosos, teatros.

— Peças de Shakespeare? — perguntou ela inocentemente.

Fraser ignorou a pergunta.

— As pessoas vivem procurando razões escusas. Dirão a si mesmas: "Ah, ele está saindo com fulana. Imagino com quem estará se encontrando secretamente." Nunca acreditam no óbvio.

— É uma teoria interessante.

— Edgar Allan Poe escreveu uma história baseada na ideia de enganar as pessoas com o óbvio. Não me lembro do título.

— *A Carta Roubada*.

Mal acabara de falar, Catherine se arrependeu. Os homens não gostam de garotas inteligentes. Mas, afinal de contas, o que importava? Ela não era a garota dele, apenas a secretária. Percorreram em silêncio o resto do trajeto.

A casa de Fraser em Georgetown parecia saída de um livro de gravuras. Era em estilo georgiano, com quatro andares, e devia ter mais de 300 anos. A porta foi aberta por um mordomo de jaqueta branca e Fraser disse:

— Frank, esta é a Srta. Alexander.

— Olá, Frank, já nos conhecemos pelo telefone.

— Sim, senhorita. Prazer em conhecê-la, Srta. Alexander.

Catherine observou o hall de entrada. Uma bela escadaria antiga levava ao primeiro andar, feita de carvalho e polida ao máximo. O piso era de mármore e do teto pendia um candelabro fantástico. Fraser a observava.

— Gosta? — perguntou ele.

— Se gosto? Oh, sim!

Ele sorriu e Catherine imaginou se teria parecido excessivamente entusiasmada, como alguém que se sentisse atraída pelo luxo, como uma daquelas mulheres agressivas que viviam atrás dele.

— É... é agradável — acrescentou debilmente.

Fraser a olhava zombeteiro e ela experimentou a terrível sensação de que ele era capaz de ler seus pensamentos.

— Venha para o estúdio.

Acompanhou-o até uma grande sala recoberta de estantes feitas de madeira escura. Tinha uma aura de outros tempos, a delicadeza de uma vida mais fácil, mais amável. Fraser a observava.

— Bem? — perguntou.

Catherine não se deixaria apanhar outra vez.

— É menor que a Biblioteca do Congresso — disse, na defensiva.

Ele riu alto:

— Você tem razão.

Frank entrou na sala com um balde de gelo de prata, que colocou sobre o bar a um canto.

— A que horas gostaria de jantar, Sr. Fraser?

— Às 7h30.

— Avisarei na cozinha — disse, saindo da sala.

— O que quer beber?

— Nada, obrigada.

Ele a olhou:

— Você não bebe, Catherine?

— Não enquanto estou trabalhando — disse ela. — Porque começo a trocar o *p* pelo *o*.

— Você quer dizer o *p* pelo *q*, não é?

— Não, *p* e *o*. É que ficam lado a lado na máquina de escrever.

— Eu não sabia.

— Nem precisa saber, é para isso que me paga um salário milionário todas as semanas.

— Quanto eu lhe pago? — perguntou Fraser.

— Trinta dólares e jantar na casa mais bonita de Washington.

— Tem certeza de que não vai mudar de ideia sobre aquele drinque?

— Não, obrigada — respondeu Catherine.

Fraser preparou um martíni para si, enquanto Catherine perambulava pela sala, olhando os livros. Todos os clássicos tradicionais estavam lá, além de uma coleção de livros em italiano e outra em árabe. Fraser aproximou-se dela.

— Fala realmente italiano e árabe? — perguntou-lhe ela.

— Sim. Passei alguns anos no Oriente Médio e aprendi árabe.

— E o italiano?

— Andei saindo uns tempos com uma atriz italiana.

Catherine enrubesceu:

— Sinto muito, não pretendia ser indiscreta.

Fraser olhou-a com um ar divertido e ela se sentiu como uma colegial. Não sabia ao certo se odiava William Fraser ou se o amava, mas tinha certeza de que era o melhor homem que já conhecera.

O jantar foi soberbo, composto de pratos franceses com molhos divinos, e na sobremesa serviram cerejas maravilhosas. Não era de admirar que Fraser se exercitasse no clube três vezes por semana.

— Que tal? — perguntou ele.

— Bem diferente da comida da cantina — respondeu Catherine sorrindo.

— Preciso comer na cantina um dia desses — disse Fraser rindo.

— Não faria isso, se fosse você.

— A comida é tão ruim assim? — perguntou, olhando-a.

— Não é a comida, são as garotas. Elas o devorariam.

— O que a faz pensar assim?

— Falam em você o tempo todo.

— Você quer dizer que fazem perguntas a meu respeito?

— De certa forma — sorriu ela.

— Imagino que, quando terminam, ficam decepcionadas pela falta de informações.

Catherine sacudiu a cabeça.

— Está enganado. Eu invento todo tipo de histórias a seu respeito.

Fraser se recostara na cadeira, relaxando com um *brandy*.

— Que tipo de histórias?

— Tem certeza de que quer saber?

— Sem dúvida.

— Bem, digo-lhes que é um monstro e que grita comigo o dia inteiro.

Ele sorriu:

— Não exatamente o dia inteiro.

— Digo que é louco por caçadas e que anda pelo escritório com um rifle carregado enquanto dita para mim, e que vivo morrendo de medo de ele disparar e me matar.

— Isso deve mantê-las interessadas.

— Estão tendo um trabalhão para descobrir quem você realmente é.

— Você já descobriu?

Sua voz se tornara séria. Catherine encarou aqueles brilhantes olhos azuis e desviou a vista.

— Creio que sim — disse.

— Quem sou eu?

Ela se sentiu subitamente tensa. Terminara a brincadeira e a conversa adquirira um novo tom, excitante, perturbador. Catherine não respondeu; Fraser olhou-a por um momento e sorriu.

— Sou um assunto chato. Quer mais sobremesa?

— Não, obrigada. Passarei uma semana sem precisar comer.

— Vamos trabalhar.

Trabalharam até meia-noite, depois Fraser a acompanhou até a porta e Talmadge, que estava esperando do lado de fora, levou-a de carro até o apartamento. Ela foi pensando em Fraser pelo caminho, em sua força, seu humor, sua bondade. Alguém dissera uma vez que, antes de ser delicado, um homem precisa ser forte. William Fraser era muito forte. Aquela fora uma das melhores noites da vida de Catherine e isto a preocupava, pois receava transformar-se numa dessas secretárias ciumentas que passam o dia no escritório odiando cada mulher que telefona para o patrão. Bem, não permitiria que aquilo acontecesse. Todas as mulheres disponíveis existentes em Washington viviam atirando-se aos braços de Fraser, mas Catherine não pretendia se somar a elas.

Susie estava a sua espera no apartamento e atacou mal Catherine entrou:

— Conte! — exigiu ela. — O que aconteceu?

— Nada aconteceu — respondeu Catherine. — Nós jantamos.

Susie olhou para ela, incrédula.

— Ele não tentou nada?

— Não, claro que não.

Susie suspirou:

— Eu devia ter imaginado. Ele ficou com medo.

— O que quer dizer com isso?

— Quero dizer, doçura, que você parece a Virgem Maria. Ele provavelmente pensou que, se encostasse o dedo em você, você sairia gritando "Estupro!" e cairia desmaiada.

Catherine sentiu as faces enrubescerem.

— Não estou interessada nele dessa maneira — disse com firmeza. — E não pareço a Virgem Maria.

Pareço a Santa Catherine, a velha e querida Santa Catherine.

Tudo que fizera fora transferir seu sagrado quartel-general para Washington, nada mais mudara. Continuava dando expediente na mesma velha igreja de sempre.

Durante os seis meses seguintes, Fraser esteve fora várias vezes, viajando a Chicago, a São Francisco e à Europa. Embora não faltasse trabalho para mantê-la ocupada, Catherine achava o escritório solitário e vazio na ausência dele. Havia um fluxo contínuo de visitantes interessantes, na maioria homens, e ela se via cheia de convites, a escolher entre almoços, jantares, viagens à Europa e cama. Não aceitou nenhum, em parte por não estar interessada naqueles homens, mas principalmente porque sentia que Fraser não aprovaria se ela misturasse negócios com prazer. Se ele estava consciente da série de oportunidades que ela recusava, não dava a entender. No dia seguinte ao jantar em sua casa, concedera-lhe um aumento de 10 dólares por semana.

Catherine tinha a impressão de que o ritmo da cidade sofrera uma alteração. As pessoas estavam se movendo mais depressa, tornavam-se mais tensas, enquanto as manchetes alardeavam a constante série de invasões e crises na Europa. A queda da França afetara mais profundamente os americanos do que os outros bruscos acontecimentos europeus, porque o aprisionamento do país que era um dos berços da liberdade deixara-os com um sentimento de violação pessoal.

A Noruega caíra, a Inglaterra lutava pela vida na batalha da Grã-Bretanha e fora assinado um pacto entre Alemanha, Itália e Japão. Havia um sentimento cada vez mais forte sobre a inevitabilidade da entrada dos Estados Unidos na guerra. Certo dia, Catherine falou com Fraser sobre isso.

— Acho que, para nos envolvermos, é somente uma questão de tempo — disse ele, pensativo. — Se a Inglaterra não conseguir deter Hitler, nós teremos que fazê-lo.

— Mas o senador Borah acha...

— Que o distintivo dos American Firsters deveria ser um avestruz — comentou Fraser irritado.

— Mas o que fará, se houver guerra?

— Vou me tornar um herói.

Catherine pensou como ele ficaria bonito num uniforme de oficial, partindo para a guerra. E odiou a ideia. Parecia-lhe estúpido que, numa época esclarecida como aquela, as pessoas ainda acreditassem poder resolver suas desavenças assassinando umas às outras.

— Não se preocupe, Catherine — disse Fraser. — Nada acontecerá por enquanto. E, quando acontecer, estaremos preparados.

— E quanto à Inglaterra? — perguntou ela. — Poderá resistir se Hitler resolver invadi-la? Ele tem tantos tanques e aviões, enquanto a Inglaterra, nada.

— Mas terá — assegurou-lhe Fraser. — Muito em breve.

Ele mudou de assunto e voltaram ao trabalho.

Uma semana depois as manchetes se encheram de notícias sobre as novas ideias de Roosevelt acerca de empréstimo e arrendamento. Portanto Fraser sabia, e tentara tranquilizá-la sem revelar nenhuma informação.

As semanas passavam depressa. De vez em quando Catherine aceitava um convite para sair, mas sempre acabava fazendo comparações entre seu acompanhante e William Fraser, imaginando por que se dava ao trabalho de sair com alguém. Tinha consciência de estar emocionalmente encurralada, mas não sabia como escapar. Dizia a si mesma que estava simplesmente encantada com Fraser e que aquilo passaria, mas por enquanto seus sentimentos a impediam de apreciar a companhia de outros homens porque todos pareciam muito inferiores a ele.

Certa noite em que ficara trabalhando até tarde, Fraser voltou inesperadamente ao escritório, após ter ido ao teatro. Ela levantou a cabeça, espantada ao vê-lo entrar.

— Que é isto aqui, afinal? — grunhiu ele. — Um navio negreiro?

— Eu queria terminar este relatório — disse ela — para que pudesse levá-lo amanhã para São Francisco.

— Poderia enviá-lo para mim pelo correio — replicou ele, sentando-se numa cadeira em frente a Catherine, examinando-a. — Você não tem nada melhor para fazer à noite senão concluir insípidos relatórios? — perguntou.

— Acontece que eu estava livre esta noite.

Fraser recostou-se na cadeira, cruzou os dedos e descansou o queixo sobre eles, olhando-a.

— Lembra-se do que disse no primeiro dia em que entrou neste escritório?

— Disse uma porção de bobagens.

— Você falou que não queria ser secretária, e sim minha assistente.

Ela sorriu:

— Eu não tinha outro jeito.

— Agora tem.

Catherine olhou para ele:

— Não compreendo.

— É muito simples, Catherine — disse calmamente. — Nos últimos três meses você tem sido mesmo minha assistente. Agora vou tornar isto oficial.

Ela o olhou, sem poder acreditar:

— Tem certeza de que...

— Não lhe dei antes o cargo nem o aumento de salário porque não queria que isso a assustasse, mas agora você sabe que é capaz de dar conta.

— Não sei o que dizer — gaguejou Catherine. — Eu... Não se arrependerá, Sr. Fraser.

— Já me arrependi. Meus assistentes sempre me chamam de Bill.

— Bill.

Mais tarde, naquela mesma noite, deitada na cama, Catherine pensava no modo como ele a olhara, no efeito daquele olhar sobre ela — e passou muito tempo até conseguir conciliar o sono.

Ela escrevera ao pai várias vezes, perguntando-lhe quando iria visitá-la em Washington. Estava ansiosa para lhe mostrar a cidade, apresentá-lo a seus amigos e a Bill Fraser. Não recebera resposta a suas duas últimas cartas e, preocupada, telefonou para a casa de seu tio em Omaha e foi este que atendeu o telefone:

— Cathy! Eu... eu ia mesmo ligar para você.

O coração de Catherine deu um salto.

— Como está papai?

Houve uma ligeira pausa.

— Ele teve um derrame. Eu queria telefonar para você antes, mas ele pediu para esperar até que estivesse melhor.

Catherine se agarrara ao fone.

— Ele melhorou?

— Temo que não, Catherine — disse o tio. — Ele está paralítico.

— Vou já para aí — disse ela.

Procurou Bill Fraser e deu-lhe a notícia.

— Sinto muito — disse ele. — Que posso fazer para ajudar?

— Não sei. Quero ir vê-lo imediatamente, Bill.

— É claro.

Ele pegou o telefone e fez uma série de chamadas. Seu motorista levou Catherine ao apartamento, onde ela jogou algumas roupas numa valise, e depois levou-a ao aeroporto, pois Fraser conseguira reservar uma passagem para ela.

QUANDO O AVIÃO aterrissou no Aeroporto de Omaha, o tio e a tia de Catherine estavam lá a sua espera, e bastou olhar para seus rostos para saber que chegara tarde demais. Foram em silêncio até a capela funerária e, ao entrar no prédio, Catherine teve uma indescritível sensação de perda, de solidão. Uma parte dela morrera e jamais seria recuperada. Introduziram-na na pequena capela, onde o corpo de seu pai descansava num caixão simples, vestido com seu melhor terno. O tempo tornara-o menor, como se a vida o tivesse consumido, gastando-o e reduzindo seu tamanho. O tio entregou a Catherine os pertences do pai, as reservas e tesouros de uma vida inteira, que consistiam em 50 dólares em dinheiro, algumas fotos antigas, uns poucos recibos, um relógio de pulso, um canivete de prata manchado e suas próprias cartas, cuidadosamente amarradas com um pedaço de barbante, gastas pela leitura constante. Era uma triste herança para qualquer homem deixar e Catherine sentiu muita pena do pai. Seus sonhos haviam sido tão grandes, e seus sucessos, tão pequenos. Lembrou-se de como ele era cheio de vida no tempo em que ela era pequena e da animação que havia quando ele voltava das viagens com os bolsos cheios de dinheiro e os braços cheios de presentes. Recordou suas maravilhosas invenções, que nunca chegavam a funcionar realmente. Não era muito para lembrar, mas era tudo que restava dele. De repente, Catherine teve vontade de lhe dizer tantas coisas, de fazer tantas coisas por ele, mas era tarde demais.

Enterraram-no no pequeno cemitério ao lado da igreja. Catherine planejara passar a noite com os tios e pegar o trem de volta no dia seguinte, mas de súbito não conseguia ficar nem mais um minuto e telefonou para o aeroporto, reservando lugar no primeiro avião para Washington. Bill Fraser a esperava no aeroporto e parecia a coisa mais natural do mundo que estivesse lá, esperando-a, cuidando dela quando mais precisava.

Levou-a para jantar numa antiga hospedaria da Virgínia e ouviu-a falar sobre o pai. No meio de uma história engraçada a respeito dele, Catherine começou a chorar, mas, estranhamente, não se sentiu embaraçada diante de Bill Fraser. Ele sugeriu que tirasse alguns dias de folga, mas Catherine queria manter-se ocupada, pensando em qualquer coisa exceto na morte do pai. Tornou-se um hábito jantar com Fraser uma ou duas vezes por semana, de modo que ela se sentia mais do que nunca próxima dele.

Aconteceu sem qualquer planejamento ou premeditação. Tinham ficado trabalhando até tarde no escritório. Catherine conferia alguns papéis quando sentiu Bill Fraser de pé atrás dela. Seus dedos tocaram-lhe o pescoço, lenta e carinhosamente.

— Catherine...

Ela se virou para olhá-lo e num instante estava em seus braços. Foi como se tivessem se beijado mil vezes antes, como se este fosse seu passado e seu futuro ao mesmo tempo, ao qual ela sempre pertencera.

É simples assim, pensou Catherine. *Sempre foi tão simples, mas eu não sabia.*

— Pegue o casaco, querida — disse Bill Fraser. — Vamos para casa.

No carro, a caminho de Georgetown, sentaram-se bem juntos, o braço de Fraser em torno dela, delicado e protetor. Catherine jamais conhecera tal felicidade. Tinha certeza de estar apaixonada por Fraser e não importaria se ele não estivesse por ela, pois a estimava e isto lhe seria suficiente. Ao lembrar com quem pretendera se contentar antes — Ron Peterson —, estremeceu.

— Há algo errado? — perguntou Fraser.

Catherine pensou no quarto do motel com aquele espelho sujo e rachado. Olhou para o rosto forte e inteligente do homem que a abraçava.

— Agora não — disse agradecida e engoliu em seco. — Tenho algo para lhe dizer. Sou virgem.

Fraser sorriu e sacudiu a cabeça, admirado:

— É incrível! Como fui dar com os costados na única virgem da cidade de Washington?

— Tentei corrigir isso — falou Catherine ansiosamente. — Mas não consegui.

— Alegro-me por isso — disse Fraser.

— Quer dizer que não se importa?

Ele estava novamente sorrindo, uma expressão implicante a iluminar-lhe o rosto.

— Sabe qual é o seu problema? — perguntou.

— Sem dúvida!

— Você tem se preocupado demais com isso.

— Sem dúvida!

— O truque é permanecer calma.

Ela abanou a cabeça, gentilmente.

— Não, querido, o truque é se apaixonar.

Meia hora depois o carro parava em frente à casa. Fraser acompanhou Catherine até a biblioteca.

— Quer um drinque?

Ela o olhou.

— Vamos lá para cima.

Ele a abraçou, beijando-a com força. Catherine o apertou, querendo puxá-lo para dentro de si. *Se algo sair errado esta noite*, pensou ela, *eu me mato. Juro que me mato.*

— Venha — disse ele, tomando-lhe a mão.

O quarto de Bill Fraser era uma peça ampla, de aparência masculina, com um *highboy* espanhol numa das paredes. No extremo do cômodo havia uma alcova com lareira e, diante desta, uma mesa para café da manhã. Encostada numa parede estava a grande cama de casal, à esquerda um closet e, à direita, o banheiro.

— Tem certeza de que não faz questão daquele drinque? — perguntou Fraser.

— Não preciso dele.

Ele a tomou nos braços e a beijou, enquanto Catherine sentia sua solidez masculina e uma deliciosa onda de calor percorria seu corpo.

— Volto já — disse ele.

Catherine viu-o desaparecer no closet. Era o melhor, o mais maravilhoso homem que já conhecera. Ficou parada ali, pensando nele, e de repente compreendeu por que saíra do quarto: queria lhe dar a chance de se despir sozinha, para não ficar embaraçada. Catherine começou a tirar a roupa depressa. Um minuto depois estava nua e, olhando seu corpo, pensou: *Adeus, Santa Catherine.* Aproximou-se da cama, afastou a colcha e se enfiou entre os lençóis.

Fraser entrou, vestindo um robe de seda vermelho-escuro, foi até a cama e contemplou Catherine. Seu cabelo negro se espalhara pelo travesseiro branco, emoldurando o belo rosto. Era mais excitante ainda por não ter sido planejado. Ele tirou o robe e se deitou ao lado dela. De repente Catherine se lembrou:

— Não estou usando nada. Acha que ficarei grávida?

— Esperemos que sim.

Olhou-o espantada e abriu a boca para perguntar o que queria dizer com aquilo, mas ele colou os lábios nos seus, enquanto as mãos começavam a percorrer seu corpo, explorando-o delicadamente, e ela esqueceu tudo o mais, exceto o que lhe estava acontecendo, toda a sua atenção concentrada num determinado ponto de seu corpo, sentindo-o tentar penetrá-la, firme e pulsante, forçando, um instante de dor aguda e inesperada, depois deslizando para dentro, movendo-se cada vez mais depressa, um corpo estranho em seu corpo, mergulhando profundamente nela, com um ritmo cada vez mais desesperado, até que ele disse: "Está pronta?" Catherine não sabia exatamente para que deveria estar pronta, mas disse "sim" e ele gritou de repente "Oh, Cathy!", fez um último movimento de pressão e parou, deitado sobre ela.

Terminara e ele estava dizendo:

— Foi maravilhoso para você?

— Sim, foi maravilhoso.

— É cada vez melhor, depois — acrescentou ele, enquanto ela se sentia cheia de alegria por ter podido proporcionar-lhe tal felicidade, tentando não se preocupar com a decepção que tivera.

Talvez fosse como azeitona: é preciso se acostumar. Deixou-se ficar nos braços dele, sentindo o som de sua voz envolvê-la, pensando: *É isto que importa, estar juntos como dois seres humanos, amando-se e se compartilhando.* Ela lera muitas novelas escusas, ouvira muitas canções de amor prometedoras, esperara demais. Ou talvez — e se fosse verdade teria de enfrentá-lo — fosse frígida. Como se lesse seus pensamentos, Fraser puxou-a mais para junto de si e disse:

— Não se preocupe se ficou desapontada, querida. A primeira vez é sempre estranha.

Como Catherine permanecesse em silêncio, ele se ergueu apoiado num cotovelo, preocupado, e perguntou:

— Como se sente?

— Ótima — disse ela depressa. — Você é o melhor amante que já tive.

Beijou-o e o apertou contra si, sentindo-se aconchegada e protegida, até que o nó apertado dentro dela se afrouxou, uma sensação de tranquilidade a penetrou e ela se sentiu satisfeita.

— Gostaria de tomar um *brandy*? — perguntou ele.

— Não, obrigada.

— Acho que vou tomar um. Não é toda noite que um homem leva uma virgem para a cama.

— Isso incomodou você?

Ele a olhou com aquela expressão estranha e sábia, começou a dizer algo e mudou de ideia.

— Não — falou, com um tom de voz que ela não compreendeu.

— Eu fui...? — engoliu em seco. — Você sabe... fui bem?

— Foi adorável.

— Verdade?

— Verdade.

— Sabe por que quase não fui para a cama com você? — perguntou ela.

— Por quê?

— Temia que depois não quisesse mais me ver.

Ele riu alto.

— Isso é conversa de comadres, fomentada por mães ansiosas em manter a pureza das filhas. O sexo não afasta as pessoas, Catherine, aproxima-as.

E era verdade. Ela jamais se sentira tão próxima de alguém. Aparentemente, poderia parecer a mesma, mas sabia que tinha mudado.

A garota que entrara naquela casa pouco antes desaparecera e em seu lugar havia uma mulher, a mulher de Bill Fraser. Finalmente encontrara o misterioso Santo Graal que estivera procurando. A busca chegara ao fim.

Agora, até o FBI ficaria satisfeito.

Noelle

Paris: 1941

6

Para alguns, a Paris de 1941 foi uma mina de tesouros e oportunidades; para outros, um inferno em vida. Gestapo se transformara em sinônimo de terror, e as histórias de suas atividades se tornaram um importante — embora furtivo — assunto de conversa. Os atentados contra os judeus franceses, que haviam começado quase como travessuras com quebra de algumas vitrines, foram transformados pela eficiente Gestapo num sistema de confisco, segregação e extermínio.

No dia 29 de maio saíra um novo decreto: "...uma estrela de seis pontas, com as dimensões da palma da mão e contornada de preto. Deve ser confeccionada em tecido amarelo e ostentar, em letras negras, a inscrição *JUDEN*. Deve ser usada por todos desde a idade de seis anos, firmemente costurada à roupa, do lado esquerdo do peito."

Nem todos os franceses estavam dispostos a serem pisoteados pelas botas alemãs. Os Maquis, serviço secreto francês de resistência, lutavam com astúcia e vigor, mas, quando apanhados, eram condenados a morrer de sórdidas maneiras.

Uma jovem condessa cuja família possuía um castelo nos arredores de Chartres foi obrigada a aquartelar durante seis meses os oficiais do Comando alemão local nos cômodos do andar térreo, ao mesmo tempo que escondia nos andares superiores cinco membros dos Maquis que estavam sendo procurados. Os dois grupos nunca se encontraram, mas em três meses os cabelos da condessa ficaram completamente brancos.

Os alemães viviam de acordo com sua condição de conquistadores, mas para o francês médio havia escassez de tudo, exceto frio e miséria. O gás de cozinha fora racionado e não havia aquecimento. No inverno, os parisienses sobreviviam comprando toneladas de serragem, armazenando-a dentro de casa — o que ocupava metade dos apartamentos — e aquecendo a outra metade com a ajuda de fogões especiais para serragem.

Tudo era falsificado, desde cigarros e café até couro. Os franceses diziam brincando que não importava o que se comesse, tudo tinha o mesmo gosto. As francesas — tradicionalmente as mulheres mais bem-vestidas do mundo — usavam míseros capotes de pele de carneiro em vez de lã e sapatos de sola de madeira, de modo que o som de seus passos pelas ruas de Paris parecia o ploc-ploc de cascos de cavalos.

Até os batizados foram afetados, pois havia escassez de amêndoas doces — o confeito tradicional das cerimônias — e as confeitarias mantinham letreiros convidando as pessoas a se inscreverem para receber a iguaria. Havia alguns táxis Renault pelas ruas, mas o principal meio de transporte eram os cabriolés de dois lugares puxados por bicicletas.

Como é comum nas épocas de crises prolongadas, o teatro florescia. O povo procurava fugir à esmagadora realidade da vida cotidiana através das telas dos cinemas e dos palcos.

Noelle Page se tornara estrela da noite para o dia. Concorrentes ciumentas diziam que tal acontecera apenas graças ao poder e ao talento de Armand Gautier, mas, enquanto era certo que Gautier dera partida a sua carreira, é axioma entre o pessoal de teatro que ninguém é capaz de fazer uma estrela, exceto o público, árbitro do destino do ator, anônimo, volúvel, idólatra e mercurial. O público adorava Noelle.

Quanto a Armand Gautier, arrependia-se amargamente do papel que desempenhara no impulso à carreira de Noelle, que já não precisava mais dele e apenas por capricho continuava a seu lado, enquanto Gautier vivia em constante terror, à espera do dia em que ela o abandonaria. Ele trabalhara a maior parte da vida no teatro, mas jamais encontrara alguém como Noelle. Parecia uma esponja insaciável, absorvendo tudo o que ele tinha para ensinar e sempre exigindo mais. Fora fantástico assistir à sua metamorfose, desde os primeiros passos hesitantes e superficiais no aprendizado de um papel até o profundo e seguro domínio do personagem. Desde o início ele soubera que Noelle seria uma estrela — jamais houvera dúvidas a respeito —, mas o que mais o deixava perplexo à medida que aprendia a conhecê-la era o fato de que o estrelato não constituía seu objetivo. A verdade era que Noelle nem mesmo estava interessada em representar.

De início, Gautier simplesmente não pudera acreditar. Ser uma estrela era o último degrau da escada, o *sine qua non*, mas, para Noelle, representar era apenas um dos degraus e Gautier não fazia a menor ideia de qual seria seu verdadeiro objetivo. Ela era um mistério, um enigma e, quanto mais fundo Gautier perscrutava, mais se complicava o quebra-cabeça, como aquelas caixas chinesas que se abrem para revelar outras caixas. Gautier se orgulhava de ser conhecedor de pessoas, especialmente mulheres, e o fato de não saber absolutamente nada sobre a mulher com quem vivia e a quem amava deixava-o frenético. Pedira Noelle em casamento, ao que ela respondera: "Sim, Armand." Mas ele sabia que aquilo nada significava, tanto quanto o noivado com Philipe Sorel, e Deus sabia quantos homens mais em sua vida passada. Ele compreendeu que o casamento jamais se realizaria e que quando Noelle estivesse pronta seguiria adiante.

Gautier estava certo de que todo homem que a encontrava tentava convencê-la a ir para a cama. Também sabia, através de seus amigos invejosos, que nenhum deles conseguira.

— Seu filho da puta felizardo — dissera um deles. — Você deve ser tão bem provido quanto um touro. Ofereci a ela um iate, um castelo em seu nome e uma equipe de criados em Cap d'Antibes e ela riu de mim.

Um outro amigo, banqueiro, contou-lhe:

— Encontrei finalmente a única coisa que o dinheiro não pode comprar.

— Noelle?

O banqueiro assentiu:

— É verdade. Disse-lhe que desse seu preço, mas não se interessou. O que é que ela vê em você, meu amigo?

Armand Gautier bem que desejaria saber.

ELE SE LEMBRAVA de quando encontrara a primeira peça para ela. Fora suficiente ler meia dúzia de páginas para saber que era exatamente o que estava procurando. Era um *tour de force*, um drama sobre uma mulher cujo marido fora para a guerra. Certo dia aparecia um soldado em sua casa, dizendo-se companheiro do marido, com quem servira na frente russa. À medida que se desenvolvia a trama, a mulher se apaixonava pelo soldado, sem saber que se tratava de um assassino psicopata e que sua vida estava em perigo. O papel da esposa era um grande trabalho de representação e Gautier concordou imediatamente em dirigir a peça, desde que Noelle Page fosse a atriz principal. Os produtores relutaram em aceitar uma desconhecida para o papel, mas concordaram em ouvi-la ler o texto e Gautier correu para casa a fim de contar a novidade a Noelle. Ela viera até ele porque desejava ser estrela e agora ele estava satisfazendo seu desejo. Disse para si mesmo que isto os aproximaria mais, faria com que ela realmente o amasse. Poderiam se casar e ele a teria, para sempre.

Mas ao ouvir a notícia, Noelle se limitara a olhá-lo e dizer: "É maravilhoso, Armand, muito obrigada." Exatamente no mesmo tom de voz com que poderia estar agradecendo por lhe dizer as horas ou por acender seu cigarro.

Ele a observara por um longo instante, percebendo que, de algum modo estranho, Noelle estava doente, que alguma emoção morrera dentro dela ou jamais existira e que ninguém jamais a teria. Embora o soubesse, não conseguia realmente acreditar naquilo, pois o que via era uma mulher linda e afetuosa, que satisfazia alegremente todos os seus desejos sem nada pedir em troca. Porque a amava, Gautier pôs suas dúvidas de lado e começaram a trabalhar, preparando a peça.

Noelle fez uma brilhante leitura e ganhou o papel sem dificuldade, tal como Gautier soubera que o faria. Quando a peça estreou, dois meses depois, ela se tornou da noite para o dia a maior estrela da França. Os críticos haviam se preparado para atacar a peça e Noelle, porque sabiam que Gautier pusera sua amante, atriz inexperiente, no papel principal e esta era uma situação deliciosa demais para que a ignorassem. Mas Noelle os cativara completamente. Tiveram de procurar novos superlativos para descrever seu trabalho e sua beleza, enquanto a peça se tornava sucesso absoluto de bilheteria.

Todas as noites, após o espetáculo, o camarim de Noelle era invadido por visitantes e ela recebia a todos: sapateiros, soldados, milionários e balconistas, tratando todos com a mesma delicadeza paciente. Gautier observava surpreendido. *É quase como uma princesa recebendo seus súditos*, pensava.

No período de um ano, Noelle recebeu três cartas de Marselha. Rasgara-as sem abrir e elas pararam de chegar.

Na primavera, estrelou um filme dirigido por Armand Gautier e, quando foi lançado, sua fama se espalhou. Gautier ficava maravilhado com a paciência dela para dar entrevistas e ser fotografada, pois a maioria das estrelas detestava isso e, se o fazia, era para aumentar seu valor em termos de bilheteria ou por autoafirmação. Noelle era indiferente a ambas as motivações. Mudava de assunto quando Gautier lhe perguntava por que se dispunha a desprezar a chance de ir descansar no sul da França para ficar numa Paris fria e chuvosa, posando cansativamente para *Le Matin*, *La Petite Parisienne* ou *L'Illustration*. Antes assim, pois Gautier ficaria chocado se soubesse a verdadeira razão.

A motivação de Noelle era muito simples: tudo o que fazia se destinava a Larry Douglas.

Quando posava para os fotógrafos, imaginava seu ex-amante pegando uma revista e reconhecendo seu retrato. Ao representar uma cena de filme, via Larry Douglas sentado num cinema, em algum país distante, assistindo. Trabalhava para fazê-lo lembrar, como uma mensagem do passado, um sinal que algum dia faria com que ele voltasse; e era apenas isto que Noelle queria: que ele voltasse a fim de que pudesse destruí-lo.

Graças a Christian Barbet, possuía uma crescente coleção de dados sobre ele. O pequeno detetive se mudara de seu modesto escritório para um grande conjunto luxuoso na rua Richer, perto do Folies-Bergère. A primeira vez em que Noelle o visitou no novo endereço, Barbet disse sorrindo:

— Comprei barato. Estas salas pertenciam a um judeu.

— Você disse que tinha novidades para mim — falou Noelle, asperamente.

O sorriso malicioso desapareceu do rosto de Barbet.

— Ah, sim.

Sim, ele tinha novidades. Era difícil recolher informações na Inglaterra, bem debaixo do nariz dos nazistas, mas Barbet encontrara meios. Subornava marinheiros de navios neutros para contrabandear cartas vindas de uma agência londrina. Mas esta era apenas uma de suas fontes. Apelara para o patriotismo da Resistência francesa, para a solidariedade da Cruz Vermelha Internacional e para a cupidez dos negociantes do mercado negro, que tinham contatos internacionais. A cada um destes contara uma história diferente e o fluxo de informações não parava de chegar.

Pegou um relatório sobre a mesa.

— Seu amigo foi abatido sobre o Canal da Mancha — disse sem preâmbulos, observando pelo canto do olho o rosto de Noelle, esperando que sua fachada indiferente ruísse, divertindo-se com a dor que estava infligindo.

Mas a expressão de Noelle não se alterou. Ela o olhou e disse com segurança:

— Ele foi salvo.

Barbet olhou para ela, engoliu em seco e disse, hesitante:

— Bem, sim. Foi recolhido por um barco de socorro inglês. — Imaginava como, diabos, poderia ela saber.

Tudo naquela mulher o intrigava, ele a odiava como cliente e vivia tentado a desistir do serviço, mas sabia que tal atitude seria uma estupidez.

Tentara certa vez passar-lhe uma cantada, insinuando que assim seus serviços ficariam bem mais em conta, mas Noelle o repelira de um modo que o fizera sentir-se um grosseirão desajeitado, e aquilo Barbet jamais esqueceria. Um dia, prometia em silêncio a si próprio, um dia aquela cadela metida a difícil iria pagar.

Agora, com Noelle de pé em seu escritório, uma expressão de nojo no rosto lindo, Barbet prosseguia depressa com o relatório, ansioso para se ver livre dela.

— O esquadrão dele foi transferido para Kirton, em Lincolnshire. Estão pilotando Hurricanes e...

Noelle estava interessada em outras coisas.

— O noivado com a filha do almirante — disse ela. — Terminou, não foi?

Barbet levantou os olhos, surpreendido, e murmurou:

— Sim, ela descobriu sobre algumas das outras mulheres.

Era quase como se Noelle já tivesse visto o relatório. Não o vira, é claro, mas aquilo não importava, pois o ódio que a ligava a Larry Douglas era tão forte que parecia que nada de importante poderia acontecer a ele sem que ela soubesse. Apanhou o relatório e saiu. Chegando a casa, leu-o atentamente e depois o colocou com cuidado entre os outros relatórios, trancando-os em lugar seguro.

Numa sexta-feira após o espetáculo, ela estava no camarim do teatro removendo a maquiagem quando bateram à porta e Marius, o velho e aleijado porteiro do palco, entrou.

— *Pardon*, Srta. Page, um cavalheiro pediu que lhe entregasse isto.

Noelle deu uma olhada pelo espelho, vendo que ele carregava um enorme buquê de rosas numa jarra exótica.

— Ponha aí, Marius — disse ela, observando enquanto ele colocava cuidadosamente o jarro de rosas sobre uma mesa.

Era final de novembro e havia mais de três meses que ninguém via rosas em Paris. Deviam ser umas quatro dúzias, vermelho-rubi, de talos longos, úmidas de orvalho. Curiosa, Noelle se aproximou e pegou o cartão, onde se lia: "À encantadora *fräulein* Page. Quer cear comigo? General Hans Scheider."

O jarro onde estavam as flores era de louça, minuciosamente decorado e muito caro. O general Scheider tivera um bocado de trabalho.

— Ele gostaria de receber uma resposta — disse o porteiro.

— Diga-lhe que eu nunca ceio e leve isto para dar a sua mulher.

Ele a olhava, estupefato.

— Mas o general...

— Isto é tudo.

Marius assentiu com a cabeça, pegou o jarro e saiu rapidamente. Noelle sabia que ele se apressaria em espalhar a história de como desafiara um general alemão. Já acontecera antes com outros oficiais alemães, e o povo francês a considerava algo como uma heroína. Era ridículo. Na verdade, Noelle nada tinha contra os alemães, era simplesmente indiferente a eles. Não faziam parte de sua vida ou de seus planos, e ela se limitava a tolerá-los, esperando pelo dia em que voltariam para casa. Sabia que o fato de se envolver com alemães seria prejudicial para ela, não agora, talvez, mas não era o presente que a preocupava e sim o futuro. Achava que a ideia do Terceiro Reich no poder por mil anos era *merde*. Qualquer estudante de História sabia que todo conquistador acaba sendo conquistado. Nesse meio-tempo, nada faria que pusesse seus compatriotas franceses contra ela quando os alemães fossem finalmente despejados. A ocupação nazista não a afetava em nada e, quando o assunto vinha à tona — o que ocorria constantemente—, Noelle evitava qualquer discussão a respeito.

Fascinado por essa atitude, Armand Gautier tentara frequentemente fazê-la falar no assunto:

— Você não se importa com o fato de os nazistas terem conquistado a França? — perguntava ele.

— Que diferença faria se eu me importasse?

— Não é este o ponto. Se todo mundo pensasse como você, estaríamos perdidos.

— Estamos perdidos de qualquer maneira, não estamos?

— Não, se acreditarmos no livre-arbítrio. Você acha que nossa vida é determinada no momento em que nascemos?

— Até certo ponto. Recebemos corpos, nosso lugar de nascimento e nossa posição na vida, mas isso não significa que não podemos mudar. Podemos nos tornar aquilo que quisermos.

— É o que eu quero dizer. Por isso precisamos lutar contra os nazistas.

Ela olhou para Gautier.

— Porque Deus está do nosso lado?

— Sim — respondeu ele.

— Se há um Deus — replicou Noelle sensatamente — e Ele os criou, deve estar do lado deles também.

Em outubro, no primeiro aniversário da peça de Noelle, os produtores deram uma festa para o elenco no Tour d'Argent. Havia uma mistura de atores, banqueiros e importantes homens de negócios, sendo que a maioria dos convidados era composta de franceses, mas havia alguns alemães, uns poucos fardados, todos menos um em companhia de francesas. A exceção era um oficial quarentão, com um rosto comprido e inteligente, fundos olhos verdes e um corpo delgado de atleta. Uma estreita cicatriz atravessava-lhe a face, da maçã do rosto até o queixo. Noelle percebeu que ele a observara durante toda a noite, embora não se aproximasse.

— Quem é aquele homem? — perguntou distraidamente a um dos anfitriões.

Ele olhou para o oficial, sozinho numa mesa, bebericando champanhe, depois se voltou para Noelle, surpreso:

— É estranho que faça esta pergunta. Pensei que ele fosse amigo seu. Aquele é o general Hans Scheider, membro do Estado-Maior.

Noelle recordou as rosas e o cartão.

— Por que pensou que fosse meu amigo? — perguntou.

O homem pareceu confuso.

— Bem, eu presumi, naturalmente... Quero dizer, toda peça ou filme produzido na França deve ser aprovado pelos alemães. Quando a censura tentou impedir a realização de seu último filme, o general interferiu pessoalmente e deu sua aprovação.

Naquele momento Armand Gautier trouxe alguém para apresentar a Noelle, a conversa mudou de rumo e ela não deu mais atenção ao general Scheider.

Na noite seguinte, ao chegar a seu camarim, deparou com uma rosa num pequeno jarro e um cartão que dizia: "Talvez devamos começar em menor escala. Posso vê-la? H. S."

Noelle rasgou o cartão e jogou a flor na cesta de papéis.

APÓS AQUELA NOITE, Noelle reparou que em quase todas as festas a que comparecia com Armand Gautier o general Scheider estava presente. Sempre permanecia em segundo plano, observando-a. Acontecia demais para ser coincidência. Noelle imaginou que ele devia ter muito trabalho para seguir seus movimentos e conseguir convites para os lugares onde ela estaria.

Imaginava por que estaria tão interessado, mas por mera especulação, pois isso não a preocupava realmente. De vez em quando ela se divertia aceitando um convite e não comparecendo, para no dia seguinte descobrir se o general Scheider estivera lá. A resposta era sempre afirmativa.

A despeito do castigo fulminante e mortal que os nazistas infligiam aos que a eles se opunham, a sabotagem continuava a florescer em Paris. Além dos Maquis havia dúzias de pequenos grupos de franceses amantes da liberdade que arriscavam suas vidas para combater o inimigo com quaisquer armas disponíveis. Assassinavam soldados alemães quando os apanhavam distraídos, explodiam caminhões de suprimentos, minavam pontes e trens. Suas atividades eram diariamente denunciadas pela imprensa controlada como sendo atos infames, mas para os franceses leais os atos infames eram feitos gloriosos. Havia um homem cujo nome sempre brotava nos noticiários — seu apelido era Le Cafard, A barata, porque parecia correr por toda parte e a Gestapo não conseguia apanhá-lo.

Ninguém sabia quem ele era. Alguns pensavam ser um inglês que vivia em Paris; outra teoria era de que se tratava de um agente do general De Gaulle, o líder das Forças Francesas Livres; alguns chegavam a dizer que era um alemão descontente. Fosse quem fosse, estavam começando a aparecer desenhos de baratas por toda Paris, em prédios, calçadas e até mesmo dentro dos quartéis-generais alemães. A Gestapo concentrava seus esforços para apanhá-lo, pois um fato era indubitável: Le Cafard se transformara de súbito num herói popular.

Numa tarde chuvosa de dezembro, Noelle compareceu ao vernissage de um jovem artista plástico que ela e Armand conheciam. A exposição era numa galeria do Faubourg Saint-Honoré e estava repleta, com a presença de muitas celebridades e fotógrafos por todo lado. Enquanto percorria a mostra de um quadro a outro, Noelle sentiu alguém tocar seu braço. Virou-se, dando com o rosto da Sra. Rose, mas precisou de algum tempo para reconhecê-la. Era o mesmo feio rosto familiar, no entanto parecia vinte anos mais velho, como se por alguma alquimia do tempo ela tivesse se transformado em sua própria mãe. Usava uma grande capa preta e lá no fundo da consciência de Noelle havia a ligeira impressão de que não estava usando a estrela amarela obrigatória dos *Juden*. Noelle começou a falar, mas a velha senhora a fez parar, apertando-lhe o braço.

— Pode encontrar-se comigo? — perguntou, numa voz apenas audível. — Les Deux Magots.

Antes que Noelle pudesse responder, a Sra. Rose desapareceu na multidão e ela se viu cercada de fotógrafos. Enquanto posava e sorria para eles, pensava em madame Rose e seu sobrinho, Israel Katz, e em como ambos haviam sido bons para ela quando precisara. Israel salvara sua vida duas vezes e ela imaginava o que quereria madame Rose. Dinheiro, provavelmente.

Vinte minutos depois, Noelle escapuliu e pegou um táxi até a Place Saint-Germain-des-Prés. Chovera intermitentemente o dia inteiro e agora a chuva começava a se transformar num granizo frio e escorregadio. Quando o táxi parou diante do Les Deux Magots e Noelle saiu para o frio cortante, um homem, com capa de chuva e chapéu de abas largas, apareceu a seu lado como num passe de mágica. Noelle levou um momento para reconhecê-lo, pois, como sua tia, parecia mais velho, mas a mudança nele era bem mais pronunciada. Havia uma autoridade e uma força que não existiam antes. Israel Katz estava mais magro do que da última vez em que o vira, com os olhos encovados como se não dormisse há dias. Noelle percebeu que ele não estava usando a estrela amarela de seis pontas.

— Vamos sair da chuva — disse Israel Katz.

Pegou Noelle pelo braço, conduzindo-a para dentro. Havia uma dezena de clientes no café, todos franceses, e ele levou Noelle para uma mesa ao fundo.

— Gostaria de beber alguma coisa? — perguntou.

— Não, obrigada.

Ele tirou o chapéu encharcado de chuva e Noelle examinou-lhe o rosto. Compreendeu imediatamente que ele não a chamara ali para pedir dinheiro. Ele a observava.

— Você ainda está linda, Noelle — disse suavemente. — Vi todos os seus filmes e peças. — Você é uma grande atriz.

— Por que nunca foi a meu camarim?

Israel hesitou, depois sorriu timidamente:

— Não queria deixá-la embaraçada.

Noelle ficou olhando para ele um momento, antes de compreender o que queria dizer com aquilo. Para ela, *Juden* era apenas uma palavra que aparecia nos jornais de vez em quando e não fazia parte de sua vida; mas o que deveria ser *viver* aquela palavra, ser judeu num país decidido a eliminá-lo, a exterminá-lo, sobretudo em se tratando de sua própria terra natal...

— Eu escolho meus amigos — replicou Noelle. — Ninguém decide com quem devo andar.

Israel deu um sorriso estranho.

— Não desperdice sua coragem — aconselhou. — Use-a onde ela puder ser útil.

— Fale-me de você — disse ela.

Ele deu de ombros:

— Vivo uma vida muito sem atrativos. Tornei-me cirurgião, estudei com o Dr. Angibuste. Já ouviu falar nele?

— Não.

— É um grande cardiocirurgião. Fez de mim seu discípulo, até que os nazistas cassaram minha licença para exercer medicina. — Ergueu as mãos bem-feitas e olhou-as como se pertencessem a outra pessoa. — De modo que me tornei carpinteiro.

Noelle o observou durante alguns momentos e perguntou:

— Isso é tudo?

Israel examinou-a, surpreendido.

— Claro. Por quê?

Noelle afastou a ideia que a perseguia.

— Nada. Por que me procurou?

Ele se inclinou, baixando a voz:

— Preciso de um favor. Um amigo...

Naquele instante a porta se abriu e quatro soldados alemães de uniforme cinza-esverdeado penetraram no bistrô comandados por um cabo, que gritou bem alto:

— *Achtung!* Queremos ver seus documentos de identificação.

Israel Katz ficou rígido e foi como se uma máscara se encaixasse no lugar certo. Noelle viu sua mão direita deslizar para o bolso da capa, enquanto seus olhos faziam um movimento rápido em direção ao corredor estreito que levava à saída dos fundos, mas um dos soldados já se encaminhava para lá, bloqueando-a. Israel disse numa voz baixa e premente:

— Afaste-se de mim. Saia pela porta da frente. Já.

— Por quê? — perguntou ela.

Os alemães examinavam os documentos de identificação dos clientes que estavam numa das mesas perto da entrada.

— Não faça perguntas — ordenou ele. — Apenas vá.

Noelle hesitou um momento, levantou-se e se dirigiu para a porta. Os soldados estavam a caminho da mesa seguinte, enquanto Israel recuava sua cadeira para ter maior liberdade de movimentos. A manobra atraiu a atenção de dois soldados, que se aproximaram dele.

— Documentos de identidade.

De algum modo, Noelle sabia que era por ele que os soldados estavam procurando, que tentaria escapar e seria morto, pois não tinha chance. Ela se virou, gritando para Israel:

— François! Vamos chegar atrasados ao teatro. Pague a conta e vamos embora.

Os soldados olharam-na surpresos. Noelle se voltou na direção da mesa e o cabo se virou para ela. Era um garoto de 20 e poucos anos, louro e bochechudo.

— Está na companhia deste homem, *fräulein*? — perguntou ele.

— Claro que estou! Vocês não têm nada melhor para fazer do que incomodar honestos cidadãos franceses? — perguntou ela irritadamente.

— Sinto muito, minha boa *fräulein*, mas...

— Não sou sua boa *fräulein*! — vociferou ela. — Sou Noelle Page. Estou representando no Théatre des Variétés e este homem trabalha comigo. Esta noite, quando eu estiver ceando com meu bom amigo general Hans Scheider, mencionarei seu comportamento e ele saberá o que fazer com você.

Noelle viu a expressão de reconhecimento nos olhos do cabo, mas não sabia ao certo se era o seu nome ou o do general Scheider que ele reconhecera.

— Eu... eu sinto muito, *fräulein* — gaguejou ele. — É claro que a reconheço.

Virou-se para Israel Katz, sentado em silêncio, com a mão no bolso da capa.

— Não estou reconhecendo este cavalheiro.

— Reconheceria, se vocês bárbaros fossem de vez em quando ao teatro — disse Noelle, com desprezo cortante. — Estamos presos ou podemos sair?

O jovem cabo tinha consciência de que todos o olhavam e procurou tomar uma decisão rápida:

— É claro que a *fräulein* e seu amigo não estão presos — disse. — Peço desculpas se os incomodei. Eu...

Israel Katz levantou os olhos para o soldado e disse friamente:

— Lá fora está chovendo, cabo. Estou pensando se um de seus homens poderia arranjar um táxi para nós.

— É claro, imediatamente.

Israel entrou no táxi com Noelle enquanto o cabo alemão, de pé sob a chuva, observava-os partir. Quando o táxi parou num sinal, a três quarteirões de distância, Israel abriu a porta, apertou a mão de Noelle e, sem uma palavra, desapareceu na noite.

Às 19 horas, quando Noelle entrou em seu camarim no teatro, encontrou dois homens a sua espera. Um deles era o jovem cabo que estivera à tarde no bistrô. O outro estava à paisana; era albino, completamente desprovido de cabelos, com olhos avermelhados. De certa forma, lembrou a Noelle um bebê ainda não totalmente formado. Era um homem de 30 e poucos anos, com cara de lua e uma voz aguda, quase ridiculamente feminina, mas que possuía uma característica indescritível, algo mortal que causava arrepios.

— Srta. Noelle Page?

— Sim.

— Sou o coronel Kurt Mueller, da Gestapo. Acho que já conhece o cabo Schultz.

Noelle se voltou com indiferença para o cabo.

— Não, creio que não.

— Na *kaffehause*, hoje à tarde — disse o cabo, querendo ajudar.

Noelle virou-se para Mueller:

— Conheço tanta gente...

O coronel assentiu:

— Deve ser difícil lembrar-se de todo mundo quando se tem tantos amigos, *fräulein*.

Ela concordou:

— Exatamente.

— Por exemplo, o amigo que a acompanhava esta tarde. — Ele parou, observando o rosto de Noelle. — A senhorita disse ao cabo Schultz que trabalhavam juntos na peça.

Noelle olhou surpreendida para o homem da Gestapo.

— O cabo deve ter me entendido mal.

— *Nein, fräulein* — replicou o cabo, indignado. — A senhorita disse...

O coronel lançou-lhe um olhar imobilizante e o cabo fechou a boca no meio da frase.

— Talvez — disse Kurt Mueller. — Isso acontece com frequência quando tentamos nos expressar num idioma estrangeiro.

— É verdade — disse Noelle rapidamente.

Pelo canto do olho, viu o cabo enrubescer de raiva, sem abrir a boca.

— Lamento tê-la incomodado sem necessidade — disse Kurt Mueller.

Noelle sentiu seus ombros relaxarem, percebendo de súbito como estivera tensa.

— Não tem a menor importância — disse. — Talvez eu possa lhes dar umas entradas para a peça.

— Já assisti a ela — disse o homem da Gestapo — e o cabo Schultz já comprou sua entrada. Mas agradeço.

Dirigiu-se para a porta, mas parou.

— Quando a senhorita chamou o cabo Schultz de bárbaro, ele resolveu comprar uma entrada para ver sua peça. Ao olhar as fotos dos atores no saguão, não encontrou o retrato do seu amigo da *kaffehause*. Foi por isso que me chamou.

O coração de Noelle começou a bater mais rápido.

— Só para constar, *mademoiselle*. Se ele não é seu colega na peça, quem é ele?

— Um... um amigo.

— Como se chama? — A voz aguda ainda era suave, mas tornara-se perigosa.

— Que diferença faz isso? — perguntou Noelle.

— Seu amigo corresponde à descrição de um criminoso que estamos procurando. Ele foi visto hoje à tarde nas imediações da Place Saint-Germain-des-Prés.

Noelle continuou a olhá-lo, enquanto pensava rapidamente.

— Qual é o nome de seu amigo? — A voz do coronel Mueller era insistente.

— Eu... eu não sei.

— Ah, então era um desconhecido?

— Sim.

Ele a encarou, os frios olhos avermelhados perfurando os seus.

— Você estava sentada com ele. Impediu que os soldados examinassem seus documentos. Por quê?

— Senti pena dele — disse Noelle. — Ele se aproximou de mim...

— Onde?

Noelle pensou depressa. Alguém poderia tê-los visto entrando juntos no bistrô.

— Em frente ao café. Contou-me que os soldados estavam atrás dele porque roubara alguns mantimentos para a mulher e os filhos. Parecia um crime tão pequeno que eu... — Olhou para Mueller com ar suplicante. — Eu o ajudei.

Mueller examinou-a, depois balançou a cabeça, admirado:

— Compreendo por que você é uma grande estrela.

O sorriso se extinguiu em seu rosto, e quando recomeçou a falar sua voz parecia ainda mais suave:

— Deixe-me dar-lhe um conselho, Srta. Page. Queremos nos dar bem com vocês franceses, queremos que sejam nossos amigos, assim como nossos aliados. Mas todo mundo que ajuda nosso inimigo se torna inimigo também. Vamos pegar seu amigo, *mademoiselle*, e, quando o fizermos, nós o interrogaremos e eu lhe garanto que ele vai falar.

— Nada tenho a temer — disse Noelle.

— Está enganada. — Ela mal podia ouvi-lo. — Tem a mim a temer.

O coronel Mueller fez sinal para o cabo e se dirigiu novamente para a porta, mas se virou outra vez.

— Se tiver notícias de seu amigo, você me informará imediatamente. Se não o fizer...

Sorriu para ela e os dois homens partiram.

Noelle desabou numa cadeira, exausta. Sabia que não fora convincente, mas tinha sido apanhada completamente de surpresa. Tivera a certeza de que o incidente fora esquecido. Agora, recordava algumas histórias que ouvira sobre a Gestapo, sentindo um pequeno arrepio percorrê-la. E se pegassem Israel Katz e se ele falasse realmente... Poderia dizer que eram velhos amigos, que Noelle mentira ao dizer que não o conhecia. Mas isso certamente não tinha importância. A menos que... o nome que lhe ocorrera no restaurante brotou de novo em sua mente: Le Cafard.

MEIA HORA DEPOIS, no palco, Noelle deu um jeito de pensar apenas no personagem que estava representando. A plateia sabia apreciar e, enquanto voltava à cena para os agradecimentos, recebeu uma imensa ovação. Ainda ouvia os aplausos ao se dirigir para o camarim e abrir a porta. Sentado numa cadeira estava o general Scheider.

— Fui informado de que temos um encontro para cear esta noite.

Cearam no Le Fruit Perdu, às margens do Sena, a cerca de 30 quilômetros de Paris. O chofer do General os conduzira até lá numa limusine negra e reluzente. A chuva cessara, deixando a noite fresca e agradável. O general não mencionou o incidente daquele dia até acabarem de comer. O primeiro impulso de Noelle fora de não sair com ele, mas concluíra que era preciso descobrir o que sabiam realmente os alemães e até que ponto ela estaria em dificuldades.

— Recebi um telefonema do quartel-general da Gestapo hoje à tarde — dizia o general Scheider — informando-me de que você dissera a um certo cabo Schultz que cearia comigo esta noite.

Noelle o observava, sem nada dizer, e ele continuou:

— Achei que seria muito desagradável para você se eu dissesse "não" e muito agradável para mim se dissesse "sim" — sorriu —, e cá estamos.

— Isso tudo é tão ridículo! — protestou Noelle. — Ajudar um pobre homem que roubou umas verd...

— Não! — A voz do general estava áspera e Noelle olhou-o, espantada. — Não cometa o erro de pensar que todos os alemães são idiotas. E não subestime a Gestapo.

— A Gestapo nada tem a ver comigo, general — disse ela.

Ele brincava com a haste de sua taça de vinho.

— O coronel Mueller suspeita de que você ajudou um homem que ele deseja muito apanhar. Se isso for verdade, você terá muitos problemas. O coronel Mueller não esquece nem perdoa — ele encarou Noelle. — Por outro lado — disse cuidadosamente —, se você não tornar a ver seu amigo, a coisa toda poderá passar sem consequências. Quer tomar um conhaque?

— Por favor — disse Noelle.

Ele pediu dois Napoleons.

— Há quanto tempo vive com Armand Gautier?

— Estou certa de que o senhor sabe a resposta — replicou Noelle.

O general Scheider sorriu:

— Para falar a verdade, sei. O que desejo realmente saber é por que se recusou a jantar comigo das outras vezes. Foi por causa de Gautier?

Noelle abanou a cabeça:

— Não.

— Compreendo — disse ele seriamente, num tom de voz que a surpreendeu.

— Paris está cheia de mulheres — disse Noelle. — Tenho certeza de que poderia escolher.

— Você não me conhece — disse o general suavemente —, ou não diria isso.

Ele parecia embaraçado.

— Tenho mulher e filho em Berlim. Amo-os muito, mas não os vejo há quase um ano e não sei quando voltarei a estar com eles.

— Quem o obrigou a vir para Paris? — perguntou Noelle cruelmente.

— Eu não estava tentando conquistar sua simpatia, só queria me justificar um pouco. Não sou um homem promíscuo. Na primeira vez em que a vi no palco, algo aconteceu comigo. Senti muita vontade de conhecê-la, gostaria que fôssemos bons amigos.

Havia uma dignidade calma em sua maneira de falar.

— Nada posso prometer — disse Noelle.

— Compreendo — assentiu ele.

Mas é claro que não compreendia, pois Noelle tinha a intenção de não tornar a vê-lo. O general Scheider mudou habilmente de assunto; conversaram sobre a arte de representar, sobre teatro, e Noelle achou-o surpreendentemente informado. Tinha uma mente eclética e era profundamente inteligente. Passou de um assunto a outro casualmente, ressaltando os interesses que ambos tinham em comum. Foi um desempenho hábil, que divertiu Noelle. Ele tivera muito trabalho para se informar sobre seu passado. Era a encarnação do típico general alemão, com seu uniforme verde-oliva, forte e autoritário, mas possuía uma delicadeza que denunciava um tipo de homem bem diverso, uma intelectualidade de catedrático e não de soldado. Mas havia também a cicatriz atravessando-lhe a face.

— Como conseguiu sua cicatriz? — perguntou Noelle.

Ele traçou com o dedo o profundo sulco.

— Foi num duelo, há muitos anos — deu de ombros. — Na Alemanha, chamamos isto de *wildfleisch*, significa "pele orgulhosa".

Discutiram a filosofia nazista.

— Não somos monstros — afirmou o general Scheider — e não desejamos dominar o mundo. Mas também não estamos dispostos a aceitar passivamente o castigo por uma guerra que perdemos há mais de vinte anos. O Tratado de Versalhes é um jugo do qual o povo alemão finalmente se libertou.

Comentaram a ocupação de Paris.

— Não foi por culpa de seus soldados franceses que o conseguimos tão facilmente — disse o general. — Grande parte da responsabilidade deve cair sobre Napoleão III.

— Está brincando — disse Noelle.

— Falo absolutamente sério — assegurou ele. — No tempo de Napoleão, as multidões viviam utilizando as ruas tortuosas e emaranhadas de Paris para fazer barricadas e emboscadas contra os soldados dele. Com o objetivo de detê-las, Napoleão encarregou o barão Eugene Georges Haussman de retificar as ruas e prover a cidade de belas e amplas avenidas — ele sorriu. — Os *boulevards* através dos quais marcharam nossas tropas. Receio que a História não vá ser justa para com o planificador Haussman.

Após o jantar, a caminho de Paris, ele perguntou:

— Você ama Armand Gautier?

Seu tom foi casual, mas Noelle sentiu que a resposta era importante para ele.

— Não — disse lentamente.

Ele balançou a cabeça, satisfeito.

— Eu desconfiava disso. Creio que poderia fazê-la muito feliz.

— Tão feliz quanto sua esposa?

O general ficou rígido por um instante, como se tivesse recebido um golpe, e depois se voltou para Noelle.

— Posso ser um bom amigo — disse calmamente. — Esperemos que nunca nos tornemos inimigos.

Eram quase 3 horas da madrugada quando Noelle voltou ao apartamento, encontrando Armand Gautier à sua espera, bastante agitado.

— Onde diabos esteve você? — inquiriu ele, mal Noelle passou pela porta.

— Tive um compromisso.

Os olhos de Noelle passaram dele para a sala. Parecia que um ciclone a arrasara. Havia gavetas abertas na escrivaninha, com seu conteúdo espalhado por todo o cômodo. Os armários haviam sido revirados, um abajur fora derrubado e uma mesinha estava virada, com o pé quebrado.

— O que aconteceu? — perguntou ela.

— A Gestapo esteve aqui! Santo Deus, Noelle, o que você andou fazendo?

— Nada.

— Então por que eles fariam isso?

Noelle começou a andar pela sala, endireitando os móveis, pensando depressa. Gautier agarrou-a pelos ombros, fazendo-a virar-se.

— Quero saber o que está acontecendo.

Ela respirou fundo.

— Está bem.

Contou-lhe o encontro com Israel Katz, sem mencionar seu nome nem a conversa com o coronel Mueller.

— Não sei se meu amigo é Le Cafard, mas é provável que seja.

Gautier desabou numa cadeira, arrasado.

— Meu Deus! — exclamou. — Não me importa *quem* ele seja! Não quero que você tenha mais nada a ver com ele. Isso poderia nos destruir. Odeio os alemães tanto quanto você... — Ele parou, sem ter certeza se Noelle odiava os alemães ou não e recomeçou: — *Chérie*, enquanto os alemães estiverem fazendo as leis, precisamos nos submeter a elas. Nenhum de nós pode arcar com as consequências de um envolvimento com a Gestapo. Este judeu, como disse mesmo que se chama?

— Eu não disse.

Ele a considerou por um momento.

— Foi amante seu?

— Não, Armand.

— Significa alguma coisa para você?

— Não.

— Melhor assim. — Gautier parecia aliviado. — Acho que não precisamos nos preocupar. Não podem culpá-la por ter tido um encontro casual com ele. Se não tornar a vê-lo, eles esquecerão a coisa toda.

— É claro que sim — disse Noelle.

No dia seguinte, a caminho do teatro, Noelle foi seguida por dois homens da Gestapo.

A PARTIR DAQUELE DIA, seguiram-na aonde quer que fosse. Começou como uma sensação, uma impressão de estar sendo vigiada; Noelle se virava e via, no meio da multidão, um jovem de aparência teutônica, vestido à paisana, que parecia não lhe estar dando a menor atenção. Mais tarde a impressão voltava e desta vez o jovem teutônico era outro. Era sempre alguém diferente e, embora todos à paisana, usavam um uniforme que os distinguia: uma atitude de desprezo, superioridade e crueldade, cujas emanações eram inconfundíveis.

Noelle nada comentou com Gautier acerca do que estava acontecendo, pois não via razão para assustá-lo ainda mais. O incidente com a Gestapo no apartamento deixara-o muito nervoso. Só falava no que os alemães poderiam fazer a sua carreira ou à de Noelle, se quisessem, e ela sabia que ele tinha razão. Bastava uma olhada nos jornais diários para ver que os nazistas não tinham compaixão para com seus inimigos. Foram diversos os recados telefônicos do general Scheider, mas Noelle os ignorara, pois, se não desejava ter os alemães como inimigos, também não os queria como amigos. Decidira permanecer como a Suíça: neutra. Os Israel Katz deste mundo teriam de se cuidar sozinhos e, embora ela tivesse alguma curiosidade acerca do que ele quisera dela, não pretendia mais se envolver.

Duas semanas após seu encontro com Israel, apareceu nas primeiras páginas dos jornais uma história sobre como a Gestapo apanhara um grupo de sabotadores liderados por Le Cafard. Noelle leu tudo cuidadosamente, mas não se mencionava se o próprio Le Cafard fora capturado. Ela recordou o rosto de Israel Katz quando os alemães começaram a se aproximar dele e compreendeu que jamais o pegariam vivo, porque ele não o permitiria. *É claro*, disse a si mesma, *que pode ser imaginação minha. Ele provavelmente não passa de um inofensivo carpinteiro.* Mas se fosse inofensivo, por que a Gestapo estaria tão interessada nele? Seria mesmo Le Cafard? Teria sido apanhado ou escapara? Noelle se aproximou da janela de seu apartamento, que dava para a avenida Martigny. Dois vultos negros em capas de chuva esperavam sob um poste. Esperavam o quê? Ela começou a experimentar a mesma sensação de temor que Gautier sentira, mas junto veio um sentimento de ódio. Recordou as palavras do coronel Mueller: *Você tem a mim a temer.* Era um desafio, e Noelle teve a impressão de que voltaria a ouvir falar de Israel Katz.

A MENSAGEM CHEGOU na manhã seguinte, através da última pessoa em que Noelle pensaria: seu *concierge*. Era um homenzinho de 70 e poucos anos, olhos lacrimejantes, um rosto curtido e murcho, sem os dentes inferiores, o que tornava difícil compreender o que falava. Estava no elevador quando Noelle chamou e os dois desceram juntos. Ao se aproximarem do saguão, ele resmungou:

— O bolo de aniversário que encomendou está pronto na padaria da rua Passy.

Noelle o considerou por um momento, sem saber se compreendera bem, e depois disse:

— Eu não encomendei nenhum bolo.

— Rua Passy — repetiu ele teimosamente.

E, de repente, Noelle compreendeu. Mesmo assim, nada teria feito a respeito se não visse os dois agentes da Gestapo a sua espera do outro lado da rua. Seguida por toda parte como uma criminosa. Os dois homens conversavam e ainda não a tinham visto. Noelle se voltou para o *concierge*, irritada, e perguntou:

— Onde é a entrada de serviço?

— Por aqui, *mademoiselle*.

Seguiu-o através de um corredor nos fundos, desceu um lance de escadas até o porão e foi dar, do lado de fora, num beco. Três minutos depois estava num táxi, a caminho de um encontro com Israel Katz.

A PADARIA ERA uma loja de aparência comum, num decadente bairro de classe média. O letreiro na vitrine dizia BOULANGERIE em letras descascadas, faltando pedaços. Noelle abriu a porta e entrou, sendo recebida por uma mulherzinha gorda, de avental imaculadamente branco.

— Sim, *mademoiselle*?

Noelle hesitou. Ainda estava em tempo de fugir, de recuar e não se envolver em algo perigoso, que não era de sua conta. A mulher estava à espera.

— Você... você tem um bolo de aniversário para mim — disse Noelle, sentindo-se idiota ao jogar o jogo, como se de alguma forma a gravidade do que estava acontecendo fosse reduzida pelos artifícios infantis que se usavam.

A mulher balançou a cabeça:

— Está pronto, Srta. Page.

Colocou um letreiro de FECHADO na porta, trancou-a e disse:

— Por aqui.

Ele estava deitado numa cama de armar, no quartinho dos fundos da padaria, seu rosto uma máscara de dor, banhado de suor. O lençol retorcido em torno dele estava encharcado de sangue e em seu joelho esquerdo havia um grande torniquete.

— Israel.

Ele se moveu para olhar em direção à porta e o lençol escorregou, revelando uma pasta úmida de carne e osso esmagado onde fora o joelho.

— O que aconteceu? — perguntou Noelle.

Ele tentou sorrir, mas não conseguiu. Sua voz estava rouca, fatigada pela dor.

— Eles pisotearam Le Cafard, mas nós não morremos facilmente.

Isso significava que ela acertara.

— Eu li a respeito, disse Noelle. — Você vai ficar bom?

Israel respirou fundo, dolorosamente, e balançou a cabeça. Suas palavras saíram aos arrancos.

— A Gestapo está revirando Paris de pernas para o ar a minha procura. Minha única chance é sair da cidade... Se puder chegar ao Havre, tenho amigos que me ajudarão a pegar um navio para fora do país.

— Você não tem algum amigo que possa tirá-lo de Paris? — perguntou Noelle. — Podia esconder-se na boleia de um caminhão...

Israel abanou a cabeça fracamente.

— As estradas estão bloqueadas. Nem um camundongo pode sair de Paris.

Nem mesmo *un cafard*, pensou Noelle.

— Você pode viajar com a perna assim? — perguntou, para ganhar tempo, tentando tomar uma decisão.

Os lábios dele se contraíram numa tentativa de sorriso:

— Não vou viajar com esta perna — disse.

Noelle olhou para ele sem compreender, e naquele instante a porta se abriu dando passagem a um homenzarrão barbado, de ombros largos, com um machado na mão. Ele se aproximou da cama e afastou o lençol, enquanto Noelle sentia que o sangue lhe fugia das faces. Pensou no general Scheider e no albino sem cabelos da Gestapo e no que lhe fariam se a apanhassem.

— Vou ajudar você — disse ela.

Catherine

Washington–Hollywood: 1941

7

CATHERINE ALEXANDER TINHA a impressão de que sua vida entrara numa nova fase, como se de algum modo ela tivesse atingido um nível emocional mais elevado, um ápice inebriante e alegre. Quando Bill Fraser estava na cidade, jantavam juntos todas as noites, iam a concertos, ao teatro ou à ópera. Ele lhe arranjara um pequeno e adorável apartamento perto de Arlington. Quisera pagar o aluguel, mas Catherine insistira em fazê-lo. Comprara-lhe roupas e joias, contra o que ela protestara no início, embaraçada por algum preceito protestante profundamente arraigado, mas Fraser ficava tão feliz ao presenteá-la que Catherine desistiu de discutir o assunto.

Quer você goste, quer não, pensava ela, *você é uma amante*. Aquela sempre lhe parecera uma palavra pesada, cheia de conotações sobre mulheres baratas e furtivas, em apartamentos de segunda categoria, levando uma vida de frustração emocional. Mas agora que estava acontecendo com ela própria, Catherine descobrira que não era nada daquilo. Apenas significava que ela estava dormindo com o homem que amava. Não parecia sujo nem sórdido, e sim perfeitamente natural. *É interessante,* pensou ela, *como as coisas que os outros fazem parecem tão horríveis e no entanto, quando somos nós que as fazemos, parecem tão certas. Quando se lê sobre as experiências sexuais de outra pessoa, é o* True Confessions, *mas, quando se trata das próprias, é a* Ladies' Home Journal.

Fraser era um companheiro atencioso e compreensivo; sentiam-se como se tivessem estado sempre juntos. Ela era capaz de prever-lhe as reações a quase todas as situações e conhecia todos os seus estados de espírito. Ao contrário do que ele dissera, o sexo não se tornou mais emocionante, mas Catherine dizia para si mesma que aquilo era apenas uma pequena parte do relacionamento, que ela não era uma colegial precisando de excitação constante, mas sim uma mulher madura. *Dar e receber um pouco,* pensava ela.

Na ausência de Fraser, sua agência de publicidade ficava a cargo de Wallace Turner, um contador executivo. William Fraser evitava ao máximo envolver-se nos negócios da agência para poder se dedicar a seu trabalho em Washington, mas sempre que surgia um problema importante requerendo sua ajuda, ele se habituara a discuti-lo com Catherine, usando-a como meio de sondagem. Descobriu assim que ela possuía uma queda natural para o negócio. Às vezes, tinha ideias para campanhas publicitárias que se mostravam muito eficientes.

— Se eu não fosse tão egoísta, Catherine — disse ele uma noite ao jantar —, poria você na agência e a deixaria à vontade com algumas de nossas contas. — Cobriu-lhe a mão com a sua. — Sentiria tanta falta de você — acrescentou. — Quero-a aqui a meu lado.

— Quero ficar aqui, Bill. Estou muito feliz com as coisas do jeito que estão.

E era verdade. Pensara que, se algum dia se visse numa situação daquelas, desejaria desesperadamente casar-se, mas agora isso não parecia urgente. Sob todos os aspectos importantes, eles já estavam casados.

Certa tarde, quando Catherine estava terminando um trabalho qualquer, Fraser entrou em sua sala.

— O que acha de dar um passeio pelo campo hoje à noite? — perguntou ele.

— Adoraria. Aonde vamos?

— À Virgínia, jantar com meus pais.

Catherine olhou-o surpreendida.

— Eles sabem sobre nós?

— Não tudo — sorriu ele. — Apenas que tenho uma jovem assistente maravilhosa e que vou levá-la para jantar.

Se sentiu uma ponta de desapontamento, ela não deixou transparecer.

— Ótimo — disse. — Irei ao apartamento trocar de roupa.

— Apanho você às 7 horas.

— Combinado.

A CASA DOS FRASER, situada nas lindas colinas onduladas da Virgínia, era um casarão colonial de fazenda, cercado por 60 acres de gramados bem verdes e terras cultivadas. O prédio datava do século XVII.

— Nunca vi nada parecido com isto — disse Catherine maravilhada.

— É uma das melhores fazendas de criação do país — informou Fraser.

O carro passou por um cercado cheio de magníficos cavalos, pelos *paddocks* bem-cuidados e pelo bangalô do caseiro.

— Parece um outro mundo — exclamou Catherine. — Invejo você por ter crescido aqui.

— Acha que gostaria de viver numa fazenda?

— Isto não é exatamente uma fazenda — disse ela friamente. — É como ter o seu próprio campo.

Haviam chegado à casa. Fraser virou-se para ela.

— Minha mãe e meu pai são um tanto formais — preveniu ele. — Mas você não precisa se preocupar. Seja você mesma. Está nervosa?

— Não — disse Catherine. — Em pânico.

Ao dizer aquilo, percebeu admirada que estava mentindo. Conforme a tradição, sendo uma moça prestes a conhecer os pais do homem que amava, deveria estar apavorada, mas nada sentia, apenas curiosidade. Agora não havia tempo para pensar nisso, pois estavam descendo do carro e um mordomo de libré abria a porta, saudando-os com um sorriso de boas-vindas.

O coronel Fraser e sua esposa pareciam saídos das páginas de um livro de histórias de antes da guerra. A primeira coisa que impressionou Catherine foi sua aparência de velhice e fragilidade. O coronel era a cópia pálida do que um dia fora um homem bonito e cheio de vida. Fazia Catherine lembrar muito alguém e, com um choque, compreendeu quem era: uma versão gasta e velha do próprio filho. Tinha os cabelos ralos e brancos, os olhos de um azul pálido, e suas mãos, outrora poderosas, estavam deformadas pela artrite. Mancava dolorosamente ao andar. Sua esposa tinha aparência aristocrática e ainda conservava traços de uma beleza infantil. Foi delicada e carinhosa para com Catherine.

A despeito do que Fraser lhe dissera, Catherine sentiu que estava ali para ser inspecionada. O Coronel e sua esposa passaram o tempo todo fazendo-lhe perguntas, discretas mas bastante incisivas. Catherine contou-lhes sobre seus pais e sua infância e, quando mencionou a romaria de escola em escola, falou como se tivesse sido uma aventura engraçada e não a agonia que realmente fora. Enquanto falava, percebia Bill Fraser sorridente e orgulhoso. O jantar foi soberbo, à luz de velas, numa grande e antiquada sala de jantar, com lareira de mármore verdadeiro e criados de libré. *Prata antiga, dinheiro antigo, vinho antigo.* Olhou para Bill Fraser e sentiu uma onda de gratidão: sabia que aquele tipo de vida poderia ser seu, se desejasse. Sabia que Fraser a amava e o amava também.

No entanto, faltava alguma coisa: entusiasmo. *Provavelmente*, pensou, *estou esperando demais. Devo ter sido pervertida por Gary Cooper, Humphrey Bogart e Spencer Tracy! O amor não é um cavaleiro de armadura brilhante, é um senhor fazendeiro de terno de* tweed *cinzento. Malditos sejam todos aqueles filmes e livros!* Ao olhar para o coronel, podia ver Fraser dali a vinte anos, exatamente igual ao pai. Ficou muito quieta durante o resto do jantar.

A caminho de casa, Fraser perguntou:

— Divertiu-se esta noite?

— Muito. Gostei de seus pais.

— Eles também gostaram de você.

— Fico feliz.

E era verdade, exceto pela ideia vagamente inquietante, lá no fundo, de que deveria ter se sentido mais nervosa ao conhecê-los.

Na noite seguinte, enquanto jantavam no Jóquei Clube, Fraser lhe disse que teria de passar uma semana em Londres.

— Enquanto eu estiver fora — disse ele —, há um trabalho interessante para você. Pediram a nosso escritório para supervisionar um filme da Força Aérea do Exército sobre recrutamento, que estão rodando nos estúdios da MGM em Hollywood. Gostaria que você cuidasse disso na minha ausência.

Catherine encarou-o, incrédula.

— Eu? Não sei nem pôr filme numa Brownie, como vou poder supervisionar uma filmagem?

— Pode tanto quanto qualquer pessoa — sorriu Fraser. — É tudo novidade, mas você não precisa se preocupar. Haverá um produtor e tudo o mais. O Exército pretende usar atores no filme.

— Por quê?

— Acho que eles pensam que os soldados não convencerão como atores.

— Parece mesmo coisa do Exército.

— Tive uma longa conversa com o general Mathews hoje à tarde. Ele deve ter empregado umas 100 vezes a palavra "encantamento". É isto que eles querem vender. Estão iniciando uma grande campanha de recrutamento, dirigida à jovem elite masculina do país. O filme é um dos golpes iniciais.

— O que terei que fazer? — perguntou Catherine.

— Apenas cuidar para que tudo corra bem. Você terá a palavra final. Tem um lugar reservado no avião das 9 horas de amanhã para Los Angeles.

Catherine assentiu:

— Está bem.

— Vai sentir falta de mim?

— Você sabe que sim — respondeu ela.

— Trarei um presente para você.

— Não quero nenhum presente. Só quero que volte a salvo. — Ela hesitou. — A situação está piorando, não é, Bill?

Ele concordou:

— Sim, creio que dentro em breve entraremos na guerra.

— Que horrível!

— Será muito mais horrível se *não entrarmos* — disse ele calmamente. — A Inglaterra escapou por milagre de Dunquerque. Se Hitler decidir atravessar o canal agora, não creio que os britânicos consigam detê-lo.

Terminaram o café em silêncio e ele pagou a conta.

— Gostaria de passar a noite em minha casa? — perguntou Fraser.

— Hoje não — disse Catherine. — Você terá de levantar-se cedo e eu também.

— Está certo.

Depois que ele a deixou em seu apartamento e, enquanto se preparava para dormir, Catherine perguntou a si mesma por que não fora para casa com Bill, na véspera de sua partida.

Não tinha resposta.

CATHERINE CRESCERA EM Hollywood, embora nunca tivesse estado lá. Passara centenas de horas em cinemas escuros, absorvida pelos sonhos mágicos fabricados pela capital mundial do cinema, e seria sempre grata pela alegria daquelas horas felizes.

Quando o avião aterrissou no aeroporto de Burbank, ela estava cheia de entusiasmo. Uma limusine a esperava para levá-la ao hotel e, ao percorrerem as largas ruas ensolaradas, a primeira coisa que lhe chamou a atenção foram as palmeiras, sobre as quais já lera e vira fotografias mas que, na realidade, eram irresistíveis. Estavam em toda parte, destacando-se altas contra o céu, a parte inferior do tronco lisa, a parte superior verdejante e maravilhosa, enquanto no meio de cada uma havia um círculo de folhagens esfiapadas, como uma saia malfeita, pensou ela, pendurada ao acaso sobre um colante verde.

Passaram por um imenso edifício que parecia uma fábrica, onde um grande letreiro sobre a entrada dizia "Warner Bros" e logo abaixo "Combinação de Bons Filmes e Bons Cidadãos". Enquanto o carro passava diante do portão, Catherine pensou em James Cagney em *Yankee Doodle Dandy*, Bette Davis em *Vitória amarga* e sorriu alegremente.

O carro passou pelo Hollywood Bowl, que parecia enorme visto de fora, dobrou na direção oposta à avenida Highland e rumou para oeste, pelo Hollywood Boulevard. Passaram pelo Egyptian Theatre e, dois quarteirões adiante, pelo Grauman's Chinese, enquanto Catherine vibrava. Parecia que estava revendo dois velhos amigos. O motorista atravessou o Sunset Boulevard e tomou a direção do Beverly Hills Hotel, dizendo:

— A senhorita vai gostar desse hotel, é um dos melhores do mundo.

Era certamente um dos mais lindos que já vira. Ao norte do Sunset, num semicírculo de palmeiras protetoras, cercado de grandes jardins, tinha uma graciosa entrada para carros, pintada de rosa suave, descrevendo uma curva até a porta principal do hotel. Um jovem e zeloso assistente da gerência acompanhou Catherine a seu quarto, que não era nada mais nada menos que um luxuoso bangalô situado atrás do prédio principal do hotel. Havia um ramalhete de flores sobre a mesa, com os cumprimentos da gerência, e outro, maior e mais bonito, cujo cartão dizia: "Gostaria de estar aí, ou você aqui. Amor, Bill." O assistente da gerência entregara três recados telefônicos a Catherine, todos da parte de Allan Benjamin, que, conforme lhe fora dito, era o produtor do filme. Enquanto ela lia o cartão de Bill, o telefone tocou. Catherine correu para ele, agarrou o fone e disse ansiosamente:

— Bill?

Mas era Allan Benjamin.

— Bem-vinda à Califórnia, Srta. Alexander — guinchou a voz dele através do fone. — Cabo Allan Benjamin, produtor deste projeto de pastelão.

Um cabo. Ela imaginara que teriam encarregado um capitão ou coronel.

— Começam a filmar amanhã. Disseram-lhe que vamos usar atores em vez de soldados? — continuou.

— Ouvi dizer — respondeu Catherine.

— Começamos a filmagem às 9 da manhã. Se você puder estar aqui por volta das 8h, eu gostaria que desse uma olhada neles. Você sabe o que a Força Aérea quer.

— Certo — disse Catherine animadamente.

Não tinha a menor ideia sobre o que a Força Aérea queria, mas supunha que, usando de bom-senso e selecionando tipos que parecessem pilotos, seria suficiente.

— Mandarei um carro apanhá-la às 7h30 — dizia a voz. — Em meia hora estará na Metro. É em Culver City. Encontro você no Estúdio 13.

Eram quase 4 horas da madrugada quando Catherine conseguiu dormir e teve a impressão de que, mal fechara os olhos, o telefone tocara e a telefonista avisara que havia uma limusine a sua espera. Trinta minutos depois estava a caminho da MGM.

Era o maior estúdio de cinema do mundo. Havia um conjunto principal composto de 32 estúdios de som, o enorme edifício da administração Thalberg, que abrigava Louis B. Mayer, 25 executivos e alguns dos mais famosos diretores, produtores e autores do *show business*. O segundo conjunto continha os grandes cenários de exteriores, constantemente reformados para novos filmes. Num intervalo de três minutos podia-se atravessar os Alpes suíços, uma cidade do Oeste, um bloco de apartamentos de Manhattan e uma praia do Havaí. O terceiro conjunto, do lado oposto ao Washington Boulevard, abrigava adereços e cenários desmontáveis no valor de milhões de dólares e era usado para filmagem de espetáculos ao ar livre.

Tudo isto foi explicado a Catherine por sua guia, uma garota incumbida de levá-la ao Estúdio 13.

— É uma cidade completa — dizia ela orgulhosamente. — Produzimos nossa própria eletricidade, fazemos na cantina comida suficiente para alimentar 6 mil pessoas por dia e construímos nossos próprios cenários ali mesmo no conjunto dos fundos. Somos completamente autossuficientes, não precisamos de ninguém.

— Exceto do público.

Caminhando ao longo da rua, passaram por um castelo que consistia numa fachada sustentada por andaimes. Em frente, havia um lago e, logo abaixo, no mesmo quarteirão, o saguão de um teatro de São Francisco. Não o teatro, apenas o saguão.

Catherine riu alto e a garota olhou para ela.

— Há algo errado? — perguntou.

— Não — disse Catherine. — É tudo maravilhoso.

Dúzias de figurantes caminhavam pela rua, caubóis e índios conversando amigavelmente a caminho dos estúdios. Um homem surgiu de repente de uma esquina e ao se desviar para não lhe dar um encontrão, Catherine notou que era um cavaleiro de armadura. Atrás dele vinha um grupo de garotas de maiô. Catherine concluiu que iria apreciar sua breve incursão no *show business* e desejou que seu pai pudesse ver tudo aquilo, pois ele teria adorado.

— Aqui estamos — disse a guia.

Achavam-se diante de um imenso prédio cinzento, com um letreiro do lado dizendo: "Estúdio 13".

— Deixo você aqui. Acha que ficará bem?

— Ótima — disse Catherine. — Obrigada.

A guia partiu e Catherine se virou novamente para o estúdio. Acima da porta havia um aviso: NÃO ENTRE QUANDO A LUZ VERMELHA ESTIVER ACESA. Estava apagada, de modo que Catherine puxou a maçaneta da porta e abriu. Ou tentou abrir, pois a porta era surpreendentemente pesada, requerendo toda a sua força para se mover. Lá dentro, ela se viu diante de uma segunda porta tão pesada e maciça quanto a primeira. Era como entrar numa câmara de descompressão.

Dentro do cavernoso estúdio, dúzias de pessoas se agitavam por todo lado, cada uma ocupada com algum encargo misterioso. Havia um grupo de homens com a farda da Força Aérea e Catherine deduziu que seriam os prováveis atores do filme. Num extremo do estúdio fora montado um escritório completo, com escrivaninha, cadeiras e um grande mapa militar pendurado na parede. Havia técnicos iluminando o cenário.

— Com licença — disse ela a um homem que passava. — O Sr. Allan Benjamin está aqui?

— O pequeno cabo? — ele apontou. — Está ali.

Catherine se virou e viu um homenzinho de aparência frágil, num uniforme que lhe caía mal, onde se viam as divisas de cabo. Estava gritando com um outro que usava insígnias de general.

— Foda-se o que disse o diretor de cena — gritava ele. — Estou cheio de generais, preciso é de não combatentes. — Levantou as mãos, em desespero. — Todo mundo quer ser cacique, ninguém quer ser índio.

— Com licença — disse Catherine. — Sou Catherine Alexander.

— Graças a Deus! — falou o homenzinho, virando-se para os outros, com amargura na voz. — Acabou-se a brincadeira, seus idiotas. Washington está aqui.

Catherine piscou e, antes que pudesse abrir a boca, o cabo disse:

— Não sei o que estou fazendo aqui. Eu tinha um emprego de 350 dólares por ano em Hearborn, como editor de uma revista de móveis; fui convocado para o Corpo de Sinaleiros e designado para elaborar filmes de treinamento. Que sei eu sobre produção ou direção? Esta é a pior confusão que já vi. — Arrotou e bateu no estômago: — Estou desenvolvendo uma úlcera — gemeu. — E nem mesmo pertenço ao *show business.* Com licença.

Virou-se e dirigiu-se para a saída, deixando Catherine parada ali. Ela olhou a sua volta, buscando ajuda. Todos pareciam estar olhando para ela, esperando que fizesse alguma coisa.

Um homem de suéter, delgado e grisalho, aproximou-se com um sorriso divertido nos lábios.

— Precisa de ajuda? — perguntou suavemente.

— Preciso de um milagre — disse Catherine com franqueza. — Estou encarregada disto aqui e não sei o que devo fazer.

Ele sorriu.

— Bem-vinda a Hollywood. Sou Tom O'Brien, o AD. — Ela pareceu intrigada. — Assistente de Direção. Seu amigo cabo deveria ser o diretor, mas desconfio de que ele não vai voltar.

Havia nele uma segurança tranquila que agradou a Catherine.

— Há muito tempo trabalha na MGM? — perguntou ela.

— Vinte e cinco anos.

— Acha que poderia dirigir isto?

Ela notou um estremecimento nos cantos de sua boca.

— Poderia tentar — disse solenemente. — Fiz seis filmes com Willie Wyler.

Seu olhar se tornou sério e ele acrescentou:

— A situação não está tão ruim quanto parece. Só precisa de um pouco de organização. O roteiro está escrito e o cenário, pronto.

— Já é um começo — disse Catherine.

Percorreu o estúdio com os olhos, procurando os uniformes. A maioria estava caindo mal e os homens pareciam pouco à vontade dentro deles.

— Eles parecem anúncios de recrutamento da Marinha — comentou ela.

O'Brien riu, divertido.

— De onde vieram essas fardas?

— Do Vestiário Oeste. Nosso Departamento de Guarda-Roupa esgotou a provisão. Estamos rodando três filmes de guerra.

Catherine observou os homens com um olhar crítico.

— Só uma meia dúzia parece realmente não servir — decidiu. — Vamos mandá-los de volta e ver se podemos melhorar as coisas.

O'Brien balançou a cabeça, concordando:

— Certo.

Catherine e O'Brien encaminharam-se para o grupo de figurantes. O ruído das conversas dentro do enorme estúdio era ensurdecedor.

— Vamos falar mais baixo, rapazes — gritou O'Brien. — Esta é a Srta. Catherine Alexander, que vai encarregar-se disto aqui.

Ouviram-se alguns assovios e gritos apreciativos.

— Obrigada — sorriu Catherine. — A maioria de vocês está com ótima aparência, mas alguns terão de voltar ao Vestiário Oeste e procurar uniformes melhores. Vamos fazer uma fila, para que possamos dar uma boa olhada em vocês.

— Eu gostaria de dar uma boa olhada em *você*. O que vai fazer com relação ao jantar desta noite?

— Vou encontrar meu marido — disse Catherine — logo que ele termine sua luta de boxe.

O'Brien colocou os homens numa fila mais ou menos organizada. Catherine ouviu risos e vozes próximas, virando-se aborrecida. Um dos figurantes estava de pé ao lado de uma peça do cenário, conversando com três garotas absolutamente hipnotizadas, que riam histericamente de tudo que ele dizia. Catherine observou por um momento, aproximou-se do homem e disse:

— Você se importaria de se juntar a nós?

O homem se voltou devagar.

— Está falando comigo? — perguntou preguiçosamente.

— Sim — disse Catherine. — Gostaríamos de começar a trabalhar.

Ela se afastou e o homem cochichou alguma coisa para as garotas, que soltaram uma estrondosa gargalhada, e depois seguiu lentamente atrás de Catherine.

Era um homem de corpo delgado e musculoso, alto e muito bonito, com cabelos preto-azulados e tempestuosos olhos cinzentos. Ao falar, sua voz era grave, com um tom de insolente gozação.

— O que posso fazer por você? — perguntou a Catherine.

— Você quer trabalhar? — replicou ela.

— Quero, quero — assegurou ele.

Catherine lera certa vez um artigo sobre figurantes. Eram uma raça de gente estranha, que passava sua vida anônima nos estúdios, dando atmosfera às cenas de massa em que os astros apareciam. Eram uma gente sem rosto e sem voz, consequentemente sem ambição para procurar qualquer tipo de trabalho digno deste nome. O homem a sua frente era um exemplo típico. Por ser tremendamente bonito, alguém em sua cidade natal provavelmente lhe dissera que poderia tornar-se um astro e assim fora para Hollywood, compreendera que era necessário talento além de beleza e, portanto, conformara-se em ser figurante. Era a saída mais fácil.

— Vamos precisar trocar algumas fardas — disse Catherine pacientemente.

— Há algo de errado com a minha? — perguntou ele. — Catherine reparou melhor no uniforme dele. Tinha de admitir que lhe caía perfeitamente, ressaltando os ombros largos sem exagerá-los, modelando a cintura delgada. Notou a túnica, percebendo que havia insígnias de capitão nos ombros e que ele prendera ao peito um molhe de fitas vivamente coloridas. — Está suficientemente impressionante, chefe?

— Quem lhe disse que faria papel de capitão?

Ele a encarou, muito sério:

— Foi ideia minha. Não acha que dou um bom capitão?

Catherine sacudiu a cabeça.

— Não, não acho.

Ele franziu os lábios, com ar pensativo.

— Primeiro-tenente?

— Não.

— O que acha de segundo-tenente?

— Realmente, não acho que você dê para oficial.

Seus olhos escuros contemplavam-na zombeteiramente.

— É mesmo? Mais alguma coisa errada? — perguntou.

— Sim — disse ela. — As medalhas. Você deve ser terrivelmente corajoso.

Ele riu.

— Pensei em dar um pouco de colorido a este maldito filme.

— Você só esqueceu uma coisa — disse Catherine rispidamente. — Ainda não estamos em guerra. Só poderia tê-las conquistado num carnaval.

O homem sorriu para ela.

— Tem razão — admitiu humildemente. — Não tinha pensado nisso. Tirarei algumas delas.

— Tire todas — disse Catherine.

Ele deu outra vez aquele sorriso lento e debochado.

— Certo, chefe.

Catherine quase vociferou "pare de me chamar de chefe", mas pensou *que vá para o inferno* e girou nos calcanhares para falar com O'Brien.

Oito homens foram mandados de volta para trocar a farda e durante a hora seguinte Catherine discutiu a cena com O'Brien. O cabo voltara por alguns instantes, mas tornara a desaparecer. Tanto melhor, pensou Catherine, ele só fazia lamentar-se e deixar todo mundo nervoso. O'Brien acabou de rodar a primeira cena antes do almoço e, na opinião de Catherine, até que não se saíra mal. Apenas um incidente atrapalhara sua manhã. Ela dera várias falas para aquele intolerável figurante ler, para humilhá-lo em cena, de modo que ele pagasse pela impertinência. Mas o homem lera as falas perfeitamente, representando a cena com firmeza, e, ao terminar, virara-se para ela, dizendo: "Gostou, chefe?"

Quando pararam para almoçar, Catherine dirigiu-se para a enorme cantina do estúdio, sentando-se a uma mesinha de canto. Perto dela, numa grande mesa, havia um grupo de soldados fardados. Catherine estava de frente para a porta e viu quando o figurante entrou, as três garotas penduradas nele, cada uma tentando chegar mais perto. Sentiu que o sangue lhe subia às faces, mas concluiu que não passava de uma reação química, pois há pessoas que odiamos à primeira vista, assim como há outras de quem gostamos ao primeiro olhar. Havia algo na suprema arrogância dele que a irritava. Daria um perfeito gigolô — e na certa era exatamente o que ele era.

Ele acomodou as garotas numa mesa, levantou a vista e deu com Catherine. Inclinou-se, dizendo alguma coisa às garotas, que se viraram para olhá-la e depois caíram na gargalhada. Maldito! Ela o viu aproximar-se de sua mesa, olhando-a com aquele sorriso lento e astuto no rosto.

— Importa-se se me juntar a você por um momento? — perguntou.

— Eu...

Mas ele já se sentara, examinando-a, os olhos penetrantes e brincalhões.

— O que é que você quer? — perguntou Catherine rispidamente.

O sorriso se tornou mais amplo.

— Quer mesmo saber?

Os lábios dela se crisparam de raiva.

— Escute...

— Queria perguntar-lhe — disse ele rapidamente — como me saí esta manhã. Fui convincente? — disse, inclinando-se ansiosamente.

— Você pode ser convincente para elas — disse Catherine indicando as garotas. — Mas, se quer minha opinião, acho que é um fiasco.

— Fiz alguma coisa que a ofendesse?

— Tudo que você faz me ofende — disse ela calmamente. — Acontece que não gosto do seu tipo.

— Qual é o meu tipo?

— Você é uma farsa. Diverte-se usando este uniforme e se pavoneando diante das garotas, mas já pensou em se alistar?

Ele a olhou, incrédulo.

— E levar um tiro? — perguntou. — Isso é bom para os trouxas. — Curvou-se para a frente, acrescentando: — Isto aqui é bem mais divertido.

Os lábios de Catherine estavam trêmulos de raiva.

— Você não está em idade de ser convocado?

— Creio que tecnicamente estou, mas um amigo meu conhece um sujeito em Washington e — baixou a voz — acho que eles nunca vão me pegar.

— Acho você desprezível — explodiu Catherine.

— Por quê?

— Se você não sabe por quê, eu jamais poderia explicar-lhe.

— Por que não tenta? No jantar, esta noite. Na sua casa. Sabe cozinhar?

Catherine se levantou, vermelha de raiva.

— Não se preocupe em voltar à filmagem — disse. — Falarei com o Sr. O'Brien para lhe mandar o cheque por seu trabalho desta manhã.

Ela se virou para sair e então lembrou-se de perguntar:

— Como é seu nome?

— Douglas — disse ele. — Larry Douglas.

FRASER TELEFONOU DE Londres na noite seguinte, para saber como iam as coisas. Catherine contou-lhe os acontecimentos do dia, mas não mencionou o incidente com Larry Douglas. Quando Fraser voltasse a Washington, ela contaria e os dois ririam juntos.

Na manhã seguinte, cedo, enquanto Catherine se vestia para ir ao estúdio, a campainha tocou. Ela abriu a porta do bangalô e deu com um jovem entregador segurando um grande ramalhete de rosas.

— Catherine Alexander? — perguntou ele.

— Sim.

— Assine aqui, por favor.

Catherine assinou o recibo que ele lhe entregou.

— São encantadoras — disse, pegando as flores.

— São 15 dólares.

— Como disse?

— Quinze dólares. É contra a entrega.

— Eu não comprei...

Seus lábios se franziram, enquanto agarrava o cartão preso às flores e tirava-o do envelope. Dizia: "Teria pago eu mesmo, mas estou desempregado. Amor, Larry."

Ficou olhando para o cartão, sem poder acreditar.

— Bem, vai ficar com elas ou não? — perguntou o entregador.

— Não — disse ela rispidamente, empurrando-lhe as flores de volta.

O garoto olhou-a, intrigado.

— Ele disse que a senhorita ia rir. Que era uma brincadeira entre vocês.

— Não estou rindo — disse Catherine, batendo a porta furiosamente.

Durante todo o dia, o incidente a incomodou. Já encontrara homens cheios de si, mas nenhum com a excessiva presunção do Sr. Larry Douglas. Estava certa de que ele colecionava uma série interminável de vitórias com louras idiotas e morenas peitudas, que mal podiam esperar para se atirarem em sua cama. Mas o fato de ele a incluir naquela categoria fazia com que Catherine se sentisse rebaixada e humilhada. Bastava pensar nele para sentir arrepios desagradáveis e ela decidiu não pensar mais no assunto.

Às 7 horas da noite, quando já deixava o estúdio, foi abordada por um assistente com um envelope na mão.

— Encarregou-se disto, Srta. Alexander? — perguntou ele.

Era um recibo da Central de Elencos, onde se lia:

Uma farda (capitão)
Seis fitas de condecoração (diversas)
Seis medalhas (diversas)
Nome do ator: Lawrence Douglas... (Recibo pessoal a Catherine Alexander — MGM)

CATHERINE LEVANTOU os olhos, o rosto vermelho.

— Não! — disse.

— Que devo dizer a eles? — perguntou o assistente.

— Diga-lhe que pagarei pelas medalhas dele desde que sejam póstumas.

O filme ficou pronto três dias depois. Catherine viu o copião no dia seguinte e aprovou. Não ganharia nenhum prêmio, mas era um filme simples e eficiente. Tom O'Brien fizera um bom trabalho.

Na manhã de sábado, ela tomou um avião para Washington. Nunca se sentira tão feliz em deixar uma cidade. Segunda-feira de manhã estava no escritório, tentando pôr em dia o trabalho que se acumulara durante sua ausência.

Pouco antes do almoço, Annie, sua secretária, chamou-a pelo intercomunicador.

— Há um Sr. Larry Douglas ao telefone, de Hollywood, Califórnia, a pagar. Quer atender?

— Não — disse ela com raiva. — Diga-lhe que... deixe, eu mesma digo.

Respirou fundo e apertou o botão do telefone.

— Sr. Douglas?

— Bom-dia. — A voz dele era doce. — Tive um trabalhão para localizá-la. Você não gosta de rosas?

— Sr. Douglas — começou Catherine, a voz trêmula de raiva. — Sr. Douglas, eu adoro rosas. Não gosto é do senhor. Não gosto de nada seu. Falei claramente?

— Você não sabe nada de mim.

— Sei mais do que me interessa saber. Acho-o covarde e desprezível e não quero que me telefone nunca mais.

Tremendo, bateu o telefone, com os olhos cheios de lágrimas de raiva. Atrevido! Ficaria tão contente com a volta de Bill...

Três dias depois, Catherine recebeu pelo correio uma foto 10x12 de Larry Douglas, com a dedicatória: "Para a chefe, com amor, de Larry."

Annie contemplou-a fascinada e disse:

— Meu Deus! Ele é de verdade?

— É uma farsa — replicou Catherine. — A única coisa de verdade aí é o papel em que a foto foi impressa.

Rasgou o retrato em pedaços, enquanto Annie olhava, decepcionada.

— Que desperdício. Nunca vi ninguém assim pessoalmente.

— Em Hollywood — disse Catherine com dureza — existem cenários que são só fachada, sem fundações. Acabamos de ver um deles.

Durante as duas semanas seguintes, Larry Douglas telefonou pelo menos uma dúzia de vezes. Catherine deu instruções a Annie para lhe dizer que não telefonasse mais e que não se preocupasse em informá-la sobre suas chamadas.

Certa manhã, enquanto tomava um ditado, Annie levantou os olhos e disse timidamente:

— Sei que me disse para não incomodá-la mais com as chamadas do Sr. Douglas, mas é que ele ligou novamente, parecendo tão desesperado e... bem, como que perdido.

— Ele *está* perdido — disse Catherine friamente. — E se você for esperta, não tentará encontrá-lo.

— Mas ele parece encantador.

— Ele inventou a lisonja.

— Fez um monte de perguntas a seu respeito. — Ela notou o olhar de Catherine e acrescentou rapidamente: — Mas é claro que eu nada falei.

— Você foi inteligente, Annie.

Recomeçou a ditar, mas não conseguia concentrar-se. Imaginava que o mundo devia estar cheio de Larry Douglas, o que a fazia admirar William Fraser ainda mais.

Bill voltou na manhã do domingo seguinte e Catherine foi esperá-lo no aeroporto. Ficou observando enquanto ele passava pela alfândega e se encaminhava para a saída, onde ela o aguardava. O rosto dele se iluminou ao vê-la.

— Cathy — disse. — Que surpresa agradável. Não pensei que viesse me receber.

— Não pude esperar.

Sorriu, dando-lhe um grande abraço, que o fez olhá-la espantado.

— Você sentiu minha falta.

— Mais do que você pensa.

— Como foi Hollywood? — perguntou ele. — Correu tudo bem?

Ela hesitou.

— Otimamente. Estão muito satisfeitos com o filme.

— Foi o que ouvi dizer.

— Bill, da próxima vez que viajar, leve-me com você.

Ele a olhou, satisfeito e comovido.

— Combinado. Senti muito sua falta e pensei demais em você.

— Foi mesmo?

— Você me ama?

— Muito, Sr. Fraser.

— Também amo você — disse ele. — Por que não saímos hoje à noite para comemorar?

Ela sorriu.

— Maravilhoso.

— Jantaremos no Jefferson Club.

Ela o levou para casa e Fraser disse:

— Tenho alguns milhares de telefonemas para dar. Pode me encontrar no clube às 8 horas?

— Ótimo.

Catherine voltou a seu apartamento, lavou e passou algumas roupas. Cada vez que olhava para o telefone, tinha a impressão de que ia tocar, mas ele permaneceu em silêncio. Pensou em Larry Douglas tentando extrair informações de Annie a seu respeito e, quando deu por si, estava rangendo os dentes.

Talvez falasse com Fraser para pôr o nome de Douglas em sua lista de convocações. *Não, não vou preocupar-me com isso*, pensou. *Eles provavelmente o descobririam, ele seria julgado e declarado libertino.* Lavou o cabelo, tomou um longo e delicioso banho e se enxugava quando o telefone tocou. Ficou tensa, aproximou-se e pegou o fone, dizendo friamente:

— Sim?

Era Fraser.

— Olá — disse ele. — Há algo errado?

— Claro que não, Bill — disse ela depressa. — Eu... é só que eu estava no banho.

— Sinto muito. — A voz dele assumiu um tom brincalhão. — Quero dizer que sinto muito não estar aí com você.

— Também o sinto — replicou ela.

— Telefonei para lhe dizer que estou com saudades. Não se atrase.

Catherine sorriu.

— Não me atrasarei.

Desligou lentamente, pensando em Bill. Pela primeira vez, sentia que ele estava pronto para se declarar. Iria pedir-lhe para se tornar a Sra. William Fraser. Disse o nome em voz alta: Sra. William Fraser. Tinha um ar distinto. *Meu Deus*, pensou, *estou ficando esnobe. Há seis meses, teria dado pulos e agora tudo que achava para dizer era que tinha um ar distinto.* Teria mudado tanto assim? Não era uma ideia reconfortante. Olhou para o relógio e começou a se vestir depressa.

O JEFFERSON CLUB ficava na rua F, um discreto prédio de tijolos, recuado da calçada e cercado por uma grade de ferro batido. Era um dos clubes mais fechados da cidade e a maneira mais fácil de se tornar sócio era ter um pai que o fosse. Quem não tomasse esta precaução precisava ser recomendado por três sócios. As propostas eram examinadas uma vez por ano e bastava uma bola preta para afastar a pessoa do Jefferson Club pelo resto da vida, pois era regra severa a de que nenhum candidato podia ser proposto mais de uma vez.

O pai de William Fraser fora um dos sócios fundadores, de modo que Fraser e Catherine jantavam lá pelo menos uma vez por semana. O cozinheiro-chefe trabalhara durante vinte anos para o ramo francês dos Rothschild, a comida era soberba, e a adega, considerada a terceira melhor dos Estados Unidos. O clube fora decorado por um dos maiores decoradores do mundo, que dedicara especial atenção às cores e à iluminação, de modo que as mulheres se viam banhadas por luz de velas, o que lhes acentuava a beleza. Em qualquer noite, os frequentadores podiam ver-se na companhia do vice-presidente, de membros do gabinete ou da Suprema Corte, senadores e poderosos industriais, cabeças de impérios internacionais.

Catherine encontrou Fraser à sua espera no vestíbulo.

— Estou atrasada? — perguntou.

— Não faria mal se estivesse — disse ele contemplando-a com evidente admiração. — Sabe que está fantasticamente linda?

— Claro — replicou ela. — Todo mundo sabe que eu sou a fantasticamente linda Catherine Alexander.

— Estou falando sério, Cathy.

Seu tom foi tão solene que a deixou embaraçada.

— Obrigada, Bill — disse desajeitadamente. — E pare de me olhar desse jeito.

— Não posso evitar — disse ele, tomando-a pelo braço.

Loves, o maître, conduziu-os a uma mesa de canto.

— Aqui está, Srta. Alexander, Sr. Fraser, tenham um bom jantar.

Catherine gostava de ser conhecida do maître do Jefferson Club. Sabia que aquilo era infantil e ingênuo de sua parte, mas lhe dava a sensação de ser alguém, de pertencer àquele lugar. Agora estava comodamente sentada, à vontade e satisfeita, examinando o salão.

— Quer um drinque? — perguntou Fraser.

— Não, obrigada.

Ele abanou a cabeça.

— Preciso ensinar-lhe alguns maus hábitos.

— Já ensinou — murmurou Catherine.

Ele sorriu e pediu uísque com soda.

Catherine estudou-o, pensando no homem encantador que era. Tinha certeza de que poderia fazê-lo muito feliz e que também seria feliz casando-se com ele. *Muito feliz*, disse decididamente para si mesma. Pergunte a qualquer um, pergunte à revista *Time*. Tinha ódio de si própria devido a esta maneira de pensar. Em nome de Deus, o que haveria de errado com ela?

— Bill — começou, e ficou petrificada.

Larry Douglas vinha na direção deles, um sorriso de reconhecimento nos lábios ao ver Catherine. Usava farda da Força Aérea da Central de Elencos. Ela ficou olhando, incrédula, enquanto ele se aproximava da mesa, sorrindo satisfeito.

— Olá! — disse.

Mas não se dirigia a ela e sim a Bill, que se levantou e lhe apertou a mão.

— Que bom ver você, Larry.

— Estou feliz por vê-lo, Bill.

Catherine olhava para os dois, sua mente paralisada, recusando-se a funcionar. Fraser estava dizendo:

— Cathy, este é o capitão Larry Douglas. Larry, esta é a Srta. Alexander, Catherine.

Larry a contemplava com um olhar zombeteiro.

— Não imagina meu prazer em conhecê-la, Srta. Alexander — disse solenemente.

Catherine abriu a boca para falar, mas de repente percebeu que nada tinha para dizer. Fraser a observava, esperando que ela falasse, mas tudo que conseguiu foi mover a cabeça. Não confiava em sua voz.

— Junta-se a nós, Larry? — perguntou Fraser.

Larry olhou para Catherine e disse modestamente:

— Se tem certeza de que não vou atrapalhar...

— É claro que não. Sente-se.

Larry sentou ao lado de Catherine.

— O que gostaria de beber? — perguntou Fraser.

— Uísque e soda — respondeu Larry.

— O mesmo para mim — disse Catherine temerariamente. — Duplo.

Fraser olhou-a, surpreendido.

— Não posso acreditar.

— Você disse que queria me ensinar alguns maus hábitos — disse ela. — Creio que gostaria de começar já.

Após pedir os drinques, Fraser se voltou para Larry.

— O general Terry esteve me falando sobre algumas de suas façanhas no ar e em terra.

Catherine mantinha os olhos fixos em Larry, enquanto suas ideias turbilhonavam, tentando ajustar-se.

— Aquelas medalhas — disse. Ele a contemplava, com ar inocente. Ela engoliu em seco. — Ah... onde as obteve?

— Ganhei-as num carnaval — respondeu ele muito sério.

— Que carnaval! — riu Fraser. — Larry voou pela RAF. Era o líder do esquadrão americano de lá. Convenceram-no a dirigir uma base de treinamento aqui em Washington, para preparar alguns dos nossos rapazes para combater.

Catherine virou-se para Larry, que lhe sorria complacente, enquanto seus olhos pareciam dançar. Como se revisse um velho filme, recordou seu primeiro encontro, palavra por palavra. Ordenara-lhe que tirasse as divisas de capitão e as medalhas e ele concordara alegremente. Fora presunçosa, excessiva — e chamara-o de covarde! Teve vontade de se enfiar debaixo da mesa.

— Gostaria que você tivesse me avisado que viria para cá — dizia Fraser. — Eu teria preparado uma recepção à altura. Deveríamos ter organizado uma grande festa para comemorar sua volta.

— Prefiro assim — disse Larry e olhou para Catherine, que desviou a vista, incapaz de encará-lo. — Aliás — continuou ele inocentemente —, procurei você quando estive em Hollywood, Bill. Ouvi dizer que estava produzindo um filme para a Força Aérea. — Parou para acender um cigarro e apagou o fósforo com um sopro caprichado. — Cheguei a ir ao estúdio, mas você não estava.

— Precisei ir a Londres — respondeu Fraser. — Catherine foi a Hollywood. Surpreende-me que vocês dois não tenham se encontrado.

Catherine olhou para Larry, que a observava com uma expressão divertida. Este era o momento para mencionar o que acontecera. Ela contaria a Fraser e todos ririam, como de uma piada engraçada. Mas, de algum modo, as palavras encalharam em sua garganta. Larry então disse:

— O estúdio estava apinhado de gente. Creio que nos desencontramos.

Ela o odiou por ajudá-la a sair da situação, por torná-los aliados contra Fraser. Quando os drinques chegaram, Catherine engoliu o seu rapidamente e pediu outro. Aquela seria a noite mais terrível de sua vida. Mal podia esperar para sair dali, para escapar de Larry Douglas.

Fraser perguntou sobre suas experiências de guerra e ele as fez parecerem simples e divertidas. Era óbvio que não levava coisa alguma a sério, era um peso-leve. Mas, para fazer justiça, Catherine teve de admitir para si mesma que um peso-leve não se apresentaria à RAF como voluntário nem se tornaria herói lutando contra a Luftwaffe. Era irracional, mas odiava-o ainda mais por ser um herói. Não conseguia compreender sua própria atitude e meditou sobre isso durante seu terceiro uísque duplo. Que diferença fazia o fato de ele ser um herói ou um vagabundo? E então compreendeu que, se fosse um vagabundo, ele se encaixaria perfeitamente numa categoria com a qual ela sabia lidar. Recostou-se na cadeira, ouvindo os dois homens conversarem através da névoa dos drinques. Quando Larry falava, revelava um entusiasmo impetuoso, uma vitalidade tão palpável que atravessava a mesa e chegava até ela. Parecia-lhe agora o homem mais cheio de vida que já conhecera. Teve a impressão de que ele nada recusava à vida, que se dava inteiramente a tudo, zombando de quem tinha medo de dar. Quem tinha medo tal qual ela própria.

Mal tocou na comida e não tinha a menor ideia do que estava comendo. Encontrou o olhar de Larry e foi como se já fosse seu amante, como se já tivessem estado juntos, como se devessem ficar juntos — e ela sabia que aquilo era uma loucura. Ele parecia um ciclone, uma força da natureza, e qualquer mulher tragada pelo redemoinho seria destruída. Larry estava sorrindo para ela.

— Receio que estivemos excluindo a Srta. Alexander da conversa — disse polidamente. — Tenho certeza de que ela é mais interessante do que nós dois juntos.

— Engana-se — disse Catherine roucamente. — Minha vida é muito monótona. Trabalho com Bill.

Mal acabara de falar percebeu como soara mal e ficou vermelha.

— Não quis dizer isso — falou. — Quis dizer que...

— Sei o que quis dizer — falou Larry, tentando ajudar, e ela o odiou ainda mais. Ele se voltou para Bill: — Onde a encontrou?

— Tive sorte — disse Fraser calorosamente. — Muita sorte. Você ainda não está casado?

Larry deu de ombros:

— Quem iria me querer?

Desgraçado, pensou Catherine, e deu uma olhada em volta. Meia dúzia de mulheres estava de olho nele, algumas disfarçando, algumas abertamente. Ele era como um ímã sexual.

— O que achou das inglesas? — perguntou Catherine com atrevimento.

— Ótimas — disse ele delicadamente. — É claro que eu não tinha muito tempo para esse tipo de coisa. Estava ocupado, voando.

Para o inferno com sua falta de tempo, pensou ela. *Aposto que não sobrou uma virgem num raio de 200 quilômetros à sua volta.* Disse em voz alta:

— Tenho pena daquelas pobres garotas. Veja só o que perderam.

Seu tom foi mais ferino do que ela pretendera e Fraser ficou espantado com sua indelicadeza.

— Cathy! — repreendeu ele.

— Vamos tomar outro drinque — interrompeu Larry rapidamente.

— Acho que talvez Catherine já tenha bebido o bastante — replicou Fraser.

— De *xeito* nenhum — começou Catherine e notou horrorizada que estava embrulhando as palavras. — Acho que quero ir para casa — disse.

— Está bem. — Fraser dirigiu-se a Larry: — Catherine não costuma beber — desculpou-se.

— Imagino que esteja excitada com sua volta — disse Larry.

Catherine teve vontade de agarrar um copo d'água e atirar nele. Odiara-o menos enquanto fora um vagabundo, mas agora o odiava mais e não compreendia por quê.

Na manhã seguinte, Catherine acordou com uma ressaca que, em sua opinião, entraria com certeza para a história da medicina. Carregava no mínimo três cabeças sobre os ombros, cada uma pulsando ao som de um tambor diferente. Ficar deitada, quieta, era uma agonia, mas tentar mover-se era ainda pior. Enquanto se deixava ficar deitada, lutando contra a náusea, veio-lhe à mente a lembrança da noite anterior e a dor aumentou. Sem razão de ser, culpava Larry Douglas por sua ressaca, pois, se não fosse ele, não teria bebido. Virou a cabeça penosamente para olhar o relógio ao lado da cama. Dormira demais. Relutou entre ficar na cama ou chamar um pulmão de aço. Levantou-se cuidadosamente de seu leito de morte e se arrastou até o banheiro. Tropeçou para dentro do boxe, abriu a água fria e deixou os jatos gelados deslizarem sobre seu corpo. Deu um grito quando a água a atingiu, mas, ao sair do chuveiro, sentia-se melhor. *Não bem,* pensou. *Apenas melhor.*

Quarenta e cinco minutos mais tarde estava em sua mesa quando Annie, a secretária, entrou no auge do entusiasmo.

— Adivinhe — disse ela.

— Hoje não — sussurrou Catherine. — Seja uma boa menina e fale baixinho.

— Olhe — empurrou-lhe o jornal da manhã. — *É ele.*

Na primeira página estava uma foto de Larry Douglas, sorrindo com insolência para ela. A legenda dizia: HERÓI AMERICANO DA RAF VOLTA A WASHINGTON PARA COMANDAR NOVA UNIDADE DE COMBATENTES. Seguia-se uma matéria em duas colunas.

— Não é demais? — gritou Annie.

— Terrivelmente — disse Catherine atirando o jornal na cesta de papéis. — Podemos continuar a trabalhar agora?

Annie olhou para ela, surpreendida:

— Sinto muito — disse. — Eu... eu pensei que iria interessá-la, já que se trata de um amigo seu...

— Ele não é um amigo — corrigiu Catherine. — É mais um inimigo. Será que poderíamos simplesmente esquecer o Sr. Douglas? — acrescentou ao notar a expressão no rosto de Annie.

— É claro — disse ela numa voz perplexa. — Eu disse a ele que a senhorita ficaria satisfeita.

Catherine encarou-a.

— Quando?

— Quando ele telefonou hoje de manhã. Ligou três vezes.

Catherine se controlou, tentando manter a voz natural.

— Por que não me disse?

— Pediu-me para não lhe dizer quando ele telefonasse.

Ela observava Catherine, completamente confusa.

— Ele deixou algum número?

— Não.

— Bom — Catherine pensou no rosto dele, naqueles olhos grandes, escuros e zombeteiros. — Bom — disse de novo, com mais firmeza.

Terminou de ditar algumas cartas e, quando Annie saiu da sala, dirigiu-se à cesta de papéis e retirou o jornal. Leu palavra por palavra tudo sobre Larry, descobrindo que ele era um ás, com oito aviões alemães a seu crédito, e que fora abatido duas vezes sobre o Canal da Mancha. Chamou Annie pelo intercomunicador.

— Se o Sr. Douglas telefonar outra vez, falarei com ele.

Houve uma pausa mínima.

— Sim, Srta. Alexander.

Afinal, não havia razão para ser grosseira com o homem. Se limitaria a pedir desculpas por seu comportamento no estúdio e a pedir-lhe que parasse de telefonar. Ela ia casar-se com Bill Fraser.

Esperou durante a tarde toda que ele telefonasse novamente, o que até as 6 horas não aconteceu. *E por que haveria de telefonar*, perguntou Catherine a si mesma. *Deve estar ocupado comendo umas seis garotas. Você tem sorte. Envolver-se com ele deve ser como ir a um matadouro: pegue seu número e espere a vez.*

Quando ia saindo, avisou a Annie:

— Se o Sr. Douglas telefonar amanhã, diga que não estou.

Annie nem piscou.

— Sim, Srta. Alexander. Boa-noite.

— Boa-noite.

Catherine desceu pelo elevador imersa em pensamentos. Estava certa de que Bill Fraser queria casar-se com ela. A melhor coisa a fazer seria dizer-lhe que o fizesse imediatamente. Falaria com ele naquela mesma noite. Iriam para o exterior, em lua de mel, e quando estivessem de volta, Larry Douglas já teria partido. Ou algo assim.

A porta do elevador se abriu no saguão e lá estava Larry Douglas, encostado na parede. Tirara as medalhas, as fitas e estava usando divisas de segundo-tenente. Sorriu para ela, aproximando-se:

— Assim está melhor? — perguntou alegremente.

Catherine olhou para ele, o coração aos saltos.

— Não... não é contra o regulamento usar divisas trocadas?

— Não sei — disse ele seriamente. — Pensei que fosse você a encarregada dessas coisas.

Ficou parado lá, olhando-a, e ela disse numa voz fraca:

— Não faça isso comigo. Quero que me deixe em paz. Eu pertenço a Bill.

— Onde está sua aliança?

Catherine passou depressa por ele e dirigiu-se para a porta da rua. Quando chegou lá, ele a esperava, segurando a porta para ela passar.

Do lado de fora, pegou-lhe o braço e ela sentiu um choque percorrer seu corpo inteiro. Havia uma eletricidade emanando dele que a queimava.

— Cathy — começou.

— Pelo amor de Deus — disse ela desesperada —, o que quer você de mim?

— Tudo — respondeu suavemente. — Quero você.

— Pois bem, você não pode me ter — gemeu ela. — Vá torturar outra pessoa.

Virou-se para ir embora, mas ele a segurou.

— O que quer dizer com isso?

— Não sei — disse Catherine, os olhos se enchendo de lágrimas. — Não sei o que estou dizendo. Eu... eu estou de ressaca. Quero morrer.

Ele deu um sorriso compreensivo.

— Conheço um tratamento maravilhoso para ressacas.

Conduziu-a à garagem do prédio.

— Para onde estamos indo? — perguntou ela em pânico.

— Pegar o meu carro.

Catherine levantou os olhos para ele, procurando sinais de triunfo em sua expressão, mas tudo o que viu foi um rosto forte e incrivelmente bonito, cheio de calor humano e compaixão.

O garagista trouxe um conversível dourado, com a capota arriada. Larry ajudou-a a entrar no carro e se sentou ao volante. Catherine ficou imóvel, olhando fixamente para a frente, sabendo que estava jogando toda a sua vida fora e totalmente incapaz de impedi-lo. Queria dizer àquela garota idiota e perdida no carro que fugisse.

— Sua casa ou a minha? — perguntou Larry delicadamente.

Ela sacudiu a cabeça.

— Tanto faz — disse desesperadamente.

— Vamos a minha casa.

Quer dizer que ele não era totalmente insensível. Ou talvez tivesse medo de competir com a sombra de William Fraser. Ela o observou, enquanto dirigia habilmente pelo tráfego do começo da noite. Não, ele não tinha medo de nada — e isso fazia parte de sua maldita atração.

Tentou dizer a si mesma que era livre para dizer não, para ir embora. Como era possível amar Bill Fraser e ao mesmo tempo sentir-se daquele jeito por Larry?

— Se é que ajuda alguma coisa — disse Larry suavemente —, saiba que estou tão nervoso quanto você.

— Obrigada — disse Catherine, olhando para ele.

Era mentira, é claro. Provavelmente dizia isso a todas as suas vítimas, enquanto as levava para a cama para seduzi-las. Mas pelo menos não estava se vangloriando a respeito. O que mais a preocupava era o fato de estar traindo Bill Fraser. Ele era bom demais para ser magoado e aquilo iria magoá-lo muito. Catherine sabia disso como sabia que o que estava fazendo era errado e sem sentido, mas parecia já não ter mais vontade própria.

Haviam chegado a um agradável bairro residencial, com grandes árvores frondosas ao longo da rua. Larry parou diante de um prédio de apartamentos.

— Estamos em casa — disse calmamente.

Catherine sabia que esta era sua última oportunidade de dizer não, de dizer a Larry que não a procurasse mais. Esperou em silêncio enquanto ele dava a volta e abria a porta, depois saltou do carro e entrou no edifício.

O apartamento de Larry fora decorado para um homem, em cores sóbrias e mobiliário másculo.

Ao entrarem, Larry tirou o capote de Catherine e ela estremeceu.

— Está com frio? — perguntou ele.

— Não.

— Quer um drinque?

— Não.

Delicadamente, ele a tomou nos braços e a beijou, e Catherine teve a impressão de que seu corpo se incendiava. Sem uma palavra, levou-a para o quarto. Havia uma premência crescente, à medida que ambos se despiam em silêncio. Ela se estendeu na cama, nua, e Larry se deitou a seu lado.

— Larry...

Mas os lábios dele cobriram os seus, enquanto as mãos começaram a lhe percorrer o corpo, explorando-o delicadamente, e Catherine se esqueceu de tudo, menos do prazer do que lhe estava acontecendo, e suas mãos começaram a procurar por ele até que o encontraram, quente, firme e pulsante. Seus dedos estavam dentro dela, abrindo-a delicada e carinhosamente e ele estava sobre ela, penetrando-a, e havia uma alegria estranha, que ela jamais sonhara ser possível, e então os dois estavam juntos, movendo-se cada vez mais depressa numa dança fantástica que fazia girar o quarto, o mundo, o universo, até acontecer uma explosão que se transformou num êxtase delirante, numa viagem inacreditável, arrasadora, uma chegada e uma partida, um fim e um começo, e Catherine jazia lá exausta e atordoada, abraçando-o fortemente para que nunca pudesse se afastar, para que aquela sensação nunca mais parasse. Nada que jamais lera ou ouvira poderia tê-la preparado para aquilo. Era incrível que o corpo de outra pessoa pudesse proporcionar tal felicidade. Ela jazia, em paz: uma mulher. E compreendeu que, mesmo que jamais tornasse a vê-lo, seria grata a ele pelo resto da vida.

— Cathy?

Ela se virou para olhá-lo, lenta e preguiçosamente.

— Sim?

Até sua voz lhe pareceu mais profunda, mais amadurecida.

— Poderia tirar as unhas das minhas costas?

De súbito ela percebeu que cravara as unhas em sua carne.

— Oh, sinto muito!

Começou a examinar-lhe as costas, mas ele segurou suas mãos e a puxou para si.

— Não faz mal. Você está feliz?

— Feliz?

Seus lábios tremeram e, para horror seu, começou a chorar, grandes soluços sacudindo-lhe o corpo. Ele a abraçou, acariciando-a suavemente, esperando a tempestade passar por si mesma.

— Sinto muito — disse ela. — Não sei o que me fez chorar assim.

— Desapontamento?

Catherine olhou-o depressa, pronta para protestar, e então viu que ele a estava provocando. Tomou-a nos braços e amou-a de novo. Foi ainda mais incrível que da primeira vez. Depois, ficaram deitados e ele falou, mas Catherine não escutou. Tudo o que queria era ouvir o som de sua voz e não lhe importava o que estivesse dizendo. Sabia que jamais poderia existir alguém para ela senão aquele homem e sabia que aquele homem jamais poderia pertencer a uma só mulher, que provavelmente nunca mais o veria, que fora apenas uma conquista a mais para ele. Percebeu que a voz se calara e que ele a estava observando.

— Você não ouviu uma palavra do que eu disse.

— Desculpe — disse ela. — Eu estava sonhando acordada.

— Eu deveria estar ofendido — disse ele em tom de censura. — Você só está interessada em mim por causa do meu corpo.

Ela passou as mãos pelo tórax bronzeado.

— Não sou perita — disse —, mas creio que este servirá perfeitamente. — Sorriu. — Ele *serviu* perfeitamente.

Queria perguntar-lhe se a apreciara, mas tinha medo de fazê-lo.

— Você é linda, Cathy.

Emocionou-se ao ouvi-lo dizer isso, mas ao mesmo tempo lamentou-o. Tudo que ele dizia já dissera mil vezes a outras mulheres. Imaginou como seria o jeito de ele dizer adeus. *Telefone-me qualquer dia desses* — ou — *Eu telefono para você*. Talvez ele até quisesse vê-la mais uma ou duas vezes, antes de passar para outra. Bem, não havia ninguém a culpar senão ela própria. Sabia muito bem em que se estava metendo. *Eu entrei nisso com os olhos e as pernas bem abertos. Não importa o que acontecer, não devo culpá-lo nunca.*

Ele deslizou os braços em torno dela e a abraçou.

— Sabe que você é uma garota muito especial, Cathy?

Sabe que você é uma garota muito especial, Alice, Susan, Margaret, Peggy, Lana.

— Percebi isto desde a primeira vez que a vi. Nunca me senti assim por ninguém.

Janet, Evelyn, Ruth, Georgia, ad infinitum.

Ela encostou a cabeça no peito dele, sem coragem suficiente para falar, e o abraçou com força, despedindo-se silenciosamente.

— Estou com fome — disse Larry. — Sabe o que estou com vontade de fazer?

Catherine sorriu.

— É claro que sei.

Larry riu para ela.

— Sabe de uma coisa? Você é uma maníaca sexual.

Catherine levantou os olhos para ele.

— Obrigada.

Ele a levou para o boxe e abriu o chuveiro. Pegou uma touca de banho que estava pendurada num gancho da parede e a pôs na cabeça de Catherine, enfiando-lhe o cabelo para dentro. "Venha", disse, e a puxou para debaixo do frio jato d'água. Pegou um sabonete e começou a lavar o corpo dela, partindo do pescoço, descendo para os braços, circundando lentamente os seios, baixando para a barriga e as coxas. Ela começou a sentir uma excitação na virilha. Tomou o sabão dele e começou a lavá-lo, cobrindo de espuma o peito e a barriga, descendo entre suas pernas. O membro dele começou a se retesar em sua mão.

Ele lhe abriu as pernas e a penetrou e Catherine se sentiu novamente transportada, afogando-se numa torrente de água que batia contra seu corpo, enquanto por dentro se sentia plena daquela insuportável felicidade, até soltar um grito de puro contentamento.

Depois, eles se vestiram, tomaram o carro e foram até Maryland, lá encontrando um pequeno restaurante ainda aberto, onde comeram lagosta com champanhe.

Às 5 horas da manhã, Catherine discou o número da casa de William Fraser e ficou escutando o telefone tocar a 120 quilômetros de distância, até que finalmente a voz sonolenta de Fraser surgiu ao fone e disse:

— Alô...

— Alô, Bill. É Catherine.

— Catherine! Tentei telefonar para você a noite inteira. Onde está? Você está bem?

— Estou ótima. Estou em Maryland com Larry Douglas. Acabamos de nos casar.

Noelle

Paris: 1941

8

CHRISTIAN BARBET ERA um homem infeliz. O pequenino detetive careca estava sentado à mesa de trabalho, um cigarro entre os dentes manchados e quebrados, contemplando tristemente a pasta à sua frente. A informação que continha iria custar-lhe uma cliente. Ele cobrara honorários exorbitantes a Noelle Page por seus serviços, mas não era apenas a perda daquela renda que o entristecia: iria sentir falta da própria cliente. Odiava Noelle Page, mas ao mesmo tempo ela era a mulher mais excitante que já encontrara. Barbet elaborava sombrias fantasias em torno de Noelle, nas quais ela sempre acabava sob seu domínio. Agora, o serviço estava prestes a terminar e ele jamais voltaria a vê-la. Deixara-a esperando na recepção enquanto tentava elaborar um meio de manobrar a coisa de maneira que pudesse lhe extrair algum dinheiro a mais. Mas acabou concluindo relutantemente que não era possível. Barbet suspirou, apagou o cigarro, dirigiu-se para a porta e a abriu. Noelle estava sentada no sofá de falso couro preto e, ao olhá-la, sentiu o coração se apertar por um momento. Não era justo que uma mulher fosse tão linda.

— Boa-tarde, *mademoiselle*. Entre.

Ela entrou no escritório, movendo-se com a graça de um manequim. Era bom para Barbet ter o nome de Noelle Page em sua lista de clientes e ele não deixava de mencioná-lo frequentemente. Servia de chamariz para outros clientes. E Christian Barbet não era homem de perder o sono por causa de ética.

— Por favor, sente-se — disse ele, indicando uma cadeira. — Posso lhe servir um *brandy,* um aperitivo?

Em sua imaginação estava embriagando Noelle e depois ela imploraria para que a seduzisse.

— Não — respondeu ela. — Vim por causa do relatório.

A cadela poderia ao menos tomar um drinque com ele!

— Sim — disse Barbet. — Para falar a verdade, tenho várias notícias. — Aproximou-se da escrivaninha e fingiu estudar o relatório, que já sabia de cor. — Primeiro, seu amigo foi promovido a capitão e transferido para o 133º Esquadrão, do qual assumiu o comando. A base é em Coltisall, Duxford, em Cambridgeshire. Pilotavam — ele falava deliberadamente devagar, sabendo que a parte técnica não a interessava — Hurricanes e Spitfires II, depois mudaram para Marks V. Então passaram a pilotar...

— Não importa — interrompeu Noelle com impaciência. — Onde ele está agora?

Barbet estivera esperando por aquela pergunta.

— Nos Estados Unidos.

Percebeu a reação antes que ela pudesse controlá-la e sentiu um prazer cruel.

— Em Washington — continuou.

— De licença?

Barbet abanou a cabeça.

— Não. Foi desligado da RAF. Agora é Capitão da Força Aérea dos Estados Unidos.

Observou Noelle digerir a informação, sem que sua expressão desse pistas sobre o que estava sentindo. Mas Barbet ainda não terminara. Segurou um recorte de jornal entre seus manchados dedos, semelhantes a salsichas, e o estendeu para ela.

— Acho que isto lhe interessa.

Viu Noelle enrijecer, quase como se soubesse o que iria ver. O recorte era do *Daily News* de Nova York e na legenda lia-se "Casa-se um Ás da Guerra", sob uma foto de Larry e sua noiva. Noelle contemplou-a por um longo instante e depois estendeu a mão para o resto dos papéis. Barbet deu de ombros, enfiou a papelada num envelope pardo e o entregou a Noelle. Ao abrir a boca para iniciar seu discurso de despedida, ela disse:

— Se você não tem correspondente em Washington, arranje um. Vou querer relatórios semanais.

E partiu, deixando Barbet embasbacado, num estado de absoluta confusão.

De volta a seu apartamento, Noelle entrou no quarto, trancou a porta e tirou do envelope os recortes de jornais. Arrumou-os sobre a cama à sua frente e os examinou. A foto mostrava Larry exatamente como o recordava. Se havia alguma diferença, seria porque a imagem em sua mente era mais nítida que a do jornal, pois Larry estava mais vivo na imaginação dela do que na realidade.

Não havia um dia em que Noelle não revivesse seu passado com ele. Era como se ambos tivessem representado uma peça juntos há muito tempo e ela fosse capaz de recapitular as cenas que desejasse, representando algumas hoje, reservando outras para os outros dias, de modo que cada lembrança permanecia sempre vívida e nova.

Noelle olhou então a noiva de Larry. O que via era um rosto bonito, jovem e inteligente, com um sorriso nos lábios. O rosto de um inimigo. Um rosto que teria de ser destruído, assim como Larry seria destruído.

Ela passou a tarde inteira trancada com a fotografia.

Horas depois, quando Armand Gautier esmurrou a porta do quarto, Noelle mandou-o embora. Ele esperou lá fora, na sala de estar, preocupado com o estado de espírito dela, mas, quando finalmente apareceu, Noelle parecia especialmente radiante e alegre, como se tivesse recebido boas notícias. Não deu qualquer explicação a Gautier, que a conhecia suficientemente bem para nada perguntar.

Após o espetáculo daquela noite, ela fez amor com uma paixão selvagem, que lembrou a Gautier os primeiros tempos que passaram juntos. Mais tarde ele ficou deitado, tentando compreender a linda jovem que repousava a seu lado — mas não possuía uma pista sequer.

Durante a noite, Noelle sonhou com o coronel Mueller. O oficial da Gestapo, albino e sem cabelos, torturava-a com um ferrete, marcando sua carne com suásticas ardentes. Interrogava-a sem parar, mas numa voz tão baixa que Noelle não conseguia ouvi-lo e ele continuava a lhe enfiar o ferro em brasa, e de repente era Larry quem estava na mesa, gritando de dor. Noelle acordou suando frio, o coração aos saltos. Acendeu a lâmpada de cabeceira e fumou um cigarro, com os dedos trêmulos, procurando acalmar os nervos. Pensou em Israel Katz. Sua perna fora amputada com um machado e, embora não tornasse a vê-lo desde aquela tarde na padaria, soubera pelo *concierge* que ele estava vivo, mas fraco. Tornava-se cada vez mais difícil escondê-lo e ele não podia cuidar-se sozinho; ao mesmo tempo, haviam-se intensificado as diligências para encontrá-lo. Se iriam tirá-lo de Paris, teriam de se apressar. De fato, Noelle nada fizera para ser presa pela Gestapo. Ainda. Seria aquele sonho uma premonição, um aviso para não ajudar Israel Katz? Ela ficou deitada, recordando. Ele a ajudara a matar o bebê de Larry, dera-lhe dinheiro e a ajudara a conseguir emprego. Dúzias de homens haviam feito por ela coisas bem mais importantes, mas Noelle não se sentia em dívida com eles, pois cada um, inclusive seu pai, quisera algo em troca e ela pagara integralmente por tudo que jamais recebera. Israel Katz jamais lhe pedira nada. Tinha de ajudá-lo.

Não subestimava o problema: o coronel Mueller já suspeitava dela. Lembrou-se do sonho e estremeceu. Precisava cuidar para que Mueller jamais pudesse provar algo contra ela. Israel Katz precisava ser levado para fora de Paris, mas como? Noelle tinha certeza de que todas as saídas estavam sendo cuidadosamente vigiadas, tanto as estradas quanto o rio. Os nazistas podiam ser uns *cochons*, mas eram *cochons* eficientes. Era um desafio talvez mortal, mas estava decidida a enfrentá-lo. O problema era não haver ninguém a quem pudesse pedir ajuda. Os nazistas haviam transformado Armand Gautier numa gelatina. Não, teria de fazer tudo sozinha. Pensou no coronel Mueller e no general Scheider, imaginando qual sairia vencedor caso chegasse a haver um atrito.

Na noite seguinte à do sonho, Noelle e Armand Gautier foram a uma recepção cujo anfitrião era Leslie Rocas, um rico protetor das artes. Havia uma eclética mistura de convidados — banqueiros, artistas, líderes políticos e um punhado de lindas mulheres, as quais Noelle sentia que estavam lá para benefício dos alemães presentes. Gautier percebera a preocupação de Noelle, mas, ao perguntar o que havia de errado, ela respondera que estava tudo bem.

Quinze minutos antes de ser anunciada a ceia, um recémchegado apareceu à porta e, ao dar com os olhos nele, Noelle compreendeu que seu problema seria resolvido. Aproximou-se do anfitrião e disse:

— Querido, seja bom para mim e me coloque ao lado de Albert Heller.

ALBERT HELLER ERA o maior autor teatral da França. Um grandalhão de mais de 60 anos, parecendo um urso desengonçado, com largos ombros caídos e um topete de cabelos brancos, era extraordinariamente alto para um francês, mas de qualquer maneira se destacaria na multidão, pois tinha um rosto tremendamente feio, os olhos verdes e penetrantes aos quais nada escapava. Heller era dono de uma imaginação vivamente criadora e já escrevera um bom número de sucessos para o teatro e o cinema. Andara insistindo com Noelle para estrelar uma de suas novas peças e lhe mandara uma cópia do original. Agora, sentada a seu lado no jantar, Noelle dizia:

— Acabei de ler sua peça, Albert. Adorei-a.

O rosto dele se iluminou.

— Você a fará?

Noelle pôs a mão sobre a dele.

— Gostaria muito, querido, mas Armand me designou para outra peça.

Ele franziu as sobrancelhas, depois deu um suspiro resignado.

— *Merde!* Bem, um dia trabalharemos juntos.

— Eu apreciaria muito — disse Noelle. — Adoro sua maneira de escrever. Fico fascinada com o modo como os autores criam as tramas. Não sei como vocês conseguem.

Ele deu de ombros:

— Assim como você representa. É nosso negócio, nosso meio de vida.

— Não — replicou ela. — A capacidade de usar a imaginação dessa maneira me parece um milagre. — Deu um sorriso sem jeito. — Eu sei, pois andei tentando escrever.

— É mesmo? — disse ele polidamente.

— É, mas encalhei.

Noelle respirou fundo e correu a vista pela mesa. Todo os outros convidados estavam entretidos com suas próprias conversas. Ela se inclinou para Albert Heller baixando a voz:

— Armei uma situação na qual minha heroína está tentando tirar seu amante de Paris, às escondidas. Os nazistas estão à procura dele.

O homenzarrão brincava com o garfo de salada, batendo-o contra um prato, e então disse:

— Fácil. Faça-o vestir um uniforme alemão e passar bem pelo meio deles.

Noelle suspirou e disse:

— Existe uma complicação. Ele foi ferido, não pode andar. Perdeu uma perna.

As batidas do garfo cessaram de repente.

— Uma barcaça pelo Sena?

— Está vigiado.

— E todos os veículos que saem de Paris são revistados?

— Sim.

— Então você vai precisar levar os nazistas a fazerem o trabalho.

— Como?

— Sua heroína — disse ele sem olhar para Noelle — é atraente?

— Sim.

— Suponhamos — continuou — que ela fizesse amizade com um oficial alemão. Alguém de alta patente. É possível isto?

Noelle se virou para olhá-lo, mas ele desviou a vista.

— Sim.

— Muito bem, então. Faça-a ter um encontro com o oficial. Vão passar um fim de semana num lugar qualquer, fora de Paris. Alguns amigos poderiam dar um jeito de esconder seu herói na mala do carro. É preciso que o oficial seja suficientemente importante para que seu carro não seja revistado.

— Com a mala trancada, ele não ficaria sufocado? — perguntou Noelle.

— Não necessariamente.

Durante cinco minutos falou com Noelle em voz baixa e, ao terminar, disse, ainda sem olhar para ela:

— Boa sorte.

BEM CEDO, na manhã seguinte, Noelle telefonou para o General Scheider. Foi atendida por uma telefonista de mesa, que a pôs em contato poucos momentos depois com um auxiliar e finalmente com o secretário do general.

— Quem deseja falar com o general Scheider, por favor?

— Noelle Page — disse ela pela terceira vez.

— Sinto muito, mas o general está em reunião. Não pode ser incomodado.

Ela hesitou.

— Eu poderia tornar a ligar mais tarde?

— Ele passará o dia todo em reunião. Sugiro que lhe escreva uma carta expondo seu assunto.

Noelle considerou a ideia durante um momento e um sorriso irônico passou-lhe pelos lábios.

— Não faz mal — falou. — Apenas diga-lhe que telefonei.

Uma hora mais tarde seu telefone tocou e era o general Scheider.

— Perdoe-me — desculpou-se ele. — Aquele idiota só agora me deu seu recado. Teria deixado ordens para que passassem sua ligação, mas nunca pensei que fosse telefonar.

— Sou eu quem deve pedir desculpas — disse Noelle. — Sei como é ocupado.

— Por favor. O que posso fazer por você?

Noelle hesitou, escolhendo bem as palavras.

— Lembra-se do que disse sobre nós naquele jantar?

Houve uma breve pausa.

— Sim.

— Estive pensando muito em você, Hans. Gostaria muito de vê-lo.

— Quer jantar comigo esta noite?

Havia uma súbita ansiedade na voz dele.

— Não em Paris — replicou Noelle. — Se vamos estar juntos, eu gostaria que fosse longe daqui.

— Onde? — perguntou o general Scheider.

— Quero que seja um lugar especial. Você conhece Etratat?

— Não.

— É uma aldeiazinha encantadora, a cerca de 150 quilômetros de Paris, perto do Havre. Lá existe uma hospedaria antiga e tranquila.

— Parece maravilhoso, Noelle. Não é fácil para mim sair daqui agora — acrescentou em tom de desculpas. — Estou no meio de...

— Compreendo — interrompeu Noelle friamente. — Fica para outra vez.

— Espere! — Houve uma longa pausa. — Quando você estaria livre?

— Sábado à noite, depois do espetáculo.

— Tomarei as providências — disse ele. — Poderíamos voar para lá...

— Por que não vamos de carro? — perguntou Noelle. — É tão agradável.

— Como quiser. Apanharei você no teatro.

Noelle raciocinou depressa.

— Precisarei ir para casa primeiro, trocar de roupa. Pode me apanhar em meu apartamento?

— Como você quiser, minha *liebchen*. Até sábado à noite.

Quinze minutos depois, Noelle estava falando com o *concierge*. Ele a ouviu, abanando a cabeça violentamente em sinal de protesto.

— Não, não, não! Vou informar nosso amigo, *mademoiselle*, mas ele não aceitará. Seria um louco se o fizesse! Seria o mesmo que mandá-lo mesmo procurar emprego no quartel-general da Gestapo.

— Não pode falhar — assegurou Noelle. — Foi ideia do melhor cérebro da França.

Ao sair da portaria de seu prédio naquela tarde, ela viu um homem calmamente encostado no muro, fingindo estar imerso num jornal. Quando Noelle mergulhou no ar penetrante do inverno, o homem se endireitou e começou a segui-la, mantendo uma distância discreta. Noelle perambulou lenta e calmamente pelas ruas, parando para olhar todas as vitrines.

Cinco minutos após Noelle ter deixado o prédio, o *concierge* saiu, deu uma olhada em volta para se assegurar de que não era observado, chamou um táxi e deu o endereço de uma loja de artigos esportivos, em Montmartre.

Duas horas depois, o *concierge* informava Noelle:

— Ele lhe será entregue no sábado à noite.

NA NOITE DE SÁBADO, ao terminar seu espetáculo, Noelle encontrou o coronel Kurt Mueller a sua espera nos bastidores. Um *frisson* de apreensão a percorreu. O plano de fuga fora elaborado até o mínimo segundo e não havia lugar para atrasos.

— Assisti ao seu trabalho lá da frente, Fräulein Page — disse o Coronel Mueller. — Você está cada vez melhor.

O som daquela voz suave e aguda recordou-lhe nitidamente o sonho.

— Obrigada, coronel. Se me dá licença, preciso trocar de roupa.

Noelle se encaminhou para o camarim e ele se pôs a seu lado.

— Irei com você — disse.

Ela entrou no camarim, com o albino careca logo atrás. Ele se instalou confortavelmente numa poltrona. Noelle hesitou por um momento e então começou a se despir, enquanto ele observava com indiferença. Ela sabia que ele era homossexual, o que a privava de uma valiosa arma — sua sensualidade.

— Um passarinho cochichou algo em meu ouvido — disse o coronel Mueller. — Ele vai tentar escapar esta noite.

O coração de Noelle deu um salto, mas seu rosto nada revelou. Começou a remover a maquiagem, lutando para ganhar tempo.

— Quem vai tentar escapar esta noite?

— Seu amigo, Israel Katz.

Ela se virou bruscamente e o movimento a fez notar de repente o fato de ter tirado o sutiã.

— Eu não conheço nenhum... — Percebeu o rápido brilho de triunfo nos olhos rosados e adivinhou a armadilha em cima da hora. — Espere — disse. — Refere-se a um jovem interno?

— Ah, então você se lembra dele!

— Vagamente. Tratou de mim quando tive pneumonia, há algum tempo.

— E quando a senhorita autoinduziu um aborto — disse o coronel Mueller naquela voz suave e aguda.

O medo tornou a invadi-la. A Gestapo não teria tido tanto trabalho se não tivesse certeza de que ela estava envolvida. Era uma idiota por ter-se metido naquela situação, mas agora, ao pensar no assunto, sabia que era tarde demais para desistir. A engrenagem já havia sido acionada e dentro de poucas horas Israel Katz estaria livre... ou morto. E ela? O coronel dizia:

— Você disse que a última vez que viu Katz foi no café, há algumas semanas.

Noelle abanou a cabeça:

— Eu não disse isso, coronel.

O coronel Mueller olhou fixamente para os olhos dela, depois deixou sua vista descer, insolente, até os seios nus, percorrer a barriga, até a calça. Em seguida, tornou a encará-la nos olhos, suspirou e disse suavemente:

— Eu amo as coisas belas. Seria vergonhoso permitir que uma beleza como a sua fosse destruída. E tudo por um homem que nada significa para você. Como é que seu amigo está planejando fugir, *fräulein*?

Havia uma tranquilidade na voz dele que lhe deu calafrios pela espinha e ela se tornou Anette, a inocente e indefesa personagem que representava na peça.

— Realmente não sei do que está falando, coronel. Gostaria de ajudá-lo, mas não sei como.

O coronel Mueller contemplou-a durante um longo tempo e então se levantou, rígido.

— Vou lhe ensinar como, *fräulein* — prometeu —, e vou gostar muito de fazê-lo.

Virou-se da porta, para desferir um tiro de despedida:

— Aconselhei o general Scheider a não sair da cidade em sua companhia neste fim de semana.

Noelle sentiu seu coração afundar. Era tarde demais para avisar a Israel Katz.

— Os coronéis costumam interferir na vida particular dos generais?

— Neste caso não — disse o coronel com pena. — O general Scheider pretende manter o encontro.

Virou-se e partiu, enquanto Noelle ficou imóvel, o coração disparado. Olhou para o relógio na penteadeira e começou a se vestir apressadamente.

Às 23h:45, O *CONCIERGE* telefonou para Noelle, anunciando que o general Scheider estava subindo para seu apartamento. A voz dele tremia.

— O chofer ficou no carro? — perguntou Noelle.

— Não, *mademoiselle* — respondeu o *concierge* cautelosamente. — Ele está subindo com o general.

— Obrigada.

Noelle desligou e correu ao quarto para conferir uma vez mais sua bagagem. Não poderia haver erro algum. A campainha soou, ela se dirigiu para a sala e abriu.

O general Scheider estava de pé no corredor com seu chofer, um jovem capitão, logo atrás. À paisana, o general estava elegantíssimo num terno cinza-grafite perfeitamente talhado, com camisa azul-pálido e gravata preta.

— Boa-noite — disse ele num tom formal.

Entrou e fez sinal para o chofer:

— Minhas malas estão no quarto — disse Noelle indicando a porta.

— Obrigado, *fräulein* — respondeu o capitão, dirigindo-se para o quarto.

O general aproximou-se de Noelle, tomando-lhe as mãos.

— Sabe o que estive pensando o dia inteiro? — perguntou. — Que você talvez não estivesse aqui, que poderia ter mudado de ideia. Cada vez que o telefone tocava, eu receava isso.

— Eu cumpro minhas promessas — disse Noelle.

Observou o capitão saindo do quarto com a frasqueira de maquiagem e a maleta.

— Há mais alguma coisa? — perguntou ele.

— Não — disse Noelle. — Isso é tudo.

O capitão saiu do apartamento levando as valises.

— Pronta? — perguntou o general Scheider.

— Vamos tomar um drinque antes de ir — disse Noelle rapidamente.

Encaminhou-se para o bar, onde uma garrafa de champanhe descansava no balde de gelo.

— Deixe-me preparar.

Ele se aproximou da geleira e abriu a garrafa.

— A que vamos beber? — perguntou.

— A Etratat.

Ele a considerou por um momento e disse:

— A Etratat.

Tocaram os cálices num brinde e beberam. Ao baixar o braço, Noelle olhou disfarçadamente para seu relógio de pulso. O general Scheider estava falando com ela mas Noelle mal escutava as palavras. Em sua mente, visualizava o que estava acontecendo lá embaixo. Precisava ter muito cuidado, pois, se agisse muito depressa ou muito devagar, seria fatal. Para todos.

— Em que está pensando? — perguntou o general.

Ela se virou depressa.

— Em nada.

— Você não estava me ouvindo.

— Desculpe-me. Creio que estava pensando em nós.

Voltou-se para ele, dando um rápido sorriso.

— Você me deixa desconcertado — disse ele.

— Não são todas as mulheres desconcertantes?

— Não como você. Nunca pensei que fosse caprichosa e, no entanto — fez um gesto —, primeiro não queria me ver de jeito nenhum e agora, de repente, estamos a caminho de um fim de semana no campo.

— Está arrependido, Hans?

— Claro que não. Mas ainda me pergunto por que no campo?

— Eu lhe disse.

— Sim — falou o general Scheider. — É mais romântico. Mas aí está outra coisa que me intriga. Creio que você é uma realista, não uma romântica.

— O que está tentando dizer? — perguntou Noelle.

— Nada — replicou o general com naturalidade. — Estou apenas pensando alto. Gosto de resolver quebra-cabeças, Noelle. Com o tempo, resolverei você.

Ela deu de ombros:

— Quando descobrir a solução, o jogo poderá perder o interesse.

— Veremos. — Ele largou o copo. — Podemos ir?

Noelle pegou as taças de champanhe vazias e disse:

— Deixe-me só botar isso na pia.

O general Scheider observou-a entrar na cozinha. Noelle era uma das mulheres mais lindas e desejáveis que já vira e ele pretendia possuí-la. Aquilo, porém, não significava que fosse estúpido nem cego. Ela queria alguma coisa e ele estava decidido a descobrir o que era. O coronel Mueller o alertara de que Noelle provavelmente estaria ajudando um perigoso inimigo do Reich, e o coronel Mueller não costumava-se enganar. Caso tivesse razão,

Noelle Page na certa estaria contando com o general Scheider para protegê-la de algum modo. Se aquilo fosse verdade, ela nada sabia sobre a mentalidade militar alemã e menos ainda sobre ele próprio. Ele a entregaria à Gestapo sem qualquer escrúpulo, mas primeiro teria o seu prazer. Estava ansioso por aquele fim de semana.

Noelle saiu da cozinha com uma expressão preocupada no rosto.

— Quantas malas seu chofer levou para baixo? — perguntou.

— Duas — respondeu ele. — Uma maleta e uma frasqueira de maquiagem.

Ela pareceu consternada.

— Oh, céus, Hans, sinto muito. Ele esqueceu a outra valise. Incomoda-se?

Ele observou enquanto Noelle se dirigia ao telefone e falava:

— Quer, por favor, pedir ao chofer do general Scheider para tornar a subir? Há outra mala para levar.

Pôs o fone no gancho e disse, sorrindo:

— Sei que passaremos apenas o fim de semana, mas quero agradá-lo.

— Se quer me agradar — disse o general Scheider —, não precisará de muitas roupas.

Olhou de relance para uma foto de Armand Gautier sobre o piano.

— Herr Gautier sabe que você vai para fora comigo?

— Sim — mentiu Noelle.

Armand estava em Nice, onde fora discutir com um produtor acerca de um filme, e ela não vira razão para alarmá-lo contando sobre seus planos. A campainha tocou. Noelle se dirigiu para a porta, abriu-a e deu com o capitão.

— Parece que há outra mala? — perguntou ele.

— Sim — desculpou-se Noelle. — Está no quarto.

O capitão assentiu, dirigindo-se para lá.

— Quando precisa voltar a Paris? — perguntou o general Scheider.

Noelle voltou-se para ele.

— Gostaria de ficar tanto quanto pudesse. Regressaremos no fim da tarde de segunda-feira: assim teremos dois dias.

O capitão saiu do quarto.

— Com licença, *fräulein*. Que aspecto tem a maleta?

— É uma grande valise redonda e azul — disse ela. E, voltando-se para o general: — Tem uma camisola nova que ainda não usei. Guardei-a para você.

Agora estava dizendo tolices, tentando disfarçar seu nervosismo. O capitão voltara ao quarto e, poucos momentos depois, reaparecia.

— Lamento — disse. — Não consigo encontrá-la.

— Deixe-me ver — falou Noelle.

Entrou no quarto, pondo-se a revistar os armários.

— A idiota da empregada deve tê-la escondido em algum lugar — disse ela.

Os três procuraram em todos os armários do apartamento e foi o general quem finalmente encontrou a maleta no armário do hall. Levantou-a, dizendo:

— Parece estar vazia.

Noelle correu a abrir a mala, olhando para dentro.

— Oh, aquela idiota! — disse. — Deve ter espremido aquela linda camisola nova na maleta, junto com as outras roupas. Espero que não a tenha estragado — deu um suspiro de exasperação.

— Vocês também têm esses problemas com as empregadas na Alemanha?

— Acho que é o mesmo em toda parte — replicou o general Scheider.

Ele a observava atentamente; Noelle estava agindo de maneira estranha, falando demais, e percebeu o olhar dele.

— Você me faz sentir como uma colegial — disse ela. — Há muito tempo não me sinto tão nervosa assim.

O general Scheider sorriu. Então era isso. Ou estaria ela fazendo alguma brincadeira? Se estivesse, não tardaria a descobrir. Olhou para o relógio.

— Se não sairmos agora chegaremos lá muito tarde.

— Estou pronta — disse Noelle.

Rezou para que os outros também estivessem.

Quando chegaram ao saguão, o *concierge* estava lá, de pé, o rosto branco feito giz. Noelle olhou-o à espera de algum sinal, um gesto, mas, antes que ele pudesse responder, o general pegou-a pelo braço e a conduziu para a porta.

A limusine do general Scheider estava estacionada bem em frente à porta, com o porta-malas fechado. Não havia ninguém na rua. O chofer adiantou-se para abrir a porta traseira do carro e Noelle se virou, tentando ver o *concierge* dentro do hall, mas o general passou à sua frente, tapando-lhe a visão. Deliberadamente? Noelle deu uma olhada para o porta-malas do carro, mas não pôde chegar a conclusão alguma. Levaria horas para saber se seu plano dera certo, e o suspense ia ser insuportável.

— Você está bem?

O general Scheider estava olhando para ela, que teve a impressão de que algo saíra tremendamente errado. Precisava encontrar uma desculpa para voltar ao saguão, para estar a sós com o *concierge* durante alguns segundos. Forçou um sorriso:

— Acabo de me lembrar — disse. — Uma amiga virá a minha procura. Preciso deixar um recado...

O general apertou-lhe o braço.

— Tarde demais — disse sorrindo. — A partir deste momento, você deve pensar apenas em mim.

Ajudou-a a entrar no carro, e um momento depois estavam a caminho.

CINCO MINUTOS DEPOIS de a limusine do general Scheider ter arrancado da porta do prédio, um Mercedes preto parou, com um rangido de freios, no mesmo lugar, e o coronel Mueller, com mais dois homens da Gestapo, saltou apressadamente. O coronel olhou imediatamente ao longo da rua. "Já foram", disse. Os homens correram para o saguão do edifício e tocaram a campainha do *concierge*. A porta se abriu e ele apareceu, com uma expressão perplexa no rosto.

— O que...

O coronel Mueller empurrou-o para dentro de seu pequeno apartamento.

— *Fräulein* Page! — disse bruscamente. — Onde está ela?

O *concierge* olhava-o, em pânico.

— Ela... saiu — disse.

— Eu sei disso, seu idiota! Perguntei-lhe para onde foi!

O *concierge* abanou a cabeça, desesperadamente.

— Não faço ideia, *monsieur*. Só sei que saiu com um oficial do Exército.

— Não lhe disse onde poderia ser encontrada?

— Não... não, *monsieur*... A Srta. Page não me faz confidências.

O coronel Mueller olhou furioso para o velho durante um momento e então girou nos calcanhares.

— Não podem estar longe — disse a seus homens. — Entrem em contato com todas as barreiras das estradas, o mais rápido que puderem. Digam-lhes que, quando o carro do general Scheider chegar, quero que o detenham e que me chamem imediatamente!

Devido à hora, o tráfego militar era pouco intenso, o que significava que praticamente não havia tráfego. O carro do general Scheider dobrou na Rodovia Ocidental, que conduzia para fora de Paris, passando por Versalhes. Atravessaram Mantes, Vernon e Gaillon, de modo que em 25 minutos estavam próximo ao entroncamento principal, de onde partiam as estradas para Vichy, Havre e Cote d'Azur.

Noelle tinha a impressão de que o milagre acontecera. Estavam saindo de Paris sem ser detidos. Deveria saber que os alemães, mesmo com toda a sua eficiência, não seriam capazes de controlar todas as rodovias que deixavam Paris. Mas no momento exato em que pensava isso, da escuridão à sua frente assomou uma barreira. Luzes vermelhas flamejantes piscavam no meio da estrada e, atrás delas, um caminhão militar alemão bloqueava a rodovia. Num dos lados da estrada viam-se meia dúzia de soldados alemães e dois carros da polícia francesa. Um tenente do Exército alemão fez sinal para que a limusine parasse e, quando o carro freou, aproximou-se do motorista.

— Desça e mostre sua identificação!

O general Scheider abriu a janela traseira, pôs a cabeça para fora e disse asperamente:

— General Scheider. O que diabos está acontecendo aqui?

O tenente perfilou-se:

— Perdoe-me, general. Não sabia que era o seu carro.

Os olhos do general percorreram a barreira.

— Por que tudo isso?

— Temos ordens de inspecionar todos os veículos que deixam Paris, *Herr* general. Todas as saídas da cidade estão bloqueadas.

O general se voltou para Noelle:

— A maldita Gestapo. Sinto muito, *liebchen.*

Noelle sentiu que o sangue lhe fugia do rosto e deu graças pela escuridão dentro do carro. Ao falar, sua voz estava firme:

— Não faz mal — disse.

Pensou na carga que ia no porta-malas. Se seu plano tivesse dado certo, Israel Katz estaria lá dentro e num momento seria apanhado. E ela também.

O tenente alemão dirigiu-se ao chofer:

— Abra o compartimento de bagagens, por favor.

— Não há nada lá senão bagagens — protestou o capitão. — Eu mesmo as coloquei.

— Sinto muito, capitão. Minhas ordens são claras. Todo veículo vindo de Paris deve ser revistado. Abra.

Resmungando em voz baixa, o motorista abriu sua porta e começou a sair do carro. Noelle estava raciocinando com uma rapidez incrível. Precisava encontrar um meio de detê-los sem levantar suspeitas. O motorista saltara do carro e o tempo se escoava. Ela deu uma rápida olhada para o rosto do general Scheider, vendo que seus olhos estavam apertados e os lábios, crispados de raiva. Voltou-se para ele e disse, inocentemente:

— Devemos saltar, Hans? Eles vão nos revistar?

Sentiu o corpo dele tenso de fúria.

— Espere!

A voz do general lembrou o estalido de um chicote.

— Volte para o carro — ordenou a seu motorista.

Virou-se para o tenente, num tom cheio de raiva:

— Diga para quem quer que lhe tenha dado suas ordens que elas não se aplicam a generais do Exército alemão. Não recebo ordens de tenentes. Tire aquela barreira do meu caminho.

O infeliz tenente olhou para o rosto furioso do general, perfilou-se e disse:

— Sim, general Scheider.

Fez sinal ao motorista do caminhão que bloqueava a estrada e o veículo se afastou pesadamente para um lado.

— Vá em frente — ordenou o general Scheider.

E o carro correu para dentro da noite.

Lentamente, Noelle deixou seu corpo relaxar no assento, sentindo a tensão se escoar. A crise passara. Gostaria de saber se Israel Katz estava ou não no porta-malas. E se estava vivo.

O general voltou-se para ela. Sentiu que a raiva ainda fervia dentro dele.

— Peço desculpas — disse, num tom cansado. — Esta é uma guerra estranha. Às vezes é necessário lembrar à Gestapo que as guerras são comandadas por exércitos.

Noelle sorriu e passou o braço no dele.

— E exércitos são comandados por generais.

— Exatamente — concordou ele. — Exércitos são comandados por generais. Serei forçado a dar uma lição ao coronel Mueller.

Dez minutos depois de deixarem a barreira, chegou um telefonema do quartel-general da Gestapo alertando-os para que ficassem de olho no carro do general Scheider.

— Já atravessou — informou o tenente, sentindo-se invadido por um mau pressentimento.

Um momento depois, ele estava falando com o coronel Mueller.

— Há quanto tempo?

— Dez minutos.

— Você revistou o carro?

O tenente sentiu um frio no estômago.

— Não, senhor. O general não permitiu...

— *Scheiss!* Em que direção seguiu?

O tenente engoliu em seco e, quando tornou a falar, foi com a voz de um homem consciente de que não tinha mais futuro.

— Não sei ao certo — respondeu. — É um cruzamento grande. Ele pode ter ido para o interior, para Rouen ou para o litoral em direção ao Havre.

— Quero que você se apresente amanhã às 9 horas no quartel-general da Gestapo. Em meu escritório.

— Sim, senhor — respondeu o tenente.

O coronel Mueller desligou, furioso. Virou-se para os dois homens que o acompanhavam e disse:

— O Havre. Peguem um carro. Vamos caçar baratas!

A estrada para o Havre serpenteia ao longo do Sena, através do belo vale do mesmo nome, com suas colinas esplêndidas e férteis fazendas. Era uma noite clara, estrelada, e as fazendas ao longe pareciam poças de luz, como oásis na escuridão.

No confortável banco traseiro da limusine, Noelle e o general Scheider conversavam. Ele lhe falou da esposa, do filho e de como era difícil o casamento para um oficial do Exército. Noelle ouviu com simpatia e lhe falou sobre as dificuldades que envolviam a vida romântica para uma atriz. Ambos tinham consciência de que a conversa era um jogo, ambos mantendo o diálogo num nível superficial, sem que nada íntimo transparecesse. Noelle nem por um momento subestimou a inteligência do homem sentado a seu lado e compreendia perfeitamente como era perigosa a aventura na qual se envolvera. Sabia que o general Scheider era esperto demais para acreditar que ela de repente o achara irresistível, sabia que devia estar suspeitando de que ela queria alguma coisa. Mas Noelle contava com sua própria habilidade para manobrar melhor do que ele o jogo que estavam disputando.

O general falou muito pouco sobre a guerra, mas disse algo que ela iria recordar muito tempo depois.

— Os britânicos são uma raça estranha — disse ele. — Em tempo de paz, são impossíveis de se lidar, mas em crise são magníficos. Um marinheiro inglês só é verdadeiramente feliz quando seu navio está afundando.

Chegaram ao Havre de madrugada, em seu caminho para a aldeia de Etratat.

— Podemos parar para comer alguma coisa? — perguntou Noelle. — Estou faminta.

— É claro, se você quiser — concordou o general e, elevando a voz: — Procure um restaurante que fique aberto a noite toda.

— Estou certa de que há um perto do cais — sugeriu Noelle.

O capitão, obedientemente, virou o carro em direção ao porto. Parou à beira do cais, onde vários cargueiros estavam ancorados. A um quarteirão de distância, via-se um letreiro: "Bistrô". Abriu a porta e Noelle saltou, seguida pelo general.

— Provavelmente fica aberto a noite toda para os trabalhadores das docas — disse ela.

Ouviu o som de um motor e se virou. Um carro-guindaste se aproximara, estacionando próximo à limusine, e dois homens usando sobretudos e longos barretes com viseira, que lhes tapavam o rosto, saltaram do veículo. Um deles olhou bem para Noelle, apanhou uma caixa de ferramentas e começou a mexer no guindaste. Noelle sentiu os músculos do estômago se contraírem, tomou o braço do general e os dois se encaminharam para o restaurante. Ela olhou para trás, para o chofer sentado ao volante.

— Será que ele não gostaria de tomar um café? — perguntou ela.

— Ele vai ficar no carro — disse o general.

Noelle olhou-o. O chofer *não podia* ficar no carro, senão arruinaria tudo. Mas era arriscado insistir.

Caminharam em direção ao café sobre um chão de pedras ásperas e irregulares. De repente, ao dar um passo, Noelle dobrou o tornozelo e caiu, soltando um grito agudo de dor. O general Scheider fez um movimento, tentando em vão segurá-la antes que seu corpo tocasse o chão.

— Você está bem? — perguntou ele.

O chofer, vendo o que acontecera, saiu de trás do volante e começou a correr para eles.

— Sinto muito — disse Noelle. — Eu... eu torci o tornozelo. Parece que o quebrei.

O general Scheider apalpou-lhe o tornozelo, com ar de entendido.

— Não parece grave. Provavelmente foi apenas uma distensão. Acha que pode pisar?

— Eu... não sei — disse Noelle.

O chofer segurou-a e os dois homens puseram-na de pé. Noelle deu um passo e o tornozelo cedeu sob seu peso.

— Sinto muito — gemeu ela. — Se ao menos pudesse me sentar...

— Ajude-me a levá-la para lá — disse o general indicando o café.

Entraram no restaurante, os dois homens amparando Noelle que, ao transpor a porta, arriscou uma olhada para o carro lá atrás. Os dois trabalhadores das docas estavam junto à mala da limusine.

— Tem certeza de que não quer ir direto a Etratat?

— Não, acredite, vou melhorar — respondeu Noelle.

O proprietário conduziu-os a uma mesa de canto, onde os dois homens colocaram Noelle numa cadeira.

— Está sentindo muita dor? — perguntou o general.

— Um pouco — replicou ela, segurando-lhe a mão. — Não se preocupe, não permitirei que isto estrague qualquer de seus planos, Hans.

ENQUANTO NOELLE e o general Hans Scheider estavam sentados no restaurante, o coronel Mueller e dois de seus homens transpunham às pressas os limites da cidade do Havre. O chefe de polícia local fora acordado e estava esperando os homens da Gestapo em frente à delegacia.

— O carro do general foi localizado por um gendarme — disse ele. — Está estacionado na beira do cais.

Um brilho de satisfação iluminou o rosto do coronel Mueller.

— Leve-me até lá — ordenou.

Cinco minutos depois, o automóvel da Gestapo com o coronel Mueller, seus dois homens e o chefe de polícia freava junto ao carro do general Scheider. Os homens desceram e cercaram a limusine. No mesmo instante o general, Noelle e o motorista saíam do bistrô. O chofer foi o primeiro a notar os homens junto ao carro e correu na direção deles.

— O que está acontecendo? — perguntou Noelle e, ao falar, reconheceu o vulto do coronel Mueller a distância, sentindo um arrepio gelado percorrê-la.

— Não sei — disse o general Scheider, avançando a passos largos para a limusine, com Noelle mancando atrás dele.

— O que está fazendo aqui? — perguntou a Mueller ao chegar junto ao carro.

— Lamento perturbar seu fim de semana — replicou o coronel asperamente. — Gostaria de revistar a mala de seu carro, general.

— Lá não há outra coisa senão bagagem.

Noelle aproximara-se do grupo, notando que o carro-guindaste havia desaparecido. O general e o homem da Gestapo encaravam-se furiosamente.

— Devo insistir, general. Tenho razões para crer que um inimigo procurado pelo Terceiro Reich está escondido lá e que sua acompanhante é cúmplice.

O general Scheider olhou-o por um longo instante e então se virou para Noelle, observando-a.

— Não sei do que ele está falando — disse ela com firmeza.

Os olhos do general deslizaram até o tornozelo dela, enquanto ele tomava a decisão e dizia, dirigindo-se a seu chofer:

— Abra.

— Sim, general.

Todos os olhos se cravaram na mala do carro, enquanto o motorista pegava a maçaneta, girando-a. Noelle de repente se sentiu tonta. Lentamente, a tampa se abriu.

O porta-malas estava vazio.

— Roubaram nossa bagagem! — exclamou o chofer.

O rosto do coronel Mueller estava rubro de fúria.

— Ele escapou!

— Quem escapou? — perguntou o general.

— Le Cafard — disse o outro com raiva. — Um judeu chamado Israel Katz. Foi contrabandeado para fora de Paris na mala deste carro.

— Isto é impossível — retorquiu o general Scheider. — Esta mala estava firmemente fechada. Ele teria sufocado.

O coronel Mueller examinou a mala do carro por um momento e então se dirigiu a um de seus homens:

— Entre aí.

— Sim, coronel.

Obedientemente, o homem se encolheu dentro do porta-malas e o Coronel a fechou, batendo-a com força, consultando em seguida seu relógio. Durante quatro minutos, ficaram todos lá, em silêncio, cada um ocupado com seus próprios pensamentos. Ao final do que pareceu a Noelle uma eternidade, o coronel Mueller abriu a mala. O homem estava inconsciente lá dentro. O general Scheider virou-se para o coronel, uma expressão de desprezo em seu rosto:

— Se havia alguém viajando aqui — declarou —, removeram seu cadáver. Há algo mais que eu possa fazer pelo senhor, coronel?

O oficial da Gestapo abanou a cabeça, fervendo de raiva e frustração. O general Scheider virou-se para seu chofer:

— Vamos embora.

Ajudou Noelle a entrar no carro e partiram para Etratat, o grupo de homens desaparecendo aos poucos na distância.

O coronel Mueller ordenou imediatamente uma busca pelo cais, mais foi apenas no fim da tarde seguinte que encontraram um tubo vazio de oxigênio dentro de um barril, no canto de um armazém abandonado. Um cargueiro africano havia zarpado do Havre para a Cidade do Cabo na noite anterior, e agora se encontrava num ponto qualquer do oceano. A bagagem desaparecida foi dar, alguns dias depois, no departamento de achados e perdidos da Gare du Nord, em Paris.

Quanto a Noelle e ao general Scheider, passaram o fim de semana em Etratat e voltaram a Paris no fim da tarde de segunda-feira, a tempo de Noelle fazer sua apresentação daquela noite.

Catherine

Washington: 1941-1944

9

CATHERINE DEIXARA O EMPREGO com William Fraser na manhã seguinte ao seu casamento com Larry. Fraser convidou-a para almoçar no dia em que ela voltou a Washington. Ele parecia cansado, abatido e subitamente envelhecido, o que fizera Catherine sentir uma pontada de compaixão mas apenas isso. Achava-se sentada diante de um estranho alto, simpático, pelo qual tinha afeição, mas agora parecia impossível imaginar que algum dia tivesse considerado a ideia de se casar com ele. Fraser deu-lhe um pálido sorriso:

— Com que então você é uma senhora casada — disse.

— A senhora mais casada do mundo.

— Deve ter acontecido muito de repente. Eu... eu gostaria de ter tido chance de competir.

— Nem *eu* mesma tive chance — disse Catherine com franqueza. — Simplesmente aconteceu.

— Larry é um sujeito e tanto.

— É.

— Catherine — Fraser hesitou—, você de fato não sabe muita coisa sobre Larry, não é?

Catherine sentiu suas costas se retesarem.

— Sei que o amo, Bill — disse calmamente. — E sei que ele me ama. É um começo bastante bom, não é?

Ele franziu as sobrancelhas, em silêncio, discutindo consigo mesmo.

— Catherine...

— Sim?

— Tenha cuidado.

— Com o quê? — perguntou ela.

Fraser falou devagar, tateando seu caminho cuidadosamente, num campo minado de palavras.

— Larry é... diferente.

— Como? — perguntou Catherine, recusando-se a ajudar.

— Quero dizer, ele não é como a maioria dos homens. — Notou a expressão do rosto dela. — Ora, diabos! Não dê atenção ao que eu disse. — Forçou um breve sorriso. — Você provavelmente leu minha biografia, escrita por Esopo. A raposa e as uvas verdes.

Catherine pegou-lhe a mão carinhosamente.

— Nunca esquecerei você, Bill. Espero que possamos continuar amigos.

— Também espero — disse Fraser. — Está certa de que não quer continuar no escritório?

— Larry quer que eu saia. Ele é antiquado, acha que os maridos devem sustentar as esposas.

— Se você mudar de ideia algum dia, avise-me.

Durante o resto do almoço falaram sobre assuntos de trabalho e discutiram sobre quem ocuparia o lugar de Catherine. Ela sabia que iria sentir muita falta de Bill Fraser. Acreditava que o primeiro homem a seduzir uma garota sempre ocuparia um lugar especial em sua vida, mas Bill significara para ela algo mais além disso.

Era um homem encantador e um bom amigo. Catherine ficara perturbada com sua atitude a respeito de Larry. Parecia que ele tivera vontade de preveni-la sobre alguma coisa, mas parara por medo de estragar sua felicidade. Ou seria mesmo o que ele dissera, apenas um caso de uvas verdes? Bill Fraser não era homem mesquinho nem ciumento, e certamente desejaria que ela fosse feliz. Mas, ao mesmo tempo, Catherine tinha certeza de que ele tentara dizer-lhe algo. Em algum lugar de seu subconsciente havia um vago pressentimento, mas, uma hora depois, ao encontrar Larry e vê-lo sorrir para ela, esqueceu-se de tudo menos do enlevo de estar casada com aquela criatura incrível e cheia de vida.

ERA MAIS DIVERTIDO estar com Larry do que com qualquer outra pessoa que Catherine jamais conhecera. Cada dia era uma aventura, uma festa. Iam para o campo todo fim de semana, hospedavam-se em pequenas estalagens e exploravam as feiras locais. Foram a Lake Placid e andaram no enorme tobogã; foram a Montauk, onde passearam de barco e pescaram. Catherine tinha pavor da água, porque não sabia nadar, mas Larry lhe dizia para não se preocupar e a seu lado ela se sentia segura.

Ele era carinhoso, atencioso e dava a impressão de ser absolutamente inconsciente da atração que exercia sobre as outras mulheres. Catherine parecia ser tudo o que ele queria. Durante a lua de mel, Larry encontrara num antiquário um pequeno pássaro de prata do qual Catherine gostara tanto que ele depois lhe dera um outro, de cristal, iniciando assim uma coleção. Numa noite de sábado, foram a Maryland comemorar seu terceiro mês de casamento e jantaram no mesmo restaurantezinho.

No dia seguinte, 7 de dezembro, Pearl Harbor foi atacado pelos japoneses.

A DECLARAÇÃO DE guerra dos Estados Unidos ao Japão veio às 13h32 do dia seguinte, menos de 24 horas depois do ataque japonês.

Na segunda-feira, enquanto Larry se encontrava na base aérea de Andrews, Catherine, não aguentando mais ficar sozinha no apartamento, tomou um táxi até o Capitólio para ver o que estava acontecendo. Grupos de pessoas se aglomeravam em torno de uma dúzia de rádios portáteis espalhados entre a multidão, que se alinhava nas calçadas da Praça do Capitólio. Catherine se encontrava suficientemente perto para ver abrir-se a porta da limusine e saltar o presidente Roosevelt, ajudado por dois auxiliares. Dúzias de policiais estavam a postos em cada esquina, alertas a qualquer confusão. Catherine teve a impressão de que o ânimo do povo era principalmente de revolta, como uma multidão de linchadores ansiosa para entrar em ação.

Cinco minutos depois de o presidente Roosevelt ter entrado no Capitólio, sua voz chegou através do rádio, dirigindo-se à sessão conjunta do Congresso, forte e firme, cheia de indignada determinação.

"Os Estados Unidos recordarão este massacre... O poder do direito vencerá... Obteremos o inevitável triunfo, com a ajuda de Deus."

Tinham-se passado 15 minutos desde a chegada de Roosevelt ao Capitólio quando foi aprovada a Resolução Conjunta 254, declarando guerra ao Japão. Passou quase por unanimidade, não atingida apenas devido ao voto contrário da representante de Montana, Jeanette Rankin, de modo que a contagem final foi de 388 contra 1. O discurso do presidente Roosevelt durara exatamente 10 minutos — a mais curta mensagem de guerra jamais endereçada a um Congresso americano.

A multidão lá fora aclamou a plenos pulmões, num rugido de aprovação, ira e promessa de vingança. Os Estados Unidos estavam a caminho, afinal.

Catherine observou os homens e as mulheres a sua volta. No rosto dos homens havia a mesma expressão de regozijo que ela vira em Larry no dia anterior, como se todos eles pertencessem à mesma sociedade secreta cujos membros considerava a guerra como um esporte excitante. Até as mulheres pareciam contagiadas pelo entusiasmo espontâneo que se alastrava pela multidão. Mas Catherine imaginou como iriam se sentir depois que seus homens partissem e elas ficassem sozinhas à espera de notícias dos maridos e filhos. Lentamente, afastou-se e voltou a pé para o apartamento. Na esquina, viu soldados com baionetas caladas.

Dentro em breve, pensou ela, o país inteiro estará fardado.

Aconteceu ainda mais depressa do que Catherine previra. Quase que da noite para o dia Washington se transformou num mundo de um exército em cáqui.

A atmosfera estava carregada de entusiasmo, elétrico e contagiante. Era como se a paz fosse um estado de letargia, um miasma que enchia de tédio a humanidade e somente a guerra fosse capaz de estimular o homem a viver plenamente a vida.

Larry estava passando de 16 a 18 horas por dia na base aérea e frequentemente ficava toda a noite. Disse a Catherine que a situação em Pearl Harbor e Hickam Field era muito pior do que o povo fora levado a crer. O ataque de surpresa obtivera um sucesso devastador e, para falar às claras, a Marinha americana e boa parte da Força Aérea haviam sido destruídas.

— Você está insinuando que poderemos perder esta guerra? — perguntou Catherine, chocada.

Larry olhou-a pensativo.

— Depende da rapidez com que nos aprontarmos — replicou. — Todo mundo pensa que os japoneses são uns homenzinhos engraçados, de vista fraca. Isto é besteira. Eles são duros e não têm medo de morrer. Nós somos moles.

NOS MESES QUE se seguiram, pareceu que nada poderia deter os japoneses. As manchetes diárias alardeavam seus feitos: estavam atacando Wake... enfraquecendo as Filipinas para depois invadi-las... descendo em Guam... em Bornéu... em Hong-Kong. O general Mac Arthur declarou Manilha cidade aberta e as tropas americanas nas Filipinas, presas na armadilha, renderam-se.

Num dia de abril, Larry telefonou da base para Catherine pedindo-lhe que fosse encontrá-lo na cidade para comemorarem.

— Comemorar o quê? — perguntou ela.

— Você saberá esta noite — replicou Larry, com a voz entusiasmada.

Ao desligar, Catherine se sentiu tomada de um mau pressentimento. Pensou em todas as coisas que Larry poderia estar comemorando, mas sempre voltava à mesma ideia e não acreditava que tivesse forças para enfrentá-la.

Às 5 horas da tarde estava pronta, sentada na cama, com os olhos pregados no espelho do quarto de vestir.

Devo estar enganada, pensava. *Talvez ele tenha sido promovido. É isto que estamos comemorando. Ou ele recebeu boas notícias sobre a guerra.* Repetia a si mesma, mas não conseguia realmente acreditar.

Examinou-se diante do espelho, tentando ser objetiva. Embora não fosse capaz de fazer Ingrid Bergman perder o sono, não deixava de ser atraente, concluiu ela com imparcialidade. Tinha um belo corpo, cheio de curvas provocantes. *Você é inteligente, alegre, educada, bondosa e sexy*, disse a si própria. *Por que razão um macho normal, com sangue nas veias, haveria de estar morrendo de vontade de abandoná-la para poder ir à guerra e ver se conseguia levar um tiro?*

Às sete horas Catherine entrava no salão de jantar do Hotel Willard. Larry ainda não chegara e o *maître* a conduziu a uma mesa. Recusou o drinque que ele ofereceu para, logo em seguida, mudar de ideia nervosamente e pedir um martíni.

Quando o garçom o trouxe e ela segurou o copo, percebeu que suas mãos estavam trêmulas. Levantou os olhos, dando com Larry, que se aproximava abrindo passagem por entre as mesas, respondendo a vários cumprimentos pelo caminho. Trazia consigo aquela incrível vitalidade, aquela aura que obrigava todos os olhares a se virarem em sua direção, e Catherine ficou observando, lembrando-se do dia em que ele fora a sua mesa na cantina da MGM, em Hollywood. Compreendeu como o conhecia pouco naquela época, imaginando se agora poderia dizer que o conhecia bem. Ele chegou à mesa, dando-lhe um rápido beijo na face.

— Desculpe o atraso, Cathy — disse. — A base hoje parecia um verdadeiro hospício.

Sentou-se, cumprimentando o *maître*, chamando-o pelo nome, e pediu um martíni. Se notou que Catherine estava bebendo, não fez qualquer comentário.

Catherine tinha vontade de gritar: *Diga-me qual é a surpresa, diga-me o que estamos comemorando*. Mas nada falou, lembrando-se de um velho ditado húngaro: "Só um idiota apressa as más notícias." Tomou mais um gole de martíni. Bem, talvez não fosse um velho ditado húngaro e sim um novo ditado de Catherine Douglas, destinado a ser usado sobre peles sensíveis a fim de protegê-las. Talvez o martíni a estivesse embriagando um pouco. Se seu pressentimento fosse acertado, antes do fim da noite ela estaria muito embriagada. Mas, ao olhar para Larry agora, para seu rosto cheio de amor, Catherine compreendeu que precisava estar errada. Larry não suportaria deixá-la, tanto quanto ela não suportaria separar-se dele. Estivera criando um pesadelo completamente imaginário. Pela expressão de felicidade no rosto dele, compreendeu que deveria mesmo ter boas notícias para lhe dar.

Larry inclinou-se para ela, sorrindo seu sorriso de garoto, e segurou-lhe a mão.

— Você jamais poderia adivinhar o que aconteceu, Cathy. Vou para o exterior.

Foi como se baixasse uma cortina de névoa, conferindo a tudo uma aparência irreal e diáfana. Larry estava perto dela, seus lábios se moviam, mas seu rosto a todo instante parecia sair de foco e Catherine não conseguia ouvir as palavras. Espiou por cima do ombro dele e viu as paredes do restaurante se moverem, afastarem-se. Ficou olhando, fascinada.

— Catherine! — Larry estava sacudindo-lhe o braço e lentamente seus olhos se focalizaram nele e tudo voltou ao normal. — Você está bem?

Ela balançou a cabeça, engoliu em seco e disse numa voz trêmula:

— Ótima. As boas notícias sempre me deixam assim.

— Você compreende que eu preciso fazer isso, não compreende?

— Sim, compreendo.

A verdade, meu querido, é que eu não compreenderia nem se vivesse um milhão de anos. Mas se lhe dissesse isso, você me odiaria, não é mesmo? Quem quer saber de uma esposa resmungona? As esposas dos heróis deveriam despedir-se sorrindo de seus maridos.

Larry a observava, preocupado.

— Você está chorando.

— Não estou — disse Catherine indignada e, para horror seu, descobriu que estava mesmo. — Eu... eu só preciso me acostumar com a ideia.

— Vão me dar meu próprio esquadrão — disse Larry.

— Vão mesmo?

Catherine tentou infundir orgulho à voz. Seu próprio esquadrão! Quando era pequeno, ele provavelmente tivera seus próprios trenzinhos. E agora, que era um menino grande, ganhara seu próprio esquadrão para brincar. E estes eram brinquedos de verdade, próprios para levar tiros, sangrar e morrer.

— Gostaria de mais um drinque — disse ela.

— É claro.

— Quando... quando deverá partir?

— Não antes do mês que vem.

Falou como se estivesse ansioso para ir embora. Era assustador sentir que a teia de seu casamento estava sendo completamente despedaçada. No palco, um *crooner* cantava: "Uma viagem à Lua com asas de filó..." *Filó*, pensou ela. *É disto que meu casamento é feito: de filó.* Aquele Cole Porter sabia das coisas.

— Teremos muito tempo até eu partir — dizia Larry.

Muito tempo para quê?, imaginou Catherine com amargura. *Muito tempo para construir uma família, para levar nossos filhos para esquiar em Vermont, para envelhecer juntos?*

— O que você gostaria de fazer esta noite? — perguntou.

Eu gostaria de ir até o Hospital Municipal e mandar lhe removerem um dos dedos dos pés. Ou furarem um de seus tímpanos.

Em voz alta, ela disse:

— Vamos para casa fazer amor.

E havia nela uma premência feroz, desesperada.

As quatro semanas seguintes passaram num segundo. Os relógios dispararam como num pesadelo kafkiano, transformando os dias em horas e as horas em minutos até que, inacreditavelmente, chegou o último dia antes de Larry partir. Ele estava feliz, alegre, falando muito, enquanto Catherine se mostrava triste, quieta e miserável. Os últimos momentos transcorreram como um caleidoscópio... Um apressado beijo de despedida... Larry entrando no avião que o levaria para longe... e um derradeiro aceno de adeus. Catherine ficou na pista vendo o avião diminuir até se tornar uma pequenina partícula no céu para finalmente desaparecer. Ficou lá durante uma hora e, quando escureceu, pegou o carro e voltou para a cidade, para seu apartamento vazio.

No primeiro ano depois do ataque a Pearl Harbor, dez grandes batalhas marítimas e aéreas foram levadas a cabo contra os japoneses. Os aliados ganharam apenas três, mas duas destas foram decisivas: Midway e a batalha de Guadalcanal.

Catherine lia palavra por palavra os informes dos jornais sobre as batalhas e depois pedia a William Fraser para lhe fornecer maiores detalhes. Escrevia a Larry diariamente, mas passaram-se oito semanas até que recebesse a primeira carta dele, otimista e cheia de entusiasmo. A carta fora severamente censurada, de modo que Catherine não teve a menor ideia de onde ele estava ou do que fazia. Mas, fosse o que fosse, deu-lhe a impressão de que Larry estava gostando muito e nas horas solitárias da noite ela ficava deitada, quebrando a cabeça com aquilo, tentando imaginar o que existiria em Larry que o levava a responder ao desafio da guerra e da morte. Não que ele tivesse vontade de morrer, pois Catherine jamais conhecera alguém tão cheio de vida e de ânimo, mas talvez aquele fosse simplesmente o reverso da medalha, talvez o que lhe aguçasse tanto o sentido da vida fosse o fato de afiá-lo constantemente contra a morte.

Certa vez ela almoçou com William Fraser. Sabia que ele tentara alistar-se, mas fora informado pela Casa Branca de que seria mais útil se permanecesse em seu posto, fato que o deixara profundamente desapontado. Porém jamais comentara aquilo com Catherine e agora, sentado diante dela à mesa do almoço, perguntava:

— Teve notícias de Larry?

— Recebi uma carta na semana passada.

— O que dizia?

— Bem, segundo a carta, a guerra é uma espécie de jogo de futebol. Perdemos a primeira disputa pela bola, mas agora entrou um time melhor e estamos ganhando terreno.

Ele balançou a cabeça:

— Esse é o Larry.

— Mas não a guerra — disse Catherine calmamente. — Ela não é um jogo de futebol, Bill. Milhões de pessoas vão morrer antes que isto acabe.

— Se você está lá dentro, Catherine — disse ele com delicadeza —, imagino que seja mais fácil pensar na coisa como um jogo de futebol.

Catherine chegara à conclusão de que queria trabalhar. O Exército criara uma divisão feminina chamada WAC* e ela pensou em se alistar, mas achou que poderia ser mais útil se fizesse algo mais do que dirigir carros e atender telefones. Apesar de que, conforme ouvia dizer, as WACs eram bem divertidas. Havia tanta gravidez por lá que corria o boato de que, quando as voluntárias compareciam para o exame de saúde, os médicos lhes marcavam o ventre com um minúsculo carimbo. Elas tentavam ler a inscrição, mas não conseguiam, até que uma delas teve a ideia de usar lente de aumento. As palavras carimbadas eram: "Quando conseguir ler isto a olho nu, apresente-se a mim."

Agora, almoçando com Bill Fraser, Catherine dizia:

— Quero trabalhar. Quero fazer alguma coisa para ajudar.

Ele a considerou por um momento e depois assentiu:

— Talvez eu saiba do trabalho perfeito para você, Catherine. O governo está tentando vender bônus de guerra. Acho que você poderia ajudar a coordenar a coisa.

Duas semanas depois Catherine começou a trabalhar, organizando a venda de bônus por celebridades. A ideia parecera ridiculamente simples, mas sua execução se mostrou ser algo muito diferente. Ela descobriu que os astros e estrelas pareciam crianças, ansiosos e excitados pela possibilidade de colaborar no esforço de guerra, mas difíceis de cumprir suas promessas acerca de datas específicas. Suas agendas precisavam ser alteradas continuamente e muitas vezes a culpa não era deles e sim do fato de que as filmagens atrasavam ou os cronogramas furavam. Catherine acabou vivendo numa ponte entre Washington, Hollywood e Nova York, acostumando-se a viajar em cima da hora, levando apenas a bagagem suficiente para cada percurso. Conheceu dúzias de celebridades.

---

*Women's Auxiliary Corps, ou seja, Corpo Auxiliar Feminino. (*N. do T.*)

— Você realmente conheceu o Cary Grant? — perguntou sua secretária quando ela voltou de uma viagem a Hollywood.

— Almoçamos juntos.

— Ele tem tanto charme quanto dizem?

— Se ele conseguisse empacotá-lo — declarou Catherine — seria o homem mais rico do mundo.

ACONTECEU DE MANEIRA tão gradual que Catherine quase não percebeu. Fora há seis meses, quando Bill Fraser lhe falara sobre um problema que Wallace Turner vinha enfrentando com uma das contas de publicidade que Catherine costumara manobrar. Ela idealizara uma nova campanha, usando um estilo humorístico que deixara o cliente muito satisfeito. Algumas semanas depois, Bill lhe pedira para ajudar em outra conta e, antes que desse pela coisa, Catherine já estava passando mais da metade de seu tempo na agência de publicidade. Ficou encarregada de meia dúzia de contas e todas estavam indo bem. Fraser dera-lhe um alto salário, além de comissão. Ao meio-dia da véspera do Natal, Fraser entrou no escritório. O resto do pessoal já se tinha ido para casa e Catherine estava terminando um trabalho de última hora.

— Está se divertindo? — perguntou ele.

— É um meio de vida — ela sorriu. Em seguida, acrescentou, afetuosamente: — E bastante generoso. Obrigada, Bill.

— Não me agradeça. Você merece cada centavo que ganha. E algo mais. É sobre esse "algo mais" que quero conversar com você. Estou lhe oferecendo sociedade.

Catherine olhou-o surpreendida.

— Sociedade?

— Metade das contas que conseguimos no mês passado deve-se a você.

Ficou olhando para ela pensativo, sem nada mais dizer, e Catherine compreendeu o quanto aquilo significava para ele.

— Você acaba de ganhar uma sócia — disse ela.

O rosto dele se iluminou.

— Não imagina como isso me deixa satisfeito.

Desajeitadamente, estendeu a mão para ela. Catherine abanou a cabeça, passou adiante de seu braço estendido, abraçou-o e lhe deu um beijo no rosto.

— Agora que somos sócios — implicou —, posso beijar você.

Sentiu-o de repente abraçá-la com mais força.

— Cathy — disse ele. — Eu...

Catherine pôs-lhe o dedo sobre os lábios.

— Não diga nada, Bill. Deixemos as coisas como estão.

— Sabe que estou apaixonado por você.

— E eu amo você — disse ela carinhosamente.

Questão de semântica, pensou. A diferença entre "eu amo você" e "estou apaixonado por você" era um abismo intransponível.

Fraser sorriu.

— Não a incomodarei, prometo. Respeito seus sentimentos por Larry.

— Obrigada, Bill — ela hesitou. — Não sei se isto ajuda, mas, se um dia houvesse outro além dele, seria você.

— Ajuda muito — sorriu ele. — Vai me manter acordado a noite inteira.

Noelle

Paris: 1944

10

DURANTE O ANO ANTERIOR, Armand Gautier tinha deixado de tocar no assunto casamento. No começo, ele se sentira numa posição superior à de Noelle; agora, entretanto, a situação quase se invertera: quando davam entrevistas aos jornais, era a Noelle que as perguntas se dirigiam e, aonde quer que fossem juntos, Noelle era a atração, ele o que vinha depois.

Noelle era a amante perfeita. Continuava a fazer tudo para agradar Gautier, a servi-lo e, realmente, a fazer dele um dos homens mais invejados da França. Mas ele não tinha nunca, de fato, um momento de paz, pois sabia que não a tinha nem nunca poderia tê-la; que chegaria um dia em que ela, num impulso, sairia de sua vida da mesma forma como nela havia entrado e, quando se lembrava do que lhe acontecera da outra vez em que ela o havia deixado, Gautier sentia engulhos no estômago. Contra todos os instintos de seu intelecto, sua experiência e seu conhecimento de mulheres, estava violentamente, loucamente apaixonado por Noelle, que era o único fato realmente importante de sua vida. Passava noites sentado na cama, acordado, inventando complicadas surpresas para fazê-la feliz e, quando as realizava, era recompensado com um sorriso, ou um beijo, ou uma noite de amor não solicitada. Quando quer que ela olhasse para outro homem, Gautier se enchia de ciúmes, mas sabia que o melhor era nada dizer. Uma vez, depois de uma festa em que ela passara a noite inteira conversando com um médico famoso, Gautier se enfurecera. Noelle ouviu tudo que ele tinha a dizer e então respondeu com calma: "Se o fato de eu falar com outros homens o incomoda, Armand, tirarei minhas coisas daqui esta noite."

Ele nunca mais tocara no assunto.

No princípio de fevereiro, Noelle começou um salão. No início, eram simples reuniões, aos sábados, de alguns dos amigos do teatro, mas, à medida que se começou a falar delas, rapidamente se expandiram e começaram a incluir políticos, cientistas, escritores — qualquer pessoa que o grupo considerasse interessante ou divertida. Noelle era a dona do salão e uma de suas principais atrações. Todos ficavam ansiosos para conversar com ela, pois suas perguntas eram incisivas e ela sempre tinha respostas. Aprendeu política com políticos e finanças com banqueiros; um grande conhecedor de arte ensinou-lhe arte, e não tardou para que ela conhecesse todos os grandes artistas que viviam na França. Aprendeu sobre vinhos com o provador-chefe do barão de Rothschild e sobre arquitetura com Le Corbusier. Teve os melhores mestres do mundo e, em troca, eles tiveram uma bela e fascinante aluna, dona de uma mente rápida e penetrante, uma ouvinte inteligente.

Armand Gautier tinha a impressão de estar observando uma princesa em consulta com seus ministros, e apenas notou que isso era o mais perto que poderia chegar de compreender a personalidade de Noelle.

À medida que os meses passavam, Gautier começou a se sentir um pouco mais seguro. Parecia-lhe que Noelle havia conhecido todo mundo que poderia ter importância para ela e não demonstrara o menor interesse por ninguém.

Ela ainda não tinha conhecido Constantin Demiris.

CONSTANTIN DEMIRIS era o governante de um império maior e mais poderoso que muitos países. Não tinha qualquer título ou posição oficial, mas com regularidade comprava e vendia primeiros-ministros, cardeais, embaixadores e reis. Era um dos dois ou três homens mais ricos do mundo e seu poder era legendário. Era dono da maior frota de navios cargueiros em circulação, uma companhia aérea, jornais, bancos, usinas de aço, minas de ouro — seus tentáculos se estendiam por toda parte, sorrateiramente enredados por toda a trama da estrutura econômica de dúzias de países. Ele tinha uma das mais importantes coleções de arte do mundo, uma frota de aviões particulares e uma dúzia de apartamentos e *villas* espalhados pelo mundo.

Constantin Demiris tinha altura acima da média, tórax forte e ombros largos. O rosto era moreno, com um grande nariz grego e olhos preto-oliva, que brilhavam com inteligência. Não se interessava por roupas, mas figurava sempre na lista dos homens mais bem-vestidos do mundo e dizia-se que tinha mais de 500 ternos. Mandava fazer roupas onde quer que calhasse estar. Os ternos eram feitos por Hawes and Curtis, em Londres, as camisas, por Brioni, em Roma, os sapatos, por Daliet Grande, em Paris, e suas gravatas provinham de uma dúzia de países.

Demiris tinha uma presença magnética. Quando entrava numa sala, pessoas que não sabiam quem ele era viravam-se para olhá-lo. Jornais e revistas por todo o mundo tinham escrito uma corrente incessante de histórias sobre Constantin Demiris e suas atividades, tanto financeiras como sociais.

A imprensa achava muito interessante citar o que ele dizia. Quando um repórter lhe perguntou se amigos o haviam ajudado a alcançar o sucesso, respondeu: "Para ter sucesso, precisa-se de amigos. Para ter *muito* sucesso, precisa-se de inimigos."

Quando lhe haviam perguntado quantos empregados tinha, Demiris dissera: "Nenhum. Só acólitos. Quando tanto poder e dinheiro estão envolvidos, negócios se transformam em religião e escritórios tornam-se templos."

Fora educado na Igreja Ortodoxa Grega, mas dizia da religião que "mil vezes mais crimes foram cometidos em nome do amor que em nome do ódio".

O mundo sabia que era casado com a herdeira de uma antiga família de banqueiros gregos, que sua mulher era uma senhora graciosa e atraente e que, quando Demiris recebia em seu iate ou na ilha particular, a esposa raramente estava presente. Em vez dela, ele estaria acompanhado por uma bela atriz ou uma bailarina, ou quem quer que lhe tivesse agradado. Suas escapadas românticas eram tão legendárias e coloridas como aventuras financeiras. Tinha levado para a cama dúzias de estrelas de cinema, as mulheres de seus melhores amigos, uma romancista de 15 anos, viúvas de pouco tempo e dizia-se até que certa vez recebera proposta de um grupo de freiras que precisavam de um novo convento.

Meia dúzia de livros tinha sido escrita sobre Demiris, mas nenhum deles jamais tocara a essência do homem ou conseguira revelar a fonte de seu sucesso. Sendo uma das figuras mais notórias do mundo, Constantin Demiris era uma pessoa muito fechada e manipulava sua imagem pública como uma fachada, que escondia seu verdadeiro eu. Tinha dúzias de amigos íntimos das mais diversas profissões e, no entanto, nenhum realmente o conhecia, embora sobre ele os fatos fossem assunto do conhecimento de todos. Começara a vida no Pireu, filho de um estivador, numa família de 14 irmãos e irmãs, onde nunca havia comida suficiente na mesa e, se alguém queria alguma coisa mais, tinha de lutar por ela. Havia alguma coisa em Demiris que constantemente pedia mais, e ele lutava pelo que queria.

Mesmo quando ainda era um garotinho, a cabeça de Demiris convertia tudo automaticamente em números. Sabia o número de degraus do Partenon, quantos minutos levava para andar até a escola, o número de barcos no porto num determinado dia. O tempo era um número dividido em segmentos e Demiris aprendeu a não perdê-lo. O resultado foi que, sem nenhum esforço efetivo, conseguiu realizar um tremendo montante. Seu senso de organização era instintivo, um talento que funcionava de maneira automática, mesmo nas menores coisas que fazia, e tudo se transformou num jogo de realizar seus desejos contra aqueles que o cercavam.

Ao mesmo tempo em que Demiris se dava conta de que era mais inteligente que a maioria dos homens, não demonstrava qualquer vaidade excessiva. Quando uma mulher bonita queria ir para a cama com ele, nem por um instante se vangloriava pensando que fosse por sua aparência ou personalidade, mas nunca permitiu que isso o incomodasse. O mundo era um mercado, e as pessoas, compradoras ou vendedoras. Algumas mulheres, ele sabia, eram atraídas por seu dinheiro, outras, pelo poder, e poucas — na verdade muito poucas — por sua inteligência e imaginação.

Quase todas as pessoas que conhecia queriam alguma coisa dele: donativos para caridade, financiamento para um projeto de negócios ou simplesmente o poder que sua amizade podia conferir. Demiris divertia-se com o desafio de descobrir, com exatidão, aquilo que as pessoas queriam realmente, pois era raro que fosse o que parecia ser. Sua mente analítica era cética em relação à verdade aparente e, em consequência, não acreditava em nada do que ouvia e não confiava em ninguém.

Aos repórteres que lhe faziam a crônica da vida, era permitido ver apenas sua genialidade e encanto, o homem mundano, gentil e sofisticado. Eles nunca suspeitaram de que, sob a superfície, Demiris fosse um matador, um demolidor, que atacava, por instinto, a veia jugular.

Para os gregos antigos a palavra *thekaeossini*, justiça, era muitas vezes sinônimo de *ekthekissis*, vingança, e Demiris era obcecado por ambas. Lembrava-se de todas as afrontas que sofrera, e aqueles que tinham o azar de incorrer em sua inimizade recebiam o troco multiplicado por cem. Jamais chegavam a perceber isso, pois a mente matemática de Demiris fazia da retribuição exata um jogo, preparando com paciência armadilhas elaboradas, tecendo teias complexas que finalmente apanhavam e destruíam suas vítimas.

Quando Demiris tinha 16 anos, entrara em seu primeiro empreendimento de negócios com um homem mais velho chamado Spyros Nicholas. Demiris tivera a ideia de abrir uma pequena barraca nas docas para servir comida quente aos estivadores do turno da noite. Tinha juntado pouco a pouco a metade do dinheiro para o empreendimento, mas, quando este se tornara um sucesso, Nicholas o forçara a sair do negócio, tomando tudo para si. Demiris aceitara a situação sem protestar e fora adiante com outros empreendimentos.

Nos vinte anos seguintes, Spyros Nicholas entrara no negócio de embalagem de carne, tendo-se tornado rico e bem-sucedido. Casara-se, tinha três filhos e era um dos homens mais preeminentes da Grécia. Durante todos aqueles anos, Demiris esperara pacientemente e deixara Nicholas construir seu pequeno império. Quando achou que Nicholas já estava bem-sucedido e feliz como jamais poderia ser, Demiris atacou.

Uma vez que seu negócio estava-se expandindo, Nicholas tinha projetos de comprar fazendas para criar seu próprio gado e abrir uma cadeia de mercados para venda a varejo, o que requeria uma enorme importância em dinheiro. Constantin Demiris era o dono do banco com que Nicholas transacionava; o banco encorajara Nicholas a fazer empréstimos a juros para financiar a expansão, ao que Nicholas não pudera resistir, mergulhando profundamente no negócio. No meio da expansão, seus títulos foram cobrados de repente pelo banco. Quando o homem, perplexo, protestou, dizendo que não poderia quitar a dívida, o banco iniciou imediatamente os procedimentos judiciais para a penhora dos bens. Os jornais de Demiris haviam publicado a história com destaque, nas primeiras páginas, e outros credores haviam dado início a procedimentos judiciais contra Nicholas, que então se dirigira a outros bancos e grandes instituições de crédito, mas estes, por motivos que ele não pudera imaginar, tinham se recusado a auxiliá-lo. No dia seguinte àquele em que tivera falência declarada, Nicholas se suicidara.

O senso de *thekaeossini* de Demiris era uma faca de dois gumes. Assim como nunca perdoava uma injúria, jamais esquecia um favor. Uma taberneira que dera comida e roupa ao rapaz quando este era pobre demais para pagar de repente se via dona de um edifício de apartamentos, sem ter nenhuma ideia de quem era seu benfeitor. A uma moça que havia levado o jovem Demiris sem tostão para viver com ela fora dada anonimamente uma *villa* e uma pensão para o resto da vida. As pessoas que haviam feito negócios com o jovem grego ambicioso há quarenta anos não tinham ideia de como o relacionamento casual com ele lhes afetaria a vida. O dinâmico jovem Demiris tinha precisado da ajuda de banqueiros e advogados, capitães de navios e sindicatos, políticos e financistas. Alguns o haviam encorajado e ajudado, outros o haviam desprezado e roubado. Na cabeça e no coração, o orgulhoso grego guardara uma crônica indelével de cada transação. Sua mulher, Melina, o acusara uma vez de fazer o papel de Deus.

— Todo homem faz o papel de Deus — dissera-lhe Demiris. — Alguns de nós estão mais bem-equipados para o papel que outros.

— Mas é errado destruir a vida de homens.

— Não é errado. É justiça.

— Vingança.

— Algumas vezes é a mesma coisa. A maior parte dos homens escapa impune do mal que pratica. Estou numa posição de fazê-los pagar por isso. Isto é justiça.

Ele sentia prazer nas horas que passava inventando armadilhas para seus adversários. Estudava as vítimas com cuidado, analisando suas personalidades, estimando-lhes as forças e as fraquezas.

Quando Demiris tinha três pequenos cargueiros e precisava de um empréstimo para expandir sua frota, fora a um banqueiro suíço em Basileia. O banqueiro não só não o ajudara como telefonara a outros banqueiros amigos, aconselhando-os a não emprestar nenhum dinheiro ao jovem grego. Demiris conseguira finalmente arranjar o empréstimo na Turquia.

Demiris esperou sua hora e, enquanto isso, descobrira que o calcanhar de aquiles do banqueiro era sua ambição. Demiris estava em negociações com Ibn Saud, da Arábia, para fazer a exploração de poços de petróleo recentemente descobertos, coisa que traria diversas centenas de milhões de dólares para sua companhia. Ele dera instruções a um de seus agentes para deixar chegar ao banqueiro suíço as notícias sobre a transação que ia se realizar. Oferecera ao banqueiro uma participação de 25% na nova companhia se ele aplicasse 5 milhões de dólares em dinheiro na compra de ações. Quando a transação se efetuasse, os 5 milhões de dólares estariam valendo mais de 50. O banqueiro rapidamente procurou verificar a transação e certificou-se de sua autenticidade. Não tendo pessoalmente aquele dinheiro disponível, tranquilamente tomara emprestado do banco sem informar a ninguém, pois não tinha nenhuma vontade de dividir sua fortuna inesperada. A transação ocorreria na semana seguinte, quando ele poderia repor o dinheiro que tirara.

No momento em que Demiris teve em mãos o cheque do banqueiro, anunciou aos jornais que o acordo com a Arábia fora cancelado. As ações caíram. Não houve forma de o banqueiro cobrir seu prejuízo e o desfalque foi descoberto. Demiris comprou as ações do banqueiro por alguns centavos e então foi adiante com a transação do petróleo. As ações subiram. O banqueiro foi condenado, por desfalque, a uma pena de vinte anos de prisão.

Havia alguns participantes no jogo de Demiris com quem ele ainda não acertara as contas, mas não estava com pressa. Gostava da antecipação, do planejamento e da execução. Era como um jogo de xadrez, e ele era um mestre. Ultimamente, não fazia inimigos, pois nenhum homem podia se dar ao luxo de ser seu inimigo. Sua caçada estava limitada àqueles que tinham cruzado seu caminho no passado.

E FOI ESTE, ENTÃO, o homem que apareceu uma tarde no salão de Noelle Page. Ele estava passando algumas horas em Paris, a caminho do Cairo, e uma jovem escultora com quem saía sugerira que fossem até o salão. No momento em que Demiris viu Noelle, soube que a queria.

Posta de lado a própria realeza, inacessível à filha de um peixeiro de Marselha, Constantin Demiris era provavelmente a coisa mais próxima que havia de um rei. Três dias depois de tê-lo conhecido, Noelle abandonou a peça sem avisar, arrumou suas coisas e foi encontrar-se com ele na Grécia.

DADO O DESTAQUE de suas respectivas posições, foi inevitável que a relação entre Noelle Page e Constantin Demiris se tornasse uma *cause célèbre* internacional. Fotógrafos e repórteres tentavam constantemente entrevistar a esposa de Demiris, mas, se a sua serenidade fora perturbada, ela nunca deixou transparecer. O único comentário de Melina Demiris para a imprensa era que seu marido tinha muitas boas amigas pelo mundo e que ela não via nada de mal nisso. Particularmente, ela disse aos pais ultrajados que o marido tivera casos antes e que aquele logo acabaria como todos os outros. Entretanto, Demiris partia em longas viagens de negócios e ela via nos jornais fotografias dele com Noelle em Constantinopla ou Tóquio ou Roma. Melina era uma mulher orgulhosa, mas estava determinada a suportar a humilhação porque amava sinceramente o marido. Aceitava o fato, embora não pudesse compreender a razão, de que alguns homens precisavam de mais de uma mulher e que mesmo um homem apaixonado por sua esposa podia ir para a cama com outra. Ela teria preferido morrer a deixar que outro homem a tocasse, mas nunca reclamava de Constantin, porque sabia que aquilo não serviria para nada, exceto afastá-lo. Levando-se em conta todos os fatores, eles tinham um bom casamento. Ela sabia que não era uma mulher ardente, mas deixava que o marido a usasse na cama quando quisesse e tentava proporcionar-lhe todo o prazer que podia. Se tivesse conhecimento das maneiras como Noelle fazia amor com seu marido, ficaria chocada, e, se tivesse sabido quanto seu marido gostava daquilo, sentir-se-ia miserável.

A maior atração de Noelle para Demiris, para quem mulheres não tinham mais nenhuma surpresa, era que ela era uma surpresa constante. Para ele, que tinha paixão por quebra-cabeças, ela era um enigma à espera de solução. Nunca encontrara alguém assim. Ela aceitava as coisas bonitas que lhe dava, mas continuava feliz da mesma forma quando nada lhe dava. Comprou-lhe uma *villa* luxuosa em Portofino, dominando a maravilhosa baía azul em forma de ferradura, mas sabia que não teria feito diferença alguma se tivesse sido um pequeno apartamento em Plaka, velho bairro de Atenas.

Demiris conhecera em sua vida muitas mulheres que haviam tentado usar o sexo para manipulá-lo de uma forma ou de outra. Noelle nunca lhe pedia nada. Algumas mulheres tinham vindo a ele para dourar-se nos reflexos de sua glória, mas no caso de Noelle era ela quem atraía os jornalistas e fotógrafos. Ela era uma estrela por si só. Durante algum tempo, Demiris brincou com a ideia de que talvez estivesse apaixonada por ele pelo que ele era, mas era honesto demais para manter tal ilusão.

No início, era um desafio tentar alcançar a essência mais profunda de Noelle, subjugá-la e fazê-la sua. Demiris tentara, a princípio, fazê-lo sexualmente, mas, pela primeira vez em sua vida, encontrara uma mulher que era mais que uma parceira para ele e cujos apetites sexuais excediam os seus. Qualquer coisa que pudesse fazer, ela o fazia melhor e com mais frequência e mais perícia, até que afinal aprendeu a relaxar na cama e a ter prazer com ela como nunca tivera antes com nenhuma outra mulher em sua vida. Ela era um fenômeno, sempre revelando novas facetas para que ele as apreciasse. Noelle podia cozinhar tão bem como qualquer dos chefs a quem pagava salários milionários, e sabia tanto de arte como os peritos que mantinha por contratos anuais para procurar quadros e esculturas para ele. Divertia-se ouvindo-os discutir arte com Noelle e com o espanto deles ante a profundidade dos conhecimentos dela.

Demiris tinha recentemente comprado um Rembrandt e Noelle estava em sua ilha de verão quando o quadro chegou. Lá estava também o jovem perito que havia encontrado o quadro para ele.

— É um dos maiores do mestre — dissera o perito enquanto o exibia.

Era uma tela perfeita de uma mãe com a filha. Noelle, sentada numa cadeira, bebendo *ouzo*, observava quieta.

— É uma beleza — concordou Demiris. Virou-se para Noelle. O que você acha?

— É maravilhoso — disse ela. Virou-se para o perito. — Onde o encontrou?

— Eu o descobri com um negociante em Bruxelas — respondeu ele orgulhoso —, e o convenci a vendê-lo para mim.

— Quanto pagou pelo quadro? — perguntou Noelle.

— Duzentas e cinquenta mil libras.

— É uma barganha — declarou Demiris.

Noelle pegou o cigarro e o rapaz correu para acendê-lo.

— Obrigada — disse ela. Olhou para Demiris. — Teria sido mais uma barganha se ele o tivesse comprado do proprietário.

— Não compreendo — disse Demiris.

O perito a olhava com estranheza.

— Se é genuíno — explicou Noelle —, então veio das propriedades do duque de Toledo na Espanha. — Ela se virou para o perito. — Não é verdade? — perguntou.

O rosto dele ficou branco.

— Eu... eu não faço ideia — gaguejou. — O negociante não me disse.

— Ora, deixe disso — censurou Noelle. — Você quer dizer que comprou um quadro por todo esse dinheiro sem procurar saber a procedência? Difícil de acreditar. O quadro foi avaliado em 175 mil libras. Alguém foi trapaceado em 75 mil libras.

E ficou provado que era verdade. O perito e o negociante de arte foram condenados por fraude e mandados para a prisão, e Demiris devolveu o quadro. Pensando no assunto mais tarde, chegou à conclusão de que ficara menos impressionado com o conhecimento de Noelle do que com sua honestidade. Se ela tivesse querido, poderia ter simplesmente chamado o perito de lado, ameaçado chantageá-lo e dividido o dinheiro com ele. Ao contrário, ela o desafiara abertamente na frente de Demiris, sem nenhum motivo oculto. Em sinal de reconhecimento, comprara para ela um caríssimo colar de esmeraldas, que ela aceitou com o mesmo apreço casual com que teria aceitado um simples isqueiro. Demiris insistia em levar Noelle em sua companhia aonde quer que fosse. Não confiava em ninguém nos negócios e por isso era obrigado a tomar todas as decisões sozinho. Descobriu que era útil discutir negócios com Noelle, que tinha um conhecimento surpreendente, e o mero fato de poder falar com alguém às vezes tornava mais fácil tomar uma decisão. Em pouco tempo, Noelle sabia mais sobre os negócios dele que qualquer outra pessoa, com a possível exceção de seus advogados e contadores. No passado, Demiris sempre tivera diversas amantes ao mesmo tempo, mas agora Noelle lhe dava tudo de que precisava e uma por uma as foi abandonando. Elas aceitavam o *congé* sem amargura, pois Demiris era um homem generoso.

Ele tinha um iate de 45 metros de comprimento, com quatro motores Diesel GM. Carregava um avião anfíbio, uma equipagem de 24 pessoas, duas lanchas e tinha uma piscina de água doce. Tinha 12 suítes bem decoradas para hóspedes e um grande apartamento para ele, cheio de quadros e antiguidades.

Quando Demiris recebia no iate, Noelle era a anfitriã. Quando ele voava ou navegava para sua ilha particular, era Noelle quem ia com ele, enquanto Melina ficava em casa. Era cuidadoso para nunca deixar que sua mulher e Noelle se encontrassem, mas sabia, é claro, que a esposa tinha conhecimento de tudo.

Noelle era tratada como uma rainha aonde quer que fosse, mas isso era apenas o que lhe era devido. A garotinha que olhava sua frota de navios pela janela do apartamento sujo em Marselha tinha se mudado para a maior frota particular do mundo, mas não estava impressionada com a riqueza de Demiris nem com sua reputação: impressionava-se com sua inteligência e força. Ele tinha a mente e a vontade de um gigante e fazia outros homens parecerem pusilânimes em comparação. Ela percebia nele a crueldade implacável, mas de alguma forma isto o fazia ainda mais excitante, pois estava nela também.

Noelle recebia constantemente ofertas para estrelar peças e filmes, mas mostrava-se indiferente. Estava desempenhando o papel na história de sua própria vida e isso era mais fascinante que qualquer coisa que um escritor pudesse conceber. Jantava com reis, primeiros-ministros e embaixadores e todos eles a lisonjeavam, pois sabiam que ela era ouvida por Demiris. Faziam insinuações sutis sobre quais eram suas necessidades e lhe prometiam o mundo se ela os ajudasse.

Mas Noelle já tinha o mundo. Deitava-se na cama com Demiris e dizia a ele o que cada homem tinha pedido e, com aquela informação, Demiris estimava suas necessidades, forças e fraquezas. Então fazia as pressões apropriadas e com isso mais dinheiro entrava em seus cofres transbordantes.

A ilha particular de Demiris era uma de suas grandes alegrias. Havia comprado uma ilha que era selvagem e a transformara num paraíso. Tinha uma *villa* espetacular no alto, onde ele vivia, uma dúzia de chalés para os convidados, uma reserva de caça, um lago artificial de água doce, um zoológico, um porto onde seu iate podia ancorar e um campo de pouso para seus aviões. A ilha era servida por oitenta empregados, e guardas armados mantinham afastados os intrusos. Noelle gostava da solidão da ilha, principalmente quando não havia hóspedes. Constantin Demiris sentia-se lisonjeado, pensando que fosse porque Noelle achava melhor estar sozinha com ele. Teria ficado surpreso se tivesse sabido como ela estava preocupada com um homem de cuja existência sequer tinha conhecimento.

Larry Douglas estava a meio mundo de distância de Noelle, travando batalhas secretas em ilhas secretas e, no entanto, ela sabia mais sobre ele que sua mulher, com quem ele se correspondia com regularidade. Noelle viajava até Paris para ver Christian Barbet pelo menos uma vez por mês e o pequeno detetive, calvo e míope, sempre tinha um relatório em dia para ela.

Da primeira vez em que voltara à França para ver Barbet e tentara partir, houvera problema com seu visto de saída. Tinham-na feito esperar num escritório da alfândega durante cinco horas e finalmente deixaram que ela telefonasse para Constantin Demiris. Dez minutos depois de ter falado com Demiris, um oficial alemão viera depressa pedir profusas desculpas da parte de seu governo. Deram-lhe um visto especial e nunca mais houve qualquer problema.

O pequeno detetive esperava ansioso as visitas de Noelle. Cobrava-lhe uma fortuna, mas seu nariz treinado sentia o cheiro de muito mais dinheiro por vir. Estava muito feliz com a nova ligação dela com Constantin Demiris. Tinha a impressão de que, de uma maneira ou de outra, seria de grande benefício financeiro para ele. Primeiro, tinha de se assegurar de que Demiris nada sabia do interesse de sua amante por Larry Douglas e depois precisava descobrir quanto a informação valeria para Demiris. Ou para Noelle Page, para mantê-lo calado. Estava perto de dar um enorme golpe, mas precisava dar suas cartadas com cuidado. As informações que Barbet conseguia reunir sobre Larry eram surpreendentemente substanciais, pois ele podia se dar ao luxo de pagar bem aos seus informantes.

Enquanto a esposa de Larry lia uma carta com carimbo de um indeterminado posto de correios do exército, Christian Barbet fazia relatórios para Noelle:

— Ele está voando com o 14º Grupo de Bombardeiros, 48º Esquadrão.

A carta de Catherine dizia "...tudo que posso dizer-lhe é que estou em algum lugar no Pacífico, querida..."

E Christian Barbet dizia a Noelle:

— Eles estão em Tarawa. Guam é a próxima.

"...eu realmente sinto saudades de você, Cathy. As coisas estão melhorando por aqui. Não posso dar-lhe detalhes, mas finalmente temos aviões que são melhores que os Zeros dos japoneses..."

— Seu amigo está voando em P-38, P-40 e P-51.

"...estou feliz por você ter-se mantido ocupada em Washington. Continue me sendo fiel. Está tudo bem aqui. Terei novidades para contar quando estiver com você..."

— Seu amigo recebeu a DFC* e foi promovido a tenente-coronel.

Enquanto Catherine pensava em seu marido e rezava para que ele voltasse para casa em segurança, Noelle seguia cada movimento de Larry e rezava também para que ele voltasse ileso. A guerra terminaria logo e Larry Douglas voltaria para sua casa. Para ambas.

---

*Distinguished Flying Cross, medalha de condecoração. (*N. do T.*)

Catherine

Washington: 1945-1946

11

NA MANHÃ DE 7 DE MAIO DE 1945, em Rheims, França, a Alemanha rendeu-se incondicionalmente aos Aliados. O reinado de mil anos do Terceiro Reich tinha chegado ao fim. Aqueles participantes que sabiam da devastação mutilante em Pearl Harbor, os que tinham visto Dunquerque quase entrar para a História como a Waterloo da Inglaterra, aqueles que tinham comandado a RAF e sabiam quão impotentes teriam sido as defesas de Londres contra um ataque de força total da Luftwaffe, todas essas pessoas tinham consciência da série de milagres que proporcionara a vitória dos Aliados — e sabiam por que margem estreita ela quase fora para o outro lado. Os poderes do mal tinham quase saído triunfantes e a ideia era tão abominável, tão contrária à ética cristã de o Bem triunfando e o Mal sucumbindo, que eles se afastavam dela com horror, agradecendo a Deus e escondendo suas asneiras dos olhos da posteridade em montanhas de arquivos classificados como Top secret.

A atenção do mundo livre se voltava agora para o Extremo-Oriente. Os japoneses, aqueles personagens baixinhos, quase cômicos, estavam defendendo sangrentamente cada centímetro de terra que tinham e parecia que ia ser uma guerra longa e cara.

Então, no dia 6 de agosto, deixaram cair uma bomba atômica em Hiroshima. A destruição foi além do que se podia crer. Em alguns poucos minutos, a maior parte da população da grande cidade caiu morta, vítima de uma pestilência maior do que a combinação das guerras e das pestes de toda a Idade Média.

No dia 9 de agosto, três dias depois, uma segunda bomba foi jogada, desta vez em Nagasaki. Os resultados foram ainda mais devastadores. A civilização tinha finalmente alcançado seu momento mais inacreditável: era capaz de executar um genocídio que se podia calcular à razão de um numero x de milhões de pessoas por segundo. Era demais para os japoneses e, no dia 2 de setembro de 1945, no navio de guerra *Missouri*, o general Douglas Mac Arthur recebeu a rendição incondicional do governo japonês. A Segunda Guerra Mundial tinha terminado.

Por um longo momento, quando a notícia foi transmitida, o mundo prendeu a respiração e então deixou sair um agradecido e profundo viva. Cidades e aldeias por todo o globo se encheram de paradas histéricas de gente celebrando o fim da guerra para terminar todas as guerras...

No dia seguinte, através de alguma mágica que nunca explicaria a Catherine, Bill Fraser conseguiu fazer uma ligação telefônica para Larry Douglas numa ilha em algum lugar no Pacífico Sul. E seria uma surpresa para Catherine. Fraser pediu a ela que esperasse por ele no escritório para que fossem almoçar juntos. Às 14h30 ela chamou Bill no aparelho de intercomunicação.

— Quando é que você vai me dar de comer? — perguntou. — Daqui a pouco vai ser hora do jantar.

— Espere um pouco — respondeu Fraser. — Estarei com você num minuto.

Cinco minutos depois, ele a chamou e disse:

— Há uma ligação para você na linha um.

Catherine pegou o fone.

— Alô? — Ela ouviu um rumor e ruídos como das ondas de um oceano distante. — Alô? — repetiu.

Uma voz de homem disse:

— Sra. Larry Douglas?

— Sim — disse Catherine surpresa. — Quem é?

— Só um momento, por favor.

Pelo fone ela ouviu um estalido agudo. Outro som crepitante e então uma voz dizendo:

— Cathy?

Ela se deixou cair sentada, com o coração batendo forte, incapaz de falar.

— Larry? Larry?

— Sim, querida.

— Ah, Larry! — Ela começou a chorar e inesperadamente seu corpo inteiro começou a tremer.

— Como você está, querida?

Ela enfiou as unhas no braço, tentando machucar-se o suficiente para parar com a histeria que de repente a tinha dominado.

— Estou b-bem — disse ela. — Onde você está?

— Se eu lhe disser, cortarão a ligação — disse ele. — Estou em algum lugar no Pacífico.

— Isto é perto o suficiente! — Ela começou a conseguir controlar a voz. — Você está bem, querido?

— Estou bem.

— Quando volta para casa?

— A qualquer momento.

Os olhos de Catherine se encheram novamente de lágrimas.

— OK, vamos sin... sincronizar os relógios.

— Você está chorando?

— É claro que estou chorando, seu idiota! Estou feliz porque você não pode ver o rímel escorrendo pelo meu rosto. Oh, Larry... Larry...

— Tenho sentido sua falta, querida.

Catherine pensou nas longas noites solitárias que tinham-se transformado em semanas e meses e anos sem ele, sem seus braços em torno dela, sem seu corpo forte e maravilhoso perto dela, sem seu conforto, proteção e amor. E disse:

— Eu também tenho sentido sua falta.

Uma voz entrou na linha:

— Sinto muito, coronel, mas vamos ter de desligar.

Coronel!

— Você não me disse que tinha sido promovido.

— Tive medo de que você ficasse muito convencida.

— Oh, querido, eu...

O rugido do oceano ficou mais alto e de repente houve um silêncio e a ligação foi cortada. Catherine sentou-se na escrivaninha olhando para o telefone. E então enterrou a cabeça nos braços e começou a chorar.

Dez minutos mais tarde, a voz de Fraser veio pelo intercomunicador:

— Estarei pronto para almoçar quando você estiver, Cathy.

— Estou pronta para qualquer coisa agora — respondeu ela alegremente. — Dê-me cinco minutos. — Ela sorriu com ternura enquanto pensava no que Fraser fizera e quanto trabalho devia ter-lhe custado. Ele era o homem mais digno de ser amado que já tinha conhecido. Depois de Larry, é claro.

CATHERINE VISUALIZARA a chegada de Larry tantas vezes que a própria chegada foi quase um anticlímax. Bill Fraser tinha explicado a ela que Larry provavelmente viria num avião do Comando de Transporte Aéreo ou num avião Mats, e que eles não voavam em horários regulares como aviões das companhias aéreas. Pegava-se um lugar no primeiro voo em que se conseguisse — e não tinha muita importância para onde o avião estava indo, desde que estivesse voando na direção certa.

Catherine ficou em casa o dia inteiro esperando por Larry. Tentou ler, mas estava nervosa demais. Sentou-se, ouviu o noticiário e pensou em Larry voltando para casa, para ela, desta vez para sempre. Por volta da meia-noite ele ainda não tinha chegado e ela achou que provavelmente não chegaria até o dia seguinte. Às 2 da madrugada, quando Catherine não conseguia mais manter os olhos abertos, foi para a cama.

Foi acordada por uma mão em seu braço, abriu os olhos e ele estava de pé, inclinado sobre ela, o seu Larry estava ali, olhando para ela, com um sorriso no rosto magro e moreno. Num segundo, Catherine estava em seus braços e toda a preocupação e solidão e dor dos últimos quatro anos desapareceram numa torrente de felicidade que parecia inundar cada fibra do seu ser. Ela o apertou até que teve medo de quebrar-lhe os ossos. Queria ficar assim para sempre, não deixando nunca que ele se fosse.

— Devagar, querida — disse Larry, afinal. Afastou-se dela com um sorriso no rosto. — Vai parecer estranho, nos jornais: "Piloto volta da guerra para casa, são e salvo, e é abraçado até a morte pela esposa."

Catherine acendeu as luzes, todas elas, enchendo o quarto para que pudesse vê-lo, estudá-lo, devorá-lo. O rosto tinha uma nova maturidade. Havia linhas em torno dos olhos e da boca que antes não estavam ali. O efeito era de torná-lo mais bonito que nunca.

— Eu queria ir esperar você — gaguejou Catherine —, mas não sabia onde. Telefonei para o Comando Aéreo e eles não puderam dar nenhuma informação, então fiquei esperando aqui e...

Larry adiantou-se em direção a ela e calou-a com um beijo. Seu beijo era duro e exigente. Catherine esperara sentir a mesma ânsia física por ele e surpreendeu-se ao descobrir que não era assim. Ela o amava muito e, no entanto, teria ficado satisfeita de apenas sentar e conversar com ele, em vez de fazer amor, como ele queria com tanta urgência. Tinha sublimado seus instintos sexuais durante tanto tempo que estavam enterrados profundamente e levaria tempo antes que fossem despertados e trazidos novamente à superfície.

Mas Larry não estava lhe dando tempo algum. Estava tirando a roupa e dizendo: "Por Deus, Cathy, você não sabe como eu sonhei com este momento. Estava ficando louco. E olhe para você. Você ainda é mais bonita do que eu me lembrava."

Ele tirou a cueca e ficou de pé, ali, nu. E, de alguma forma, era um estranho empurrando-a para a cama e ela desejou que ele lhe desse tempo para acostumar-se com o fato de estar de volta a casa, acostumar-se novamente com sua nudez. Mas ele já estava em cima dela sem quaisquer preliminares, forçando-se a penetrá-la, e ela sabia que não estava pronta para ele. Estava rasgando-a por dentro, machucando-a, e ela mordeu a mão para não gritar, enquanto ele a cobria, copulando como um animal selvagem.

Seu marido estava em casa.

Durante o mês seguinte, com a anuência de Fraser, Catherine não foi ao escritório e ela e Larry passaram todos os momentos juntos. Cozinhou para ele, fazendo todos os seus pratos prediletos, ouviram discos e falaram, tentando preencher os vazios dos anos perdidos que havia entre eles. À noite iam a festas ou ao teatro e quando voltavam para casa faziam amor. Agora, seu corpo já estava pronto para ele e o achava um amante tão excitante como sempre. Quase.

Não queria admitir nem para si mesma, mas havia alguma coisa indefinível que mudara em Larry. Ele pedia mais, dava menos. Ainda havia preliminares antes do amor propriamente dito, mas ele o fazia de maneira mecânica, como se fosse um dever a ser cumprido antes de passar ao ataque sexual. E era um ataque, uma tomada selvagem e feroz, como se o corpo dele estivesse procurando vingança por qualquer coisa, ou buscando uma autopunição. Cada vez que terminavam, Catherine sentia-se machucada e doída, como se tivesse levado uma surra. Talvez, ela o defendia, seja só porque ele ficou tanto tempo sem ter uma mulher.

À medida que os dias passavam, porém, a maneira como ele a amava continuou a mesma e foi aquilo que, finalmente, levou Catherine a buscar outras mudanças em Larry. Tentou estudá-lo desapaixonadamente, tentou esquecer que aquele era o marido a quem adorava. Viu um homem alto, bem-feito de corpo, de cabelos negros, olhos profundos e escuros e um rosto de uma beleza devastadora. Ou talvez "bonito" não mais servisse. As linhas em torno da boca tinham acrescentado uma certa dureza às suas feições. Olhando para aquele estranho, Catherine pensara, *aqui está um homem que pode ser egoísta, cruel e frio*. E, no entanto, dizia a si mesma que estava sendo ridícula. Aquele era o seu Larry, apaixonado, gentil e interessado.

Ela o apresentou com orgulho a todos os seus amigos e às pessoas com quem trabalhava, mas todos pareciam entediá-lo. Nas festas, ele ia para um canto e passava a noite bebendo. Parecia a Catherine que não fazia qualquer esforço para ser sociável. "Por que deveria eu?", retorquiu uma noite, quando ela tentara discutir o assunto com ele. "Onde estavam todos estes gatos gordos quando eu estava lá, levando tiros no rabo?"

Catherine procurou discutir, algumas vezes, o que Larry iria fazer de seu futuro. Pensou que ele quereria continuar na Força Aérea, mas quase que a primeira coisa que Larry fez, quando voltou para casa, foi se demitir.

"O serviço é para os trouxas. Só se anda para trás", dissera ele.

Era quase uma paródia da primeira conversa que Catherine tivera com ele em Hollywood. Só que, na época, ele estivera brincando.

Ela precisava discutir o problema com alguém e afinal decidiu falar com Bill Fraser. Disse-lhe o que a estava preocupando, deixando de fora as coisas mais pessoais.

— Se pode trazer-lhe algum consolo — disse Fraser com simpatia —, há milhões de mulheres por todo o mundo passando pelo que você está vivendo agora. É realmente muito simples, Catherine. Você está casada com um estranho. — Catherine olhou para ele, sem nada dizer. Fraser parou para encher o cachimbo e acendê-lo. — Você não pode realmente querer recomeçar de onde parou quando Larry partiu há quatro anos, pode? Aquele lugar no tempo não existe mais. Você o ultrapassou e Larry também. Parte do que faz um casamento dar certo é que o marido e a mulher têm experiências em comum. Eles crescem juntos e o casamento cresce com eles. Você precisará encontrar novamente um ponto em comum.

— Eu me sinto mal só de falar sobre isso, Bill.

Fraser sorriu.

— Eu conheci você antes — recordou-lhe ele. — Lembra-se?

— Claro.

— Estou certo de que Larry está estranhando você, também — continuou Fraser. — Ele viveu com milhares de homens durante quatro anos e agora precisa de se acostumar a viver com uma mulher.

Ela sorriu.

— Você está certo em tudo que disse. Acho que eu tinha de ouvir alguém.

— Todos têm diversos conselhos úteis sobre como lidar com ferimentos — observou Fraser. — Há porém algumas feridas que não aparecem. Às vezes são profundas. — Ele viu o olhar no rosto de Catherine. — Eu não quero dizer nada sério — completou depressa. — Estou apenas falando nos horrores que qualquer soldado combatente vê. A menos que um homem seja um completo idiota, tais coisas hão de ter enorme efeito sobre ele. Compreendeu o quero dizer?

Catherine assentiu. A pergunta era: Qual o efeito que tiveram?

QUANDO CATHERINE FINALMENTE voltou para o trabalho, o pessoal da agência ficou contentíssimo em vê-la. Nos três primeiros dias, só fez estudar as campanhas e planos para as novas contas e se atualizar com as antigas. Trabalhava desde cedo, de manhã até a tarde, tentando recuperar o tempo perdido, cansando a paciência dos redatores e desenhistas e acalmando os clientes nervosos. Era muito boa em seu trabalho e gostava dele.

Larry estava sempre a sua espera quando voltava para o apartamento, à noite. No início, perguntava a ele o que ficara fazendo enquanto ela não estava, mas as respostas eram sempre vagas. Finalmente, parou de fazer perguntas. Ele tinha erguido uma parede e ela não sabia como derrubá-la. Ofendia-se com quase tudo que Catherine dizia e havia brigas constantes a propósito de nada. De vez em quando jantavam com Fraser, e ela se esforçava para tornar aquelas noites agradáveis e alegres, para que Fraser não pensasse que havia alguma coisa errada. Mas precisava encarar o fato de que havia alguma coisa muito errada. Sentia que em parte era falha sua. Ainda amava Larry. Amava sua aparência, seu corpo e sua memória, mas sabia que se ele continuasse daquele jeito destruiria ambos.

CATHERINE ESTAVA ALMOÇANDO com William Fraser.

— Como está Larry? — perguntou ele.

A resposta pavloviana automática "bem" começou a vir a seus lábios e ela parou.

— Ele precisa de um emprego — disse bruscamente.

Fraser recostou-se e assentiu.

— Está ficando inquieto com o fato de não trabalhar?

Ela hesitou, não querendo mentir.

— Ele não quer fazer nada exatamente — disse com cuidado. — Teria de ser a coisa certa.

Fraser a estudou, tentando perceber o significado por trás de suas palavras.

— Gostaria de ser piloto?

— Não quer voltar à Força Aérea.

— Estava pensando numa companhia aérea comercial. Tenho um amigo que dirige a Pan Am. Eles teriam sorte de conseguir alguém com a experiência de Larry.

Catherine ficou ali sentada, pensando sobre aquilo, tentando colocar-se no lugar de Larry. Ele gostava de voar mais que de qualquer outra coisa no mundo. Seria um bom emprego, fazendo o que adorava fazer.

— Parece maravilhoso — disse com cautela. — Acha que poderia mesmo conseguir para ele, Bill?

— Tentarei. Por que você não sonda o Larry primeiro e vê o que ele acha?

— Eu o farei. — Catherine tomou a mão dele nas suas, agradecida. — Muito obrigada.

— Por quê? — perguntou Fraser com suavidade.

— Por estar sempre perto quando preciso de você.

Ele pôs a mão sobre a dela.

— Natural e inevitável.

Quando Catherine contou a Larry sobre a sugestão de Bill Fraser aquela noite, ele disse:

— É a melhor ideia que já ouvi desde que voltei.

Dois dias depois, tinha uma entrevista marcada com Carl Eastman nos escritórios da Pan Am, em Manhattan. Catherine passou-lhe o terno, escolheu uma camisa e uma gravata e engraxou os sapatos até poder ver o rosto neles.

— Telefonarei para você assim que puder, para dizer como foi. — Beijou-a, sorriu com aquele jeito de garoto e saiu.

De muitas maneiras Larry *era* como um garotinho, pensou Catherine. Podia ser petulante, impulsivo e grosseiro, mas era também terno e generoso.

A minha sorte, suspirou Catherine, *é que tenho de ser a única pessoa perfeita em todo o universo.*

Tinha um dia cheio pela frente, mas não conseguia pensar em nada a não ser em Larry e sua entrevista. Era mais que apenas um emprego. Tinha a impressão de que seu casamento inteiro dependia do que acontecesse. Aquele ia ser o dia mais longo de sua vida.

Os escritórios da Pan American eram num prédio moderno entre a Quinta Avenida e a Rua 53. A sala de Carl Eastman era grande e confortavelmente mobiliada. Era óbvio que ele ocupava uma posição importante.

— Entre e sente-se — disse ele para Larry quando este chegou ao escritório.

Eastman tinha cerca de 35 anos, era um homem de boa aparência, de queixo quadrado e olhos castanhos penetrantes, que não perdiam nada. Indicou uma poltrona a Larry e então se sentou numa cadeira em frente.

— Café?

— Não, obrigado — disse Larry.

— Soube que você gostaria de trabalhar para nós.

— Se houver uma vaga.

— Há uma vaga — disse Eastman. — Só que uma centena de comandantes se candidatou a ela. — Ele sacudiu a cabeça, pesaroso. — É incrível. A Força Aérea treina centenas de homens inteligentes para voarem nas máquinas mais complicadas jamais feitas. Então, quando eles sabem fazer seu trabalho e o fazem muito bem, a Força Aérea diz a eles para darem o fora, pois não tem nada para eles. — Suspirou. — Você não pode fazer ideia das pessoas que vêm aqui o dia inteiro. Grandes pilotos, ases como você. Só há um emprego para cada mil candidatos e todas as outras companhias aéreas estão na mesma situação.

Uma sensação de desapontamento tomou conta de Larry.

— Por que me quis ver? — perguntou em tom seco.

— Por duas razões. Número um, porque o homem lá de cima mandou.

Larry sentiu a raiva crescendo dentro de si.

— Eu não preciso...

Eastman inclinou-se.

— Número dois, você tem uma folha de serviços boa demais.

— Obrigado — disse Larry.

Eastman o estudou.

— Você teria de passar pelo programa de treinamento aqui, sabe. Vai ser como estar de voltar à escola.

Larry hesitou, sem saber o que a conversa queria dizer.

— Isto não é problema — disse cauteloso.

— Vai ter de fazer o treinamento em Nova York, em La Guardia.

Larry assentiu, esperando.

— São quatro semanas de curso em terra e em seguida um mês de treinamento de voo.

— Vocês voam com DC-4? — perguntou Larry.

— Sim. Quando terminar o treinamento, nós o poremos como navegador. Seu salário-base de treinamento será de 50 por mês.

Ele conseguira o emprego! O filho da puta o espicaçara com todos os milhares de pilotos que estavam atrás do cargo. Mas conseguira o emprego! Por que se preocupara? Ninguém em toda a porcaria da Força Aérea tinha uma folha de serviços melhor que a dele.

Larry fez uma careta.

— Eu não me incomodo de começar como navegador, Eastman, mas sou um piloto. Quando é que isso vai acontecer?

Eastman suspirou.

— As companhias aéreas são sindicalizadas. A única maneira pela qual alguém sobe é por antiguidade. Há uma porção de homens na sua frente. Você quer tentar?

Larry assentiu.

— O que tenho a perder?

— Certo — concordou Eastman. — Eu tratarei das formalidades. Você precisará fazer o exame físico, é claro. Algum problema?

Larry sorriu, irônico.

— Os japoneses não acharam nada errado comigo.

— Quando pode começar a trabalhar?

— Esta tarde é cedo demais?

— Vamos marcar para segunda-feira. — Eastman escreveu um nome num cartão e o entregou a Larry. — Aqui está. Estarão esperando por você às 9 da manhã de segunda-feira.

Quando Larry telefonou para Catherine contando-lhe as novidades, havia em sua voz uma nota de excitação que ela não ouvia há muito tempo. Ela soube, então, que tudo ia dar certo.

Noelle

Atenas: 1946

12

CONSTANTIN DEMIRIS tinha uma frota de aviões para seu uso particular, mas seu orgulho era um Hawker Siddeley convertido que transportava 16 passageiros num conforto extraordinário, tinha uma velocidade de 450 quilômetros por hora e uma tripulação de quatro pessoas. Era um palácio voador. O interior fora decorado por Frederick Sawrin, e Chagall havia pintado os murais nas paredes. Em vez de assentos de avião, poltronas e sofás confortáveis estavam espalhados pela cabina. O compartimento de trás tinha sido transformado num luxuoso quarto de dormir. Adiante, atrás da cabina de comando, havia uma moderna cozinha e sempre que Demiris ou Noelle estavam no avião havia um chef a bordo.

Demiris escolhera para seus pilotos particulares um aviador grego chamado Paul Metaxas e um inglês, ex-piloto de guerra da RAF, chamado Ian Whitestone. Metaxas era um homem forte e amável, com um constante sorriso no rosto e uma gargalhada profunda e contagiante. Tinha sido mecânico, aprendera sozinho a voar e servira na RAF na Batalha da Grã-Bretanha, onde conhecera Ian Whitestone. Whitestone era alto, ruivo e muito magro, tinha o jeito tímido de um professor no primeiro dia de aula numa escola de segunda categoria para garotos incorrigíveis, mas, no ar, era outra coisa. Ele tinha a rara, perfeita habilidade do piloto nato, que não pode nunca ser ensinada ou aprendida. Whitestone e Metaxas voaram juntos três anos contra a Luftwaffe e cada um tinha o outro em alta conta.

Noelle fazia frequentes viagens no grande avião, às vezes com Demiris, a negócios, às vezes por prazer. Ela conhecia bem os pilotos, mas não tinha prestado atenção particular a eles até que um dia os ouviu relembrando uma experiência que tinham tido na RAF.

Daquele momento em diante, Noelle ou passava uma parte de cada voo na cabina de comando, conversando com os dois homens, ou convidava um deles a juntar-se a ela, atrás, na cabina dos passageiros. Ela os encorajava a falar sobre suas experiências de guerra e, sem nunca fazer uma pergunta direta, acabou sabendo que Whitestone havia sido oficial de ligação no esquadrão de Larry Douglas antes que Douglas deixasse a RAF, e que Metaxas tinha se juntado ao esquadrão tarde demais para conhecer Larry. Noelle começou a se concentrar no piloto inglês. Encorajado e lisonjeado pelo interesse da amante do patrão, Whitestone falava livremente sobre sua vida passada e suas ambições futuras. Contou a Noelle que sempre se interessara por eletrônica, que seu cunhado abrira na Austrália uma pequena empresa de equipamento eletrônico e queria que ele, Whitestone, se tornasse seu sócio, mas o fato é que não tinha capital.

— Da maneira como vivo — disse a Noelle, fazendo uma careta —, nunca o terei.

Noelle continuava visitando Paris uma vez por mês, para ver Christian Barbet, que estabelecera contato com uma agência de detetives particulares em Washington, de modo que havia uma corrente constante de relatórios sobre Larry Douglas. Cautelosamente, experimentando Noelle, o pequeno detetive oferecera enviar-lhe os relatórios para Atenas; ela, porém, dissera que preferia buscá-los pessoalmente. Barbet assentira com a cabeça de maneira dissimulada e acrescentara num tom conspiratório:

— Compreendo, Srta. Page.

Então ela *não* queria que Constantin Demiris soubesse de seu interesse por Larry Douglas. As possibilidades de chantagem encheram a cabeça de Barbet.

— O senhor tem sido muito útil, *monsieur* Barbet — disse Noelle —, e muito discreto.

Ele sorriu untuosamente.

— Obrigado, Srta. Page. Meu negócio depende de discrição.

— Exato — replicou Noelle. — Eu sei que o senhor é discreto porque Constantin Demiris nunca mencionou seu nome. No dia em que mencionar, pedirei a ele que o destrua. — O tom dela era agradável e casual, mas o efeito foi o de uma bomba.

Monsieur Barbet, chocado, olhou para Noelle por um longo momento, molhando os lábios. Coçou os testículos, nervoso, e gaguejou:

— E-eu lhe asseguro, *mademoiselle*, que eu n-nunca...

— Tenho certeza de que não — disse Noelle, e partiu.

No avião comercial que a levava de volta para a Grécia, Noelle leu o relatório confidencial que estava no envelope pardo selado.

AGÊNCIA DE SEGURANÇA ACME
RUA D, 1402
WASHINGTON, D.C.

Referência: nº 2-179-210   2 de fevereiro de 1946

Caro Monsieur Barbet:

Um de nossos agentes falou com um contato do Departamento de Pessoal da Pan Am: o investigado é considerado exímio piloto de combate, mas eles têm dúvidas sobre se é disciplinado o bastante para se sair satisfatoriamente dentro da estrutura de uma grande organização.

A vida pessoal do investigado segue o mesmo padrão de nossos relatórios anteriores. Nós o seguimos a apartamentos de várias mulheres, que ele encontra por acaso, nos quais permanece por períodos de uma até cinco horas e presumimos que está tendo séries de relações sexuais casuais com tais mulheres. (Nomes e endereços estão em nossos arquivos, se os quiser.)

Tendo em vista o novo emprego do investigado, é possível que esse padrão se modifique. Continuaremos a investigação a seu pedido.

Queira ver a nota incluída.

Sinceramente seu
R. Ruttenberg
Gerente-Supervisor

Noelle pôs o relatório de volta no envelope, recostou-se no assento e fechou os olhos. Visualizava Larry, inquieto e atormentado, casado com uma mulher a quem não amava, preso numa armadilha preparada por sua própria fraqueza.

O novo emprego na companhia aérea podia atrasar um pouco o plano de Noelle, mas ela tinha paciência. Na hora certa traria Larry para si. Enquanto isso, havia certos passos que podia tomar para adiantar um pouco as coisas.

Ian Whitestone estava encantado por ter sido convidado para almoçar com Noelle Page. A princípio, lisonjeara-se achando que ela se sentia atraída por ele, mas todos os encontros tinham sido, embora agradáveis, formais o suficiente para que ele não se esquecesse de sua condição de empregado e de que ela era intocável. Muitas vezes tentara adivinhar o que Noelle queria dele, pois era um homem inteligente e tinha a impressão de que suas conversas significavam para ela algo mais do que para ele.

Naquele dia especial, Whitestone e Noelle foram de carro até uma pequena cidade à beira-mar perto do Cabo Sunion, onde almoçariam. Ela estava com um vestido branco de verão e sandálias com o cabelo louro suavemente solto, e nunca estivera tão bonita. Ian Whitestone estava noivo de uma modelo em Londres que, mesmo sendo bonita, não podia ser comparada com Noelle. Aliás, ele nunca havia encontrado alguém que o pudesse, e invejava Constantin Demiris, embora Noelle lhe parecesse sempre mais desejável depois que a deixava. Em sua presença, sentia-se um pouco intimidado. Agora Noelle dirigira a conversa para seus planos para o futuro e ele se perguntou, não pela primeira vez, se ela não o estaria investigando a mando de Demiris, para descobrir se ele era leal a seu empregador.

— Eu adoro meu trabalho — assegurou o piloto a Noelle com sinceridade. — Gostaria de continuar nele até ficar velho demais para ver para onde estou voando.

Noelle o estudou por um momento, percebendo suas suspeitas.

— Estou desapontada — disse pesarosa. — Esperava que você fosse mais ambicioso.

Whitestone olhou para ela

— Não compreendo.

— Você não me disse que gostaria de ter um dia sua própria empresa de eletrônica?

Ele se recordava de ter mencionado isso casualmente e surpreendeu-se por ela lembrar.

— É apenas um sonho — respondeu. — Precisaria de um monte de dinheiro.

— Um homem com sua habilidade — disse Noelle — não devia ser impedido de fazer uma coisa por não ter dinheiro.

Whitestone ficou ali, pouco à vontade, sem saber o que Noelle Page esperava que dissesse. Ele gostava de seu trabalho, estava ganhando mais dinheiro do que jamais o conseguira antes em sua vida, o horário era bom, e o trabalho, interessante. Por outro lado, estava à disposição de um bilionário excêntrico, que esperava que estivesse a postos a qualquer hora do dia ou da noite. Tinha tido, por isso, problemas em sua vida particular e sua noiva não estava contente com o que ele fazia, fosse bom o salário ou não.

— Estive falando com um amigo meu sobre você — disse Noelle. — Ele gosta de investir em novas empresas.

A voz dela controlava o entusiasmo, como se estivesse animada com o que dizia e, ao mesmo tempo, tomando cuidado para não pressioná-lo demais. Whitestone ergueu os olhos e encontrou os dela.

— Ele está muito interessado em você — prosseguiu.

Whitestone engoliu em seco.

— Eu... eu não sei o que dizer, Srta. Page.

— Não espero que diga coisa alguma agora — assegurou-lhe Noelle. — Só quero que pense nisso.

Ele ficou ali sentado um momento, pensando.

— O Sr. Demiris sabe disso? — perguntou afinal.

Noelle sorriu com ar conspirador.

— Temo que Demiris nunca o aprovasse. Não gosta de perder empregados, especialmente os bons. Entretanto — ela fez uma pausa —, acho que alguém como você merece conseguir da vida tudo o que pode. A menos, é claro, que queira continuar trabalhando para os outros o resto de seus dias.

— Eu não quero — disse Whitestone, depressa, e de repente percebeu que se comprometera. Estudou o rosto de Noelle para ver se havia alguma sugestão de armadilha, mas tudo que viu foi simpática compreensão. — Todo homem que vale alguma coisa gostaria de ter seu próprio negócio — acrescentou, defendendo-se.

— É claro — concordou Noelle. — Pense um pouco no assunto, tornaremos a falar nisso. — E então ela continuou, advertindo: — É apenas entre nós dois.

— Muito justo — disse Whitestone —, e obrigado. Se der certo, será realmente maravilhoso.

Noelle assentiu:

— Tenho a impressão de que vai dar certo.

Catherine

Washington–Paris: 1946

13

ÀS 9 HORAS DE SEGUNDA-FEIRA, Larry Douglas apresentou-se ao piloto-chefe, comandante Hal Sakowitz, no escritório da Pan American do Aeroporto de La Guardia, em Nova York. Quando Larry passava pela porta de entrada, Sakowitz apanhou o relatório da folha de serviço dele, que estivera estudando, e o enfiou numa gaveta da escrivaninha.

O comandante Sakowitz era um homem compacto, de aparência grosseira, com um rosto curtido e gasto e as maiores mãos que Larry já vira. Era um dos verdadeiros veteranos da aviação. Começara nos voos de parques de diversões itinerantes, voara em aviões-correios monomotores para o governo, era piloto de companhia aérea havia vinte anos e o piloto-chefe da Pan American havia cinco.

— Estou contente de ter você conosco, Douglas — disse ele.

— E eu de estar aqui — respondeu Larry.

— Ansioso para entrar de novo num avião?

— Quem precisa de um avião? — Larry fez uma careta. — É só me colocar na direção do vento e eu decolo.

Sakowitz indicou-lhe uma cadeira.

— Sente-se. Gosto de conhecer os caras que vêm aqui para tomar o meu emprego.

Larry riu.

— É tão evidente assim?

— Oh, eu não culpo nenhum de vocês. São todos heróis de guerra, têm grandes folhas de serviço em combate, entram aqui e pensam: se aquele idiota do Sakowitz pode ser piloto-chefe, eles deviam me fazer diretor-presidente. Ninguém planeja ficar muito tempo como navegador. É apenas uma etapa no caminho de ser piloto. Está certo, é assim que deve ser.

— Fico contente por vê-lo sentir-se dessa maneira — disse Larry.

— Mas há uma coisa que deve saber primeiro. Todos nós pertencemos a um sindicato, Douglas, e as promoções são apenas por antiguidade.

— Compreendo.

— A única coisa que você pode *não* compreender é que estes são ótimos empregos e que há mais gente entrando que saindo. Isso reduz a velocidade no quadro de promoções.

— Eu vou tentar — respondeu Larry.

A secretária de Sakowitz trouxe café e doces dinamarqueses e os dois homens passaram a hora seguinte conversando e se conhecendo. As maneiras de Sakowitz eram amistosas e afáveis, e muitas de suas perguntas eram aparentemente irrelevantes e triviais, mas, quando Larry saiu para ir para sua primeira aula, Sakowitz sabia muita coisa sobre Larry Douglas. Alguns minutos depois de Larry ter saído, Carl Eastman entrou no escritório.

— Como foi? — perguntou Eastman.

— Ok.

Eastman lançou-lhe um olhar duro.

— O que você acha, Sak?

— Vamos tentar.

— Eu perguntei o que você achava.

Sakowitz encolheu os ombros.

— Ok. Vou dizer-lhe. O meu palpite é que ele é um excelente piloto. Tem de ser, com sua folha de serviços. Ponham-no num avião com um bando de inimigos em volta atirando nele e não creio que encontrará alguém melhor. — Ele hesitou.

— Continue — disse Eastman.

— O negócio é que não há um bando de aviões inimigos em volta de Manhattan. Conheci caras como Douglas. Por alguma razão que nunca consegui descobrir, a vida deles está engrenada para o perigo. Fazem coisas malucas, como escalar montanhas impossíveis ou mergulhar até o fundo do oceano, ou qualquer diabo de perigo que possam encontrar. Quando estoura uma guerra, eles sobem até o topo como creme numa xícara de café escaldante. — Desviou a cadeira e olhou pela janela. Eastman ficou ali, sem dizer nada, esperando. — Tenho um palpite a respeito do Douglas, Carl. Há alguma coisa errada com ele. Talvez desse certo se ele fosse comandante de um de nossos aviões, pilotando-o. Mas não acho que ele esteja psicologicamente preparado para receber ordens de um engenheiro, de um primeiro-oficial e de um piloto, especialmente quando pensa que é muito melhor aviador que eles. — Voltou-se para encarar Eastman. — E o engraçado é que provavelmente é.

— Você me está fazendo ficar nervoso — disse Eastman.

— Eu também — confessou Sakowitz. — Não creio que ele seja — ele parou, buscando a palavra certa — estável. Falando com ele, tem-se a impressão de que tem uma banana de dinamite enfiada no rabo, pronta para explodir.

— E o que você pretende fazer?

— Nós já estamos fazendo. Ele irá para a escola e ficaremos de olho nele.

— Talvez ele desista.

— Você não conhece aquela raça. Ele vai ser o primeiro da turma.

A predição de Sakowitz foi exata.

O curso de treinamento consistia em quatro semanas de escola em terra, seguidas de um mês adicional de treinamento de voo. Uma vez que os alunos já eram pilotos experientes, com muitos anos de voo, o curso fora concebido para atender a dois objetivos: o primeiro, rever assuntos como navegação, radiocomunicação, leitura de mapas e voo por instrumentos, e servia para refrescar a memória e apontar as fraquezas em potencial. O segundo, familiarizá-los com o novo equipamento que iam usar.

O voo por instrumentos era feito numa unidade de treinamento, reprodução da cabina de comando de um avião que ficava numa base móvel, permitindo ao piloto fazer qualquer manobra com o avião, inclusive perda de velocidade, parafusos. Uma cobertura preta era posta no topo da cabina, de forma que o piloto fizesse voos cegos, usando apenas os instrumentos a sua frente. O instrutor do lado de fora dava ordens ao piloto, fornecendo-lhe as instruções para decolagens e aterrissagens com ventos fortes, tempestades, cadeias de montanhas e todos os outros riscos simulados concebíveis. A maioria dos pilotos inexperientes entrava na unidade de treinamento sentindo-se confiante, mas logo aprendia que simuladores eram muito mais difíceis de manobrar do que pareciam ser. Era uma sensação estranha estar sozinho na pequena cabina, com todos os sentidos cortados do mundo exterior.

Larry era um aluno talentoso. Atento na sala de aula, absorviase em tudo que lhe era ensinado. Fazia todos os deveres de casa e os fazia bem, com cuidado. Não demonstrava qualquer sinal de impaciência, inquietude ou tédio. Ao contrário, era o aluno mais atento do curso e certamente o melhor. A única coisa que era nova para ele era a nave, o DC-4. Os aviões eram grandes e suaves, com alguns equipamentos que não existiam quando a guerra começara. Larry passava horas examinando cada centímetro do avião, estudando a maneira como fora montado e a forma como funcionava. À noite, lia dúzias de manuais de funcionamento do avião.

Uma noite, bem tarde, depois que os alunos haviam deixado o hangar, Sakowitz encontrara Larry num dos DC-4, deitado no chão debaixo da cabina, examinando a fiação.

— Eu lhe digo, o filho da puta está querendo tomar meu emprego — dissera Sakowitz a Carl Eastman na manhã seguinte.

— Da maneira como ele está indo, é capaz de conseguir — disse Eastman, rindo com ironia.

No fim das oito semanas, houve uma pequena cerimônia de graduação. Catherine, orgulhosa, voou até Nova York para estar lá quando Larry recebesse as insígnias de navegador.

Ele tentou minimizar aquilo.

— Cathy, é apenas um pequeno pedaço de pano estúpido que eles lhe dão, para que você se lembre de qual é seu trabalho quando entrar na cabina.

— Ah, não, não diga isso — disse ela. — Eu falei com o Comandante Sakowitz e ele me disse como você foi bem.

— O que é que um polaco estúpido sabe? — disse Larry. — Vamos comemorar.

Naquela noite, Catherine, Larry e quatro colegas de turma de Larry e suas esposas foram ao Clube Twenty-One na rua 52 Leste para jantar. O vestíbulo estava cheio e o *maître* lhes disse que, sem reserva, não havia mesas.

— Para o inferno com este lugar — disse Larry. — Vamos aqui do lado ao Toots Shor's.

— Espere um minuto — disse Catherine. — Ela foi até o porteiro e pediu para ver Jerry Berns.

Alguns momentos depois um homem baixo e magro, com olhos cinzentos, inquisitivos, apareceu.

— Sou Jerry Berns — disse ele. — Posso ajudá-la?

— Meu marido e eu estamos aqui com alguns amigos — explicou Catherine. — Somos dez.

Ele começou a sacudir a cabeça.

— A menos que tenham uma reserva...

— Sou sócia de William Fraser — disse Catherine.

Jerry Berns olhou para Catherine repreensivo.

— Por que não me disse? Pode me dar 15 minutos?

— Obrigada — disse Catherine agradecida.

Ela voltou para onde o grupo estava.

— Surpresa! — disse Catherine. — Nós temos uma mesa.

— Como conseguiu? — perguntou Larry.

— Foi fácil — disse Catherine. — Eu mencionei o nome de Bill Fraser. — Ela viu a expressão que veio aos olhos de Larry. — Ele vem sempre aqui — continuou depressa. — E me disse que, se eu precisasse de uma mesa, podia mencionar seu nome.

Larry virou-se para os outros.

— Vamos embora daqui. Isto é só para os grã-finos.

O grupo dirigiu-se para a porta. Larry virou-se para Catherine.

— Você vem?

— É claro — disse Catherine hesitante. — Só queria avisá-los de que nós...

— Fodam-se eles — disse Larry bem alto. — Você vem ou não?

As pessoas pararam para olhar. Catherine sentiu que seu rosto enrubescia.

— Sim — disse. Virou-se e saiu, seguindo Larry.

Eles foram a um restaurante italiano na Sexta Avenida e jantaram mal. Exteriormente, Catherine agiu como se nada tivesse acontecido, mas por dentro se sentia arrasada. Estava furiosa com Larry por seu comportamento infantil e por tê-la humilhado em público.

Quando chegaram a casa, ela se encaminhou para o quarto sem dizer uma palavra, tirou a roupa, apagou a luz e foi para a cama. Ouviu Larry na sala, preparando uma bebida.

Dez minutos depois ele entrou no quarto, acendeu a luz e foi até a cama.

— Você está planejando tornar-se mártir? — perguntou.

Ela se sentou, furiosa.

— Não tente me colocar na defensiva — disse. — Seu comportamento esta noite foi indesculpável. O que foi que entrou na sua cabeça?

— O mesmo cara que entrou em você.

Olhou para ele.

— O quê?

— Estou falando do Sr. Perfeição. Bill Fraser.

Olhou para ele sem compreender.

— Bill só fez nos ajudar.

— Pode apostar que sim — disse ele. — Você lhe deve o seu negócio. Eu, o meu emprego. Agora não posso nem me sentar num restaurante sem a permissão de Fraser. Bem, estou cheio de engoli-lo todo dia. — Foi o tom de Larry que a impressionou, mais que as próprias palavras. Estava tão cheio de frustração e impotência que ela percebeu, pela primeira vez, como ele devia estar atormentado. E por que não? Voltara de quatro anos de luta para encontrar sua mulher associada com o ex-amante. E, para piorar, ele próprio não conseguira arranjar um emprego sem a ajuda de Fraser.

Enquanto olhava para Larry, Catherine percebeu que aquele era o momento crucial de seu casamento. Se ficasse com o marido, ele teria de vir primeiro. Antes de seu trabalho, antes de tudo. Pela primeira vez, ela sentiu que realmente compreendia Larry.

Como se estivesse lendo seus pensamentos Larry disse, contrito:

— Sinto muito ter agido daquele jeito esta noite. Mas quando nós não conseguimos a mesa até você mencionar o nome mágico de Fraser, de repente eu... eu fiquei até *aqui*.

— Sinto muito, Larry — disse Catherine. — Nunca mais farei isso.

E eles estavam nos braços um do outro, e Larry disse:

— Por favor, nunca me deixe, Cathy.

Catherine pensou em como estivera perto de fazê-lo e o abraçou mais apertado e disse:

— Eu não o deixarei, querido, nunca.

A PRIMEIRA MISSÃO de Larry como navegador foi no voo 147 de Washington para Paris. Ele ficava em Paris 48 horas depois de cada voo e voltava para casa, por três dias, antes de voar novamente.

Uma manhã, Larry telefonou para Catherine no escritório com a voz animada.

— Sei de um grande restaurante para irmos. Você pode sair para almoçar?

Catherine olhou para a pilha de layouts que tinham de ser finalizados e aprovados antes do meio-dia.

— Claro — disse ela despreocupadamente.

— Passo para apanhar você em 15 minutos.

— Você não vai me deixar! — gemeu Lucia, sua assistente. — Stuyvesant vai ter um filho se não entregarmos esta campanha a ele hoje.

— Vai ter de esperar — disse Catherine. — Vou almoçar com meu marido.

— Não a culpo. Se algum dia ficar cansada dele, me avise.

Catherine fez uma careta.

— Você estará velha demais.

Larry apanhou Catherine em frente ao escritório e ela entrou no carro.

— Estraguei seu dia? — perguntou ele com um ar travesso.

— É claro que não.

Ele riu.

— Todos aqueles executivos vão ter um enfarte.

Larry dirigiu o carro para o aeroporto.

— É muito longe o restaurante? — perguntou Catherine. Ela estava com quatro entrevistas marcadas para aquela tarde, a primeira às 14 horas.

— Não é muito longe... Você está com a tarde ocupada?

— Não — mentiu ela. — Nada especial.

— Ótimo.

Quando chegaram ao terminal do aeroporto, Larry virou o carro para a entrada.

— O restaurante é no aeroporto?

— Do outro lado — respondeu Larry. Estacionou o carro, pegou o braço de Catherine e a levou para dentro do portão da Pan Am. A moça atraente atrás do balcão cumprimentou Larry pelo nome.

— Esta é minha mulher — disse Larry, orgulhoso. — Esta é Amy Winston.

Elas trocaram cumprimentos.

— Venha. — Larry tomou Catherine pelo braço e foram em direção à rampa de embarque.

— Larry — começou Catherine. — Onde...?

— Puxa, você é a mulher mais curiosa que já convidei para almoçar.

Tinham chegado ao Portão 37. Dois homens atrás do balcão recebiam as passagens das pessoas que iam embarcar. Um aviso no quadro de informações dizia: "Voo 147 para Paris — Partida 14h00."

Larry foi até um dos homens atrás do balcão.

— Aqui está, Tony. — Ele entregou ao homem uma passagem. — Cathy, este é Tony Lombardi. Esta é Catherine.

— Eu a conheço muito de nome. — O homem sorriu. — Seu bilhete está em ordem. — Entregou o bilhete a Catherine.

Catherine olhou para o bilhete, tonta.

— Para que é isto?

— Eu menti para você — Larry sorriu. — Não vou levá-la para almoçar. Vou levar você para Paris. Maxim's.

Catherine gaguejou.

— M-Maxim's? Em Paris? *Agora*?

— Exato.

— Eu não posso — gemeu ela. — Não posso ir para Paris agora.

— Claro que pode. — Ele fez uma careta. — Seu passaporte está no meu bolso.

— Larry — disse ela. — Você está maluco! Não tenho roupas. Tenho um milhão de compromissos. Eu...

— Eu compro roupas para você em Paris. Cancele seus compromissos. Fraser pode passar alguns dias sem você.

Catherine olhou para ele sem saber o que dizer. Lembrou-se das decisões que tinha tomado: Larry era seu marido. Ele tinha de vir primeiro. Percebeu que não era apenas o fato de levá-la para Paris que era importante para Larry. Ele estava se exibindo para ela, pedindo-lhe que voasse no avião em que era navegador. E ela quase estragara tudo. Pôs a mão na dele e sorriu.

— O que estamos esperando? — perguntou. — Estou faminta!

PARIS FOI UM redemoinho de divertimento. Larry conseguira tirar uma semana inteira de folga e parecia a Catherine que todas as horas do dia estavam cheias de coisas para fazer. Eles ficaram num hotelzinho na margem esquerda.

Na primeira manhã em Paris, Larry levou Catherine à Champs-Elisées, onde tentou comprar uma loja inteira para ela. Ela comprou apenas o necessário e ficou impressionada ao ver como tudo era caro.

— Sabe qual é o seu problema? — perguntou Larry. — Você se preocupa demais com dinheiro. Nós estamos em lua de mel.

— Sim, senhor — disse ela. Mas recusou-se a comprar um vestido de noite de que não precisava. Quando tentou perguntar a Larry de onde estava vindo todo aquele dinheiro, ele não quis discutir o assunto, mas ela insistiu em saber.

— Consegui um adiantamento do meu salário — disse Larry. — Qual é o problema?

E Catherine não teve coragem de lhe dizer. Ele era como uma criança com dinheiro, generoso e descuidado, e aquilo era parte do seu encanto, da mesma forma como fora parte do encanto do pai dela.

Larry a levou em excursões turísticas por Paris: ao Louvre, às Tuileries e a Les Invalides para ver o túmulo de Napoleão. Levou-a a um pequeno restaurante perto da Sorbonne. Foram a Les Halles, o famoso mercado de Paris, e viram as frutas, a carne e os vegetais frescos, vindos das fazendas da França; passaram a última tarde de domingo em Versalhes e depois jantaram no jardim do Coq Hardi, belo de tirar o fôlego, fora de Paris. Foi uma perfeita segunda lua de mel.

HAL SAKOWITZ ESTAVA sentado em seu gabinete, lendo os relatórios pessoais, feitos semanalmente. Diante dele estava o relatório sobre Larry Douglas. Sakowitz recostou-se na cadeira, estudando-o, mordendo o lábio inferior, pensativo. Afinal, inclinou-se e apertou o botão do intercomunicador.

— Mande-o entrar — disse ele.

Um momento depois Larry entrou, com o uniforme da Pan Am e carregando a mala de voo. Sorriu para Sakowitz e disse:

— Bom-dia, chefe.

— Sente-se.

Larry afundou numa cadeira em frente à escrivaninha e acendeu um cigarro.

— Tenho um relatório aqui que diz que segunda-feira passada, em Paris, você se apresentou 45 minutos atrasado para o voo — disse Sakowitz.

A expressão de Larry mudou.

— Fui apanhado por um engarrafamento na Champs-Elysées. O avião saiu na hora certa. Eu não sabia que estávamos dirigindo um colégio de crianças.

— Estamos dirigindo uma companhia aérea — disse Sakowitz com tranquilidade. — E a dirigimos de acordo com o regulamento.

— OK — disse Larry, zangado. — Vou manter-me afastado da Champs-Elysées. Mais alguma coisa?

— Sim. O Comandante Swift acha que você tomou um drinque ou dois antes da decolagem nos últimos dois voos.

— Ele é um maldito mentiroso! — retorquiu Larry.

— Por que mentiria?

— Porque tem medo de que você lhe tire o emprego. — Havia uma raiva penetrante na voz de Larry. — O filho da puta é um velho rabugento e tímido, que já devia ter se aposentado há uns dez anos.

— Você voou com quatro comandantes diferentes — prosseguiu Sakowitz. — De quais gostou?

— De nenhum deles — retorquiu Larry. Ele viu a armadilha tarde demais e, rápido, continuou: — Quero dizer, eles são legais. Nada tenho contra eles.

— Eles também não gostam de voar com você — disse Sakowitz no mesmo tom. — Você faz com que se sintam nervosos.

— O que significa isto?

— Significa que, se houver uma emergência, eles querem estar seguros a respeito do homem a seu lado e eles não estão seguros a seu respeito.

— Pelo amor de Deus! — explicou Larry. — Eu vivi quatro anos de emergência sobre a Alemanha e no Pacífico Sul, arriscando o meu pescoço todo dia, enquanto eles estavam aqui sentados nos seus traseiros gordos, ganhando grandes salários, e eles não têm confiança em mim? Você deve estar brincando!

— Ninguém diz que você não é grande num avião de combate — respondeu Sakowitz com tranquilidade. — Mas estamos transportando passageiros. É um outro jogo.

Larry ficou ali, com os punhos cerrados, tentando controlar a raiva.

— OK — disse ele mal-humorado. — Já compreendi. Se terminou, tenho um voo que parte daqui a alguns minutos.

— Alguém substituirá você — disse Sakowitz. — Está despedido.

Larry olhou para ele sem acreditar.

— Estou *o quê*?

— De certa maneira, acho que a culpa é minha, Douglas. Não devia ter empregado você.

Larry levantou-se com os olhos chamejando de fúria.

— Então por que diabo o fez? — perguntou ele.

— Porque sua mulher tinha um amigo chamado Bill Fraser...

Larry lançou-se por cima da mesa, golpeando com o punho o rosto de Sakowitz. O golpe empurrou Sakowitz contra a parede e ele aproveitou o momento para se levantar, golpeou Larry duas vezes e então recuou, lutando para se controlar.

— Saia daqui — gritou. — Agora!

Larry olhou para ele com o rosto contorcido de ódio.

— Seu filho da puta — disse ele. — Eu não voltaria a esta companhia nem que me suplicasse! — Virou-se e saiu do escritório.

Sakowitz ficou ali, vendo-o sair. A secretária entrou apressada. Viu a cadeira virada e o lábio de Sakowitz, que sangrava.

— O senhor está bem? — perguntou ela.

— Ótimo — disse ele. — Pergunte ao Sr. Eastman se ele pode vir até aqui.

Dez minutos depois Sakowitz acabava de relatar o incidente a Carl Eastman.

— O que acha que há de errado com Douglas? — perguntou Eastman.

— Quer saber sinceramente? Acho que ele é maluco.

Eastman o observou com os olhos castanhos, penetrantes.

— Isto é um bocado forte, Sak. Ele não estava bêbado durante o voo. Ninguém pode provar que tinha bebido. E qualquer um se pode atrasar de vez em quando.

— Se isso fosse tudo, não o teria despedido, Carl. Douglas tem um ponto de tolerância máximo muito baixo. Vou dizer-lhe a verdade, eu estava tentando provocá-lo hoje e não foi difícil. Se tivesse suportado a pressão, talvez me arriscasse e o mantivesse. Sabe o que me preocupa?

— O quê?

— Há alguns dias, encontrei um velho conhecido que voou com Douglas na RAF. Ele me contou uma história maluca. Parece que quando Douglas estava no Esquadrão das Águias, ficou caído por uma inglesa que era noiva de um rapaz chamado Clark, do esquadrão de Douglas. Douglas fez tudo que pôde para conquistar a garota, mas ela não quis. Uma semana antes do casamento dela com Clark, o esquadrão voou para cobrir alguns B-17 num *raid* sobre Dieppe. Douglas voava na retaguarda do esquadrão. As fortalezas jogaram suas bombas e todo mundo virou, vindo de volta para casa. Quando estavam sobre o canal, foram atacados por alguns Messerschmitts e Clark foi derrubado. — Ele parou, perdido em algum devaneio. Eastman esperou que continuasse e afinal Sakowitz olhou para ele. — De acordo com meu amigo, não havia nenhum Messerschmitt perto de Clark quando ele foi atingido.

Eastman olhou para ele sem acreditar.

— Jesus! Você está dizendo que Larry Douglas...

— Não estou dizendo nada. Só estou lhe contando uma história interessante que ouvi. — Ele pôs o lenço no lábio novamente. O sangramento tinha parado. — É difícil dizer o que está acontecendo no meio de uma luta. Talvez Clark apenas tenha ficado sem combustível. Uma coisa é certa: não havia dúvida de que ele teve pouca sorte.

— O que aconteceu com a garota?

— Douglas ficou com ela até voltar para os Estados Unidos e então a abandonou. — Olhou para Eastman, pensativo. — Vou dizer-lhe uma coisa: tenho pena da mulher de Douglas.

Catherine estava na sala de conferências, numa reunião, quando a porta se abriu e Larry entrou.

O olho estava machucado e inchado, o queixo, cortado. Ela correu para ele.

— Larry, o que aconteceu?

— Saí do emprego — resmungou ele.

Catherine o levou até sua sala, para longe dos olhares curiosos dos outros, e pôs-lhe um pano molhado sobre o olho e o queixo.

— Conte-me como foi — disse ela, controlando a raiva que sentia pelo que tinham feito com ele.

— Eles estavam atrás de mim há muito tempo, Cathy. Acho que tinham inveja por eu ter estado na guerra e eles não. De qualquer maneira, hoje foi demais. Sakowitz me chamou e disse que a única razão por que tinha me contratado era porque você era a queridinha de Bill Fraser.

Catherine olhou para ele sem poder falar.

— Eu bati nele — disse Larry. — Não pude me conter.

— Oh, querido! — disse Catherine. — Sinto muito.

— Sakowitz sente mais — respondeu Larry. — Eu realmente o acertei. Emprego ou não, não ia deixar que ele falasse de você daquele jeito.

Ela o abraçou, reconfortando-o.

— Não se preocupe, você pode trabalhar para qualquer companhia do país.

Mas as palavras de Catherine não se cumpriram. Larry candidatou-se em todas as grandes companhias aéreas e diversas o entrevistaram, mas nada conseguiu em nenhuma delas. Bill Fraser almoçou com Catherine e ela lhe contou o que havia acontecido. Fraser nada disse, mas ficou pensativo durante todo o almoço. Diversas vezes pareceu a ela que ele estava a ponto de lhe dizer alguma coisa, mas a cada vez ele parava. Finalmente falou:

— Conheço muita gente, Cathy. Gostaria que eu visse o que posso fazer por Larry em algum outro lugar?

— Obrigada — disse Catherine, agradecida. — Mas acho que não. Nós nos arranjaremos.

Fraser a observou um momento, então assentiu:

— Diga-me se mudar de ideia.

— Direi — prometeu ela com ternura. — Parece que estou sempre lhe dando problemas.

> AGÊNCIA DE SEGURANÇA ACME
> Rua "D", 1402
> WASHINGTON, D.C.

Referência nº 2-179-210   1º de abril de 1946

Caro Monsieur Barbet:

Obrigado pela carta de 15 de março de 1946 e pelo depósito.

Desde meu último relatório, o investigado conseguiu um emprego com a The Flying Wheels Transport Company, uma pequena companhia independente de fretes que opera em Long Island. Um cheque de Dun and Bradstreet mostra que eles têm um capital de menos de 750 mil dólares. O equipamento consiste em um B-26 reformado e um DC-3 também reformado. Têm empréstimos bancários de 400 mil dólares. O vice-presidente do Banque de Paris em Nova York, onde têm a maior conta, assegurou que a companhia tem um excelente potencial de crescimento e futuro. O banco está pensando em lhes emprestar dinheiro para a compra de mais aviões, com base na renda atual de 80 mil dólares por ano, com aumentos previstos de 30 por cento ao ano, nos próximos cinco anos.

Se desejar mais detalhes sobre os aspectos financeiros da companhia, por favor, diga-me.

O investigado começou a trabalhar em 19 de março de 1946. O diretor de pessoal (que também é um dos donos) informou ao meu agente que achava muito bom ter o investigado voando para ele. Seguirão mais detalhes.

> Sinceramente,
> R. Ruttenberg
> Gerente-Supervisor

BANQUE DE PARIS
NEW YORK CITY, NEW YORK
Philippe Chardon
Presidente

Chère Noelle

Tu es vraiment mauvaise! Je nesais pas ce que cet homme t'a fait, mais quoique ce soit, il a payé. Il a été mis à la porte aux Flying Wheels Cie., et mon ami me dit qu'il en a piqué une crise.

Je pense à être à Athenes, et je compte te voir.

Mes amitiés à Costa — et ne tiens fait la petite faveur que je t'ai faite restera notre secret.

Affectueusement à toi,
Philippe

AGÊNCIA DE SEGURANÇA ACME
Rua D, 1402
WASHINGTON, D.C.

Referência nº 2-179-210   22 de maio de 1946

Caro Monsieur Barbet:

Esta é a continuação de meu relatório de 1º de maio de 1946.

A 14 de maio de 1946, o investigado foi despedido pela Companhia Flying Wheels Transport. Tentei fazer perguntas discretas sobre qual o motivo, mas sempre encontrei um muro de silêncio. Ninguém ali discute o assunto e a minha presunção é de que o investigado fez alguma coisa que o desgraçou e eles não querem falar nisso.

O investigado está procurando outro emprego, mas aparentemente não tem perspectivas imediatas.

Continuarei tentando obter maiores informações sobre a razão por que ele foi despedido.

Sinceramente,
R. Ruttenberg
Gerente-Supervisor

TELEGRAMA   29 DE MAIO DE 1946
CHRISTIAN BARBET
END. TEL. CHRISBAR
PARIS. FRANÇA.

TELEGRAMA RECEBIDO PONTO ABANDONAREI
IMEDIATAMENTE A INVESTIGAÇÃO SOBRE POR QUE O
INVESTIGADO FOI DESPEDIDO PONTO CONTINUAREI
TUDO MAIS COMO ANTES

CUMPRIMENTOS,
R. RUTTENBERG
AGÊNCIA DE SEGURANÇA ACME

AGÊNCIA DE SEGURANÇA ACME
RUA D, 1402
WASHINGTON, D. C.

Referência nº 2-179-210   16 de junho de 1946

Caro Monsieur Barbet:

Obrigado pela carta de 10 de junho e pelo depósito bancário.

No dia 15 de junho o investigado conseguiu um emprego de copiloto na Global Airways, uma companhia aérea regional de cargas, que opera entre Washington, Boston e Filadélfia.

A Global Airways é uma companhia nova e pequena, com uma frota de aviões de guerra adaptados e, pelo que pude saber, tem pouco capital e muitas dívidas. Um vice-presidente da empresa informou-me de que lhes foi prometido um empréstimo pelo Dallas First National Bank dentro dos próximos seis dias, o que lhes dará capital suficiente para saldar as dívidas e se expandir.

O investigado é tido em alta conta e parece ter bom futuro lá.

Por favor, comunique-me se desejar mais informações sobre a Global Airways.

Sinceramente,
R. Ruttenberg
Gerente-Supervisor

AGÊNCIA DE SEGURANÇA ACME
RUA D, 1402
WASHINGTON, D.C.

Referência nº 2-179-210   20 de julho de 1946

Caro Sr. Barbet:

Inesperadamente a Global Airways foi à falência e vai parar de operar. Pelo que pude saber, isto foi forçado pela recusa do Dallas First National Bank de conceder o empréstimo que havia prometido. O investigado agora está desempregado outra vez e de volta aos padrões anteriores de comportamento, já delineado em outros relatórios.

Não farei qualquer investigação sobre o motivo por que o banco recusou o empréstimo ou sobre as dificuldades financeiras da Global Airways, a menos que me diga claramente para fazê-lo.

Sinceramente,
R. Ruttenberg
Gerente-Supervisor

Noelle guardava todos os relatórios numa pasta de couro especial, da qual só ela tinha a única chave. A pasta ficava numa mala trancada, guardada no fundo do seu armário, não porque pensasse que Demiris fosse mexer em suas coisas, mas porque sabia quanto ele amava intrigas. Aquela era sua vingança pessoal e ela queria ter certeza de que Demiris continuaria sem saber de nada.

Constantin Demiris desempenharia um papel em seu plano de vingança, mas nunca saberia disso. Noelle olhou pela última vez o memorando e o trancou, satisfeita.

Estava pronta para começar, e começou com um telefonema.

CATHERINE E LARRY estavam em casa jantando num silêncio constrangedor. Larry ficava muito pouco em casa ultimamente e, quando o fazia, era grosseiro e rude, mas Catherine compreendia sua infelicidade.

— É como se algum demônio estivesse nas minhas costas — dissera-lhe quando a Global Airways falira.

E era verdade. Estava numa incrível maré de má sorte. Catherine tentava acalmá-lo, lembrando-lhe o piloto maravilhoso que era e como tinha sorte qualquer um que o conseguisse como funcionário. Mas era como viver com um leão ferido. Ela nunca sabia quando ele a agrediria e, porque tinha medo de decepcioná-lo, tentava compreender seus ataques selvagens e ignorá-los. O telefone tocou quando servia a sobremesa. Ela apanhou o fone.

— Alô.

Era a voz de um inglês do outro lado da linha:

— Larry Douglas está, por favor? Aqui é Ian Whitestone.

— Um momento. — Entregou o fone a Larry. — É para você. Ian Whitestone.

Ele franziu o cenho espantado.

— Quem? — Então seu rosto se desanuviou. — Por Deus! — Levantou-se e pegou o fone. — Ian? — Deu uma risada curta. — Meu Deus, já faz quase sete anos. Como conseguiu me encontrar?

Catherine observou Larry balançando a cabeça e sorrindo enquanto ouvia. Ao fim do que pareceram cinco minutos, ele disse:

— Bem, parece interessante, meu velho. É claro que posso. Onde? — Ele ouvia. — Certo. Meia hora. Eu o verei então. — Pensativo, desligou.

— É um amigo seu? — perguntou Catherine.

Larry virou-se para ela.

— Não, na verdade não. É isso que é estranho. É um cara com quem voei na RAF. Nós nunca nos demos muito bem. Mas ele diz que tem uma proposta a me fazer.

— Que tipo de proposta? — perguntou Catherine.

Larry encolheu os ombros.

— Eu lhe direi quando voltar.

Eram quase 3 horas da madrugada quando Larry voltou ao apartamento. Catherine estava sentada na cama, lendo. Larry apareceu na porta do quarto.

— Olá!

Alguma coisa tinha acontecido com ele. Irradiava uma animação que há muito tempo Catherine não via. Foi até a cama.

— Como foi o encontro?

— Acho que foi muito bem — disse Larry, cauteloso. — De fato foi tão bem que ainda não consigo acreditar. Acho que talvez tenha um emprego.

— Trabalhando para Ian Whitestone?

— Não. Ian é piloto como eu. Eu lhe disse que voamos juntos.

— Sim.

— Bem. Depois da guerra, um grego amigo dele arranjou-lhe um emprego como piloto particular de Demiris.

— O armador milionário?

— Navios, petróleo, ouro, Demiris é dono da metade do mundo. Whitestone tinha uma bela posição.

— O que aconteceu?

Larry olhou para ela e fez uma careta.

— Ele largou o emprego, vai para a Austrália. Alguém vai financiar um negócio para ele lá.

— Ainda não compreendo — disse Catherine. — O que isso tem a ver com você?

— Whitestone falou com Demiris sobre eu ficar no lugar dele. Acabou de sair e Demiris ainda não teve oportunidade de procurar um substituto. Whitestone acha que sou feito para o lugar. — Ele hesitou. — Não imagina o que isso poderia significar, Cathy.

Catherine pensou nas outras vezes, nos outros empregos, lembrou-se de seu pai com seus sonhos vazios e manteve a voz neutra, não querendo encorajar falsas esperanças em Larry e, ao mesmo tempo, não querendo estragar seu entusiasmo.

— Você não disse que você e Whitestone não eram muito bons amigos?

Ele hesitou.

— Sim. — Uma pequena ruga surgiu em sua testa.

A verdade era que ele e Ian Whitestone nunca tinham gostado nem um pouco um do outro. O telefonema daquela noite fora uma grande surpresa. Durante o encontro, Whitestone parecera estranhamente pouco à vontade. Quando explicara a situação e Larry disse "estou surpreso de que tenha pensado em mim", houve uma pausa incômoda, antes que Whitestone dissesse: "Demiris quer um grande piloto e isto é o que você é." Era quase como se ele estivesse empurrando o emprego para Larry e como se Larry lhe estivesse fazendo um favor. Parecera muito aliviado quando Larry respondeu que estava interessado e então mostrou-se ansioso para partir. Pensando bem, tinha sido um encontro um bocado estranho.

— Esta pode ser a chance da minha vida — disse Larry a Cathy. — Demiris pagava a Whitestone 15 mil dracmas por mês. São 500 dólares, e lá ele vivia como um rei.

— Mas isso não quer dizer que você teria de viver na Grécia.

— *Nós* teríamos de viver na Grécia — corrigiu Larry. — Com todo esse dinheiro, poderíamos juntar o suficiente para estarmos independentes em um ano. Tenho de tentar.

Catherine hesitava, escolhendo as palavras com cuidado.

— Larry, é tão longe e você nem mesmo conhece Constantin Demiris. Deve haver um emprego de piloto aqui que...

— Não! — O tom dele era furioso. — Ninguém aqui dá a menor importância ao fato de você ser um bom piloto. Tudo que interessa a eles é se você pagou as merdas das contribuições sindicais. Lá, eu seria independente. É o tipo da coisa com que tenho sonhado, Cathy. Demiris tem uma frota de aviões em que você não acreditaria, e eu estaria novamente voando, querida. A única pessoa a quem teria de agradar seria Demiris, e Whitestone diz que ele vai me adorar.

Ela tornou a pensar no emprego de Larry na Pan Am, nas esperanças que tinha e nas decepções com as pequenas companhias. *Meu Deus*, pensou ela. *Em que estou me metendo?* Significaria desistir do negócio que ela construíra, ir viver num lugar estranho com estranhos, com um marido que era quase um estranho.

Ele a observava.

— Você está comigo?

Ela olhou para o rosto ansioso. Aquele era seu marido e, se quisesse manter seu casamento, teria de viver onde ele vivesse. E que maravilhoso seria, se desse certo. Ele voltaria a ser outra vez o velho Larry, o atraente, divertido e maravilhoso homem com quem se casara. Tinha de tentar.

— É claro que estou com você — disse. — Por que não vai até lá, para conversar com Demiris? Se conseguir o emprego, então eu irei a seu encontro.

Ele sorriu com aquele jeito de menino.

— Eu sabia que podia contar com você, querida. — Pôs os braços em torno dela e abraçou-a com força. — É melhor você tirar esta camisola — disse — ou eu vou abrir buracos nela.

Mas, enquanto Catherine se despia devagar, pensava em como diria a Bill Fraser.

Cedo, na manhã seguinte, Larry tomou o avião para Atenas.

Durante os dias seguintes, Catherine não teve notícias do marido. Quando passou quase uma semana, ela começou a ter esperanças de que as coisas não tivessem dado certo na Grécia e que Larry voltaria. Mesmo se ele conseguisse o emprego com Demiris, não havia como dizer quanto tempo duraria e era claro que ele podia achar um emprego nos Estados Unidos.

Seis dias depois de Larry ter partido, Catherine recebeu um telefonema internacional.

— Catherine?

— Olá, querido.

— Faça as malas. Você está falando com o piloto particular de Constantin Demiris.

Dez dias depois, Catherine estava a caminho da Grécia.

LIVRO SEGUNDO

Noelle e Catherine

Atenas: 1946

14

OS HOMENS MOLDAM CIDADES, cidades moldam os homens. Atenas é uma bigorna que sobreviveu ao martelo dos séculos. Foi capturada e espoliada pelos sarracenos, anglos e turcos, mas a cada vez, pacientemente, sobreviveu. Atenas fica perto da extremidade sul da grande planície central da Ática, que se inclina suavemente para o Golfo Sarônico, no sudoeste, e é dominada a leste pelo majestoso Monte Himetus. Sob a pátina brilhante da cidade ainda se encontra um vilarejo cheio de fantasmas antigos e impregnado de ricas tradições de glórias imortais, onde os cidadãos vivem tanto no passado como no presente; uma cidade de constantes surpresas, cheia de descobertas e, no fundo, impossível de se conhecer.

LARRY ESTAVA NO aeroporto de Hillenikon à espera do avião de Catherine. Ela o viu se apressando em direção à rampa, o rosto ansioso e excitado, enquanto corria para ela. Estava mais queimado e mais magro que da última vez que o vira e parecia descontraído.

— Senti sua falta, Cathy — disse ele enquanto a tomava nos braços.

— Eu também. — E quando o disse, percebeu como era verdade. Sempre se esquecia do forte impacto físico que ele lhe causava, até que se encontravam depois de uma ausência e, a cada vez, a atingia de novo.

— Como Bill Fraser recebeu a notícia? — perguntou Larry enquanto a ajudava com a alfândega.

— Foi maravilhoso.

— Ele não tinha escolha, tinha? — disse Larry, sarcástico.

Catherine recordou o encontro com Bill Fraser. Ele a olhara chocado.

— Você vai para a Grécia para *viver lá*? Por que, pelo amor de Deus?

— Está nos termos do meu contrato de casamento — respondera tranquila.

— Por que Larry não consegue um emprego aqui, Catherine?

— Não sei por quê, Bill. Alguma coisa parece que sempre dá errado. Mas ele arranjou um emprego na Grécia e acha que vai dar certo.

Depois do primeiro protesto impulsivo, Fraser tinha sido maravilhoso. Tornara tudo mais fácil para ela e insistira para que continuasse com a participação na empresa.

— Você não vai ficar longe para sempre — dissera ele.

Catherine pensava em suas palavras agora, enquanto observava Larry chamando um carregador para levar a bagagem até o carro.

Ele falou com o carregador em grego e Catherine ficou maravilhada com a facilidade que Larry tinha para aprender línguas.

— Espere até conhecer Constantin Demiris — disse Larry. — Ele é como um rei. Todos os magnatas da Europa passam o tempo todo imaginando o que podem fazer para agradá-lo.

— Estou feliz por você gostar dele.

— E ele gosta de mim.

Nunca o ouvira falar com tanta alegria e entusiasmo. Era um bom presságio.

A caminho do hotel, Larry descreveu o primeiro encontro com Demiris. Ele fora esperado no aeroporto por um chofer de libré; pedira para ver a frota de aviões de Demiris e o chofer o levara de carro a um enorme hangar na extremidade do campo. Havia três aviões e Larry inspecionara cada um com olho crítico. O Hawker Siddeley era uma beleza e teve vontade de já estar na cabina e voar com ele. O outro era um Piper de seis lugares, em excelente condição; achava que faria 450 quilômetros por hora com facilidade. O terceiro avião era um L-5 remodelado, de dois lugares, com um motor Lycoming, um avião fantástico para voos curtos. Era uma frota particular impressionante. Quando Larry terminou a inspeção, foi juntar-se ao chofer, que o observava.

— São ótimos — disse. — Vamos.

O chofer o conduzira a uma *villa* em Varkiza, o bairro elegante a 25 quilômetros do centro de Atenas.

— Você não acreditaria na casa de Demiris — disse Larry a Catherine.

— Como é?

— É impossível de descrever. São cerca de 4 hectares com portões eletrificados, guardas, cachorros e toda a pompa. O exterior da *villa* é um palácio, e o interior, um museu. Tem uma piscina interna, um palco e uma sala de projeção de cinema. Você vai ver um dia.

— Ele foi simpático?

— Ora se foi. — Larry sorriu. — Recebi um tratamento de tapete vermelho. Acho que minha fama me precedeu.

Na realidade, Larry ficara sentado numa pequena sala de espera durante três horas, esperando por Constantin Demiris. Em circunstâncias normais, teria ficado furioso com o tratamento, mas sabia quanto dependia daquele encontro e estava nervoso demais para ficar zangado. Dissera a Catherine como aquele emprego era importante para ele, mas não havia dito como precisava desesperadamente dele. Sua única habilidade era voar e sem ela sentia-se perdido. Era como se sua vida tivesse se afundado em alguma profundeza emocional inexplorada e as pressões sobre ele fossem enormes demais para serem suportadas. *Tudo* dependia daquele emprego.

Ao fim de três horas, um mordomo entrou, anunciou que o Sr. Demiris estava pronto para recebê-lo e conduziu Larry através de uma grande antessala que parecia pertencer a Versalhes. As paredes eram delicadas sombras douradas, verdes, azuis, com tapeçarias Beauvais penduradas, emolduradas em pau-rosa. No chão, havia um magnífico tapete Savonerie oval e, no teto, um enorme lustre de cristal de rocha e bronze dourado.

Na entrada da biblioteca via-se um par de colunas de ônix verde, com capitéis de bronze dourado. A biblioteca era perfeita, desenhada por um mestre, com as paredes em preciosas madeiras entalhadas. No centro de uma parede, havia uma cornija de lareira em mármore branco, ornamentada com incrustação de ouro. Sobre ela, dois belos Chénets de bronze de Philippe Caffieri.

Do tampo da cornija até o teto subia um espelho Trumeau trabalhado com um quadro de Jean Honoré Fragonard. Pela janela aberta de um balcão, Larry viu um enorme pátio, que dominava um parque cheio de estátuas e fontes.

No fundo da biblioteca viam-se uma escrivaninha Bureau Plat e, atrás dela, uma magnífica cadeira de encosto alto, forrada com tapeçaria Aubusson. Em frente à escrivaninha havia duas *bergères* forradas de tapeçaria Gobelin.

Demiris estava de pé junto à escrivaninha, estudando um grande mapa-múndi sobre a parede, pontilhado de dúzias de alfinetes coloridos. Ele se virou quando Larry entrou e estendeu a mão.

— Constantin Demiris — disse, com um leve traço de sotaque. Durante anos Larry tinha visto fotografias dele em revistas, mas nada o havia preparado para a força vital do homem.

— Eu sei — disse Larry, apertando-lhe a mão. — Sou Larry Douglas.

Demiris viu os olhos de Larry dirigirem-se para o mapa na parede.

— Meu império — disse ele. — Sente-se.

Larry sentou-se na cadeira em frente à escrivaninha.

— Você e Ian Whitestone voaram juntos na RAF?

— Sim.

Demiris recostou-se na cadeira e estudou Larry.

— Ian tem você em alta conta.

Larry sorriu.

— E eu o tenho em alta conta. É um excelente piloto.

— É o que ele disse de você, exceto que usou a palavra "grande".

Larry tornou a sentir a mesma surpresa que o dominara quando Whitestone lhe fizera a oferta. Era evidente que ele dera a Demiris excelentes informações a seu respeito, bastante desproporcionadas tendo em vista o pouco conhecimento que tinha dele.

— Eu sou bom — disse Larry. — É o que sei fazer.

Demiris assentiu.

— Gosto de homens que são bons no que fazem. Sabe que a maior parte das pessoas no mundo não é?

— Nunca pensei muito sobre isso — confessou Larry.

— Eu, já. — Deu um sorriso frio. — Este é *meu* negócio: gente. A grande maioria das pessoas odeia o que faz, Sr. Douglas. Em vez de arranjar maneiras de fazerem alguma coisa de que gostem, ficam presos o resto de suas vidas, como insetos irracionais. Quase sempre, quando se encontra um homem assim, ele é um sucesso.

— Suponho que seja verdade — disse Larry com modéstia.

— Você *não é* um sucesso.

Larry olhou para Demiris sério, de repente.

— Isso depende do que quer dizer com a palavra sucesso, Sr. Demiris — disse com cuidado.

— O que quero dizer — disse Demiris rudemente — é que você foi brilhante na guerra, mas não está se saindo muito bem na paz. — Larry sentiu os músculos do maxilar começarem a se contrair. Viu que estava sendo atacado e tentou controlar a raiva. Sua mente corria frenética, tentando descobrir o que poderia dizer para salvar aquele emprego de que necessitava tão desesperadamente. Demiris o observava, estudando-o com os olhos preto-oliva, sem perder nada. — O que aconteceu com seu emprego na Pan American, Sr. Douglas?

Larry conseguiu dar um sorriso fingido.

— Não gostei da ideia de ficar sentado esperando durante 15 anos para me tornar piloto.

— E por isso você esmurrou o homem para quem trabalhava. Demonstrou sua surpresa.

— Quem lhe disse isso?

— Ora, Sr. Douglas — disse Demiris, impaciente. — Se vier a trabalhar para mim, estarei colocando minha vida em suas mãos cada vez que voar. Minha vida vale muito para mim. Realmente, acha que eu o contrataria sem saber *tudo* a seu respeito?

— Suponho que não — concordou.

— Foi despedido de dois empregos depois de ter sido despedido da Pan Am — continuou Demiris. — É um histórico pouco recomendável.

— Não teve nada a ver com a minha habilidade — retorquiu Larry, com a raiva começando a crescer novamente dentro dele. — Os negócios não iam muito bem com uma companhia e a outra não conseguiu um empréstimo de que precisava e faliu. Sou um bom piloto.

Demiris o estudou um momento e então sorriu.

— Sei que é — disse ele. — Não gosta muito de disciplina, gosta?

— Não gosto de receber ordens de idiotas que sabem menos que eu.

— Espero não cair nessa categoria — disse Demiris com secura.

— Não vai, a menos que planeje ensinar-me como pilotar seus aviões, Sr. Demiris.

— Não, esta seria sua função. Como também seria sua função cuidar para que eu chegue aos lugares para onde estou indo com eficiência, conforto e segurança.

Larry assentiu.

— Farei o melhor que puder, Sr. Demiris.

— Acredito — disse Demiris. — Esteve vendo meus aviões.

Larry tentou demonstrar surpresa.

— Sim, senhor.

— O que achou deles?

Ele não pôde esconder o entusiasmo.

— São maravilhosos.

Demiris respondeu à expressão que havia no rosto de Larry.

— Já pilotou um Hawker Siddeley?

Larry hesitou um momento, tentando mentir.

— Não, senhor.

Demiris assentiu.

— Acha que pode aprender?

Larry sorriu.

— Se tiver alguém que me possa dar dez minutos.

Demiris inclinou-se para a frente e juntou os dedos longos e finos.

— Eu poderia escolher um piloto que saiba pilotar todos os meus aviões.

— Mas não o fará — disse Larry — porque continuará comprando aviões novos e quer alguém que se adapte ao que quer que compre.

Demiris fez que sim com a cabeça.

— Correto. O que procuro é um piloto, um piloto nato, um homem que se sinta supremamente feliz quando está voando.

Naquele momento Larry teve certeza de que o emprego era seu.

LARRY NUNCA SOUBE como estivera perto de não ser contratado. Grande parte do sucesso de Demiris devia-se a um instinto muito desenvolvido para perceber problemas, e que lhe fora útil com suficiente frequência, de forma que era raro que o ignorasse. Quando Ian Whitestone viera dizer-lhe que iria embora, o mecanismo de alarme soara na cabeça de Demiris. Era em parte por causa da maneira como Whitestone agira. Ele estava sem jeito e parecia pouco à vontade. Não era problema de dinheiro, assegurara a Demiris, tinha a oportunidade de abrir um negócio seu com o cunhado em Sidney e queria tentar. Então recomendara outro piloto.

— É um americano, mas voamos juntos na RAF. Ele não é apenas bom, ele é grande, Sr. Demiris. Não conheço piloto melhor.

Demiris ouvira em silêncio enquanto Ian Whitestone continuava exaltando as virtudes do amigo, tentando encontrar a nota falsa que o incomodava. Afinal a reconhecera. Whitestone estava exagerando no esforço para vender sua ideia, mas era possível que fosse por causa do embaraço que sentia por abandonar o emprego tão bruscamente.

Sendo Demiris um homem que não deixava nem o menor detalhe à sorte, ele deu uma série de telefonemas depois que Whitestone saiu. Antes do fim da tarde, tinha-se assegurado de que alguém tinha mesmo investido algum dinheiro para financiar Whitestone num pequeno negócio de eletrônica na Austrália com seu cunhado. Tinha falado com um amigo no Ministério da Aeronáutica da Inglaterra e duas horas depois recebera um relatório verbal sobre Larry Douglas. "Ele era um pouco irregular em terra", dissera seu amigo, "mas era um piloto soberbo." Então Demiris fizera ligações para Washington e Nova York e rapidamente fora posto em dia com a situação atual de Larry Douglas.

Na superfície tudo parecia ser como devia e, no entanto, Constantin Demiris ainda sentia aquela vaga sensação de mal-estar, um pressentimento de problemas. Discutira o assunto com Noelle, sugerindo que talvez devesse oferecer um salário maior a Ian Whitestone para que ficasse. Noelle ouvira com atenção e então dissera que não, que o deixasse ir. E já que ele recomendava tanto esse americano, por que não tentar?

E aquilo finalmente o decidira.

A partir do momento em que soube que Larry Douglas estava a caminho de Atenas, Noelle não conseguiu pensar em mais nada. Rememorou todos os anos que levara na cuidadosa e paciente elaboração dos planos, no lento e inexorável aperto da teia, e tinha certeza de que Constantin Demiris teria ficado orgulhoso dela, se tivesse sabido. Era irônico, refletiu Noelle: se nunca tivesse encontrado Larry poderia ter sido feliz com Demiris. Eles se completavam com perfeição; ambos amavam o poder e sabiam usá-lo. Estavam acima das pessoas comuns, eram deuses nascidos para ordenar. No fim, nunca perdiam, porque tinham uma paciência profunda, quase mística. Podiam esperar para sempre. E agora, para Noelle, a espera tinha terminado.

NOELLE PASSOU O DIA no jardim, deitada numa espreguiçadeira, examinando o seu plano, e quando o sol começou a mergulhar no Oeste estava satisfeita. De certa maneira, pensou, era uma pena que tanto dos últimos seis anos tivesse sido tomado por seus planos de vingança, vingança que motivara quase todos os seus momentos de consciência, dera à sua vida uma vitalidade, uma força, uma excitação, e agora, em algumas poucas semanas, a busca chegava ao fim.

Naquele momento, deitada sob o sol grego que se punha, com as brisas do fim da tarde começando a refrescar o jardim verde e tranquilo, Noelle não tinha ideia de que estivesse apenas começando.

NA VÉSPERA DA CHEGADA de Larry, Noelle não conseguiu dormir. Ficou acordada a noite inteira, recordando Paris e o homem que lhe dera o dom do riso para depois o tomar dela novamente... Sentindo o bebê de Larry em seu ventre, possuindo seu corpo como o pai lhe possuíra a mente. Lembrou-se daquela tarde no apartamento melancólico em Paris e da agonia do metal pontudo rasgando-lhe a carne mais e mais fundo, até que penetrou na criança com a doce e insuportável dor que a levara a um frenesi de histeria e do interminável rio de sangue que saía dela. Lembrou-se de todas aquelas coisas e reviveu-as uma a uma... a dor, a agonia e o ódio...

Às 5 da manhã, Noelle estava de pé, vestida, sentada no quarto, vendo a enorme bola de fogo erguendo-se sobre o Egeu. Lembrou-lhe outra manhã em Paris, quando se levantara cedo e esperara por Larry — só que desta vez ele viria. Porque ela cuidara para que ele tivesse de vir. Da mesma forma que Noelle havia precisado dele antes, Larry precisava dela agora, mesmo que ainda não o soubesse.

Demiris enviou um recado para a suíte de Noelle, dizendo que gostaria que tomasse café com ele, mas ela estava excitada demais e teve medo de que seu estado de espírito pudesse despertar-lhe a curiosidade. Há muito tempo aprendera que Demiris tinha a sensibilidade de um gato: nada lhe escapava. Noelle tornou a se lembrar de que precisava ser cuidadosa. Queria cuidar de Larry sozinha e de seu próprio jeito. Pensara muito e durante muito tempo no fato de que estava usando Constantin Demiris como uma ferramenta inconsciente. Se ele por acaso o descobrisse, não haveria de gostar.

Ela tomou meia xícara do espesso café grego e comeu um pãozinho. Não tinha fome. Sua mente detinha-se febrilmente no encontro que iria ocorrer em poucas horas. Tomara um cuidado especial na maquiagem e na escolha do vestido e sabia que estava bonita.

Pouco depois das 11 horas, Noelle ouviu o carro parar em frente a casa. Tomou uma inspiração profunda, para controlar o nervosismo, e então, devagar, foi até a janela. Larry Douglas estava saindo do carro. Noelle o observou enquanto andava até a porta da frente e foi como se os anos tivessem andado para trás e os dois estivessem de volta a Paris. Larry estava um pouco mais maduro e a guerra e a vida tinham deixado marcas em seu rosto, mas estas apenas serviam para torná-lo mais bonito do que era antes. Olhando para ele pela janela, alguns metros acima, Noelle ainda podia sentir seu magnetismo animal, ainda sentia o velho desejo crescendo nela, misturando-se com ódio, até que ficou tomada por uma sensação de alegria que era quase como um êxtase. Deu uma última olhada no espelho e então desceu para encontrar o homem que ia destruir.

Enquanto descia as escadas, Noelle se perguntava qual seria a reação de Larry quando a visse. Será que se gabara com os amigos e talvez até com sua mulher de que Noelle Page uma vez estivera apaixonada por ele?, perguntava-se ela, como tinha perguntado, tantas vezes antes, se algum dia ele recordara a magia daqueles dias e se lamentara o que tinha feito com ela. Como devia ter roído sua alma o fato de Noelle ter se tornado internacionalmente famosa enquanto sua própria vida não passava de uma série de pequenos fracassos! Ela queria ver aquilo nos olhos de Larry quando se encontrassem face a face pela primeira vez em quase sete anos.

Ela alcançara o hall de entrada quando a porta se abriu e o mordomo o fez entrar. Larry olhava para o enorme salão, um pouco temeroso, quando se virou e viu Noelle. Olhou para ela por um longo momento, o rosto iluminado de admiração pela mulher que via.

— Olá — disse com polidez. — Sou Larry Douglas. Tenho uma entrevista com o Sr. Demiris.

E não houve nenhum sinal de reconhecimento em seu rosto. Nenhum mesmo.

No carro, através das ruas de Atenas a caminho do hotel, Catherine ficou deslumbrada com a sucessão de ruínas e monumentos que surgiam em torno deles.

Adiante, viu o estupendo espetáculo do Partenon, em mármore branco, dominando ao alto a Acrópole. Havia hotéis e edifícios de escritórios em toda parte, mas de uma forma estranha parecia a Catherine que os prédios novos apareciam por pouco tempo, que não eram permanentes, enquanto que o Partenon desenhava-se imortal, eterno, na claridade cinzelada do ar.

— Impressionante, não é? — Larry fez uma careta. — A cidade inteira é assim. Uma grande e linda ruína.

Passaram por um grande parque no centro da cidade, com fontes jorrando no meio. Centenas de mesas com varas verdes e cor de laranja alinhavam-se no parque e o ar acima deles estava coberto com toldos azuis.

— Esta é a Praça da Constipação — disse Larry.

— *O quê?*

— O nome verdadeiro é Praça da Constituição. As pessoas se sentam nessas mesas o dia inteiro tomando café grego e vendo o mundo passar.

Em quase todos os quarteirões havia cafés abertos e nas esquinas homens vendiam esponjas acabadas de apanhar. Por todos os cantos havia vendedores de flores e suas barracas eram um deslumbramento de beleza e cores.

— A cidade é tão branca — disse Catherine. — É atordoante.

A suíte do hotel era grande e agradável, dominando a Praça Syntagma, a grande praça no centro da cidade. No quarto havia lindas flores e uma enorme tigela de frutas frescas.

— Estou adorando, querido — disse Catherine, andando pela suíte.

O carregador tinha trazido suas malas e Larry lhe deu uma gorjeta.

— *Parapolee* — disse o garoto.

— *Parakalo* — respondeu Larry.

O garoto se foi, fechando a porta.

Larry foi até Catherine e abraçou-a.

— Bem-vinda à Grécia. — Ele a beijou faminto, ela sentiu a rigidez do corpo dele contra a suavidade do seu, soube o quanto ele sentira sua falta e ficou feliz. Ele a levou para o quarto.

Na penteadeira havia um pequeno embrulho.

— Abra-o — disse Larry.

Ela rasgou o papel e abriu a caixinha onde estava um pequeno passarinho esculpido em jade. Mesmo ocupado como estava, Larry tinha se lembrado, e Catherine ficou comovida. De alguma forma, o passarinho era um talismã, um presságio de que tudo daria certo, de que os problemas do passado estavam terminados.

Enquanto faziam amor, Catherine fez uma pequena prece de agradecimento por estar nos braços do marido que tanto amava, numa das cidades mais excitantes do mundo, começando uma nova vida. Aquele era o velho Larry e todos os problemas tinham apenas tornado o seu casamento mais forte.

Nada poderia feri-los agora.

NA MANHÃ SEGUINTE, Larry combinou com um corretor imobiliário para mostrar alguns apartamentos a Catherine. O corretor era um homem baixo, moreno, com um grande bigode, chamado Dimitropolous, que falava um dialeto rápido que ele acreditava sinceramente ser inglês perfeito, mas que consistia de palavras gregas entremeadas com uma frase ocasional e indecifrável em inglês.

Pondo-se inteiramente à disposição dele, truque que Catherine usaria muito nos meses seguintes, ela o persuadiu a falar bem devagar, de forma que conseguia decifrar algumas das palavras em inglês e tentava adivinhar o que ele queria dizer.

O quarto lugar que lhe mostrou era um apartamento claro e ensolarado, de quatro quartos, em Kolonaki, que depois ela foi saber que era o bairro elegante de Atenas, com lindos prédios residenciais e lojas modernas. Quando Larry voltou para o hotel naquela noite, Catherine contou-lhe a respeito do apartamento e dois dias depois eles se mudaram para lá.

LARRY FICAVA FORA durante o dia, mas tentava estar em casa para o jantar com Catherine. O jantar em Atenas era a qualquer hora entre as nove e a meia-noite. Entre as duas e às cinco da tarde, todo mundo fazia a sesta e as lojas abriam novamente até tarde da noite. Catherine estava absorvida pela cidade. Em sua terceira noite em Atenas, Larry trouxe um amigo, o conde Pappas, um grego atraente de cerca de 45 anos, alto e magro, de cabelos escuros, com um toque cinzento nas têmporas. Ele tinha uma curiosa dignidade que agradou a Catherine e levou-os para jantar numa pequena taberna em Plaka, a parte velha da cidade, que compreendia alguns acres escarpados reunidos descuidadamente no coração do centro de Atenas, com ruas tortas e íngremes, escadas gastas que levavam a pequenas casas construídas durante o domínio turco, quando Atenas era apenas um vilarejo. Era um lugar de construções brancas e incoerentes, de frutas frescas e barracas de flores, com o maravilhoso cheiro de café torrado no ar, gatos miando e animadas brigas de rua. O efeito era encantador. Em qualquer outra cidade, pensou Catherine, um lugar como este seria favela. Ali era um monumento.

A taberna a que o conde Pappas os levou era ao ar livre, num terraço que dominava a cidade; os garçons estavam vestidos com roupas coloridas.

— O que gostaria de comer? — perguntou o conde a Catherine.

Ela estudou o menu em língua estrangeira, desanimada.

— Se incomodaria de pedir para mim? Tenho medo de que acabe pedindo o proprietário.

O conde Pappas pediu um banquete suntuoso, escolhendo uma variedade de pratos para que Catherine tivesse a oportunidade de experimentar tudo. Comeram *dolmades,* carne enrolada em folhas de parreira; *mousaka,* uma suculenta torta de carne com berinjela; *stiffado,* lebre cozida com cebolas — só disseram a Catherine o que era depois que tinha comido a metade e ela não conseguiu comer nem mais um pedaço — e *taramosalata,* a salada grega de caviar com azeite de oliva e limão. O conde pediu uma garrafa de *retsina.*

— Este é o nosso vinho nacional explicou ele. Observou, divertido, Catherine experimentá-lo. Tinha um gosto acre e forte e Catherine lutou para engoli-lo.

— O que quer que eu tivesse, acho que isto acabou de curar — arquejou ela.

Enquanto comiam, três músicos começaram a tocar *bazoukia*. Era uma música viva, alegre e contagiante. Enquanto o grupo olhava, os clientes começaram a se levantar e ir para a pista, para dançar. O que surpreendeu Catherine foi que os dançarinos eram todos homens e eram magníficos. Ela estava se divertindo muito.

Só saíram da taberna depois das 3 da madrugada. O conde os levou de volta para o apartamento novo.

— Já fez algum passeio turístico? — perguntou a Catherine.

— Não, nenhum — confessou ela. — Estou esperando que Larry tenha folga

O conde virou-se para Larry.

— Talvez eu pudesse mostrar a Catherine algumas das atrações, até que você possa juntar-se a nós.

— Seria ótimo — disse Larry. — Se tem certeza de que não vai ser muito trabalho.

— Seria um prazer — respondeu o conde. Ele se virou para Catherine. — Gostaria de me ter como guia?

Ela olhou para ele e pensou em Dimitropolous, o corretor baixinho que falava em fluente algaravia.

— Eu adoraria — respondeu com sinceridade.

As semanas seguintes foram fascinantes. Catherine passava a manhã arrumando o apartamento e, de tarde, se Larry estivesse fora, o conde ia apanhá-la e levá-la para passear.

Foram a Olímpia.

— Esta foi a sede dos primeiros Jogos Olímpicos — disse-lhe o conde. — Eram realizados aqui todos os anos durante mil anos, apesar de guerras, pestes e fome.

Catherine ficou olhando com reverência as ruínas da grande arena, pensando na grandiosidade das competições que tinham se realizado ali durante os séculos, os triunfos, as derrotas.

— Conte-me sobre os campos de jogos de Eton — disse Catherine. — Foi onde o espírito do desportismo realmente começou, não foi?

O conde riu.

— Temo que não — disse ele. — A verdade é um pouco embaraçosa.

Catherine olhou para ele, interessada.

— Por quê?

— A primeira corrida de carros realizada ali foi trapaceada.

— Trapaceada?

— Acho que sim — confessou o conde Pappas. — Sabe, havia um príncipe rico chamado Pelops que estava guerreando um rival. Eles decidiram competir numa corrida de carros para ver quem era o melhor. Na véspera da corrida, Pelops mexeu na roda do carro de seu rival. Quando a corrida começou, todos os camponeses da vizinhança estavam ali para saudar seu favorito. Na primeira volta, a roda do carro do rival soltou-se e o carro virou. O rival de Pelops ficou enredado nos cavalos e foi arrastado até a morte. Pelops continuou e acabou vitorioso.

— É terrível — disse Catherine. — O que fizeram com ele?

— Esta é a parte realmente sórdida da história — respondeu o conde. — Àquela altura, todo o populacho tinha percebido o que Pelops fizera, mas o saudou como um herói tão grande que um enorme frontão foi erguido no Templo de Zeus, em Olímpia, em sua honra. Ainda está lá. — Ele sorriu torto. — Creio que o nosso vilão prosperou e viveu feliz para sempre depois. Aliás — continuou ele —, toda a região sul de Corinto é chamada Peloponeso por causa dele.

— Quem disse que o crime não compensa? — maravilhou-se Catherine.

Sempre que Larry estava livre, ele e Catherine exploravam juntos a cidade. Descobriram lojas maravilhosas, onde passavam horas regateando os preços, e pequenos restaurantes afastados, que tornavam seus. Larry era um companheiro alegre e atraente e Catherine sentia-se feliz por ter abandonado o emprego nos Estados Unidos para acompanhar o marido.

LARRY DOUGLAS NUNCA estivera mais feliz em sua vida. O emprego com Demiris era o que sempre sonhara. Era bem pago, mas Larry não estava interessado em salário. Só se interessava pelas maravilhosas máquinas que pilotava. Levou-lhe exatamente uma hora para aprender a pilotar o Hawker Siddeley e mais cinco voos para dominá-lo. A maior parte do tempo Larry voara com Paul Metaxas, pequeno copiloto grego, mascote de Demiris. Metaxas ficara surpreendido com a partida repentina de Ian Whitestone e um pouco apreensivo com a substituição. Tinha ouvido histórias sobre Larry Douglas e não estava certo sobre se gostara do que ouvira. Entretanto, Douglas parecia genuinamente entusiasmado com o novo emprego, e na primeira vez que Metaxas voara com ele soube que era um piloto soberbo.

Pouco a pouco, Metaxas foi baixando a guarda e os dois homens se tornaram amigos.

Quando não estava voando, Larry passava o tempo aprendendo cada particularidade dos aviões da frota de Demiris. Antes de ter terminado já era capaz de pilotá-los melhor que qualquer um que os pilotara antes.

A variedade do trabalho fascinava Larry. Levava membros da equipe de Demiris para Brindisi, Corfu e Roma, em viagens de negócios, ou apanhava convidados e os levava para uma festa na ilha de Demiris ou para o chalé na Suíça, para praticarem esqui. Acostumou-se a transportar pessoas cujas fotografias sempre via nas primeiras páginas dos jornais e revistas e regalava Catherine com histórias sobre elas. Conduziu o presidente de um país balcânico, um primeiro-ministro inglês, um sultão árabe do petróleo com todo o seu harém, voou com cantores de ópera, com uma companhia de balé e com o elenco de uma peça da Broadway, que ia fazer uma apresentação em Londres para o aniversário de Demiris. Transportou juízes da Suprema Corte, um congressista e um ex-presidente dos Estados Unidos. Durante os voos, Larry passava a maior parte do tempo na cabina de pilotagem, mas de vez em quando ia até a parte de trás para ver se os passageiros estavam bem. Às vezes ouvia pedaços de discussões entre magnatas, sobre fusões pendentes ou negócios de ações. Poderia ter feito uma fortuna com as informações que recolhia, mas não estava interessado. O que o preocupava era o avião que pilotava, poderoso e vivo sob seu controle.

Levou dois meses até que Larry conduzisse o próprio Demiris. Estavam no Piper e Larry levava seu empregador de Atenas para Dubrovnik. Era um dia nublado e havia previsão de turbulência, chuva e neve por todo o trajeto. Larry escolhera com cuidado o curso mais tranquilo, mas o ar estava tão cheio de turbulência que era impossível evitá-la.

Uma hora depois de terem deixado Atenas, ele acendeu o sinal de apertar os cintos e disse para Metaxas:

— Aguente firme, Paul. Isto pode nos custar o emprego.

Para surpresa de Larry, Demiris apareceu na cabina de comando.

— Posso me juntar a vocês? — perguntou.

— É claro — disse Larry. — Vai ser duro.

Metaxas cedeu o assento a Demiris e este acomodou-se. Larry teria preferido ter o copiloto sentado a seu lado, pronto para agir se alguma coisa desse errado, mas era o avião de Demiris.

A tempestade durou quase duas horas e Larry circundou as grandes montanhas de nuvens que se inflavam diante deles, adoráveis, brancas e mortais.

— Lindo — comentou Demiris.

— São traiçoeiras — disse Larry. — Cúmulos. A razão por que estão tão bonitas e fofas é que há vento dentro delas, inflando-as. O interior daquela nuvem pode partir em dois um avião em dez segundos. A gente sobe e cai 30 mil pés em menos de um minuto, sem nenhum controle do avião.

— Tenho certeza de que não deixará que isto aconteça — disse Demiris com calma.

Os ventos apanharam o avião e tentaram arremessá-lo pelo céu, mas Larry lutou para mantê-lo sob controle. Esqueceu que Demiris estava ali, concentrando sua atenção total na nave que pilotava, usando cada recurso que tinha aprendido. Afinal, saíram da tempestade. Larry virou-se exausto e viu que Demiris havia saído da cabina. Metaxas estava no assento.

— Foi uma horrível primeira viagem para ele, Paul — disse Larry. — Talvez eu tenha problemas.

Estava aterrissando no pequeno aeroporto, no platô cercado de montanhas de Dubrovnik, quando Demiris apareceu na porta da cabina de comando.

— Você estava certo — disse Demiris a Larry. — Você é muito bom no que faz. Estou satisfeito.

E se foi.

Uma manhã, quando Larry se aprontava para partir num voo para o Marrocos, o conde Pappas telefonou sugerindo levar Catherine num passeio de carro, pelo campo. Larry insistiu para que ela fosse.

— Você não tem ciúmes? — perguntou ela.

— Do conde? — Larry riu.

E de repente Catherine entendeu. Durante o tempo que ela e o conde tinham passado juntos, ele nunca ensaiara um avanço impróprio ou mesmo dera um olhar sugestivo.

— Ele é homossexual? — perguntou ela.

Larry assentiu.

— Foi por isso que a deixei aos cuidados dele.

O Conde apanhou Catherine cedo e eles partiram para o sul, em direção à grande planície da Tessália. Camponesas vestidas de preto andavam à beira da estrada, curvadas sob as cargas pesadas de lenha que levavam nas costas.

— Por que os homens não fazem o trabalho pesado? — perguntou Catherine.

O conde lhe deu um olhar divertido.

— As mulheres não querem que eles façam — respondeu ele. — Querem seus homens descansados à noite para outras coisas.

Ai está uma lição para todos nós, pensou Catherine estranhamente.

No fim da tarde, eles se aproximaram das temíveis montanhas Pindus, com seus penhascos rochosos elevando-se ao alto no céu. A estrada foi bloqueada por um rebanho de carneiros guiados por um pastor e por um cachorro esquelético. O conde Pappas parou o carro, esperando que os carneiros saíssem da estrada, e Catherine observou admirada enquanto o cachorro mordia os calcanhares dos carneiros extraviados, mantendo-os na linha, forçando-os a irem na direção em que ele queria que fossem.

— Aquele cachorro é quase humano — exclamou Catherine com admiração.

O conde lhe deu um olhar rápido. Havia alguma coisa nele que ela não compreendia.

— O que foi? — perguntou ela.

O conde hesitou.

— É uma história bastante desagradável.

— Eu já sou crescida.

— Esta é uma região selvagem. A terra é rochosa e inóspita. As melhores colheitas são magras e, quando o tempo fica ruim, não há colheita e aumenta a fome. — A voz dele calou-se.

— Continue — pediu Catherine.

— Há poucos anos, houve uma terrível tempestade e as colheitas foram arruinadas. Havia muito pouca comida para qualquer um. Todos os cães pastores desta região se revoltaram. Abandonaram as fazendas em que trabalhavam e juntaram-se numa matilha.

— Enquanto continuava, tentava fazer com que o horror não fosse perceptível em sua voz. — Eles começaram a atacar as fazendas.

— E mataram os carneiros! — disse Catherine.

Houve um silêncio, antes que ele respondesse.

— Não. Mataram seus donos. E os comeram.

Catherine olhou para ele chocada.

— Tiveram que mandar tropas federais de Atenas para restaurar o governo humano aqui. Levou quase um mês.

— Que horror!

— A fome faz coisas horríveis — disse o conde Pappas com calma.

Os carneiros já tinham atravessado a estrada. Catherine olhou para o cão pastor e estremeceu.

À MEDIDA QUE as semanas passavam, as coisas que tinham parecido tão estrangeiras e estranhas a Catherine começaram a ficar familiares. Descobriu que o povo era franco e hospitaleiro. Aprendeu onde fazer as compras de casa e onde comprar roupas, na rua Voukarestio. A Grécia era uma maravilha de ineficiência organizada, tinha-se de relaxar e divertir-se. Ninguém estava com pressa e se se perguntava a alguém onde ficava um lugar, era provável que a pessoa fosse levá-la lá. Ou podia dizer, quando se perguntava se ficava longe, "enos cigarrou dromos", que Catherine aprendeu que queria dizer "à distancia de um cigarro". Ela andava pelas ruas e explorou a cidade, bebendo o vinho quente e escuro do verão grego.

Catherine e Larry visitaram Mikonos, com seus moinhos coloridos, e Milos, onde a Vênus foi descoberta. Mas o lugar preferido de Catherine era Paros, uma ilha graciosa e verdejante, coroada por uma montanha coberta de flores. Quando o barco atracou, um guia os esperava no cais. Perguntou se gostariam que ele os guiasse até o topo da montanha e eles subiram montados em duas mulas ossudas.

Catherine estava usando um chapéu de palha de abas largas para se proteger do calor do sol. Enquanto ela e Larry subiam o caminho íngreme que levava ao topo da montanha, mulheres vestidas de preto gritaram *Kali-Mera* e deram a Catherine como presentes ervas frescas, orégão e manjericão, para que ela pusesse na fita do chapéu. Depois de uma subida de duas horas, alcançaram um platô, uma plataforma cheia de árvores lindas, com milhões de flores numa florescência espetacular. O guia parou as mulas e eles olharam com admiração a incrível profusão de cores.

— É chamado o Vale das Borboletas — disse o guia num inglês hesitante.

Catherine olhou em volta à procura de uma borboleta, mas não viu uma sequer.

— Por que tem esse nome? — perguntou ela.

O guia sorriu como se estivesse esperando pela pergunta.

— Vou mostrar-lhe — disse ele. Desmontou da mula e apanhou uma grande pedra. Andou até uma árvore e bateu com o pedregulho com toda a força. Num segundo, as *flores* em centenas de árvores de repente encheram o ar, num arco-íris selvagem em voo, deixando as árvores nuas. O ar estava cheio de centenas de milhares de borboletas de cores alegres, dançando à luz do sol.

Catherine e Larry olharam deslumbrados. O guia ficou observando-os, com o rosto cheio de profundo orgulho, como se se sentisse responsável pelo lindo milagre que estavam vendo. Foi um dos dias mais maravilhosos da vida de Catherine e ela pensou que, se pudesse escolher um dia perfeito para reviver, seria aquele que passou com Larry em Paros.

— Ei, TEMOS UMA VIP esta manhã. — Paul Metaxas fez uma careta satisfeita. — Espere só para ver.

— Quem é?

— Noelle Page, a garota do patrão. Pode olhar, mas não deve tocar.

Larry Douglas lembrou-se da breve visão que tivera da mulher na casa de Demiris, na manhã em que chegara a Atenas. Ela era uma beleza e parecia-lhe familiar, mas isto, é claro, porque já a havia visto na tela, num filme francês a que assistira com Catherine. Ninguém precisava ensinar a Larry as regras de autopreservação; mesmo se o mundo não estivesse cheio de fêmeas ansiosas, ele não iria a lugar algum perto da garota de Constantin Demiris. Gostava demais de seu emprego para arriscá-lo, fazendo uma coisa tão idiota. Bem, talvez ele pedisse um autógrafo para Catherine.

O CARRO QUE LEVAVA Noelle para o aeroporto foi detido diversas vezes por turmas de operários que faziam consertos nas estradas, mas Noelle ficou satisfeita com o atraso. Ia ver Larry Douglas pela primeira vez desde o encontro na casa de Demiris. Ela havia ficado profundamente perturbada pelo que acontecera. Ou melhor, pelo que não acontecera.

Nos últimos seis anos, Noelle tinha imaginado o encontro de mil maneiras diferentes. Tinha revisto a cena vezes seguidas em sua mente. A única coisa que nunca lhe havia nem mesmo ocorrido era que Larry não se lembrasse dela. O acontecimento mais importante de sua vida nada mais significara para ele que outro caso barato, um de centenas. Bem, antes que tivesse terminado com ele, ele se lembraria dela.

LARRY ESTAVA ATRAVESSANDO o campo, com o plano de voo na mão, quando um carro parou diante do grande avião e Noelle Page saltou. Ele foi até o carro e disse com gentileza:

— Bom-dia, Srta. Page, sou Larry Douglas. Vou levar a senhorita e seus convidados até Cannes.

Noelle virou-se e foi em frente como se ele não tivesse falado, como se ele não existisse. Larry ficou olhando para ela perplexo.

Trinta minutos depois, os outros passageiros, uma dúzia deles, estavam a bordo do avião e Larry e Paul Metaxas decolaram.

Iam levar o grupo até a Côte d'Azur, onde seriam apanhados e transportados para o iate de Demiris. Era um voo fácil, exceto pela turbulência normal do Sul da França no verão, e Larry aterrissou suavemente e foi com o avião até onde alguns carros esperavam pelos passageiros. Quando deixou o avião, junto com seu copiloto baixinho e atarracado, Noelle foi até Metaxas, ignorando Larry, e disse numa voz cheia de desprezo:

— O novo piloto é um amador, Paul. Você devia dar aulas de pilotagem a ele. — Entrou no carro e foi embora, deixando Larry de pé ali, cheio de uma raiva perplexa e inútil.

Ele disse a si mesmo que ela era uma cadela e que provavelmente a tinha apanhado num mau dia. Mas o incidente seguinte, uma semana mais tarde, o convenceu de que estava com um problema sério.

Sob as ordens de Demiris, Larry apanhou Noelle em Oslo e levou-a até Londres. Por causa do acontecido, estudara o plano de voo com cuidado especial. Havia uma zona de alta pressão ao norte e algumas nuvens geradoras de trovoadas formando-se a leste. Larry preparou uma rota que evitava tais áreas e o voo foi suave. Pousou o avião com perfeição nas três rodas e ele e Paul Metaxas foram até a cabina. Noelle Page estava passando batom.

— Espero que tenha gostado do voo, Srta. Page — disse Larry com polidez.

Noelle olhou para ele por um momento, com o rosto inexpressivo, depois se voltou para Paul Metaxas.

— Sempre fico nervosa quando o avião é pilotado por um incompetente.

Larry sentiu o rosto corar. Começou a falar, mas Noelle, voltando-se para Metaxas, disse:

— Por favor, peça a ele para não se dirigir a mim no futuro, a menos que eu lhe fale primeiro.

Metaxas engoliu em seco e murmurou:

— Sim, senhora.

Larry olhou para Noelle com os olhos cheios de fúria, enquanto ela se levantava e saía do avião. Seu impulso fora esbofeteá-la, mas sabia que aquilo teria sido seu fim. Amava aquele trabalho mais que qualquer coisa que já fizera antes e não tinha intenção de deixar que algo de errado acontecesse. Sabia que, se fosse despedido, poderia estar perdendo seu último emprego como piloto. Não, teria de ser muito cuidadoso no futuro.

Quando Larry chegou em casa, contou o ocorrido a Catherine.

— Ela está querendo me pegar — disse Larry.

— Ela parece ser horrível — comentou Catherine. — Será que você não a ofendeu de alguma maneira, Larry?

— Eu não troquei uma dúzia de palavras com ela.

Catherine tomou-lhe a mão.

— Não se preocupe — disse consoladora. — Em breve você conquistará a simpatia dela. Espere para ver.

No dia seguinte, quando Larry levou Constantin Demiris numa breve viagem de negócios à Turquia, Demiris dirigiu-se à cabina de comando e sentou-se no lugar de Metaxas. Dispensou o copiloto com um gesto e Larry e Demiris ficaram a sós. Permaneceram sentados ali, em silêncio, observando as nuvens que passavam pelo avião em formas geométricas.

— A Srta. Page não simpatizou com você — disse Demiris afinal.

Larry sentiu que suas mãos se contraíam nos controles e forçou-se deliberadamente a relaxar. Lutou para manter a voz calma.

— Ela... ela disse por quê?

— Ela disse que você foi rude com ela.

Larry abriu a boca para protestar, mas pensou melhor. Precisaria se arranjar de outro jeito.

— Sinto muito. Tentarei ser mais cuidadoso, Sr. Demiris — disse ele com a voz firme.

Demiris levantou-se.

— Faça isso. Sugiro que não ofenda mais a Srta. Page. — Ele saiu da cabina.

Não ofenda mais! Larry quebrou a cabeça, tentando pensar no que poderia ter feito para ofendê-la. Talvez ela apenas não gostasse do seu tipo. Ou talvez estivesse com ciúmes pelo fato de Demiris gostar dele e confiar nele, mas aquilo não fazia sentido. Nada que Larry pudesse pensar fazia sentido. E, no entanto, Noelle Page estava tentando fazer com que fosse despedido.

Larry pensou no que era estar sem emprego, na indignidade de preencher formulários como um garoto de colégio, nas entrevistas, na espera, nas intermináveis horas tentando passar o tempo em bares baratos, com prostitutas amadoras. Lembrou-se da paciência e tolerância de Catherine e como a odiara por isso. Não, não poderia passar novamente por tudo aquilo. Não poderia suportar outro fracasso.

Numa estada em Beirute, alguns dias mais tarde, Larry passou por um cinema e notou que o filme em cartaz era estrelado por Noelle Page. Num impulso, entrou para ver, preparado para odiar o filme e a estrela, mas Noelle estava tão brilhante que ele se viu completamente entusiasmado pela atuação dela. De novo teve a curiosa impressão de familiaridade. Na segunda-feira seguinte, levou Noelle Page e alguns associados de negócios de Demiris a Zurique. Larry esperou até que Noelle estivesse sozinha e então se aproximou dela. Hesitava em falar-lhe, lembrando-se do último aviso que dera, mas chegara à conclusão de que a única maneira de quebrar-lhe o antagonismo era esforçar-se para lhe ser agradável. Todas as atrizes eram egocêntricas e gostavam de ouvir dizer que eram boas, e, assim, foi até ela e disse, com cuidadosa cortesia:

— Desculpe-me, Srta. Page, só queria lhe dizer que a vi num filme outro dia, *O terceiro rosto*. Acho que a senhorita é uma das maiores atrizes que já vi.

Noelle olhou para ele por um momento e então respondeu:

— Gostaria de acreditar que é melhor crítico que piloto, mas duvido muito de que tenha a inteligência ou o gosto para tanto. — E se foi.

Larry ficou ali plantado, sentindo-se como se tivesse apanhado. Ah, puta maldita! Por um instante sentiu-se tentado a segui-la e dizer-lhe o que pensava dela, mas sabia que isso seria fazer o jogo que ela queria. Não. Dali para frente simplesmente faria seu trabalho e se manteria tão longe dela quanto fosse possível.

Durante as semanas seguintes, Noelle foi sua passageira em diversos voos. Larry não se dirigia a ela e tentava desesperadamente evitar que ela o visse. Não ia à cabina e fazia com que Metaxas cuidasse de todas as comunicações necessárias com os passageiros. Não houve mais comentários da parte de Noelle Page, e Larry congratulou-se consigo mesmo por ter resolvido o problema.

Da forma como as coisas evoluíram, congratulou-se cedo demais.

Uma manhã, Demiris mandou chamar Larry à *villa*.

— A Srta. Page vai a Paris para mim, para tratar de negócios confidenciais. Quero que você fique junto dela.

— Sim, Sr. Demiris.

Demiris o estudou por um momento, começou a dizer alguma coisa mais e, então, mudou de ideia.

— É tudo.

Como Noelle seria a única passageira no voo para Paris, Larry resolveu ir no Piper. Pediu a Paul Metaxas que recebesse Noelle e ficou na cabina de pilotagem, fora de sua vista, durante todo o voo. Quando aterrissaram, Larry foi até onde ela se encontrava sentada e disse:

— Desculpe-me, Srta. Page, o Sr. Demiris pediu-me que a acompanhasse enquanto estiver em Paris.

Ela olhou para ele com desprezo.

— Muito bem. Apenas não me deixe perceber que você está por perto.

Ele assentiu, num silêncio gelado.

Foram de Orly para a cidade num carro particular. Larry seguiu na frente, ao lado do motorista, e Noelle sentou-se atrás. Ela não falou com ele durante a viagem até a cidade. A primeira parada foi no Paribas, Banque de Paris et Des Pays Bas. Larry foi até a recepção com Noelle e esperou, enquanto ela foi levada para o escritório do presidente e depois para o subsolo, onde ficavam os cofres. Noelle demorou uns 30 minutos e, quando voltou, passou por Larry sem uma palavra. Ele a observou um momento, então virou-se e a seguiu.

A próxima parada foi na rua Faubourg-St.-Honoré. Noelle liberou o carro. Larry a seguiu até uma loja e ficou perto, enquanto ela escolhia as coisas que queria; depois entregou a ele os embrulhos, para carregar. Fez compras em meia dúzia de lojas: na Hermès, algumas bolsas e cintos; na Guerlain, perfumes; na Céline, sapatos; até que Larry ficou sobrecarregado de embrulhos. Se percebeu seu desconforto, Noelle não demonstrou. Era como se Larry fosse um animal de estimação com que ela estivesse passeando.

Quando saíram da loja, começou a chover e os pedestres corriam para se abrigar.

— Espere por mim aqui — ordenou Noelle.

Larry ficou ali e a observou quando ela desapareceu num restaurante do outro lado da rua. Esperou na chuva copiosa durante duas horas, com os braços cheios de embrulhos, maldizendo-a e maldizendo a si mesmo por não reagir ante o comportamento dela. Estava preso numa armadilha e não sabia como sair.

E teve um terrível pressentimento de que tudo ia piorar.

A PRIMEIRA VEZ que Catherine encontrou Constantin Demiris foi na *villa*. Larry tinha ido até lá para entregar um embrulho que trouxera de Copenhague e Catherine entrara na casa com ele. Ela estava na grande sala de entrada, admirando um quadro, quando uma porta se abriu e Demiris entrou. Ele a observou um momento e depois disse:

— Gosta de Manet, Sra. Douglas?

Catherine virou-se e viu-se face a face com a lenda de que tanto ouvira falar. Teve duas impressões imediatas: Constantin Demiris era mais alto do que imaginara e havia nele uma energia dominadora que quase assustava. Ficou espantada por ele saber seu nome e quem era. Ele pareceu sair um pouco de sua maneira habitual para pô-la à vontade. Perguntou o que Catherine achava da Grécia, se o apartamento era confortável, e pediu que lhe dissesse se havia alguma coisa que pudesse fazer para satisfazê-la. Ele até sabia — embora só Deus soubesse como! — que ela colecionava miniaturas de passarinhos.

— Eu vi uma adorável — disse ele. — Vou mandar-lhe.

Larry apareceu e ele e Catherine se foram.

— O que foi que achou de Demiris? — perguntou Larry.

— É encantador — disse ela. — Não admira que você goste de trabalhar para ele.

— E vou continuar trabalhando. — Havia uma ferocidade na voz dele que Catherine não compreendeu.

No dia seguinte, um lindo passarinho de porcelana foi entregue a Catherine.

Ela viu Constantin Demiris mais duas vezes depois daquela. Uma, quando foi às corridas com Larry, e outra, numa festa de Natal que Demiris deu em sua *villa*. De cada vez, ele deixara de lado sua maneira habitual de ser para mostrar-se agradável a ela. Tudo levado em conta, pensou Catherine, Constantin Demiris era uma pessoa admirável.

EM AGOSTO, COMEÇOU o Festival de Atenas. Durante dois meses, a cidade apresentava peças, balés, óperas, concertos — todos realizados no Ático de Herodes, o velho teatro ao ar livre ao pé da Acrópole. Catherine assistiu a diversas peças com Larry e, quando ele estava fora, ela ia com o conde Pappas. Era fascinante ver peças antigas encenadas no cenário original pelo povo que as havia criado.

Uma noite, depois de Catherine e o conde Pappas terem ido ver uma produção de *Medeia,* começaram a falar sobre Larry.

— Ele é um homem interessante — disse o conde Pappas. — *Polymechanos.*

— O que isto quer dizer?

— É difícil traduzir. — O conde pensou por um momento. — Quer dizer "fértil em planos".

— Quer dizer inventivo.

— Sim, mas mais que isto. Alguém que está sempre muito atento a uma nova ideia, um novo plano.

— *Polymechanos* — repetiu Catherine. — É isso, o meu garoto.

Acima deles havia uma bela lua quase cheia e a noite estava perfumada e quente. Andaram pela Plaka em direção à praça Omonia. Quando começaram a atravessar a rua, um carro dobrou a esquina, acelerou para cima deles e o conde puxou Catherine para trás.

— Idiota! — gritou ele para o motorista que desaparecia.

— Todo mundo aqui parece dirigir assim — disse Catherine.

O conde Pappas sorriu pesaroso.

— Sabe por que razão? Os gregos ainda não fizeram a transição para os automóveis. Em seus corações, ainda estão dirigindo burricos.

— Está brincando.

— Infelizmente não. Se quer o íntimo dos gregos, Catherine, não leia guias turísticos; leia as antigas tragédias gregas. A verdade é que nós ainda pertencemos a outros séculos. Emocionalmente, somos muito primitivos. Somos cheios de grandes paixões, profundas alegrias e grandes dores, e ainda não aprendemos como cobri-las com um verniz civilizado.

— Não estou certa de que isso seja ruim — respondeu Catherine.

— Talvez não. Mas deturpa a realidade. Quando as pessoas de fora olham para nós, não estão vendo o que pensam que veem. É como olhar para uma estrela distante. Você não está vendo realmente a estrela, está olhando para uma reflexão de luz que estava ali talvez há milhões de anos. É assim conosco, os gregos. Em nós, o que se vê é um reflexo do passado.

Tinham chegado à praça. Passaram por uma fileira de lojinhas com tabuletas nas janelas que diziam "Videntes".

— Há uma porção de videntes aqui, não há? — perguntou Catherine.

— Somos um povo supersticioso.

Catherine sacudiu a cabeça.

— Acho que não acredito nessas coisas.

Chegaram a uma pequena taberna. Uma tabuleta, escrita à mão presa na janela, dizia: MADAME PIRIS, VIDENTE.

— Acredita em bruxas? — perguntou o conde Pappas.

Catherine olhou para ele, para ver se estava brincando. O rosto dele estava sério.

— Só no Dia das Bruxas.

— Por bruxa eu não estou falando de vassouras, gatos pretos e caldeirões fervendo.

— O que, então?

Ele fez um gesto de cabeça em direção à tabuleta.

— Madame Piris é uma bruxa. Pode dizer o passado e o futuro.

Ele viu o ceticismo no rosto de Catherine.

— Vou contar-lhe uma história — disse o conde Pappas. — Há muitos anos, o chefe de polícia de Atenas era um homem chamado Sophocles Vasilly. Ele era um amigo meu e usei minha influência para ajudá-lo a conseguir o posto. Vasilly era um homem muito honesto. Havia pessoas que queriam corrompê-lo e, uma vez que era honesto, decidiram que precisava ser eliminado. — Ele tomou o braço de Catherine e atravessaram a rua em direção ao parque. — Um dia Vasilly veio me contar que haviam ameaçado sua vida. Era um homem corajoso, mas aquela ameaça o perturbara porque viera de um bandido poderoso e cruel. Foram designados detetives para vigiar o bandido e para proteger Vasilly, mas ele ainda tinha a sensação desagradável de que não viveria muito. Foi quando me procurou.

Catherine ouvia, fascinada.

— O que ele fez? — perguntou ela.

— Eu o aconselhei a procurar madame Piris. — O conde ficou calado, seus pensamentos revolvendo alguma zona escura do passado.

— Ele foi? — perguntou Catherine afinal.

— O quê? Ah, sim. Ela disse a Vasilly que a morte viria para ele inesperada e rapidamente e o advertiu para ter cuidado com um leão ao meio-dia. Não existem leões na Grécia, exceto alguns poucos velhos desdentados, no zoológico, e os de pedra que você viu em Delos.

Catherine podia sentir a tensão na voz de Pappas quando ele continuou:

— Vasilly foi ao zoológico pessoalmente, para examinar as jaulas e se assegurar de que os animais estavam presos, e fez inquéritos para saber se algum animal selvagem tinha sido trazido há pouco tempo para Atenas. Não havia nenhum. Uma semana se passou e nada aconteceu. Vasilly decidiu que a velha bruxa estava errada e que ele tinha sido um bobo supersticioso por ter dado atenção a ela. Num sábado de manhã, eu passei pela Chefatura de Polícia para apanhá-lo. Era o quarto aniversário de seu filho, e nós íamos fazer um passeio de barco até Kyron para celebrar. Parei na frente da Chefatura exatamente na hora em que o relógio da Prefeitura batia o meio-dia. Quando alcancei a porta houve uma tremenda explosão no interior do prédio.

Corri para o escritório de Vasilly. — A voz do conde soava dura e difícil. — Nada sobrou do escritório ou de Vasilly.

— Que horror! — murmurou Catherine.

Andaram por um momento em silêncio.

— Mas a bruxa estava errada, não estava? — perguntou Catherine. — Ele não foi morto por um leão.

— Ah, mas foi, sabe? A polícia reconstituiu o que aconteceu. Como eu lhe disse, era aniversário do menino. A escrivaninha de Vasilly estava cheia com os brinquedos que ia levar para o filho. Alguém levou um presente de aniversário, um brinquedo, e o colocou na mesa de Vasilly.

Catherine sentiu o sangue fugir-lhe do rosto.

— Um leão de brinquedo?

O conde Pappas assentiu.

— Sim. "Cuidado com um leão ao meio-dia."

Catherine estremeceu.

— Isso me arrepia.

Ele olhou para ela com simpatia.

— Madame Piris não é uma vidente para a gente ir ver de brincadeira.

Tinham atravessado o parque e alcançado a rua Piraios. Um táxi vazio ia passando, o conde lhe fez sinal e dez minutos depois Catherine estava de volta ao apartamento.

Enquanto se arrumava para ir deitar-se, contou a história a Larry e, à medida que ia contando, sentia a pele arrepiar-se outra vez. Larry abraçou-a e eles se amaram, mas demorou muito tempo até que Catherine conseguisse dormir.

Noelle e Catherine

Atenas: 1946

15

Se não fosse por Noelle Page, Larry Douglas não teria problemas. Estava onde queria estar, fazendo o que queria fazer. Gostava do trabalho, das pessoas que conhecia e do homem para quem trabalhava. Em terra, sua vida era igualmente satisfatória. Quando não estava voando, passava grande parte do tempo com Catherine; contudo, devido à natureza irregular do trabalho, nem sempre Catherine sabia onde ele se encontrava, e Larry tinha inúmeras oportunidades de sair sozinho. Ia a festas com o condes Pappas e Paul Metaxas, o copiloto, e um bom número delas se transformava em orgias. As mulheres gregas eram cheias de paixão e fogo. Encontrara uma nova, Helena, uma aeromoça que trabalhava para Demiris, e quando precisavam pernoitar fora de Atenas ela e Larry compartilhavam o quarto de hotel. Helena era uma moça bonita, magra, de olhos escuros, além de insaciável. Sim, considerando tudo, decidiu Larry, sua vida era perfeita.

Exceto pela cadela loura que era amante de Demiris.

Larry não tinha a menor pista sobre o que fazia Noelle Page detestá-lo tanto, mas, o que quer que fosse, estava pondo em perigo seu estilo de vida. Ele tinha tentado ser polido, distante, amigável e a cada vez Noelle Page conseguia fazê-lo parecer um idiota. Larry sabia que podia ir a Demiris, mas não tinha ilusões sobre o que aconteceria se chegasse a hora de uma escolha entre ele e Noelle. Duas vezes tinha arranjado para que Paul Metaxas fosse encarregado do voo de Noelle, mas pouco antes de cada voo a secretária de Demiris telefonara para lhe dizer que o Sr. Demiris gostaria que o próprio Larry fosse pilotando.

No fim de novembro, numa manhã bem cedo, Larry recebeu um telefonema dizendo que deveria levar Noelle Page para Amsterdã naquela tarde. Comunicou-se com o aeroporto e recebeu um relatório negativo quanto ao tempo na cidade. Havia uma neblina começando a descer e a tarde esperavam ter visibilidade zero. Larry telefonou para a secretária de Demiris para dizer-lhe que era impossível voar para Amsterdã naquele dia. A secretária disse que voltaria a chamá-lo. Quinze minutos depois ela telefonou para comunicar que Srta. Page estaria no aeroporto às 14 horas, pronta para partir. Larry tornou a entrar em contato com o aeroporto, pensando que talvez tivesse havido uma melhora no tempo, mas o relatório foi o mesmo.

— Jesus Cristo! — exclamou Paul Metaxas. — Ela deve estar com uma pressa danada de chegar a Amsterdã.

Mas Larry tinha a impressão de que Amsterdã não era importante. Aquilo era um cabo de guerra entre os dois. Por ele, Noelle Page podia se estourar no pico de uma montanha que não se incomodava, mas de jeito algum iria arriscar seu pescoço por causa daquela cadela estúpida. Tentou telefonar para Demiris para discutir o assunto, mas ele estava numa reunião e não podia ser perturbado. Larry bateu com o telefone, fervendo de raiva. Não tinha escolha senão ir para o aeroporto e tentar convencer sua passageira a desistir do voo. Chegou ao aeroporto às 13h30. Às 15 horas Noelle Page ainda não havia chegado.

— Provavelmente mudou de ideia — disse Metaxas.

Mas ele sabia que não. À medida que o tempo passava, foi ficando cada vez mais furioso, até que percebeu que aquela era a intenção dela. Estava tentando levá-lo a tomar uma decisão precipitada, que lhe custaria o emprego. Larry estava no prédio do terminal, falando com o diretor do aeroporto, quando o familiar Rolls cinzento de Demiris apareceu e Noelle Page saltou. Ele foi a seu encontro.

— Creio que o voo está cancelado, Srta. Page — disse, fazendo a voz soar monótona. — O aeroporto de Amsterdã está interditado por causa da neblina.

Noelle olhou para além de Larry, como se ele não existisse, e disse para Paul Metaxas:

— O avião tem equipamento de aterrissagem automática, não tem?

— Sim, tem — respondeu Metaxas contrafeito.

— Estou bastante surpresa — disse ela — pelo Sr. Demiris ter contratado um piloto que é um covarde. Falarei com ele sobre isto.

Virou-se e andou em direção ao avião. Metaxas ficou olhando para ela e disse:

— Jesus Cristo! Eu não sei o que foi que deu nela. Ela não costumava agir assim. Sinto muito, Larry.

Larry observou Noelle atravessar o campo, o cabelo louro agitado pelo vento. Nunca em sua vida tinha odiado tanto alguém.

Metaxas o observava.

— Nós vamos? — perguntou ele.

— Vamos.

O copiloto deixou escapar um profundo e expressivo suspiro e os dois homens caminharam lentamente para o avião.

Noelle Page estava sentada na cabina, folheando com tranquilidade uma revista de modas, quando eles entraram. Larry olhou para ela por um momento, tão cheio de raiva que tinha medo de falar. Foi para a cabina de comando e começou a testar os instrumentos.

Dez minutos depois receberam a autorização da torre e partiram para Amsterdã.

A primeira metade do voo foi tranquila. A Suíça, abaixo, estava sob um manto de neve. Quando sobrevoaram a Alemanha, já começava a anoitecer. Larry falou através do rádio para Amsterdã, pedindo a previsão do tempo. Eles responderam que a névoa vinha do Mar do Norte e estava se tornando mais espessa. Larry amaldiçoou sua má sorte. Se os ventos tivessem mudado e a neblina se dispersado, seu problema estaria resolvido, mas agora tinha de resolver se arriscaria uma aterrissagem por instrumentos em Amsterdã ou se voaria para outro aeroporto. Ficou tentado a ir até a cabina e discutir o assunto com a passageira, mas podia visualizar a expressão de desprezo no rosto dela.

— Voo especial um-zero-nove, pode nos dar seu plano de voo, por favor? — Era a torre de Munique. Larry precisava tomar a decisão, rápido. Ainda podia aterrissar em Bruxelas, Colônia ou Luxemburgo.

Ou Amsterdã.

A voz matraqueou no microfone outra vez:

— Voo especial um-zero-nove, pode nos dar seu plano de voo, por favor?

Larry ligou a chave de transmissão.

— Voo especial um-zero-nove para Torre de Munique. Nós vamos para Amsterdã. — Desligou a chave e percebeu que Metaxas o observava.

— Jesus, talvez devesse ter dobrado o meu seguro de vida — disse Metaxas. — Você acha mesmo que vamos conseguir?

— Quer saber a verdade? — disse Larry com amargura. — Estou pouco me incomodando.

— Fantástico! Estou voando em companhia de dois malucos — gemeu Metaxas.

Durante a hora seguinte, Larry ficou inteiramente absorvido na pilotagem do avião, ouvindo os relatórios meteorológicos sem comentar. Ainda tinha esperanças de que o vento mudasse, mas a trinta minutos de Amsterdã o relatório ainda era o mesmo. Neblina forte. O campo estava interditado ao tráfego aéreo, exceto em casos de emergência. Larry fez contato com a torre de controle de Amsterdã.

— Voo especial um-zero-nove para torre de Amsterdã. Estou me aproximando do aeroporto, a 75 milhas a leste de Colônia, hora provável de chegada 19 horas.

Quase que imediatamente a voz no rádio respondeu.

— Torre de Amsterdã para voo especial um-zero-nove. Nosso campo está interditado. Sugerimos que volte a Colônia ou desça em Bruxelas.

Larry falou para o microfone manual:

— Voo especial um-zero-nove para Torre de Amsterdã. Negativo. Temos uma emergência.

Metaxas virou-se para olhá-lo, surpreendido.

Uma nova voz veio pelo rádio:

— Voo Especial um-zero-nove, aqui é o Chefe de Operações do Aeroporto de Amsterdã. Estamos cobertos pela neblina. Visibilidade zero. Repito: visibilidade zero. Qual a natureza de sua emergência?

— Estamos ficando sem combustível — disse Larry. — O que tenho mal dá para chegar até aí.

Os olhos de Metaxas foram para o mostrador de combustível, que marcava meio tanque.

— Por Cristo — explodiu Metaxas. — Poderíamos voar até a China!

O rádio ficou silencioso. De repente, falou de novo:

— Torre de Amsterdã para voo especial um-zero-nove. Vocês têm uma autorização de emergência. Orientaremos vocês até aqui.

— Ciente. — Larry desligou a chave do rádio e virou-se para Metaxas. — Jogue fora o combustível.

Metaxas engoliu em seco e disse com voz trêmula:

— *Jogar fora o combustível?*

— Você me ouviu, Paul. Deixe apenas o suficiente para nos levar até lá.

— Mas Larry...

— Merda, não discuta. Se nós aparecermos lá com meio tanque de gasolina, eles vão cassar nossas licenças tão depressa que você nem vai ter tempo de perceber.

Metaxas concordou de mau humor e alcançou a chave de alijamento de combustível. Começou a bombear mantendo o olho atento no mostrador. Cinco minutos mais tarde estavam na neblina, envolvidos num algodão branco e suave que cobria tudo menos a cabina sombria onde se encontravam. Era uma sensação estranha, como se estivessem isolados, fora do tempo, do espaço e do resto do mundo. A última vez em que Larry passara por aquilo fora no Simulador Link. Mas tratava-se de uma experiência, um faz de conta e não havia riscos. Ali o que estava em jogo eram vida e morte. Perguntou-se como se sentiria a passageira, desejando que ela tivesse um ataque do coração. A torre de controle de Amsterdã falou novamente:

— Torre de controle de Amsterdã para voo especial um-ze-ro-nove. Vamos trazê-lo pelo A.L.S. Por favor, siga minhas instruções com exatidão. Já temos você no radar. Vire três graus a Oeste e mantenha a atual altitude até novas instruções. Com a sua velocidade atual, deve estar aterrissando dentro de 18 minutos.

A voz que saía do rádio soava tensa. Com toda a razão, pensou Larry. Um erro mínimo e o avião mergulharia no mar. Ele fez a correção e desligou a mente de tudo, salvo daquela voz sem corpo que era seu último elo com a sobrevivência. Pilotou o avião como se fosse parte de si mesmo, voando com seu coração, sua alma e sua mente. Tinha uma vaga consciência de Paul Metaxas suando a seu lado, fazendo com frequência a leitura dos instrumentos numa voz baixa e tensa, mas se saíssem vivos seria graças a Larry Douglas. Ele nunca vira uma neblina como aquela. Era um inimigo espectral, atacando de todos os lados, cegando-o, seduzindo-o, tentando levá-lo a cometer um erro fatal. Estava arremessando-se pelo céu a 400 quilômetros por hora, sem ver um palmo além do vidro da cabina. Os pilotos odiavam a neblina e a primeira regra era: suba acima dela ou desça abaixo, mas saia dela! Agora não havia jeito, porque estava preso a um destino impossível, graças aos caprichos de uma prostituta mimada. Estava desamparado, à mercê de instrumentos que podiam não funcionar e de homens na terra que podiam cometer erros. A voz sem corpo veio pelo rádio outra vez, e pareceu a Larry que tinha um tom novo, nervoso.

— Torre de Amsterdã para voo especial um-zero-nove. Você está atingindo a primeira faixa de sua pista de aterragem. Abaixe os *flaps* e comece a descer. Desça para 600 metros... 500 metros... 300 metros...

Ainda nenhum sinal do aeroporto abaixo. Poderiam estar no meio do nada. Larry podia sentir o chão subindo para encontrar o avião.

— Diminua a velocidade para 200... baixe o trem... está a 200 metros... velocidade de 160... está a 100 metros... — E ainda nenhum sinal do diabo do aeroporto! O manto de algodão sufocante parecia mais espesso agora.

A testa de Metaxas brilhava com a transpiração.

— Onde está o diabo do aeroporto? — murmurou ele.

Larry lançou um olhar rápido para o altímetro. A agulha estava descendo aos 100 metros e logo estava abaixo dos 100 metros. O chão corria para encontrá-los, a 160 quilômetros por hora. O altímetro indicava 50 metros somente. Alguma coisa estava errada. Já devia poder ver as luzes do aeroporto agora. Esforçou-se para ver além do avião, mas havia apenas a neblina traiçoeira e cegante que esvoaçava pelo vidro.

Larry ouviu a voz de Metaxas, tensa e rouca.

— Estamos a 20 metros. E nada ainda.

Dez metros.

E o chão correndo para encontrá-los na escuridão.

Cinco metros.

Não adiantava. Dentro de dois segundos, a margem de segurança seria ultrapassada e eles explodiriam. Precisava tomar uma decisão imediata.

— Vou subir de novo — disse Larry. Sua mão apertou a alavanca, começou a puxá-la de volta e, naquele instante, uma fileira de flechas elétricas brilhou no chão diante deles, iluminando a pista abaixo. Dez segundos mais tarde estavam no chão, rodando em direção ao terminal Shiphol.

Quando pararam, Larry desligou o motor com os dedos entorpecidos e ficou imóvel durante muito tempo. Afinal levantou-se e ficou surpreendido ao ver que seus joelhos tremiam. Notou um cheiro estranho no ar e virou-se para Metaxas, que sorriu, sem jeito.

— Desculpe — disse ele. — Eu me borrei.

Larry olhou para ele e balançou a cabeça.

— Por nós dois. — Virou-se e foi para a cabina.

A cadela estava lá, calmamente folheando uma revista. Larry ficou olhando para ela, morrendo de vontade de gritar, desejando desesperadamente descobrir o segredo que a tornava insensível. Noelle Page devia saber como estivera perto da morte nos últimos minutos; entretanto, estava sentada ali, parecendo serena e tranquila, sem um fio de cabelo fora do lugar.

— Amsterdã — anunciou Larry.

RODARAM AMSTERDÃ NUM silêncio pesado, Noelle no banco de trás do Mercedes-300 e Larry na frente, com o motorista. Metaxas ficara no aeroporto, para cuidar da manutenção do avião. A neblina ainda estava forte e iam devagar até que, de repente, quando chegaram a Linden Platz, começou a sumir.

Atravessaram a praça da cidade, cruzaram a Ponte Eider sobre o Rio Amstel e pararam diante do Hotel Amstel. Quando chegaram à recepção, Noelle disse a Larry:

— Passe para me apanhar às dez horas em ponto esta noite. — Então virou-se e caminhou em direção ao elevador, com o gerente do hotel nos seus calcanhares, fazendo reverências.

Um mensageiro acompanhou Larry até um quarto pequeno e desconfortável nos fundos do hotel, no andar térreo, vizinho à cozinha, através de cujas paredes Larry podia ouvir o barulho dos pratos e sentir o cheiro misturado de comidas no fogo.

Larry olhou para o cubículo e disse:

— Eu não poria meu cachorro aqui.

— Sinto muito — disse o rapaz, sem jeito. — A Srta. Page pediu o quarto mais barato que tivéssemos para o senhor.

OK, pensou Larry, *eu vou descobrir um jeito de vencê-la. Constantin Demiris não é o único homem do mundo que tem um piloto particular. Vou começar a procurar amanhã mesmo. Conheci uma porção de seus amigos ricos. Há uma meia dúzia deles que ficaria muito feliz em me empregar.* Mas então pensou: *Não se Demiris me despedir. Tenho de ficar aqui mesmo.* O banheiro ficava no fundo do corredor; Larry desfez a mala e tirou um robe. Pretendia tomar um banho, quando pensou: *O banho que vá para o inferno. Por que deveria eu me lavar para ela? Espero estar fedendo como um porco.* Foi para o bar do hotel para tomar um drinque, de que muito precisava. Estava no terceiro martíni quando olhou para o relógio sobre o bar e viu que eram 22h15. *Dez em ponto*, ela dissera. Larry foi tomado por um pânico repentino. Apressado, atirou algumas notas sobre o balcão e dirigiu-se ao elevador. Noelle estava na Suíte Imperador, no quinto andar. Ele se viu sair correndo pelo corredor, amaldiçoando-se por deixá-la fazer aquilo com ele. Bateu na porta da suíte, formulando desculpas na cabeça pelo atraso. Ninguém respondeu e, quando Larry forçou o trinco, viu que a porta não estava trancada. Entrou na grande sala luxuosamente mobiliada e ficou ali um momento, sem saber o que fazer, então chamou:

— Srta. Page. — Não houve resposta. Então aquele era o plano dela!

Sinto muito, Costa, querido, mas eu lhe avisei que não se podia contar com ele. Pedi que passasse para me apanhar às dez, mas ele ficou no bar se embebedando. Tive de partir sem ele.

Larry ouviu um som vindo do banheiro e dirigiu-se para lá. A porta estava aberta e ele entrou no momento exato em que Noelle Page saía do chuveiro. Nada tinha sobre o corpo, exceto uma toalha turca que lhe envolvia a cabeça.

Noelle virou-se e o viu de pé ali. Um pedido de desculpas veio aos lábios de Larry, tentando adiantar-se à indignação dela, mas, antes que pudesse falar, ela disse com indiferença:

— Dê-me aquela toalha. — Como se ele fosse uma empregada. Ou um eunuco.

Larry poderia ter enfrentado sua indignação ou raiva, mas a indiferença arrogante fez alguma coisa explodir dentro dele.

Dirigiu-se a ela e agarrou-a, sabendo, enquanto o fazia, que estava jogando fora tudo o que queria em troca da satisfação barata de uma vingança mesquinha, mas de nenhuma forma pôde se deter. A raiva dentro dele crescia há meses, alimentada pelas humilhações que recebera dela, pelos insultos gratuitos, pela provocação, por ter arriscado sua vida. Todas estas coisas ardiam dentro dele enquanto agarrava seu corpo nu. Se Noelle tivesse gritado, Larry a teria posto sem sentidos. Mas ela viu a expressão selvagem no rosto dele e não emitiu um único som quando ele a apanhou e carregou para o quarto.

Em algum lugar na cabeça de Larry, uma voz lhe gritava que parasse, que pedisse desculpas, que dissesse que estava bêbado, que saísse dali antes que fosse tarde demais para se salvar, mas ele sabia que já era tarde demais. Não havia retorno. Ele a atirou com selvageria sobre a cama e dirigiu-se para ela.

Concentrou-se no corpo dela, recusando-se a deixar sua mente pensar na punição que receberia pelo que estava fazendo. Não tinha ilusões sobre o que Demiris faria com ele por causa daquilo, pois a honra do grego não se satisfaria apenas em despedi-lo. Larry conhecia o suficiente sobre o magnata para saber que sua vingança seria muito mais terrível, mas, embora sabendo disso, não podia se deter. Ela estava na cama olhando para ele com os olhos cintilando. Atirou-se sobre ela e penetrou-a, sem perceber até aquele instante o quanto tinha querido fazer aquilo o tempo todo, e, de alguma forma, o desejo estava misturado com o ódio. Sentiu os braços dela envolverem-lhe o pescoço, trazendo-o para perto, como se ela nunca fosse deixá-lo ir embora, e ela murmurou: "Seja bem-vindo de volta." Pela mente de Larry passou a ideia de que ela era louca, ou que o confundia com alguma outra pessoa, mas não ligou, porque o corpo dela estava se mexendo e se torcendo debaixo dele e ele esqueceu tudo na sensação do que lhe acontecia e teve de repente o conhecimento maravilhoso e ofuscante de que agora tudo daria certo.

Noelle e Catherine

Atenas: 1946

16

INEXPLICAVELMENTE, O TEMPO tornara-se inimigo de Catherine. De início, ela não o percebeu e, olhando para trás, não poderia precisar o exato momento em que o tempo começara a trabalhar contra ela. Não percebera quando o amor de Larry se fora ou por que ou como, mas um dia, simplesmente, tinha desaparecido em algum lugar, no corredor interminável do tempo, e tudo o que ficara era um eco vazio e frio. Sentava-se sozinha no apartamento, dia após dia, tentando descobrir o que tinha acontecido, o que saíra errado. Nada havia de específico que ela pudesse apontar e dizer: *Aquilo, foi ali, foi quando Larry deixou de me amar.* Era possível que tivesse começado quando Larry voltara de uma viagem de três semanas à África, para onde levara Constantin Demiris num safári. Catherine sentira mais falta de Larry do que pensava que fosse possível. *Ele está fora todo o tempo*, pensou ela. *É como durante a guerra, só que desta vez não há inimigo.*

Mas estava enganada. Havia um inimigo.

— Eu não lhe contei a boa notícia — disse Larry. — Tive um aumento. Setecentos por mês. O que é que acha?

— É maravilhoso — respondeu ela. — Poderemos voltar para casa muito antes. — Viu o rosto dele se contrair. — O que houve?

— *Aqui* é a minha casa — disse Larry com rudeza.

Ela olhou para ele sem compreender.

— Bem, por enquanto — concordou. — Mas, eu quero dizer, você não quereria viver aqui para sempre.

— Você nunca esteve tão bem — retorquiu Larry. — É como viver de férias numa estação de veraneio.

— Mas não é como viver nos Estados Unidos, é?

— Fodam-se os Estados Unidos — disse Larry. — Arrisquei o rabo pelos Estados Unidos durante quatro anos e o que consegui? Um punhado de medalhas. Eles nem emprego quiseram me dar depois da guerra.

— Não é verdade — disse ela. — Você...

— Eu o quê?

Catherine não queria provocar uma discussão, em especial na primeira noite dele em casa.

— Nada, querido — disse ela. — Você está cansado. Vamos deitar cedo.

— Não vamos. — Ele foi para o bar e preparou uma bebida. — Um novo espetáculo entra em cartaz esta noite na boate Argentina. Disse a Paul Metaxas que nos encontraríamos com ele e mais uns amigos.

Catherine olhou para ele.

— Larry. — Ela teve de lutar para manter a voz normal. — Larry, nós não nos vimos durante quase um mês. Nunca temos uma oportunidade de... de sentar-nos e conversar.

— Eu nada posso fazer se meu trabalho me faz viajar — respondeu ele. — Você pensa que eu também não gostaria de estar com você?

Ela sacudiu a cabeça.

— Eu não sei. Preciso perguntar aos espíritos.

Ele a abraçou e então deu aquele sorriso inocente de garoto.

— Para o inferno Metaxas e o resto da turma toda. Vamos ficar em casa esta noite, só nós dois. Está bem?

Catherine olhou para o rosto dele e soube que não estava sendo compreensiva. É claro que ele nada podia fazer se o trabalho o levava para longe dela. E quando voltava para casa, era natural que quisesse ver outras pessoas.

— Vamos sair se você quiser — decidiu ela.

— Não. — Abraçou-a mais forte. — Só nós dois.

Não saíram do apartamento durante todo o fim de semana. Catherine cozinhava, eles se amavam, sentavam-se diante da lareira e conversavam, jogavam *gin rummy*, liam, e aquilo era tudo que Catherine teria podido pedir.

Domingo à noite, depois de um jantar delicioso que Catherine preparara, foram para a cama e se amaram mais uma vez. Ela estava deitada observando Larry enquanto ele andava, indo para o banheiro, nu, e pensou: *Que homem bonito, e como eu tenho sorte por ele me pertencer.* O sorriso ainda estava em seu rosto quando Larry virou-se na porta do banheiro e disse casualmente:

— Marque muitos programas para a semana que vem, para que nós não tenhamos novamente de ficar assim grudados um no outro, sem nada para fazer. — E entrou no banheiro, deixando Catherine com o sorriso ainda congelado no rosto.

Ou talvez o problema tivesse começado com Helena, a bonita aeromoça grega. Numa tarde quente de verão, Catherine saíra para fazer compras. Larry estava fora da cidade. Ela o esperava de volta no dia seguinte e tinha decidido fazer-lhe uma surpresa com seus pratos favoritos. Quando saía do mercado com os braços cheios de pacotes, um táxi passou por ela. No assento de trás estava Larry abraçado com uma garota em uniforme de aeromoça. Catherine viu por um breve momento os rostos que riam juntos e então o táxi dobrou a esquina e ela o perdeu de vista.

Catherine ficou ali, entorpecida, e só quando uns garotinhos vieram correndo até ela é que percebeu que os embrulhos com as compras tinham escorregado por entre seus dedos insensíveis. Eles a ajudaram a recolher as coisas e ela cambaleou até em casa, com a cabeça se recusando a pensar. Tentou dizer a si mesma que não era Larry que tinha visto no táxi, que tinha sido alguém parecido com ele. Mas a verdade era que ninguém no mundo se parecia com Larry. Ele era único, um trabalho original de Deus, uma criação sem par da natureza. E era todo dela. Dela e da moça no táxi, e de quantas outras?

Catherine ficou acordada a noite inteira, esperando que Larry voltasse. Quando ele não chegou, ela soube que nenhuma desculpa que ele pudesse dar seria capaz de manter o casamento deles e que não havia desculpa alguma que ela pudesse dar a si mesma. Era um mentiroso e um trapaceiro, e não podia mais continuar casada com ele.

Larry só voltou para casa no fim da tarde do dia seguinte.

— Oi — disse ele alegre, enquanto entrava no apartamento. Pôs a mala no chão e viu o rosto dela. — O que há de errado?

— Quando foi que você voltou à cidade? — perguntou Catherine empertigada.

Larry olhou para ela espantado.

— Há cerca de uma hora. Por quê?

— Eu vi você ontem num táxi com uma moça.

Era tudo assim tão simples, pensou Catherine. *Estas são as palavras que acabam com o meu casamento. Ele vai negar e eu vou chamá-lo de mentiroso, vou deixá-lo e nunca mais vou vê-lo.*

Larry estava de pé, olhando para ela.

— Vá em frente — disse ela. — Diga-me que não era você.

Larry olhou para ela e confirmou.

— É claro que era eu. — A dor repentina e lancinante que Catherine sentiu no fundo do estômago a fez perceber o quanto queria que ele negasse. — Cristo — continuou. — O que você esteve pensando?

Ela começou a falar e a voz tremeu com raiva.

— Eu...

Larry ergueu a mão.

— Não diga coisa alguma de que você vá se lamentar depois.

Catherine olhou para ele incrédula.

— *Eu* vou lamentar?

— Eu voltei a Atenas ontem por 15 minutos, para apanhar uma moça chamada Helena Merrelis e levá-la para Creta, para Demiris. Helena trabalha para ele como aeromoça.

— Mas... — Era possível. Larry podia estar dizendo a verdade; ou era *polymechanos*, fértil em desculpas? — Por que não me telefonou? — perguntou Catherine.

— Eu telefonei — disse Larry com rispidez. — Não respondia. Você tinha saído, não tinha?

Catherine engoliu em seco.

— Eu saí para fazer compras para o seu jantar.

— Não estou com fome — retorquiu Larry. — Recriminações sempre me fazem perder o apetite. — Virou-se e saiu, deixando Catherine de pé ali, com a mão direita ainda levantada, como se estivesse suplicando em silêncio para que ele voltasse.

Foi pouco depois daquilo que Catherine começou a beber. Começou aos poucos, de maneira inofensiva. Ela ficava esperando que Larry voltasse para jantar às 7 horas e, como às 9h ele ainda não tinha aparecido, para ajudar a passar o tempo Catherine tomava uns *brandies*. Na hora em que ele chegava, se chegasse, o jantar estaria arruinado há muito tempo, e ela, um pouco bêbada. Isso tornava muito mais fácil enfrentar os problemas que estavam acontecendo em sua vida.

Catherine não podia mais esconder de si mesma o fato de que Larry a enganava e que provavelmente a vinha enganando desde a época em que tinham se casado. Um dia, esvaziando os bolsos das calças do uniforme dele, antes de mandá-las para o tintureiro, encontrou um lenço de cambraia endurecido com esperma seco. Havia batom nas cuecas.

Ela pensou em Larry nos braços de uma outra mulher. E teve vontade de matá-lo.

Noelle e Catherine

Atenas: 1946

17

DA MESMA FORMA QUE O tempo se fizera inimigo de Catherine, tornara-se amigo de Larry. A noite em Amsterdã fora nada menos que um milagre. Larry procurara o desastre e, ao fazê-lo, encontrara, por mais incrível que parecesse, a solução de todos os seus problemas. *É a sorte de Douglas*, pensou com satisfação.

Mas sabia que era mais que sorte. Era algum instinto obscuro e perverso nele que precisava desafiar o Destino, lutar contra os parâmetros da morte e da destruição, um teste, uma competição dele mesmo contra a Sorte, cujos preços eram a vida e a morte.

Ele se lembrou de uma manhã sobre as Ilhas Truk, quando um esquadrão de Zeros tinha saído de uma cobertura de nuvens. Seu avião era a unidade chamariz, e eles concentraram o ataque sobre ele. Três Zeros conseguiram manobrar para afastá-lo do resto do esquadrão e abriram fogo. Numa espécie de supravisão, que lhe vinha nos momentos de perigo, teve consciência da ilha abaixo, das dúzias de navios balançando-se nas ondas do mar, dos aviões rugindo e se retalhando no céu azul-claro. Foi um dos momentos mais felizes da vida de Larry, a realização da Vida e a zombaria da Morte.

Pusera o avião numa descida brusca e subira de repente na cauda de um dos Zeros. Observara-o explodir, quando abriu fogo com suas armas. Os outros dois aviões tinham ficado um de cada lado. Larry os observou descerem depressa para cima dele e, no último instante, fez seu avião fazer um *immelmann** e os dois aviões japoneses colidiram no ar. Era um momento que Larry costumava saborear com frequência em sua mente.

Por alguma razão, viera-lhe à cabeça naquela noite em Amsterdã. Tinha possuído Noelle de maneira selvagem e violenta e, depois, ela ficara em seus braços, falando deles dois em Paris antes da guerra, e de repente lhe trouxera de volta uma lembrança esmaecida de uma moça, jovem e ansiosa, mas, Santo Deus, tinha havido centenas de moças jovens e ansiosas desde então e Noelle não era mais que uma sombra esquiva, uma meia-lembrança em seu passado.

Que sorte, pensou Larry, que seus caminhos tivessem se cruzado acidentalmente, depois de todos aqueles anos.

— Você me pertence — disse Noelle. — Você é meu agora.

Alguma coisa no tom dela fez Larry se sentir pouco à vontade. *E, no entanto*, perguntou a si mesmo, o *que tenho a perder?*

Com Noelle sob seu controle, podia ficar com Demiris para sempre, se quisesse.

Ela o estudava como se estivesse lendo-lhe os pensamentos, e havia uma expressão estranha em seus olhos que Larry não compreendeu.

Tanto fazia.

DE VOLTA DE uma viagem ao Marrocos, Larry levou Helena para jantar fora e passou a noite no apartamento dela.

---

*Immelmann turn: manobra que consiste numa volta vertical parcial, seguida por uma meia-volta no eixo longitudinal, o que permite que o avião ganhe altitude ao mesmo tempo que reverte a direção do voo. (*N. do T.*)

De manhã, foi até o aeroporto para supervisionar a manutenção de seu avião. Almoçou com Paul Metaxas.

— Você parece que tirou a sorte grande — disse Metaxas. — Tem um pouco sobrando para mim?

— Meu jovem — Larry sorriu —, você não saberia manejá-las. É preciso ser um mestre.

Tiveram um almoço agradável e em seguida Larry voltou à cidade para apanhar Helena, que deveria voar com ele.

Bateu na porta do apartamento. Depois de um longo tempo, Helena abriu devagar. O rosto e o corpo dela eram um monte de ferimentos feios e contusões. Os olhos dela eram fendas de dor. Tinha sido surrada por um profissional.

— Cristo! — exclamou Larry. — O que aconteceu?

Helena abriu a boca e Larry viu que três dos dentes superiores tinham sido arrancados.

— D-dois homens — gaguejou ela. — Eles vieram assim que você saiu.

— Não chamou a polícia? — perguntou Larry horrorizado.

— E-eles disseram que me matariam se eu dissesse a alguém. E matam mesmo, L-Larry. — Ela ficou ali em choque, agarrando-se na porta como apoio.

— Eles a roubaram?

— N-não. Eles entraram à força e me violentaram e então eles... eles me surraram.

— Vista uma roupa — ordenou ele. — Vou levar você para o hospital.

— Não posso i-ir com o rosto desse jeito — disse ela.

E era claro que tinha razão. Larry telefonou para um médico seu amigo e conseguiu que ele fosse até lá.

— Sinto muito por não poder ficar — disse a Helena. — Tenho de decolar com Demiris dentro de meia hora. Eu a verei assim que voltar.

Mas nunca mais tornou a vê-la. Quando Larry voltou, dois dias depois, o apartamento estava vazio e a senhoria lhe disse que a moça tinha se mudado e que não deixara o novo endereço. Mesmo então, Larry não suspeitava da verdade. Só diversas noites depois, quando estava na cama com Noelle, teve uma pista do que acontecera.

— Você é tão fantástica — disse ele. — Nunca conheci ninguém como você.

— Eu lhe dou tudo o que você quer? — perguntou ela.

— Sim — gemeu ele. — Oh, Deus, sim.

Noelle suspendeu por um instante o que estava fazendo.

— Então nunca mais durma com outra mulher — disse com suavidade. — Da próxima vez, eu a matarei.

Larry lembrou-se das palavras dela: você me pertence. E, de repente, elas tomaram um novo significado assustador. Pela primeira vez, ele teve o pressentimento de que aquele não era um caso passageiro, que poderia terminar quando quisesse. Sentiu a determinação calculista, mortal, que havia em Noelle Page e de repente percebeu que estava com frio e um pouco de medo. Meia dúzia de vezes durante a noite começou a trazer à tona o assunto de Helena e, a cada vez, parou, porque teve medo de saber, medo de ouvir a verdade, como se as palavras tivessem mais poder que o próprio ato. Se Noelle era capaz daquilo...

Durante o café, na manhã seguinte, Larry estudou Noelle quando ela estava distraída, procurando sinais de crueldade, de sadismo, mas tudo que viu foi uma mulher adorável e bonita contando-lhe anedotas divertidas, antecipando e satisfazendo cada desejo seu. *Eu só posso estar enganado a respeito dela*, pensou ele. Mas depois daquilo teve o cuidado de não marcar encontros com outras mulheres e em poucas semanas tinha perdido toda a vontade de fazê-lo, porque Noelle se tornara uma completa obsessão para ele.

Desde o princípio, Noelle advertira Larry de que era essencial que mantivessem o caso escondido de Constantin Demiris.

— Não deve haver nunca nem a mais leve sombra de suspeita sobre nós — avisou Noelle.

— Por que não posso alugar um apartamento? — sugeriu Larry. — Um lugar onde nós...

Noelle sacudiu a cabeça.

— Em Atenas não. Alguém me reconheceria. Deixe-me pensar sobre isto.

Dois dias depois Demiris mandou chamar Larry. A princípio ele ficou apreensivo, perguntando-se se o magnata grego poderia ter sabido sobre seu caso com Noelle, mas Demiris o cumprimentou de maneira agradável e começou a discutir com ele um novo avião que estava pensando em comprar.

— É um bombardeiro Mitchell adaptado — disse-lhe Demiris. — Quero que você dê uma olhada.

O rosto de Larry alegrou-se.

— É um grande avião — disse ele. — Com seu peso e tamanho vai proporcionar-lhe o melhor voo que se pode imaginar.

— Dá para quantos passageiros?

Larry pensou um momento.

— Nove no máximo, mais um piloto, um navegador e um engenheiro de voo. Voa a quase 800 quilômetros por hora.

— Parece interessante. Você verifica para mim e depois me manda um relatório?

— Mal posso esperar — Larry sorriu.

Demiris levantou-se.

— A propósito, Douglas, a Srta. Page vai para Berlim amanhã de manhã. Quero que a leve até lá.

— Sim, senhor — disse Larry. E então continuou inocentemente: — A Srta. Page lhe disse que estamos nos dando melhor?

Demiris olhou para ele.

— Não! — disse espantado. — Aliás, esta manhã ela se queixou de sua insolência.

Larry olhou para ele surpreso, e então, à medida que a compreensão surgia, rapidamente tentou encobrir seu escorregão.

— Estou tentando, Sr. Demiris — disse com sinceridade. — Tentarei com mais afinco.

— Faça isto. Você é o melhor piloto que já tive, Douglas. Seria desagradável ter de... — Ele deixou a voz morrer, mas a mensagem era clara.

A caminho de casa, Larry amaldiçoou-se por sua estupidez. Era melhor que se lembrasse de que estava jogando com os grandes times agora. Noelle fora esperta o suficiente para perceber que qualquer mudança repentina em sua atitude para com Larry faria Demiris desconfiar. O antigo relacionamento entre eles era um disfarce perfeito para o que estavam fazendo. Demiris tentava contemporizar entre os dois. A ideia fez Larry rir alto. Era uma sensação agradável saber que tinha uma coisa que um dos homens mais poderosos do mundo pensava que fosse dele.

No voo para Berlim, Larry entregou o comando para Paul Metaxas e disse-lhe que ia falar com Noelle Page.

— Você não tem medo de ter a cabeça arrancada? — perguntou Metaxas.

Larry hesitou, tentado a jactar-se, mas venceu o impulso.

— Ela é uma cadela. — Larry encolheu os ombros. — Mas se eu não descobrir um jeito de amaciá-la, vou acabar levando um pontapé no rabo.

— Boa sorte — disse Metaxas, sério.

— Obrigado.

Larry fechou a porta da cabina com cuidado e foi à sala onde Noelle estava sentada. As duas aeromoças estavam no fundo do avião. Larry começou a sentar-se defronte a Noelle.

— Cuidado — avisou ela com suavidade. — Todo mundo que trabalha para Constantin espiona para ele.

Larry olhou para as aeromoças e pensou em Helena.

— Encontrei um lugar para nós — disse Noelle. Havia prazer e animação em sua voz.

— Um apartamento?

— Uma casa. Sabe onde fica Rafina?

Larry sacudiu a cabeça.

— Não.

— É um pequeno vilarejo à beira-mar, 100 quilômetros ao norte de Atenas. Temos uma *villa* particular lá.

Ele assentiu.

— Em nome de quem você alugou?

— Eu comprei — disse Noelle — em nome de outra pessoa.

Larry perguntou-se como devia ser bom poder comprar uma *villa* só para dar uma trepada com alguém de vez em quando.

— Ótimo — disse ele. — Mal posso esperar para ver.

Ela o estudou um momento.

— Você vai ter problemas para se livrar de Catherine?

Larry olhou-a surpreendido. Era a primeira vez que ela mencionava sua mulher. Claro que ele não fizera segredo de seu casamento, mas era uma sensação estranha ouvir Noelle usar o nome Catherine. Era óbvio que ela tinha feito alguma investigação e, conhecendo-a bem como começava a conhecer, devia ter sido muito completa. Ela estava esperando uma resposta.

— Não — respondeu Larry. — Eu vou e venho como me agrada.

Noelle assentiu satisfeita.

— Bom. Constantin vai partir num cruzeiro de negócios para Dubrovnik. Disse a ele que não posso ir junto. Teremos dez dias maravilhosos para nós. É melhor você ir agora.

Larry virou-se e voltou para a cabina.

— Como foi? — perguntou Metaxas. — Ela afrouxou um pouco?

— Não muito — respondeu Larry com cuidado. — Vai levar tempo.

Larry tinha um automóvel, um Citroën conversível, mas, devido à insistência de Noelle, foi a uma pequena agência locadora de automóveis em Atenas e alugou um carro. Noelle seguiria para Rafina sozinha e Larry se encontraria com ela lá. O caminho era agradável, uma estrada estreita, tortuosa e poeirenta, no alto, bem acima do mar. A duas horas e meia de Atenas, Larry chegou a um pequenino e simpático vilarejo incrustado na costa. Noelle lhe dera instruções cuidadosas para que ele não precisasse parar e pedir informações no vilarejo. Havia diversas *villas*, todas retiradas atrás de altas paredes de pedra. No fim da estrada, construída numa saliência de rocha, num promontório que se projetava sobre a água, via-se uma grande *villa* de aparência luxuosa.

Larry foi até o portão e tocou a campainha. Um momento depois, o portão elétrico se abriu. Entrou com o carro e o portão fechou-se atrás dele. Viu-se num grande pátio, com uma fonte no centro. Os lados do pátio estavam cobertos de flores. A casa era uma *villa* mediterrânea típica, tão impenetrável como uma fortaleza. A porta da frente se abriu e Noelle apareceu, usando um vestido branco de algodão. Eles ficaram sorrindo um para o outro, e logo depois ela estava em seus braços.

— Venha e veja seu novo lar — disse ela animada, e o levou para dentro.

O interior da casa era como uma caverna, quartos grandes e espaçosos, com tetos altos, abobadados. Havia uma enorme sala no andar de baixo, uma biblioteca, uma sala de jantar formal e uma cozinha antiquada, com um fogão redondo no centro. Os quartos eram no andar de cima.

— E os empregados? — perguntou Larry.

— Está olhando para eles.

Larry olhou para ela surpreso.

— *Você* vai cozinhar e arrumar?

Ela assentiu com a cabeça.

— Um casal virá fazer a limpeza depois que formos embora, mas eles nunca nos verão. Eu os contratei através de uma agência. — Larry riu. Havia uma nota de advertência na voz de Noelle — Nunca cometa o erro de subestimar Constantin Demiris. Se ele descobrir sobre nós, nos matará.

Larry sorriu.

— Você está exagerando — disse ele. — O velho pode não gostar, mas...

Os olhos violeta de Noelle prenderam os dele.

— Ele nos matará. — Havia alguma coisa em sua voz que fez com que um sentimento de apreensão tomasse conta dele.

— Você está falando sério?

— Nunca estive falando mais sério em minha vida. Ele é impiedoso.

— Mas, quando você diz que ele nos *matará*, ele não...

— Ele não vai usar balas — disse Noelle com secura. — Encontrará uma maneira complicada, engenhosa, para fazê-lo e nunca será punido por tê-lo feito. — O tom dela descontraiu-se. — Mas ele não descobrirá, querido. Venha, deixe-me mostrar-lhe o nosso quarto. — Tomou a mão dele e subiram a escada em caracol. — Temos quatro quartos de hóspedes — disse, e ajuntou sorrindo: — podemos experimentar todos. — Ela o levou para o quarto principal, uma grande suíte num canto que ficava sobre o mar. Da janela, Larry podia ver um grande terraço e o pequeno caminho que terminava na água. Havia um cais, com um grande veleiro e um barco a motor atracados.

— De quem são os barcos?

— Seus — disse ela. — É o seu presente de boas-vindas.

Ele se virou para ela e viu que havia tirado o vestido de algodão. Estava nua. Passaram o resto da tarde na cama.

Os dez dias seguintes voaram. Noelle era mercurial, uma ninfa, um gênio, uma dúzia de belas servas satisfazendo todos os desejos de Larry antes mesmo que ele soubesse o que queria. Descobriu que a biblioteca da *villa* tinha seus livros e discos favoritos. Noelle fazia seus pratos prediletos com perfeição, velejava com ele, nadava com ele no mar azul de águas mornas, trepava com ele, fazia-lhe massagens à noite até que dormisse. Num certo sentido, eram prisioneiros juntos, pois não ousavam ver mais ninguém. Todo dia Larry descobria novas facetas em Noelle. Ela o divertia com anedotas fascinantes sobre pessoas famosas que conhecia. Tentou discutir negócios e política com ele, até que ela descobriu que ele não estava interessado em nenhum dos dois.

Jogaram pôquer e *gin rummy* e Larry ficou furioso porque não ganhava nunca. Noelle ensinou-o a jogar xadrez e gamão e ele nunca conseguia vencê-la. No primeiro domingo que passaram na *villa*, ela preparou um almoço delicioso ao ar livre. Sentaram-se ao sol, na praia, e se divertiram. Enquanto estavam comendo, Noelle ergueu os olhos e viu dois homens a distância, que vinham passeando em direção a eles, pela praia.

— Vamos entrar — disse.

Larry ergueu os olhos e viu os homens.

— Não seja tão medrosa. É apenas um par de camponeses que saiu para dar um passeio.

— Agora — ordenou ela.

— OK — disse ele de má vontade, irritado pelo incidente e pelo tom dela.

— Ajude-me a levar as coisas.

— Por que não as deixamos? — perguntou ele.

— Porque pareceria suspeito.

Puseram tudo rapidamente na cesta de piquenique e correram para casa. Larry ficou em silêncio pelo resto da tarde e sentou-se na biblioteca, preocupado, enquanto Noelle trabalhava na cozinha.

No fim da tarde ela foi à biblioteca, sentou-se aos pés de Larry e, com seu misterioso poder de ler os pensamentos dele, disse:

— Pare de pensar neles.

— Era apenas um par de camponeses — respondeu Larry. — Eu odeio ficar me escondendo como se fosse um criminoso. — Olhou para ela e sua voz mudou. — Não quero ter de me esconder de ninguém. Eu amo você.

Noelle sabia que daquela vez era verdade. Pensou nos anos em que planejara destruir Larry e no prazer bárbaro que sentira em imaginar sua destruição. E, no entanto, no momento em que vira Larry soubera de imediato que havia alguma coisa, mais profunda que o ódio, viva dentro dela. Quando o empurrara para a beira da morte, forçando-o a arriscar a vida de ambos naquele terrível voo para Amsterdã, foi como se estivesse testando o amor dele por ela, num desafio selvagem ao destino. Estivera com Larry na cabina de comando, pilotando o avião com ele, sofrendo com ele, sabendo que, se ele morresse, morreriam juntos, mas ele salvara ambos. E, quando ele fora a seu quarto em Amsterdã e a amara, seu ódio e seu amor tinham ficado misturados nos dois corpos e de alguma forma o tempo dilatara e se contraíra e estavam de volta ao pequeno quarto de hotel em Paris e Larry lhe estava dizendo: "Vamos nos casar; acharemos um pequeno *mairie* no campo." E o presente e o passado tinham explodido de maneira estonteante num só. Noelle soube, então, que entre eles não passara o tempo, que nunca passara o tempo, que nada tinha realmente mudado e que o fundo de seu ódio por Larry vinha da enormidade de seu amor por ele. Se o destruísse, estaria destruindo a si própria, pois se dera inteiramente a ele há muito tempo e nada jamais poderia modificar isso.

Parecia a Noelle que tudo que conseguira na vida fora através do ódio. A traição de seu pai a moldara, dera-lhe forma, a fortalecera e endurecera, enchendo-a de uma fome de vingança que não se satisfaria com menos que um reino só dela, no qual fosse todo-poderosa, no qual nunca mais pudesse ser traída, nunca mais viesse a ser ferida. Afinal ela alcançara isso e agora estava pronta a desistir de tudo por aquele homem, porque sabia agora que tudo que sempre fizera fora para que Larry precisasse dela, para que a amasse. E afinal ele a amava. E aquele, finalmente, era seu verdadeiro reino.

Noelle e Catherine

Atenas: 1946

18

PARA LARRY E NOELLE, os três meses seguintes foram um desses raros períodos idílicos em que tudo dava certo, um tempo mágico de flutuação de um dia maravilhoso para outro, sem a mais leve nuvem no horizonte. Larry passava suas horas de trabalho fazendo o que mais adorava, voar, e quando tinha uma folga ia para a *villa* em Rafina e passava um dia ou um fim de semana com Noelle. No início, temera que aquilo se transformasse num padrão que o arrastaria para o tipo de domesticidade que odiava. Mas cada vez que via Noelle ficava mais encantado, e começou a esperar ansioso pelas horas que passaria com ela. Quando ela precisou cancelar um fim de semana por causa de uma viagem inesperada com Demiris, Larry ficou sozinho na *villa*, sentindo-se frustrado e com ciúmes ao pensar em Noelle junto com o amante. Quando a viu na semana seguinte, ela ficou surpreendida e satisfeita com sua ansiedade.

— Você sentiu minha falta — disse ela.

— Muita.

— Ótimo.

— Como está Demiris?

Ela hesitou um momento.

— Bem.

Larry notou a hesitação dela.

— O que houve?

— Eu estava pensando numa coisa que você disse.

— O quê?

— Você disse que odiava sentir que estava se escondendo como um criminoso. Eu também odeio. Cada momento que passei com Constantin, queria estar com você. Eu lhe disse uma vez, Larry, que queria você inteiro. Quero mesmo. Não quero dividir você com ninguém. Quero que você se case comigo. — Ele olhou para ela surpreso, pego desprevenido. Noelle o observava. — Você quer se casar comigo?

— Você sabe que quero. Mas como? Você fica sempre me dizendo o que Demiris fará quando descobrir sobre nós dois.

Ela sacudiu a cabeça.

— Ele não descobrirá. Não se formos espertos e planejarmos direito. Ele não é meu dono, Larry. Eu o deixarei. Não há nada que ele possa fazer sobre isto. É orgulhoso demais para tentar me deter. Um ou dois meses depois, você deixa o emprego. Nós iremos para algum lugar, separados, talvez para os Estados Unidos. Podemos nos casar lá. Tenho mais dinheiro do que jamais precisaremos. Comprarei uma companhia de cargas aéreas para você, ou uma escola de aviação ou o que você quiser.

Ele ficou ali, ouvindo o que ela dizia, pesando o que estava abandonando contra o que ganharia. E o que estaria abandonando? Uma porcaria de emprego de piloto. A ideia de ter seus próprios aviões o fazia arrepiar-se de excitação. Teria seu próprio Mitchell adaptado. Ou talvez o novo DC-6, que acabara de sair. Quatro motores radiais, 86 passageiros. E Noelle, sim, ele queria Noelle. Jesus, então por que estava hesitando?

— E a minha mulher? — perguntou ele.

— Diga-lhe que quer o divórcio.

— Não sei se ela vai concordar.

— Não lhe peça — respondeu Noelle. — Diga-lhe. — Havia uma nota final implacável em sua voz.

Larry concordou.

— Está certo.

— Você não se arrependerá, querido. Eu prometo — disse Noelle.

Para Catherine, o tempo tinha perdido seu ritmo normal; ela caíra numa teia intricada de tempo em que o dia e a noite tinham se fundido num só. Larry quase nunca estava em casa e há muito tempo ela deixara de ver os amigos, porque não tinha energia para inventar mais desculpas ou para enfrentar as pessoas. Conde Pappas fizera meia dúzia de tentativas de vê-la e, afinal, desistira. Ela só se sentia capaz de tratar com as pessoas a distância: por telefone, carta ou telegrama. Mas, cara a cara, virava pedra e as conversas saíam em frases soltas, que eram como pequenas fagulhas sem consequências. O tempo trazia dor, as pessoas traziam dor e o único paliativo que Catherine encontrou estava no maravilhoso esquecimento do álcool. Oh, como diminuía o sofrimento, suavizava a ponta afiada da repulsa e enfraquecia o impiedoso sol da realidade que batia em todas as outras pessoas!

Quando Catherine fora para Atenas, ela e William Fraser se correspondiam com frequência, contando as novidades e mantendo um ao outro a par das atividades dos amigos e inimigos comuns. Entretanto, desde que os problemas de Catherine com Larry tinham começado, ela não tivera coragem de escrever a Fraser. As últimas três cartas dele ficaram sem resposta e a última sequer fora aberta. Ela simplesmente não tinha forças para lidar com coisa alguma que não pertencesse ao microcosmo de autopiedade no qual estava presa.

Um dia, chegou um telegrama para Catherine e ele ainda estava sobre a mesa, uma semana depois, sem ter sido aberto, quando a campainha da porta soou e William Fraser apareceu. Catherine olhou para ele sem acreditar.

— Bill! — disse ela com a voz pastosa. — Bill Fraser!

Ele começou a falar e ela viu a expressão animada em seus olhos transformar-se em outra coisa, espanto e choque.

— Bill, querido — disse ela. — O que você está fazendo aqui?

— Eu tinha de vir a Atenas, a negócios — explicou Fraser. — Não recebeu meu telegrama?

Catherine olhou para ele, tentando se lembrar.

— Não sei — disse afinal. Ela o levou para a sala, cheia jornais velhos, cinzeiros sujos e pratos com restos de comida. — Desculpe a bagunça — disse, abanando a mão. — Estive ocupada.

Fraser a olhava, preocupado.

— Você está bem, Catherine?

— Eu? Fantástica! Que tal um drinque?

— São só 11 horas da manhã.

— Você está certo. Está absolutamente certo, Bill. É cedo demais para beber e, para lhe dizer a verdade, eu não beberia, exceto para celebrar sua vinda. Você é a única pessoa no mundo todo que poderia me fazer tomar um drinque às 11 horas da manhã. — Fraser a observou, consternado, enquanto Catherine cambaleava até o bar e preparava um grande copo para ela e um menor para ele. — Gosta do *brandy* grego? — perguntou ela enquanto lhe levava a bebida. — Eu detestava, mas a gente se acostuma.

Fraser pegou o copo e o descansou.

— Onde está Larry? — perguntou devagar.

— Larry? Ah, o bom e velho Larry está voando por aí em algum lugar. Ele trabalha para o homem mais rico do mundo, sabe. Demiris é dono de tudo, até de Larry.

Ele a observou um momento.

— Larry sabe que você bebe?

Catherine bateu com o copo e ficou de pé, cambaleando na frente dele.

— O que quer dizer com "Larry sabe que você bebe"? — perguntou indignada. — Quem disse que eu bebo? Só porque quero celebrar por estar vendo um velho amigo não comece a me agredir!

— Catherine — começou ele. — Eu...

— Você pensa que pode entrar aqui e me acusar de ser uma bêbada?

— Sinto muito, Catherine — disse Fraser magoado. — Acho que você precisa de ajuda.

— Bem, você está enganado — retorquiu ela. — Não preciso de ajuda nenhuma. Sabe por quê? Porque sou... sou auto... sou auto... — Ela procurou a palavra e afinal desistiu. — Não preciso de ajuda nenhuma.

Fraser olhou para ela um momento.

— Tenho de ir para uma conferência agora — disse ele. — Jante comigo esta noite.

— OK — ela assentiu.

— Ótimo. Passo para apanhar você às 8 horas.

Catherine observou Bill Fraser enquanto ele passava pela porta. Então, com passos incertos, andou até o quarto e abriu devagar a porta do armário, olhando para o espelho atrás da porta. Ficou ali gelada, incapaz de acreditar no que estava vendo, certa de que o espelho estava lhe pregando alguma peça horrível. Por dentro, ela ainda era a garotinha bonita, adorada pelo pai, ainda era a jovem universitária, de pé num quarto de motel com Ron Peterson e ouvindo-o dizer: "Meu Deus, Cathy, você é a coisa mais bonita eu já vi". E Bill Fraser abraçando-a e dizendo: "Você é tão bonita, Catherine". E Larry dizendo: "Continue bonita assim, Cathy, você é maravilhosa". E ela olhou para a figura no espelho e grasnou alto: "Quem é você?" E a mulher triste e disforme no espelho começou a chorar, lágrimas vazias e desesperadas, que escorreram pelo rosto obscenamente inchado. Horas depois, a campainha da porta tocou. Ela ouviu a voz de Bill Fraser gritando: "Catherine! Catherine, você está aí?" E então a campainha tocou mais um pouco e afinal a voz parou e a campainha parou e Catherine foi deixada sozinha com a estranha no espelho.

Às 9 horas da manhã seguinte, Catherine tomou um táxi até a Rua Patission. O nome do médico era Nikodes e ele era um homem grande e forte, com uma cabeleira branca, um rosto inteligente com olhos gentis e uma atitude descontraída e informal.

Uma enfermeira fez Catherine entrar no consultório e o Dr. Nikodes indicou-lhe uma cadeira.

— Sente-se, Sra. Douglas.

Catherine sentou-se, nervosa e tensa, tentando fazer com que seu corpo parasse de tremer.

— Qual lhe parece ser o seu problema?

Ela começou a responder e então parou, desesperada. *Oh, Deus*, pensou, *por onde posso começar?*

— Preciso de ajuda — disse afinal. A voz estava seca, rouca e ela estava morrendo de vontade de tomar um drinque.

O médico recostou-se na cadeira examinando-a.

— Que idade a senhora tem?

— Vinte e oito. — Ela observou o rosto dele enquanto respondia. Ele tentou esconder a expressão de choque, mas ela percebeu e, de uma maneira perversa, sentiu-se satisfeita.

— É americana?

— Sim.

— Mora em Atenas?

— Sim.

— Há quanto tempo mora aqui?

— Há mil anos. Nós nos mudamos antes das Guerras do Peloponeso.

O médico sorriu.

— Às vezes eu também me sinto assim. — Ofereceu um cigarro a Catherine e ela estendeu a mão para apanhá-lo, tentando controlar o tremor dos dedos. Se o Dr. Nikodes notou, nada disse. Acendeu o cigarro para ela. — De que tipo de ajuda precisa, Sra. Douglas?

Catherine olhou para ele desamparada.

— Não sei — murmurou. — Eu não sei.

— Sente-se doente?

— Estou doente. Acho que devo estar muito doente. Fiquei tão feia. — Sabia que não estava chorando e no entanto sentia as lágrimas escorrerem-lhe pelo rosto.

— A senhora bebe, Sra. Douglas? — perguntou o médico, com brandura.

Catherine olhou para ele em pânico, sentindo-se encurralada, atacada.

— Às vezes.

— Quanto?

Ela tomou uma inspiração profunda.

— Não muito. De... depende.

— Já bebeu hoje? — perguntou ele.

— Não.

Ele ficou ali, estudando-a.

— Não é feia de verdade, sabe — disse com delicadeza. — Está gorda demais, seu corpo está inchado e não tem cuidado de sua pele ou do cabelo. Sob essa fachada há uma mulher jovem e muito atraente.

Ela caiu em prantos e ele ficou ali, deixando-a chorar. De forma indistinta, acima de seus soluços torturados, Catherine ouviu a campainha na mesa tocar diversas vezes, mas o médico a ignorou. Afinal o soluçar parou. Catherine pegou um lenço e assoou o nariz.

— Desculpe-me — disse ela. — P-pode me ajudar?

— Depende inteiramente da senhora — respondeu o Dr. Nikodes. — Não sabemos ainda qual é o seu verdadeiro problema.

— Olhe para mim — respondeu Catherine.

Ele sacudiu a cabeça.

— Esse não é um problema, Sra. Douglas, é um sintoma. Desculpe-me por ser rude, mas, se vou ajudá-la, temos de ser honestos um com o outro. Quando uma mulher jovem e atraente se deixa ficar como a senhora está, deve haver uma razão muito forte. Seu marido é vivo?

— Nos feriados e fins de semana.

Ele a observou.

— Vive com ele?

— Quando ele está em casa.

— Qual é o trabalho dele?

— É o piloto particular de Constantin Demiris. — Ela notou a reação no rosto do médico, mas não soube dizer se era por causa do nome de Demiris ou porque ele soubesse alguma coisa sobre Larry. — Já ouviu falar no meu marido? — perguntou.

— Não. — Mas ele podia estar mentindo. — A senhora ama seu marido, Sra. Douglas?

Catherine abriu a boca para responder e então parou. Sabia que o que ia dizer era muito importante, não só para o médico como para ela mesma. Sim, ela amava o marido e, sim, ela o odiava, e, sim, às vezes sentia tamanha raiva dele que sabia que seria capaz de matá-lo, e, sim, às vezes sentia tamanha ternura por ele que ficaria feliz de lhe dar sua vida. E qual palavra poderia dizer tudo isso? Talvez fosse amor.

— Sim — disse ela.

— Ele ama a senhora?

Catherine pensou nas outras mulheres na vida de Larry e em sua infidelidade, pensou na estranha horrorosa no espelho na noite anterior e não pôde culpar Larry por não a querer. Mas quem poderia dizer o que viera antes? Fora a mulher no espelho criada por sua infidelidade, ou sua infidelidade fora criada pela mulher no espelho? Percebeu que seu rosto estava novamente molhado de lágrimas.

Sacudiu a cabeça desamparada.

— Eu... eu não sei.

— Já teve um colapso nervoso?

Agora ela o observava com os olhos fatigados.

— Não. Acha que preciso de um?

Ele não sorriu. Falou devagar, escolhendo as palavras com cuidado.

— A psique humana é uma coisa delicada, Sra. Douglas. Pode suportar apenas uma determinada quantidade de dor e, quando a dor ser torna insuportável, ela escapa para um recanto escondido do cérebro que estamos apenas começando a explorar. Suas emoções estão muito tensas. — Olhou para ela um momento. — Acho que foi bom ter vindo procurar ajuda.

— Sei que estou um pouco nervosa — disse Catherine na defensiva. — É por isso que bebo. Para me sentir relaxada.

— Não — disse ele com rudeza. — Bebe para fugir. — Nikodes levantou-se e foi para perto dela. — Acho que há bastante coisa que nós podemos fazer pela senhora. Por "nós", quero dizer a senhora e eu. Não vai ser simples.

— Diga-me o que fazer.

— Para começar, vou mandá-la para uma clínica para fazer um exame físico completo. Minha impressão é que eles não vão achar nada basicamente errado com a senhora. Depois, a senhora vai parar de beber e então vai fazer uma dieta. Tudo certo até aqui?

Catherine hesitou, concordando em seguida.

— Vai matricular-se numa academia, onde fará ginástica todo dia para colocar seu corpo novamente em forma. Tenho um fisioterapeuta que vai lhe aplicar massagens. Uma vez por semana a senhora irá a um instituto de beleza. Tudo isso leva tempo,

Sra. Douglas. A senhora não ficou neste estado de um dia para o outro e não vai mudar de um dia para o outro. — Ele sorriu para reconfortá-la. — Mas posso prometer-lhe que em poucos meses, talvez em poucas semanas, a senhora terá uma aparência diferente e vai se sentir uma mulher diferente. Quando se olhar ao espelho, vai se sentir orgulhosa, e, quando seu marido olhar para a senhora, vai achá-la atraente.

Catherine olhou para ele com o coração mais leve. Era como se um peso insuportável tivesse sido removido de dentro dela, como se de repente lhe tivessem dado uma outra oportunidade de viver.

— Deve compreender que só posso sugerir este programa para a senhora — dizia o médico. — A senhora quem deverá executá-lo.

— Eu o farei — disse Catherine com fervor. — Prometo.

— Parar de beber vai ser a parte mais difícil.

— Não, não vai — disse Catherine. E, ao dizê-lo, soube que era verdade. O médico estava certo: ela estava bebendo para fugir. Agora tinha um objetivo, sabia para onde estava indo. Ia recuperar Larry. — Não tocarei numa gota — disse com convicção.

O médico viu a expressão de seu rosto e aprovou, satisfeito.

— Acredito na senhora, Sra. Douglas.

Catherine levantou-se. Surpreendia-se de ver como seu corpo estava disforme e desajeitado, mas tudo isso iria mudar agora.

— É melhor eu sair e comprar roupas bem justas — disse sorrindo.

O médico escreveu alguma coisa num cartão.

— Aqui está o endereço da clínica. Estarão esperando pela senhora. Eu a verei novamente depois que fizer o exame.

Na rua, Catherine procurou um táxi e então pensou, *para o inferno com isso. Posso muito bem ir me acostumando com um pouco de exercício.* Começou a andar. Passou pela vitrine de uma loja e parou para olhar seu reflexo.

Fora tão rápida em culpar Larry pela desintegração de seu casamento, sem nunca perguntar quanto da culpa lhe cabia. Por que haveria ele de querer voltar e com que sutileza aquela estranha aparecera nela sem que a percebesse. Perguntou-se quantos casamentos não teriam morrido dessa mesma forma, não com um grito — *e em realidade não tinha havido muitos nos últimos tempos*, pensou Catherine, desconcertadamente —, mas com um choramingo, como dizia o velho T. S. Elliot. Bem, tudo isso já estava no passado. De agora em diante, não olharia para trás, só olharia para a frente, para o maravilhoso futuro.

Catherine tinha chegado a Salonica, o bairro elegante. Estava passando por um salão de cabeleireiros e num impulso repentino virou-se e entrou. A recepção era de mármore branco, grande e elegante. Uma recepcionista arrogante olhou para ela com desaprovação e disse:

— Sim, em que posso ajudá-la?

— Quero marcar uma hora para amanhã de manhã — disse Catherine. — Quero tudo. Tratamento completo. — O nome do cabeleireiro da moda veio-lhe à cabeça. — Quero Aleko.

A mulher sacudiu a cabeça.

— Posso marcar-lhe a hora, madame, mas vai ter de ser com outro.

— Ouça — disse Catherine com firmeza. — Diga a Aleko que ou ele me atende ou eu vou sair por Atenas dizendo que sou uma de suas melhores clientes.

Os olhos da mulher se arregalaram com surpresa e choque.

— Eu... eu verei o que posso fazer — disse apressada. — Venha às 10 da manhã.

— Obrigada — Catherine fez uma careta. — Estarei aqui. — E saiu.

Adiante viu uma pequena taberna com uma tabuleta na janela que dizia MADAME PIRIS — VIDENTE. Pareceu-lhe vagamente familiar e, de repente, lembrou-se do dia em que conde Pappas lhe contara uma história sobre madame Piris. Era alguma coisa sobre um policial e um leão — mas não conseguia lembrar-se dos detalhes. Não acreditava em videntes e no entanto o impulso de entrar foi irresistível. Precisava de conforto, de alguém que lhe confirmasse sua impressão sobre o maravilhoso futuro que a esperava, que lhe dissesse que a vida ia ser bela novamente, que valeria a pena viver de novo. Ela abriu a porta e entrou.

Depois do sol brilhante, Catherine levou alguns momentos para se acostumar com a escuridão cavernosa da sala. Distinguiu um bar no canto e uma dúzia de mesas e cadeiras. Um garçom de aparência cansada foi até onde ela estava e lhe falou em grego.

— Não quero nada, obrigada — disse Catherine. Gostou de ouvir-se dizer as palavras e repetiu. — Nada para beber. Quero ver madame Piris. Ela está?

O garçom indicou-lhe uma mesa vazia no canto da sala, Catherine foi até lá e sentou-se. Alguns minutos depois, sentiu alguém de pé a seu lado e olhou para cima.

A mulher era incrivelmente magra e velha, estava vestida de preto e tinha um rosto que fora gasto pelo tempo, ficando disse-cado em ângulos e planos.

— Pediu para me ver? — O inglês dela era hesitante.

— Sim — disse Catherine. — Gostaria que visse meu futuro, por favor.

A mulher sentou-se, ergueu a mão e o garçom foi até a mesa, levando uma xícara de café preto espesso numa pequena bandeja, que colocou diante de Catherine.

— Para mim não — disse Catherine. — Eu...

— Beba — disse madame Piris.

Catherine olhou para ela surpresa, depois pegou a xícara e be-beu um gole do café. Estava forte e amargo. Pôs a xícara na mesa.

— Mais — disse a mulher.

Catherine ia protestar, então pensou. *Que merda. O que eles perdem com a vidente ganham no café.* Tomou outro gole. Estava horrível.

— Outra vez — ordenou madame Piris.

Catherine encolheu os ombros e tomou o último gole. No fundo da xícara havia ficado uma borra espessa e viscosa. Madame Piris balançou a cabeça, esticou a mão e apanhou a xícara. Olhou para o fundo durante muito tempo, sem nada dizer. Catherine ficou ali, sentindo-se idiota. *O que uma moça direita e inteligente como eu está fazendo num lugar como este, vendo uma velha grega maluca olhar para uma xícara vazia?*

— Você vem de um lugar distante — disse a mulher de repente.

— Nota-se — disse Catherine com irreverência.

Madame Piris olhou-a dentro dos olhos e havia alguma coisa no olhar da velha que fez Catherine ficar gelada.

— Vá para casa.

Catherine engoliu em seco.

— Aqui é minha casa.

— Volte para o lugar de onde você veio.

— Quer dizer... os Estados Unidos?

— Qualquer lugar. Saia daqui desta terra, rápido!

— Por quê? — perguntou Catherine, com uma sensação de horror começando a envolvê-la. — O que está errado?

A velha sacudiu a cabeça. A voz estava rouca e ela sentia dificuldade para dizer as palavras.

— É tudo em volta de você.

— *O que é?*

— Vá embora! — Havia uma urgência na voz da mulher, um tom alto, estridente e penetrante como o gemido de um animal ferido. Catherine podia sentir o cabelo na nuca começando a se arrepiar.

— A senhora está me assustando — gemeu ela. — Por favor, diga-me o que está errado.

A velha sacudiu a cabeça de um lado para o outro, com os olhos nervosos.

— Vá embora antes que apanhe você.

Catherine sentiu o pânico começando a crescer em seu íntimo. Era difícil respirar.

— Antes que *o que* me apanhe?

O rosto da velha estava contorcido, de dor e de terror.

— A morte. Está vindo para você. — E a mulher levantou-se, desaparecendo no fundo da sala.

Catherine ficou sentada ali, com o coração batendo forte, as mãos tremendo, e apertou-as com força para que parassem. Viu o garçom e começou a pedir uma bebida, mas se deteve. Não ia deixar uma mulher maluca estragar seu futuro brilhante. Sentou-se ali respirando fundo, até que conseguiu se controlar, e, depois de muito tempo, levantou-se, apanhou a bolsa e as luvas e saiu da taberna.

Na rua, na luz clara e estonteante do sol, Catherine sentiu-se melhor. Fora idiota por deixar a velha assustá-la. Um horror daqueles devia ser preso em vez de permitirem que aterrorizasse as pessoas. *De agora em diante*, disse Catherine a si mesma, *você vai se contentar com as previsões das balinhas.*

Ela chegou em casa, olhou para a sala e foi como se a estivesse vendo pela primeira vez. Era uma visão desanimadora. A poeira havia se acumulado em toda parte e peças de roupa estavam espalhadas por todos os cantos. Parecia-lhe incrível que, em sua névoa de bebedeira, nem tivesse percebido. Bem, o primeiro exercício que ia fazer seria tornar aquele lugar limpo e arrumado. Estava indo em direção à cozinha quando ouviu o som de uma gaveta que se fechava no quarto. Seu coração deu um salto de preocupação e ela foi com cuidado até a porta.

Larry estava no quarto; havia uma mala fechada sobre a cama e ele estava acabando de fazer a segunda. Catherine ficou ali um momento, observando-o.

— Se são para a Cruz Vermelha — disse ela —, eu já doei.

Larry ergueu os olhos.

— Estou de partida.

— Outra viagem para Demiris?

— Não — disse ele sem parar. — Esta é para mim. Estou indo embora.

— Larry...

— Não há nada a discutir.

Ela entrou no quarto, lutando para se controlar.

— Mas... mas há... há muita coisa para discutir. Fui ver um médico hoje e ele me disse que vou ficar boa. — As palavras saíam numa torrente. — Vou parar de beber e...

— Cathy, acabou. Eu quero o divórcio.

As palavras atingiram-na como uma série de golpes no estômago. Ela ficou ali, apertando as mandíbulas com toda a força para não vomitar, tentando empurrar para baixo a bílis que subia em sua garganta.

— Larry — disse ela, falando devagar para que a voz não tremesse. — Eu não o culpo pelo que você sente. Grande parte é culpa minha, talvez a maior parte, mas vai ser diferente. Eu vou mudar, quero dizer mudar mesmo. — Ela estendeu a mão numa súplica. — Tudo que eu peço é uma chance.

Larry virou-se para encará-la e seus olhos escuros estavam frios e cheios de desprezo.

— Estou apaixonado por outra. Tudo o que quero de você é o divórcio.

Catherine ficou ali por um longo momento; depois virou-se, voltou para a sala, sentou-se no sofá e começou a ver um figurino grego enquanto ele acabava de fazer as malas. Ouviu a voz de Larry dizer "meu advogado vai entrar em contato com você" e, depois, a porta se fechando. Continuou sentada ali, virando as páginas com cuidado, e, quando chegou ao fim, pôs a revista bem no centro da mesa, foi para o banheiro, abriu a caixa de remédios, tirou uma lâmina de barbear e cortou os pulsos.

Noelle e Catherine

Atenas: 1946

19

Havia fantasmas de branco que flutuavam em torno dela e então desapareciam no espaço com murmúrios suaves, numa língua que Catherine não compreendia, mas ela sabia que aquilo era o inferno e que tinha de pagar por seus pecados. Eles a mantinham amarrada à cama e ela achava que aquilo era parte do seu castigo e sentia-se feliz por estar amarrada, porque podia sentir a Terra girando pelo espaço e tinha medo de cair do planeta. A coisa mais diabólica que tinham feito fora pôr todos os seus nervos fora do corpo, de forma que ela sentia tudo mil vezes mais forte, o que era insuportável. Seu corpo estava vivo, com ruídos aterradores e desconhecidos. Podia sentir o sangue enquanto corria pelas veias, e era como um rio caudaloso correndo através dela. Ouvia as batidas de seu coração que soavam como um enorme tambor sendo tocado por gigantes. Não tinha pálpebras, e a luz branca derramava-se dentro de seu cérebro, deixando-a tonta com sua claridade. Todos os músculos do corpo estavam vivos, em movimentos constantes e inquietos, como um ninho de serpentes sob sua pele, prontas para dar o bote.

Cinco dias depois de ter sido internada no Hospital Evangelismos, Catherine abriu os olhos e viu que estava num pequeno quarto branco. Uma enfermeira em uniforme branco, engomado, estava arrumando a cama e o Dr. Nikodes tinha posto um estetoscópio sobre seu peito.

— Ei, isso está frio — protestou fraca.

Ele olhou para ela e disse:

— Ora, ora, vejam quem está acordada.

Catherine olhou o quarto em volta. A luz parecia normal e não ouvia mais o rugir do sangue ou o martelar do coração ou a morte de seu corpo.

— Pensei que estivesse no inferno. — Sua voz era um sussurro.

— Você esteve.

Ela olhou para os pulsos. Por alguma razão estavam com ataduras.

— Há quanto tempo estou aqui?

— Há cinco dias.

De repente, lembrou-se da razão das ataduras.

— Acho que fiz uma coisa idiota — disse ela.

— Sim.

Fechou os olhos, bem apertado, e disse:

— Sinto muito.

Quando os abriu era noite e Bill Fraser estava sentado numa cadeira ao lado da cama, observando-a. Havia flores e doces na mesa de cabeceira.

— Olá — disse ele, alegre. — Você parece bem melhor.

— Melhor que o quê? — perguntou com a voz fraca.

Ele pôs as mãos sobre as dela.

— Você me deu um susto de verdade, Catherine.

— Sinto muito, Bill. — A voz dela começou a se engasgar e ela achou que ia chorar.

— Eu trouxe flores e doces para você. Quando estiver se sentindo mais forte, vou trazer-lhe uns livros.

Ela olhou para ele, para o rosto bom e forte, e pensou: *Por que não o amo? Por que estou apaixonada pelo homem que odeio? Por que Deus tem de acabar sendo Groucho Marx?*

— Como vim para cá? — perguntou.

— Numa ambulância.

— Quero dizer, quem me achou?

Fraser fez uma pausa.

— Eu achei. Tentei telefonar diversas vezes e, como não respondia, fiquei preocupado e forcei a porta.

— Acho que devia lhe agradecer — disse ela. — Mas, para dizer a verdade, ainda não tenho certeza.

— Quer conversar a respeito?

Catherine sacudiu a cabeça que, com o movimento, começou a latejar.

— Não — disse com voz fraca.

Fraser concordou.

— Tenho de voltar para casa amanhã. Vou manter-me em contato com você.

Ela sentiu um beijo suave na testa e fechou os olhos para se isolar do mundo. Quando os abriu, estava sozinha e já era noite.

Cedo, na manhã seguinte, Larry foi visitá-la. Catherine o observou enquanto entrava no quarto e se sentava na cadeira ao lado da cama. Esperara que ele estivesse com aparência cansada e infeliz, mas a verdade é que estava maravilhoso, magro, bronzeado e tranquilo. Ela desejou desesperadamente que tivesse tido uma oportunidade para pentear os cabelos e passar um pouco de batom.

— Como você está, Cathy? — perguntou ele.

— Magnífica. O suicídio sempre me estimula.

— Eles não pensaram que você fosse escapar.

— Sinto muito ter desapontado você.

— Isso não é uma coisa bonita de se dizer.

— É verdade, não é, Larry? Você teria ficado livre de mim.

— Por Cristo, eu não quero me livrar de você desse jeito, Catherine. Tudo o que quero é o divórcio.

Ela olhou para ele, para aquele homem moreno e bonito com quem tinha se casado, o rosto um pouco mais envelhecido agora, a boca um pouco mais dura, seu charme de garoto um pouco gasto. A que se estava agarrando? Sete anos de sonho? Entregara-se a ele com tamanho amor e tantas esperanças e não podia suportar deixar que ele se fosse, não podia suportar ter de admitir que cometera um erro que havia transformado sua vida num deserto. Lembrou-se de Bill Fraser e de seus amigos em Washington e de como tinham se divertido naquela época. Não podia lembrar-se da última vez em que rira, ou mesmo sorrira, mas nada disso tinha muita importância. No fim, a razão por que não deixara Larry partir era que ainda o amava. Ele estava de pé ali, esperando uma resposta.

— Não — disse Catherine. — Eu nunca lhe darei o divórcio.

LARRY ENCONTROU NOELLE naquela noite no monastério abandonado de Kaissariani, nas montanhas, e relatou a conversa que tivera com Catherine.

Noelle ouviu com atenção e perguntou:

— Acha que ela vai mudar de ideia?

Larry sacudiu a cabeça.

— Catherine sabe ser teimosa como o diabo.

— Você precisa falar novamente com ela.

E LARRY FALOU. Durante as três semanas seguintes ele exauriu todos os argumentos em que pôde pensar. Suplicou, adulou e brigou com ela, ofereceu-lhe dinheiro, mas nada fez Catherine mudar de ideia. Ela ainda o amava e tinha certeza de que, se ele desse a si mesmo uma oportunidade, poderia amá-la de novo.

— Você é meu marido — disse ela com teimosia. — Vai ser meu marido até eu morrer.

ELE REPETIU o que ela havia dito para Noelle, que ouviu e disse:

— Sim.

Larry olhou para ela espantado.

— Sim o quê?

Eles estavam deitados na praia da *villa*, sobre brancas toalhas felpudas, para proteger o corpo da areia quente. O céu era de um azul profundo, brilhante, pontilhado de manchas brancas de filamentos de nuvens.

— Você tem de se livrar dela. — Levantou-se e andou de volta para a *villa*, as longas pernas graciosas movendo-se com suavidade pela areia. Larry ficou deitado ali, perplexo, achando que devia tê-la compreendido mal. Certamente ela não quisera dizer que queria que ele *matasse* Catherine.

E então lembrou-se de Helena.

ESTAVAM JANTANDO no terraço.

— Você não vê? Ela não merece viver — disse Noelle. — Está agarrando-se a você para se vingar. Está tentando destruir sua vida, nossas vidas, querido.

ESTAVAM DEITADOS na cama, as brasas brilhantes dos cigarros refletidas ao infinito nos espelhos que cobriam o teto.

— Você estaria lhe fazendo um favor. Ela já tentou se matar. Ela quer morrer.

— Eu nunca poderia fazê-lo, Noelle.

— Não?

Ela lhe acariciou a perna nua, movendo as mãos com suavidade em direção à barriga, fazendo pequenos círculos com as pontas das unhas.

— Eu ajudo você.

Ele começou a abrir a boca para protestar, mas as duas mãos de Noelle o tinham encontrado e tinham começado a trabalhar nele, movendo em direções opostas, uma com suavidade e devagar, a outra dura e rápida, e Larry gemeu e agarrou-a e tirou Catherine da cabeça.

EM ALGUM MOMENTO durante a noite, Larry acordou suando frio. Tinha sonhado que Noelle fora embora e o deixara. Ela estava a seu lado na cama, e ele a tomou nos braços e apertou-a. Ficou acordado o resto da noite pensando no que aconteceria a ele se a perdesse. Nem percebeu que havia tomado uma decisão, mas de manhã, enquanto Noelle preparava o café, perguntou de repente:

— E se nós formos apanhados?

— Se formos espertos, não seremos. — Se estava satisfeita com a capitulação dele, ela não deu sinal.

— Noelle — disse ele sério. — Todo mundo em Atenas sabe que Catherine e eu não nos damos bem. Se qualquer coisa acontecesse a ela, a polícia teria muita suspeita.

— É claro que teria — concordou Noelle com calma. — É por isso que terá de ser planejado com muito cuidado.

Ela serviu o café, sentou-se e começou a comer. Larry empurrou o prato sem ter tocado na comida.

— Não está bom? — perguntou Noelle preocupada.

Ele olhou para ela, perguntando-se que tipo de pessoa ela era, capaz de degustar uma refeição enquanto planejava o assassinato de outra mulher.

Mais tarde, velejando no barco, tornaram a falar sobre o assunto e, quanto mais falavam sobre aquilo, mais real se tornava, e o que começara como uma ideia casual tomara corpo até que se tornasse um fato.

— Tem de parecer um acidente — disse Noelle —, de forma que não haja investigação policial. A polícia de Atenas é muito boa.

— E se eles forem investigar?

— Não vão. O acidente não vai acontecer aqui.

— Onde então?

— Ioannina. — Ela se inclinou para a frente e começou a falar. Ele a ouviu enquanto elaborava o plano, vencendo cada objeção que ele levantava, improvisando de maneira brilhante. No fim, quando Noelle acabou, Larry teve de admitir que o plano era perfeito. Eles podiam mesmo escapar impunes.

PAUL METAXAS ESTAVA nervoso. O rosto normalmente jovial do piloto grego parecia cansado e tenso e ele podia sentir um tique nervoso repuxando-lhe o canto da boca. Não havia marcado hora com Constantin Demiris e não se aparecia assim, simplesmente, para ver o grande homem, mas Metaxas dissera ao mordomo que era urgente e agora se achava de pé na enorme sala de recepção da villa de Demiris, olhando para ele e gaguejando sem jeito.

— Sinto muito incomodá-lo, Sr. Demiris. — Metaxas enxugou a palma da mão suada na perna do uniforme.

— Aconteceu alguma coisa com um dos aviões?

— Oh, não, senhor. É... é um assunto pessoal.

Demiris o estudou sem interesse. Era sua política nunca se envolver nos casos de seus empregados; tinha secretários para tratar desse tipo de coisa para ele. Esperou que Metaxas continuasse.

Paul Metaxas estava ficando mais nervoso a cada segundo. Passara noites sem dormir antes de tomar a decisão que o levara ali. O que estava fazendo era estranho à sua maneira de ser e por isso desagradável, mas era um homem de absoluta lealdade e fiel a Constantin Demiris antes de qualquer outro.

— É sobre a Srta. Page — disse afinal.

Houve um momento de silêncio.

— Entre aqui — disse Demiris. Levou o piloto até a biblioteca e fechou as portas. Tirou um cigarro egípcio de uma cigarreira de platina e o acendeu. Ergueu os olhos para Metaxas, que suava.

— O que há sobre a Srta. Page? — perguntou, quase desinteressado.

Metaxas engoliu em seco, perguntando-se se não teria cometido um erro. Se tivesse avaliado a situação direito, sua informação seria apreciada, mas se estivesse errado...

Amaldiçoou-se por sua precipitação em ter vindo, mas agora não tinha escolha senão ir adiante.

— É... é sobre ela e Larry Douglas. — Ele olhou para o rosto de Demiris, tentando decifrar sua expressão. Não havia nem o mais leve sinal de interesse. Cristo! Metaxas forçou-se a continuar. — Eles... eles estão vivendo juntos, numa casa de praia, em Rafina. — Demiris bateu a cinza num cinzeiro de ouro abobadado. Metaxas tinha a impressão de que ia ser mandado embora, de que cometera um terrível engano e que isso lhe custaria o emprego. As palavras começaram a jorrar. — Mi... minha irmã é caseira de uma das *villas* de lá. Ela vê os dois na praia o tempo todo. Reconheceu a Srta. Page pelas fotografias no jornal, mas não pensou em nada até umas duas noites atrás, quando foi ao aeroporto jantar comigo. Eu a apresentei a Larry Douglas e, bem, ela me disse que ele era o homem com quem a Srta. Page está vivendo. — Os olhos negro-oliva de Demiris o fixaram completamente inexpressivos. — E... eu só pensei que o senhor gostaria de saber — completou Metaxas sem graça.

Quando Demiris falou sua voz era inexpressiva.

— O que a Srta. Page faz com sua vida particular só diz respeito a ela mesma. Tenho certeza de que não gostaria de que ninguém a espionasse.

A testa de Metaxas estava banhada de suor. Jesus Cristo, compreendera a situação toda de modo errado! E só quisera ser leal.

— Acredite-me, Sr. Demiris, eu só estava tentando ser...

— Tenho certeza de que pensou que agia em benefício de meus interesses. Estava enganado. Mais alguma coisa?

— Não, não, senhor. — Metaxas virou-se e saiu correndo.

Constantin Demiris recostou-se na cadeira com os olhos negros fixos no teto, sem ver nada.

Às 9 HORAS da manhã seguinte, Paul Metaxas recebeu um telefonema dizendo-lhe para ir à companhia de mineração de Demiris no Congo, onde deveria passar 10 dias transportando equipamento de prospecção, de Brazzaville para a mina. Numa quarta-feira de manhã, no terceiro voo, seu avião caiu na densa floresta verde. Nunca foram encontrados traços, nem do corpo de Metaxas nem do sinistro.

DUAS SEMANAS DEPOIS que Catherine recebeu alta do hospital, Larry foi visitá-la. Era um sábado à noite, e Catherine estava na cozinha preparando uma omelete. Os barulhos da cozinha impediram-na de ouvir a porta da frente se abrir e ela não percebeu a presença de Larry até que se virou e o viu de pé na porta. Teve um sobressalto involuntário e ele disse:

— Desculpe-me se a assustei. Só passei aqui para ver como você vai indo.

Catherine sentiu o coração batendo mais depressa e teve raiva de si mesma, porque ele podia afetá-la daquele jeito.

— Estou bem — disse ela. Virou-se e tirou a omelete da frigideira.

— Está com um cheiro bom — disse Larry. — Não tive tempo de jantar. Se não for muito trabalho, você se incomoda de fazer uma dessas para mim?

Ela olhou para ele um longo momento e depois encolheu os ombros.

Preparou um jantar para ele, mas estava tão enervada com sua presença que não conseguiu comer. Ele conversou, contando-lhe sobre o voo que acabara de fazer e uma anedota engraçada sobre um dos amigos de Demiris. Era o velho Larry, terno, atraente e irresistível, como se nada estivesse errado entre eles, como se ele não tivesse destruído suas vidas.

Quando o jantar acabou, Larry a ajudou a lavar e enxugar os pratos. Ficou perto dele na pia, e sua proximidade a fez sentir uma dor física. Quanto tempo fazia? Ela não suportava pensar naquilo.

— Gostei muito — Larry estava dizendo, com aquele seu sorriso fácil de menino. — Obrigado, Cathy.

E aquilo, pensou Catherine, era o fim.

Três dias depois, o telefone tocou e era Larry telefonando de Madri, para dizer que estava a caminho de casa e para perguntar se Catherine jantaria com ele naquela noite. Catherine agarrou-se ao fone, ouvindo a voz amistosa e despreocupada, determinada a não ir.

— Estou livre para jantar esta noite — disse ela.

Jantaram no Tour Kolimano, no porto de Pireus, e Catherine mal conseguiu tocar na comida. Estar com Larry era uma lembrança dolorosa demais de outros restaurantes onde tinham jantado, de tantas noites divertidas no passado há muito morto, do amor que era para durar até o fim de suas vidas.

— Você não está comendo, Cathy. Quer que eu peça outra coisa para você? — perguntou ele, preocupado.

— Almocei tarde — mentiu ela. *É provável que ele nunca mais me convide para sair de novo*, pensou Catherine, *mas se convidar eu direi não.*

Alguns dias depois, Larry telefonou e eles almoçaram num restaurante adorável, num labirinto escondido saindo da Praça Syntagma. Chamava-se Gerofinikas, a Velha Palmeira, e chegava-se a ele através de um longo corredor frio, com uma palmeira defronte. Fizeram uma refeição excelente, com Hymettus, o vinho grego leve e seco. Larry estava especialmente divertido.

No domingo seguinte, convidou Catherine para voar com ele até Viena. Jantaram no Hotel Sacher e voltaram na mesma noite.

Tinha sido uma noite maravilhosa, cheia de vinho e música e luz de velas, mas Catherine tinha a sensação estranha de que, de alguma maneira, aquela noite não era dela. Pertencia àquela outra Catherine Douglas, que estava morta e enterrada há muito tempo. Quando chegaram ao apartamento ela disse:

— Obrigada, Larry, foi um dia adorável.

Ele se moveu em sua direção e a tomou nos braços, começando a beijá-la. Catherine afastou-se, com o corpo rígido e a mente cheia de um pânico repentino e inesperado.

— Não — disse ela.

— Cathy...

— Não!

Ele concordou.

— Está bem. Eu compreendo.

O corpo dela tremia.

— Compreende? — perguntou ela.

— Eu sei que me portei mal — disse Larry com suavidade. — Se você me der uma oportunidade, gostaria de voltar para você, Cathy.

Bom Deus, pensou ela. Apertou os lábios, fazendo força para não chorar, e sacudiu a cabeça, com os olhos brilhando com as lágrimas não derramadas.

— É tarde demais — murmurou.

E ficou ali parada vendo-o ir embora.

Naquela mesma semana, Catherine teve notícias de Larry. Ele mandou flores com um pequeno cartão e, depois, miniaturas de passarinhos dos vários países por onde voou. Era óbvio que ele se dera muito trabalho, pois havia uma variedade surpreendente, um de porcelana, um de jade, um de teca, e ela ficou emocionada porque ele se tinha lembrado.

Quando o telefone tocou um dia e Catherine ouviu a voz de Larry do outro lado dizendo "Descobri um restaurante grego que serve a melhor comida chinesa deste lado de Pequim", ela riu e disse "Mal posso esperar".

E foi quando, realmente, começou. Devagar, apenas tentativas hesitantes, mas era um começo. Larry não tentou beijá-la outra vez, nem ela teria deixado, porque sabia que, se não controlasse as emoções, caso se entregasse de todo o coração àquele homem a quem amava e ele a traísse de novo, ela seria destruída, em termos finais e para sempre. E, assim, ela jantava com ele e ria com ele, mas o tempo todo a parte secreta, profunda e pessoal dela ficava de fora, na reserva, cuidadosamente isolada, intocada e intocável.

Estavam juntos quase toda noite. Algumas noites, Catherine cozinhava em casa, outras, Larry saía com ela. Uma vez ela mencionou a mulher por quem ele dissera que estava apaixonado e ele respondera: "Acabou." Catherine não tornou a tocar no assunto. Ela procurava, atenta, sinais de que Larry estivesse se encontrando com outras mulheres, mas não descobriu. Sua atenção total era dedicada a ela, nunca pressionando, nunca pedindo. Era como se ele se estivesse penitenciando pelo passado.

E, no entanto, Catherine admitia para si mesma que havia algo mais que aquilo. Ele parecia realmente interessado nela como mulher. À noite, ela ficava nua diante do espelho, examinava seu reflexo e tentava descobrir por quê. Seu rosto não era mau, o rosto de uma moça que fora bonita um dia e que conhecera a dor; havia uma tristeza nos olhos cinzentos, solenes, que lhe envolviam o olhar. A pele estava um pouco flácida e o queixo mais pesado do que devia ser, mas nada havia de realmente errado com o resto do corpo que dieta e massagens não pudessem resolver. Lembrou-se da última vez em que havia pensado naquilo e terminara com os pulsos cortados. Um arrepio a percorreu. Larry que vá para o inferno, pensou num desafio. Se ele me quiser mesmo, vai ter de ser como eu sou.

Tinham estado numa festa e Larry a levava para casa às 4h da madrugada. A noite havia sido maravilhosa, Catherine usara um vestido novo, estava muito atraente e fizera as pessoas rirem e Larry ficara orgulhoso dela. Quando chegaram ao apartamento, Catherine procurou o interruptor e Larry pôs a mão sobre a dela, dizendo:

— Espere. É mais fácil para mim dizer no escuro. — O corpo dele estava perto dela, nem mesmo a tocava, entretanto ela podia sentir as ondas físicas que a atraíam. — Eu amo você, Cathy — disse ele. — Nunca amei realmente nenhuma outra pessoa. Eu quero uma outra chance. — Então ele acendeu a luz para olhar para ela. Estava de pé ali, rígida e assustada, à beira do pânico. — Sei que você pode não estar pronta ainda, mas podíamos começar devagar. — Ele sorriu. Aquele sorriso querido de menino. — Podíamos começar ficando de mãos dadas.

Estendeu a mão e tomou a dela e ela o puxou para si e se beijaram e os lábios dele eram gentis, ternos e cuidadosos, e os dela, famintos e selvagens, com todo o querer contido que estivera encerrado em seu corpo durante aqueles meses longos e solitários. E logo eles estavam juntos na cama, se amando, e era como se nenhum tempo tivesse passado, e estivessem na lua de mel. Mas era mais que isso. A paixão ainda estava ali, fresca e maravilhosa, mas com ela havia um apreço pelo que tinham tido juntos, o conhecimento de que dessa vez ia dar certo, de que dessa vez eles não iam se ferir.

— Você gostaria de viajar numa segunda lua de mel? — perguntou Larry.

— Oh, sim, querido. Podemos?

— Claro, vou entrar de férias. Partiremos no sábado. Conheço um lugarzinho maravilhoso para onde podemos ir. Chama-se Ioannina.

Noelle e Catherine

Atenas: 1946

20

A VIAGEM ATÉ IOANNINA levou nove horas de carro. Para Catherine, o cenário parecia quase bíblico, alguma coisa saída de uma outra era. Seguiram a costa do Mar Egeu, passando por pequenas casinhas brancas com cruzes no telhado e intermináveis campos de árvores frutíferas, limoeiros e cerejeiras, macieiras e laranjeiras. Cada palmo de terra era nivelado e cultivado e as janelas e os telhados das casas eram pintados com tons alegres de azul, como se num desafio à vida árdua que era arrancada do solo rochoso. Fileiras de ciprestes altos e graciosos cresciam numa profusão selvagem ao pé das montanhas.

— Olhe, Larry — exclamou Catherine. — Não são bonitos?

— Não para os gregos — disse Larry.

Catherine olhou para ele.

— Como assim?

— Eles os consideram de mau presságio. Usam-nos para decorar os cemitérios.

Passavam por campos e campos com espantalhos primitivos, com pedaços de pano amarrados nas cercas.

— Realmente deve haver corvos crédulos por aqui — riu Catherine.

Passaram por uma série de vilarejos com nomes impossíveis: Mesologian, Agelkastron, Etolikon e Amfilhoia.

No fim da tarde, chegaram ao vilarejo de Rion, que se inclinava com suavidade em direção ao rio Rion, onde deveriam apanhar a barca. Cinco minutos depois estavam navegando em direção à Ilha de Epirus, onde ficava Ioannina.

Catherine e Larry sentaram-se num banco do lado de fora do convés superior da barca, de onde, a distância, viram uma grande ilha que começava a se delinear na bruma da tarde. A Catherine parecia selvagem e de alguma forma um pouco agourenta, com uma aparência primitiva, como se tivesse sido criada para os deuses gregos e os meros mortais fossem intrusos e indesejados. À medida que a barca se aproximou, Catherine pôde ver que o fundo da ilha era constituído de rocha nua, que caía até o mar abaixo. A montanha agourenta tinha um corte como uma cicatriz, um grande talho onde os homens haviam escavado uma estrada, como se a tivessem arrancado a goiva. Vinte e cinco minutos depois, a barca atracava no pequeno porto de Epirus e, em poucos momentos, Catherine e Larry estavam subindo a montanha de carro, em direção a Ioannina.

Catherine lia para Larry o guia turístico.

— Aninhada no alto das montanhas Pindus, numa concavidade escarpada rodeada pelas torres dos Alpes a distância, Ioannina tem a forma de uma águia de duas cabeças. Na garra da águia, fica o lago sem fundo chamado Pamvotis, onde barcos levam passageiros em excursões pela água verde-escura até a ilha situada no centro do lago, ou então até as praias distantes, do outro lado do lago.

— Parece perfeito — disse Larry.

Chegaram no fim da tarde e foram direto para o hotel, um prédio antigo, bem-conservado, de um andar, numa colina acima da cidade, com diversos bangalôs para os hóspedes espalhados em torno. Um velho de uniforme foi recebê-los. Ele observou os rostos felizes.

— Em lua de mel — disse.

Catherine olhou para Larry e sorriu.

— Como o senhor soube?

— Sempre se pode dizer — declarou o velho. Conduziu-os até a recepção onde se registraram e então os levou até o bangalô. Consistia de uma sala, um quarto, um banheiro, uma cozinha e um grande terraço. Acima do topo dos ciprestes, eles tinham uma vista magnífica da cidade e do lago abaixo, escuro e tranquilo. Tinha uma beleza irreal, de fotografia de cartão-postal.

— Não é muito — Larry sorriu. — Mas é tudo seu.

— Eu aceito — respondeu Catherine.

— Feliz?

— Não me lembro de ter estado tão feliz. — Foi até ele e o abraçou. — Nunca me deixe ir embora — murmurou ela.

Os braços fortes dele estavam em torno dela, abraçando-a.

— Não deixarei — prometeu.

Enquanto Catherine desfazia as malas, Larry foi até a recepção.

— O que se faz por aqui? — perguntou.

— Tudo — disse o empregado com orgulho. — No hotel nós temos uma estação de águas para tratamento de saúde. Na cidade, podem-se fazer excursões turísticas, pescar, nadar e sair de barco.

— Qual é a profundidade do lago? — perguntou Larry de maneira casual.

O empregado encolheu os ombros.

— Ninguém sabe, senhor. É um lago vulcânico. Não tem fundo.

Larry balançou a cabeça, pensativo.

— E as grutas perto daqui? — perguntou ele.

— Ah! As grutas de Perama. Ficam só a alguns quilômetros de distância.

— Já exploradas?

— Algumas delas. Algumas ainda estão fechadas.

— Compreendo — disse Larry.

O empregado continuou.

— Se gosta de alpinismo, sugiro o Monte Tzoumerka. Se a Sra. Douglas não tem medo de altura.

— Não. — Larry sorriu. — Ela é uma ótima alpinista.

— Então vai adorar. Os senhores estão com sorte com o tempo. Estávamos esperando o *meltemi*, mas não veio. Agora é provável que não venha.

— O que é o *meltemi*? — perguntou Larry.

— É um vento terrível que sopra do norte. Acho que é como o tornado de vocês. Quando vem, todo mundo fica em casa. Em Atenas até transatlânticos ficam proibidos de deixar o porto.

— Ainda bem que não veio — disse Larry.

Quando Larry voltou ao bangalô, sugeriu a Catherine que descessem à cidade para jantar. Tomaram o caminho íngreme cortado na rocha, que levava em declive à orla da cidade. Ioannina consistia de uma rua principal, avenida Rei George, com duas ou três menores dos dois lados. Fora dessas ruas, uma série de pequenos caminhos sujos levava às casas e apartamentos. Os prédios eram velhos e gastos pelo tempo, feitos de pedra trazida em carroças das montanhas.

O meio da avenida Rei George era dividido por cordas, de forma que as carroças andavam do lado esquerdo da rua e os pedestres ficavam livres para andar do lado direito.

— Eles deviam tentar fazer isso na avenida Pennsylvania — disse Catherine.

Na praça da cidade, havia um parque pequeno e gracioso, com uma torre bem alta onde se via um grande relógio iluminado. Uma rua bordejada de grandes plátanos descia até o lago. Parecia a Catherine que todas as ruas da cidade levavam à água e ela teve a impressão de que havia alguma coisa assustadora no lago, uma qualidade de estranha calma. Ao longo de toda a praia, cresciam touceiras de cana, que se abriam como dedos vorazes, como se estivessem esperando por alguém.

Catherine e Larry andaram pelo pequeno e colorido centro comercial, com lojas agrupadas de cada lado. Havia uma joalheria ao lado de uma padaria, um açougue ao ar livre, uma taberna e uma sapataria. Um grupo de crianças estava de pé do lado de fora da barbearia, observando um cliente ser barbeado, e Catherine achou que eram as crianças mais bonitas que já vira.

Há muito tempo, Catherine falara com Larry sobre ter um bebê, mas ele sempre pusera de lado a ideia, dizendo que ainda não estava pronto. Agora, entretanto, talvez pensasse de maneira diferente. Catherine olhou para ele enquanto andava a seu lado, mais alto que os outros homens, parecendo um deus grego, e resolveu que discutiria o assunto antes de partir. Afinal, era a lua de mel deles.

Passaram por um cinema, o Palladian. Estava exibindo dois filmes americanos muito velhos. Eles pararam para ver os cartazes.

— Estamos com sorte — brincou Catherine. — *Ao sul do Panamá*, com Roger Pryor e Virginia Vale, e O *promotor público no Caso Carter.*

— Nunca ouvi falar neles — resmungou Larry. — Este cinema deve ser mais velho do que parece.

Comeram *mousaka* na praça, sentados ao ar livre sob uma incrível lua cheia, e depois voltaram para o hotel e se amaram. Tinha sido um dia perfeito.

De manhã, Catherine e Larry saíram de carro para ver os belos arredores, explorando a estrada estreita que serpenteava à beira do lago, percorrendo a costa rochosa por alguns quilômetros, e então, de maneira inesperada, voltando a caminho das colinas outra vez. Casas de pedra empoleiravam-se nas escarpas íngremes das montanhas. Bem acima da praia, por trás da floresta, viram de relance uma grande construção branca que parecia um castelo antigo.

— O que é aquilo? — perguntou Catherine.

— Não tenho ideia — disse Larry.

— Vamos descobrir.

— Vamos.

Larry manobrou o carro e entrou no atalho sujo que levava ao prédio, através de um campo, passando por cabritos que pastavam e um pastor que os observou, enquanto passavam. Pararam diante da porta deserta do prédio. De perto, parecia uma fortaleza em ruínas.

— Deve ser o castelo abandonado do ogro — disse Catherine. — Provavelmente saído dos Irmãos Grimm.

— Você quer mesmo descobrir o que é? — perguntou Larry.

— Claro. Talvez estejamos chegando a tempo de salvar uma donzela em perigo.

Larry lançou a Catherine um olhar rápido e estranho.

Eles saíram do carro e andaram até a porta de madeira maciça, com uma enorme aldrava de ferro no centro. Larry bateu diversas vezes e esperaram. Não havia ruído algum, exceto o zumbir dos insetos de verão no campo e o sussurro da brisa.

— Acho que não há ninguém em casa — disse Larry.

— É provável que estejam se livrando dos cadáveres — murmurou Catherine.

De repente, a grande porta começou a se abrir devagar, rangendo. Uma freira vestida de preto apareceu diante deles.

Aquilo apanhou Catherine desprevenida.

— Sinto muito — disse ela. — Nós não sabíamos o que era este lugar. Não há nenhum sinal, ou coisa assim.

A freira observou os dois por um momento e depois os convidou a entrar com um gesto. Passaram pela grande porta e entraram num pátio enorme que era o centro da construção. Havia uma atmosfera de estranha quietude e Catherine percebeu de repente o que estava faltando: o som de vozes humanas.

Ela se virou para a freira e perguntou:

— Que lugar é este?

A freira balançou a cabeça em silêncio e lhes fez um sinal para esperarem ali. Eles a observaram virar-se e encaminhar-se na direção de um velho prédio no fundo do terreno.

— Ela foi buscar Bela Lugosi — cochichou Catherine.

Além do prédio, para o lado de um promontório que se elevava acima do mar, podiam ver um cemitério cercado por fileiras de altos ciprestes.

— Este lugar me dá arrepios — disse Larry.

— É como se tivéssemos entrado num outro século — respondeu Catherine. Sem perceber, eles estavam sussurrando, como se temessem perturbar o pesado silêncio. Na janela do edifício principal, podiam ver rostos inquisidores olhando para eles, todos de mulheres, todas vestidas de preto.

— É algum tipo de convento de religiosas loucas — declarou Larry.

Uma mulher alta e magra saiu do prédio e começou a andar rapidamente na direção deles. Usava hábito de freira e tinha um rosto agradável e amistoso.

— Sou a Irmã Theresa — disse ela. — Em que posso ajudá-los?

— Nós estávamos passando e ficamos curiosos a respeito deste lugar — disse Catherine. Ela olhou para os rostos curiosos nas janelas. — Não queríamos perturbá-las.

— Não somos honradas por muitos visitantes — disse a Irmã Theresa. — Não temos quase contato com o mundo exterior. Pertencemos à Ordem das Carmelitas. Fizemos voto de silêncio.

— Até quando? — perguntou Larry.

— *Gia panta*. Para o resto de nossas vidas. Sou a única, entre as freiras, que tem permissão de falar e assim mesmo só quando necessário.

Catherine olhou em volta, para o grande pátio silencioso, e conteve um tremor.

— Ninguém sai daqui, nunca?

A Irmã Theresa sorriu.

— Não. Não há nenhuma razão para isso. Nossa vida é dentro destas paredes.

— Desculpe-nos por tê-la incomodado — disse Catherine.

A irmã balançou a cabeça.

— Não foi nada. Vão com Deus.

Quando Catherine e Larry saíram, o grande portão fechou-se lentamente atrás deles. Catherine virou-se para olhar. Era como uma prisão, mas de alguma forma parecia pior, talvez porque fosse uma penitência voluntária, um desperdício, e ela pensou nas jovens mulheres que vira na janela, emparedadas ali, isoladas do mundo para o resto de suas vidas, vivendo no profundo e permanente silêncio do túmulo. Ela sabia que nunca esqueceria aquele lugar.

Noelle e Catherine

Atenas: 1946

21

BEM CEDO NA MANHÃ SEGUINTE, Larry desceu até a cidade. Perguntou a Catherine se não queria ir com ele, mas ela se escusou dizendo que ia dormir até tarde. No momento em que ele saiu, ela se levantou da cama, vestiu-se depressa e foi até a academia do hotel, sobre a qual se havia informado na véspera. A instrutora, uma amazona grega, disse-lhe para se despir e então examinou-lhe o corpo com olhos críticos.

— Você tem sido preguiçosa, preguiçosa — disse, censurando Catherine. — Esse corpo era um bom corpo. Se você trabalhar com vontade, *Theo thelondo*, se Deus quiser, pode ficar bom novamente.

— Eu quero — disse Catherine. — Vamos ver o que Deus faz em matéria de forma.

Sob a tutela da amazona, Catherine trabalhava todo dia, passando pelas agonias da massagem modeladora, de uma dieta espartana e de exercícios exaustivos. Escondeu tudo de Larry, mas ao fim do quarto dia a mudança nela era evidente demais para que ele não a notasse.

— Este lugar combina mesmo com você — disse ele. — Parece uma pessoa diferente.

— Eu sou uma pessoa diferente — respondeu Catherine, tímida de repente.

No domingo de manhã, Catherine foi à igreja. Ela nunca tinha visto uma missa grega ortodoxa. Num vilarejo pequeno como Io-annina, esperara encontrar uma igrejinha de interior, mas para sua surpresa entrou numa grande igreja, ricamente decorada com belos entalhes elaborados, nas paredes e no teto, e com piso de mármore. Diante do altar, havia uma dúzia de enormes candelabros de prata e, por toda a nave, afrescos de cenas bíblicas. O padre era um homem magro e moreno, de barba negra. Usava uma veste trabalhada em ouro e vermelho e um chapéu alto, preto, e ficava no que pareceu a Catherine uma liteira, sobre uma plataforma mais alta.

Junto à parede havia bancos de madeira e, perto deles, uma fila de cadeiras. Os homens sentavam-se na frente da igreja, e as mulheres, no fundo. *Acho que os homens vão para o Céu primeiro*, pensou Catherine.

Um canto começou em grego, o padre desceu da plataforma e foi até o altar. Uma cortina se abriu e atrás dela estava um pa-triarca, de barbas brancas, luxuosamente vestido. Numa mesa diante dele havia um chapéu simbólico, incrustado de joias, e uma cruz de ouro. O patriarca acendeu três velas que estavam amarradas juntas, representando, supôs Catherine, a Santíssima Trindade, e as entregou ao padre.

A missa durou uma hora e Catherine ficou sentada ali sabore-ando a cena e os sons, pensando em como tinha sorte, e inclinou a cabeça numa prece de gratidão.

Na manhã seguinte, Catherine e Larry tomaram café no ter-raço do bangalô, que dava para o lago. Estava um dia perfeito. O sol brilhava e uma brisa preguiçosa subia da água. Um garçom jovem e simpático tinha trazido a comida. Catherine estava usando um robe e, quando o garçom entrou, Larry a abraçou e beijou-lhe o pescoço...

— Que grande noite — murmurou.

O garçom reprimiu um sorriso e retirou-se discretamente. Catherine ficara um pouco embaraçada. Não era hábito de Larry ser carinhoso na frente de estranhos. Ele estava mesmo mudado, pensou ela. Parecia que cada vez que uma camareira ou um criado entrava no quarto, Larry abraçava Catherine para mostrar sua afeição como se quisesse que o mundo inteiro soubesse o quanto a amava. Ela achava isso tocante.

— Tenho uma grande manhã planejada para nós — disse Larry. Apontou para o Leste, onde podiam ver um gigantesco pico delineado contra o céu. — Vamos escalar o monte Tzoumerka.

— Eu tenho uma regra — declarou Catherine. — Nunca escalo nada que não consiga soletrar.

— Ora, vamos, dizem que se tem uma vista fantástica lá de cima.

Catherine viu que ele estava falando sério e olhou novamente para a montanha. Parecia que subia direto, íngreme.

— Escaladas não são o meu forte, querido — disse ela.

— É um passeio fácil. Caminhos em toda a subida. — Ele hesitou. — Se você não quiser vir comigo, posso ir sozinho. — Havia um profundo desapontamento em sua voz.

Seria tão simples dizer não, tão simples apenas sentar-se ali e aproveitar o dia. A tentação era quase irresistível. Mas Larry queria que ela fosse com ele e aquilo era o suficiente para Catherine.

— Tudo bem. Vou ver se encontro um chapéu — disse ela.

Apareceu no rosto de Larry uma expressão de tamanho alívio que Catherine ficou feliz de ter decidido ir. Além disso, poderia ser interessante: ela nunca tinha subido uma montanha antes.

FORAM DE CARRO até um prado na extremidade do vilarejo onde a trilha da montanha começava, e lá estacionaram. Havia uma barraquinha onde se vendia comida à margem da estrada e Larry comprou sanduíches, frutas, doces e uma grande garrafa térmica de café.

— Se for agradável lá em cima — disse ele ao vendedor —, minha mulher e eu talvez queiramos passar a noite. — Fez um carinho em Catherine e o homem sorriu.

Catherine e Larry andaram até o começo da trilha. Na realidade, eram duas trilhas, dividindo-se em direções opostas, e Catherine admitiu para si mesma que parecia ser uma subida fácil, os caminhos pareciam largos e não muito íngremes. Quando virou a cabeça para olhar para o topo da montanha, este lhe pareceu feroz e assustador, mas eles não iam subir tão alto. Subiriam um pouco e fariam um piquenique.

— Por aqui — disse Larry, e levou Catherine em direção ao caminho que ia pela esquerda. Quando começaram a subir, o homem da barraquinha os observou com preocupação. Será que devia correr atrás deles e dizer-lhes que haviam tomado o caminho errado? O caminho que haviam tomado era perigoso, apenas para peritos. Mas naquele momento chegaram alguns clientes e o homem tirou os dois americanos da cabeça.

O sol estava quente, mas à medida que subiam mais alto as brisas ficavam mais frias e Catherine pensou que a combinação dos dois era deliciosa. Fazia um belo dia e ela estava com o homem que amava. De quando em quando, Catherine olhava para baixo e ficava espantada em ver como já tinham subido tanto. O ar parecia estar rareando e a respiração tornava-se mais difícil. Ela andava atrás de Larry, pois o caminho era muito estreito para permitir que andassem lado a lado, e Catherine perguntou-se quando parariam para comer.

Larry percebeu que ela estava com dificuldades e parou para esperá-la.

— Sinto muito — arquejou Catherine. — A altitude está começando a me incomodar um pouco. — Ela olhou para baixo. — Vai levar muito tempo para descermos?

— Não, não vai — respondeu Larry. Ele se virou e continuou a subir pelo caminho estreito. Catherine olhou para ele, suspirou e recomeçou a subir pela trilha, com obstinação.

— Eu deveria ter-me casado com um jogador de xadrez — gritou-lhe ela. Larry não respondeu.

Ele havia chegado a uma curva brusca e fechada e adiante havia uma pequena ponte de madeira, com uma única corda para apoio, construída sobre uma profunda garganta. A ponte balançava-se com o vento e não parecia segura o bastante para suportar o peso de um homem. Larry pôs um pé numa tábua apodrecida da ponte, que começou a afundar com seu peso e então ficou firme. Ele olhou para baixo. A garganta tinha cerca de 300 metros de profundidade. Larry começou a atravessar, testando com cuidado cada passo que dava, e ouviu a voz de Catherine:

— Larry!

Ele se voltou. Ela alcançara o começo da ponte.

— Nós não vamos atravessar *isso*, vamos? — perguntou ela. — Não aguentaria nem um *gato*!

— Vamos, a menos que você saiba voar.

— Mas não parece seguro.

— As pessoas atravessam todo dia. — Larry virou e recomeçou a caminhada pela ponte, deixando Catherine de pé na outra extremidade.

Catherine pisou na ponte e a madeira começou a vibrar. Ela olhou para baixo, para a garganta profunda, e sentiu que o medo a dominava. Aquilo não era mais divertido; era perigoso. Catherine olhou adiante e viu que Larry já chegara quase ao outro lado. Cerrou os dentes, agarrou a corda e começou a andar, com a ponte balançando-se a cada passo. Do outro lado, Larry virara-se para olhá-la. Catherine movia-se devagar, mantendo uma das mãos apertada na corda, tentando não olhar para baixo, para o abismo. Larry podia ver o medo estampado em seu rosto e, quando ela chegou junto dele, tremia, ou de terror ou do vento frio que começava a soprar, vindo dos cumes cobertos de neve das montanhas.

— Não creio que tenha vocação para alpinista. Podemos voltar agora, querido?

Larry olhou para ela com surpresa.

— Nós nem vimos a vista ainda, Cathy.

— Eu já vi o suficiente para o resto da minha vida.

Ele lhe segurou os braços e disse sorrindo:

— Vamos fazer o seguinte: adiante, um pouco acima, há um lugar agradável e calmo para o nosso piquenique. Pararemos lá. Que tal?

Catherine concordou com relutância.

— Está bem.

— Assim é que eu gosto de ver a minha garota.

Larry deu-lhe um breve sorriso, virou-se e retomou a caminhada, com Catherine atrás dele. Ela teve de admitir que a vista do vilarejo e do vale, longe, lá embaixo, era de tirar o fôlego, uma cena tranquila e idílica, saída de um cartão-postal. Estava realmente satisfeita por ter ido. Fazia muito tempo que não via Larry tão exuberante, parecendo possuído por uma excitação que crescia à medida que atingiam maior altura. Seu rosto estava corado e ele tagarelava sobre assuntos triviais como se precisasse ficar falando para libertar um pouco de sua energia nervosa. Tudo parecia entusiasmá-lo: a subida, a vista, as flores ao longo do caminho. Cada coisa parecia adquirir uma importância extraordinária, como se seus sentidos de alguma forma tivessem sido estimulados além do normal. Ele subia sem esforço, nem mesmo tinha perdido o fôlego, enquanto o ar cada vez mais rarefeito fazia Catherine arquejar.

As pernas dela começavam a pesar como chumbo e a respiração se tornava difícil. Ela não tinha ideia do tempo que já haviam gasto na subida, mas, quando olhou para baixo, o vilarejo era como uma miniatura, bem longe. Parecia a Catherine que a trilha estava ficando mais íngreme e mais estreita, serpenteando à beira de um precipício, e ela se colava ao lado da montanha o mais que podia. Larry dissera que era uma subida fácil. *Para um cabrito-montês*, pensou Catherine. A trilha agora era quase inexistente e não havia sinal de que qualquer outra pessoa a tivesse usado. As flores tinham desaparecido e a única vegetação era musgo e uma erva acastanhada de aparência estranha, que parecia crescer nas pedras. Catherine não tinha certeza de quanto tempo ainda aguentaria andar. Quando viraram uma curva abrupta, a trilha de repente desapareceu e um abismo estonteante surgiu a seus pés.

— Larry! — explodiu num grito.

Ele estava a seu lado no mesmo instante. Agarrou o braço dela e puxou-a para trás, guiando-a por sobre as rochas para onde a trilha recomeçava. O coração de Catherine batia acelerado. *Eu devo estar louca*, pensou ela. *Estou velha demais para fazer essas coisas*. A altitude e o esforço a haviam deixado tonta e sua cabeça rodava. Ela se voltou para falar com Larry e acima dele, virando a curva seguinte, viu o cume da montanha. Tinham chegado.

CATHERINE FICOU DEITADA ali no chão plano, recuperando as forças, sentindo a brisa fria agitar-lhe os cabelos. O terror tinha desaparecido. Não havia mais nada a temer agora. Larry afirmara que a descida era fácil. Ele se sentou ao lado dela.

— Sentindo-se melhor? — perguntou.

— Sim. — A cabeça parara de latejar e estava voltando a respirar normalmente. Tomou uma inspiração profunda e sorriu para ele.

— A parte difícil acabou, não é? — perguntou.

Larry olhou para ela por um longo momento. Depois disse:

— Sim. Acabou, Cathy.

Catherine ergueu-se, apoiada nos cotovelos. Um mirante tosco de madeira tinha sido construído no pequeno platô. Havia um velho corrimão em torno da beira, de onde se tinha uma vista espetacular do panorama estonteante abaixo. À distância de uns quatro metros, Catherine podia ver a trilha que descia pelo outro lado da montanha.

— Oh, Larry, é lindo! — exclamou ela. — Sinto-me como se fosse Fernão de Magalhães. — Sorriu para ele, mas Larry estava com o olhar distante e Catherine percebeu que não a ouvira. Ele parecia transtornado, *tenso*, como se estivesse preocupado com alguma coisa. Catherine olhou para cima e disse: — Olhe! — Uma nuvem branca, fofa, vinha na direção deles, empurrada pelas brisas secas da montanha. — Está vindo em nossa direção. Nunca fiquei dentro de uma nuvem. Deve ser como estar no céu.

Larry ficou observando enquanto Catherine punha-se de pé e ia para o mirante em direção à beira do penhasco. Ele se apoiou nos cotovelos, pensativo de repente, vendo a nuvem que se movia em direção a Catherine, quase a alcançando e começando a envolvê-la.

— Vou entrar na nuvem — disse ela — e deixar que ela passe direto por mim!

Um instante depois Catherine estava perdida no torvelinho da bruma cinzenta.

Silenciosamente, Larry levantou-se. Ficou ali um momento, imóvel, e então começou a mover-se devagar na direção dela. Em segundos estava imerso na bruma. Parou, incerto sobre a posição em que ela estava. Então, adiante dele ouviu sua voz dizendo: "Oh, Larry, é maravilhoso! Venha ficar comigo." Devagar, ele começou a mover-se para a frente na direção da voz envolta pela nuvem. "É como uma chuva suave", exclamou ela. "Você está sentindo?" A voz dela estava mais perto agora, talvez menos de um metro adiante dele. Deu outro passo com as mãos estendidas, procurando-a.

— Larry! Onde você está?

Podia distinguir seu vulto agora, fantasmagórico, na bruma, bem na frente dele, à beira do penhasco. Suas mãos estenderam-se para alcançá-la e naquele exato momento a nuvem os ultrapassou. Ela se virou e ficaram de frente um para o outro.

Ela deu um passo para trás, surpresa, de forma que seu pé direito ficou bem na beira do penhasco.

— Você me assustou! — exclamou ela.

Larry deu mais um passo em sua direção, sorrindo, com calma, segurou-a com as duas mãos e naquele instante uma voz disse alto:

— Por Deus, não temos montanhas mais altas que esta em Denver!

Larry virou-se assustado, com o rosto lívido. Um grupo de turistas, chefiado por um guia grego, emergia do caminho do outro lado da montanha. O guia parou quando viu Catherine e Larry.

— Bom-dia — disse ele, surpreso. — Vocês devem ter subido pela trilha do Leste.

— Sim — disse Larry com voz firme.

O guia sacudiu a cabeça.

— São malucos. Deviam ter avisado a vocês que aquele é o caminho perigoso. A outra trilha é muito mais fácil.

— Lembrarei da próxima vez — disse Larry. Sua voz estava rouca.

A animação que Catherine notara nele parecia ter desaparecido, como se de repente um botão tivesse sido desligado.

— Vamos sair daqui — disse Larry.

— Mas... mas nós acabamos de chegar. Há alguma coisa errada?

— Não — respondeu. — Só que eu odeio multidões.

Na volta tomaram a trilha mais fácil, e no caminho Larry não disse uma palavra. Era como se estivesse dominado por uma raiva louca e Catherine não podia imaginar por quê. Tinha certeza de que nada fizera ou dissera que o ofendesse. Tinha sido quando as outras pessoas apareceram que a atitude dele mudara bruscamente. De repente, Catherine achou que tinha adivinhado a razão do mau humor dele e sorriu. Ele tinha querido amá-la dentro da nuvem! Era por isso que começara a se mover em sua direção com os braços estendidos. E seus planos tinham sido estragados pelo grupo de turistas. Ela quase riu alto de alegria. Observou Larry enquanto andava pela trilha abaixo, na frente dela, e sentiu-se inundada por um sentimento de ternura. *Vou ajeitar tudo quando estivermos de volta ao hotel*, prometeu a si mesma.

Mas, quando voltaram ao bangalô e Catherine o abraçou e começou a beijá-lo, Larry lhe disse que estava cansado.

Às 3 horas da madrugada Catherine estava acordada na cama, excitada demais para dormir. Tinha sido um dia longo e assustador. Ela pensou na trilha da montanha, na ponte que balançava e na subida até o cume. E afinal adormeceu.

Na manhã seguinte, Larry foi falar com o rapaz da recepção.

— Aquelas grutas de que você falou outro dia... — começou Larry.

— Ah, sim — respondeu o empregado. — As grutas de Perama. Cheias de cores. Muito interessantes. Não deve deixar de ir ver.

— Acho que vou ter de ir vê-las — disse Larry num tom alegre. — Não acho muita graça em grutas, mas minha mulher ouviu falar delas e quer que eu a leve até lá. Ela adora este tipo de coisa.

— Tenho certeza de que ambos irão gostar, Sr. Douglas. Mas contrate um guia.

— É preciso? — perguntou Larry.

O empregado balançou a cabeça.

— É aconselhável. Houve algumas tragédias lá, pessoas que se perderam. — Ele baixou a voz. — Um jovem casal nunca foi encontrado.

— Se é tão perigoso, por que permitem que as pessoas entrem?

— É só a parte nova que é perigosa — explicou o rapaz. — Ainda não foi explorada e não é iluminada. Mas com um guia não precisa se preocupar.

— A que horas fecham as grutas?

— Às 18 horas.

Larry encontrou Catherine no jardim, reclinada sob uma árvore gigante, um belo carvalho grego, lendo.

— Que tal é o livro? — perguntou ele.

— Péssimo.

Ele se abaixou ao lado dela.

— O empregado do hotel falou-me de umas grutas perto daqui.

Catherine ergueu os olhos, levemente apreensiva.

— Grutas?

— Ele disse que temos de ir. Todos os casais em lua de mel vão lá. Faz-se um pedido lá dentro e ele se realiza. — A voz dele parecia a de um garoto e estava ansiosa. — Que tal?

Catherine hesitou um momento, pensando em como ele era infantil.

— Se você quiser — disse ela.

Ele sorriu.

— Ótimo. Vamos depois do almoço. Você pode continuar lendo agora. Preciso ir até a cidade comprar umas coisas.

— Quer que eu vá com você?

— Não — disse ele com naturalidade. — Volto logo. Fique descansando.

Ela concordou.

— Está certo.

Ele se virou e partiu.

Na cidade, Larry encontrou um armazém onde pôde comprar uma lanterna de bolso, algumas pilhas novas e um tubo de linha.

— Está hospedado no hotel? — perguntou o vendedor da loja, enquanto contava o troco de Larry.

— Não — respondeu ele. — Estou só de passagem, a caminho de Atenas.

— Se eu fosse o senhor tomaria cuidado — aconselhou o homem.

Larry olhou para ele desconfiado.

— Com o quê?

— Há uma tempestade vindo aí. Podem-se ouvir as ovelhas gritando.

Larry voltou para o hotel às 3 horas. Às 4 horas, ele e Catherine saíram para ir às grutas. Tinha começado a soprar um vento forte e, ao norte, grandes nuvens escuras começavam a se formar no céu, escondendo o sol.

As grutas de Perama ficam a 30 quilômetros a leste de Iaonnina. Através dos séculos, enormes estalagmites e estalactites tinham se formado com os contornos de animais, palácios e joias, e as grutas haviam se tornado uma importante atração turística.

Quando Catherine e Larry chegaram lá, eram 5 horas, uma hora antes de fechar. Larry comprou dois ingressos e um folheto na bilheteria. Um guia malvestido veio e ofereceu seus serviços.

— Só 50 dracmas — entoou ele — e eu lhes proporcionarei o melhor passeio turístico.

— Não precisamos de guia — disse Larry de maneira brusca.

Catherine olhou para ele, surpresa pelo tom rude.

Ele pegou o braço dela.

— Vamos.

— Tem certeza de que não devíamos ter um guia?

— Para quê? É uma besteira. Tudo que temos de fazer é entrar e olhar a caverna. O folheto nos dirá tudo o que for necessário.

— Está bem — concordou Catherine.

A entrada para as grutas era maior do que esperara, toda iluminada com lâmpadas e cheia de turistas andando de um lado para outro. As paredes e o teto da caverna pareciam abarrotados de figuras heroicas esculpidas na rocha: pássaros, gigantes, flores e coroas.

— É fantástico! — exclamou Catherine. Ela consultou o folheto. — Ninguém sabe qual é a idade.

A voz dela soava cavernosa, repercutindo contra o teto rochoso. Sobre suas cabeças havia estalactites. Um túnel escavado na rocha levava a uma segunda caverna menor, que era iluminada por lâmpadas nuas, presas aos fios junto ao teto. Havia mais figuras fantásticas ali, uma demonstração pródiga da arte selvagem da natureza. No fundo da caverna, via-se um cartaz impresso que dizia: PERIGO: NÃO ENTRE.

Além do cartaz ficava a entrada para uma caverna negra como um sorvedouro. De maneira desinteressada Larry andou até lá e olhou em volta. Catherine observava um relevo junto à entrada. Larry pegou o cartaz, o pôs de lado e voltou para perto de Catherine.

— Está úmido aqui — disse ela. — Vamos embora?

— Não. — O tom de Larry era firme. Ela olhou para ele espantada. — Há mais para ver — explicou Larry. — O rapaz do hotel disse que o mais interessante é a parte nova. Disse que não deixássemos de ir ver.

— Onde é? — perguntou Catherine.

— Ali. — Larry tomou-lhe o braço, andaram até o fundo da caverna e ficaram de frente para a negra fenda aberta.

— Não podemos entrar aí — disse Catherine. — Está escuro.

Larry deu uma palmadinha no braço dela. — Não se preocupe. Ele me disse para trazer uma lanterna. — Tirou a lanterna do bolso. — E, *voilà*, vê? — Acendeu a lanterna e o estreito feixe de luz iluminou um corredor escuro de rocha antiga.

Catherine ficou ali olhando para o túnel.

— Parece tão grande — disse ela insegura. — Tem certeza de que é seguro?

— É claro — respondeu Larry. — Eles trazem as crianças das escolas aqui.

Catherine ainda hesitava, desejando que pudessem ficar com os outros turistas. De alguma forma aquilo lhe parecia perigoso.

— Está bem — disse ela.

Entraram pelo túnel e tinham andado apenas alguns metros quando o círculo de luz da caverna principal, atrás deles, foi engolido pela escuridão. O túnel fazia uma curva abrupta para a esquerda e então virava para a direita. Estavam sozinhos num mundo frio, velho e primitivo. À luz da lanterna de Larry, Catherine viu-lhe o rosto de relance e novamente notou aquela expressão excitada, a mesma expressão que vira na subida da montanha. Ela apertou a mão no braço dele.

Adiante, o túnel se bifurcava. Catherine podia ver a pedra áspera no teto se dividindo em direções separadas. Ela pensou em Teseu e no Minotauro na caverna, e perguntou-se se não iam encontrar com eles. Abriu a boca para sugerir que voltassem, mas antes que pudesse falar, Larry disse:

— Vamos para a esquerda.

Olhou para ele e esperou que sua voz soasse natural.

— Querido, não acha que devíamos voltar? Está ficando tarde. Deve estar na hora de fechar.

— Fica aberto até as nove — respondeu Larry. — Há uma determinada caverna que eu quero encontrar. Acabaram de escavá-la. Dizem que é realmente fantástica. — Ele começou a seguir adiante.

Catherine hesitou, procurando uma desculpa para não prosseguir. Afinal, por que *não deviam* continuar explorando? Larry estava gostando. Se era isso o que o faria feliz, ela se tornaria a maior — qual era mesmo a palavra? — espeleóloga do mundo.

Larry tinha parado e estava esperando por ela.

— Você vem? — perguntou, impaciente.

Ela tentou falar com entusiasmo.

— Sim. Só não quero que você me perca — disse.

Ele não respondeu. Tomaram o túnel que ia pela esquerda e começaram a andar com cuidado, por causa das pedrinhas que escorregavam sob seus pés. Larry pôs a mão no bolso e um momento depois Catherine ouviu alguma coisa cair no chão. Larry continuou andando.

— Você deixou cair alguma coisa? — perguntou Catherine. — Acho que ouvi.

— Chutei uma pedra — disse ele. — Vamos andar mais depressa. — E foram adiante sem que Catherine percebesse que atrás deles um tubo de linha se desenrolava.

Ali o teto da caverna parecia ser mais baixo, as paredes, mais úmidas e — Catherine riu de si mesma por ter pensado — agourentas. Era como se o túnel estivesse começando a se fechar sobre eles, ameaçador e maléfico.

— Acho que este lugar não gosta de nós — disse Catherine.

— Não seja ridícula, Cathy, é só uma caverna.

— Por que você acha que só nós estamos aqui?

Larry hesitou.

— Não são muitas as pessoas que ouviram falar desta parte.

Continuaram andando, até que Catherine começou a perder todo o senso de tempo e direção. O túnel estava ficando mais estreito novamente, e as rochas dos lados raspavam neles como protuberâncias inesperadas.

— Quanto mais você acha que ainda falta? — perguntou Catherine. — Devemos estar chegando perto da China.

— Não estamos longe agora.

Quando falavam, as vozes soavam abafadas e cavernosas, com uma série de ecos contínuos que se iam perdendo.

Estava ficando frio, mas era um frio úmido e viscoso. Catherine estremeceu. Adiante deles o feixe de luz da lanterna mostrou outra bifurcação no túnel. Andaram até lá e pararam. O túnel que ia pela direita parecia menor que o da esquerda.

— Deviam pôr aqueles sinais em néon como nas estradas — disse Catherine. — Acho que viemos longe demais.

— Não — disse Larry. — Tenho certeza de que é o da direita.

— Estou ficando com frio, querido — disse ela. — Vamos voltar.

Ele se virou para olhá-la.

— Estamos quase chegando, Cathy. — Apertou o braço dela. — Eu esquento você quando voltarmos para o nosso bangalô. —

Viu a relutância no rosto dela. — Vamos fazer o seguinte: se não acharmos o lugar nos próximos dois minutos, damos a volta e vamos para casa. Certo?

Catherine sentiu o coração ficar mais leve.

— Certo — disse agradecida.

— Vamos.

Viraram o túnel à direita, com o feixe de luz fazendo um desenho estranho e trêmulo na rocha cinzenta à frente deles. Catherine olhou para trás por sobre o ombro e viu a completa escuridão. Era como se a pequena lanterna estivesse entalhando a claridade nas trevas mortais, empurrando-as para trás um pouco de cada vez, encerrando-as em seu pequeno ventre de luz. Larry parou de repente.

— Droga! — exclamou ele.

— O que foi?

— Acho que tomamos o caminho errado.

Catherine concordou.

— Tudo bem. Vamos voltar.

— Deixe-me ter certeza. Você fica aqui.

Ela olhou para ele, surpresa.

— Aonde você vai?

— Só alguns passos. Vou voltar àquela entrada. — A voz dele soou tensa e forçada.

— Eu vou com você.

— Posso ir mais depressa se for sozinho, Catherine. Só quero dar uma olhada naquela bifurcação onde fizemos a última curva. — Estava impaciente. — Volto em dez segundos.

— Está bem — disse ela, contrariada.

Catherine ficou ali, olhando, enquanto Larry se virava, deixando-a, e andava de volta para a escuridão de onde tinham vindo, envolto num halo de luz como um anjo que vagasse pelas profundezas da Terra. Um momento depois a luz desapareceu e ela ficou mergulhada na mais profunda escuridão que jamais vira. Ficou ali, tremendo, contando os segundos em pensamento. E depois os minutos.

Larry não voltou.

CATHERINE ESPEROU, sentindo a escuridão mover-se em torno dela como ondas malignas invisíveis. Ela gritou seu nome e a voz saiu-lhe rouca e trêmula, e ela limpou a garganta e tentou de novo, mais alto. "Larry!" Podia ouvir o som morrendo alguns passos adiante dela, sufocado pela escuridão. Era como se nada pudesse viver naquele lugar, e Catherine começou a sentir os primeiros tentáculos do terror. É claro que Larry vai voltar logo, disse a si mesma. Tudo que tenho de fazer é ficar onde estou e me manter calma.

Os minutos negros passavam e ela começou a encarar o fato de que alguma coisa estava terrivelmente errada. Larry podia ter sofrido um acidente, podia ter escorregado nas pedras soltas e batido com a cabeça numa das protuberâncias da rocha. Talvez naquele momento estivesse caído a apenas alguns passos de distância, sangrando até a morte. Ou talvez estivesse perdido. A lanterna podia ter parado de funcionar e talvez ele estivesse, em algum lugar nas profundezas daquela caverna, preso numa armadilha, como ela mesma estava presa.

Uma sensação de sufocação começou a tomar conta de Catherine, oprimindo-a, enchendo-a de um pânico incontrolável. Ela se virou e começou a andar devagar na direção de onde viera. O túnel era estreito e, se Larry estivesse caído no chão, desamparado e ferido, ela teria uma boa chance de encontrá-lo. Logo chegaria ao lugar onde o túnel se dividia. Movia-se com cautela, as pedrinhas soltas rolando sob seus pés. Pensou ter ouvido um som distante e parou para escutar. "Larry!" O som desapareceu e ela recomeçou a andar, quando ouviu mais uma vez. Era um som parecido com um zunido, como se alguém tivesse ligado um gravador. *Havia* alguém ali!

Catherine gritou alto e então ouviu, enquanto o som de sua voz mergulhava no silêncio. Lá estava ele de novo! O zunido. Vinha em sua direção. Ficou mais alto, correndo para ela, num grande golpe de vento. Estava ficando cada vez mais perto. De repente, bateu nela na escuridão; a pele fria e viscosa esbarrou em seu rosto e tocou-lhe os lábios e ela sentiu alguma coisa se movendo sobre sua cabeça, garras afiadas nos cabelos, e seu rosto foi sufocado pelo bater enlouquecido das asas de algum horror inominável que a atacava na escuridão.

Ela desmaiou.

ESTAVA DEITADA NUMA ponta de pedra que a incomodava, e aquilo a fez recuperar os sentidos. Seu rosto estava quente e pegajoso e levou alguns minutos até que Catherine percebesse que era sangue. Lembrou-se das asas e das garras que a tinham atacado na escuridão e começou a tremer.

Havia morcegos na caverna.

Tentou lembrar-se do que sabia sobre morcegos. Tinha lido em algum lugar que eram ratos que voavam e que andavam em bandos de milhares. A única informação que conseguiu arrancar da memória foi que havia morcegos-vampiros e mais que depressa abandonou aquele pensamento. Sentou-se relutante, com as palmas das mãos ardendo por causa dos arranhões provocados pelas rochas pontudas.

Você não pode ficar sentada aí, disse a si mesma. *Precisa se levantar e fazer alguma coisa.* Com dificuldade ela se pôs de pé. De algum modo tinha perdido um sapato e o vestido estava rasgado, mas Larry lhe compraria outro amanhã. Ela pensou nos dois entrando numa lojinha no vilarejo, rindo, felizes, e comprando um vestido branco de verão para ela, mas de alguma forma o vestido se transformou em mortalha e sua mente tornou a encher-se de pânico. Precisava continuar pensando no dia seguinte e não no pesadelo em que estava metida agora.

Tinha de continuar andando. Mas para que lado? Tinha dado voltas sobre si e, se andasse para o lado errado, estaria indo para o fundo da caverna, mas sabia que não podia continuar ali. Catherine tentou calcular quanto tempo tinha se passado desde que haviam entrado na caverna. Devia ter sido uma hora, talvez duas. Não havia como saber quanto tempo ficara inconsciente. Certamente estariam procurando por Larry e por ela. Mas e se ninguém sentisse falta deles? Não havia controle de quem entrava ou saía das cavernas. Poderia ficar ali para sempre.

Tirou o outro sapato e começou a andar, dando passos lentos e cuidadosos, com as mãos estendidas para evitar bater nas protuberâncias ásperas dos lados do túnel. *A mais longa das jornadas começa com um único passo*, disse Catherine a si mesma. *Os chineses disseram isso e veja como são sábios. Inventaram os fogos de artifício e o* chop suey, *e são inteligentes demais para ficarem presos em algum buraco escuro no chão, onde ninguém possa encontrá-los. Se eu continuar andando vou encontrar Larry ou alguns turistas e voltaremos para o hotel, tomaremos um drinque e riremos de tudo isso. Tudo que tenho de fazer é continuar andando.*

Parou de repente. A distância podia ouvir novamente o som do zumbido, movendo-se em sua direção como uma aparição, um trem-fantasma, e seu corpo começou a tremer de maneira incontrolável e ela começou a gritar. Um instante depois eles estavam sobre ela, centenas deles, enxameando sobre ela, batendo nela com asas frias e viscosas e sufocando-a com os corpos peludos de roedores, num pesadelo de horror inexprimível.

A última coisa de que se lembrou antes de perder a consciência foi chamar o nome de Larry.

ELA ESTAVA DEITADA no chão frio e úmido da caverna. Seus olhos estavam fechados, mas a mente acordara de repente e pensou: Larry quer me matar. Era como se o subconsciente lhe tivesse posto a ideia ali. Como numa série de visões caleidoscópicas, ouviu Larry dizendo: *Estou apaixonado por outra mulher... Quero o divórcio...* E viu Larry movendo-se na sua direção no alto da montanha com as mãos estendidas para ela... Lembrou-se de ter olhado para baixo da montanha escarpada e de ter dito: Vai levar muito tempo para descer? E de Larry respondendo: *Não, não vai...* Larry dizendo: *Não precisamos de guia... Acho que tomamos o caminho errado. Espere aqui... Volto em dez segundos...* E então a escuridão aterradora.

Larry nunca tivera a intenção de voltar para ela. A reconciliação, a lua de mel... tinha sido tudo fingimento, parte de um plano para assassiná-la. Enquanto estivera agradecendo a Deus por ter-lhe dado uma segunda oportunidade, Larry planejava matá-la. E ele tinha conseguido, pois Catherine sabia que nunca sairia dali. Estava enterrada viva num túmulo negro de horror. Os morcegos tinham ido embora, mas podia sentir o fedor do líquido viscoso que haviam deixado sobre seu rosto e sobre todo o seu corpo, e estava certa de que voltariam atrás dela. Não sabia se conseguiria manter a sanidade depois de outro ataque. Só pensar neles fazia com que começasse a tremer e esforçou-se por respirar devagar e profundamente.

E então Catherine ouviu novamente e soube que não suportaria outra vez. Começou com um zumbido baixo e depois uma onda de som mais alto, movendo-se em sua direção. Houve um grito repentino, angustiado, que ecoou na escuridão repetidamente, e o outro som continuava vindo, cada vez mais alto, e, saída do túnel negro, uma luz apareceu e ela ouviu vozes gritando e mãos começaram a pegá-la e a levantaram. Ela quis avisá-los sobre os morcegos, mas não conseguiu parar de gritar.

Noelle e Catherine

Atenas: 1946

22

ELA ESTAVA DEITADA, quieta e rígida para que os morcegos não pudessem encontrá-la, e procurou ouvir o bater das asas, com os olhos bem fechados.

Uma voz de homem disse:

— É um milagre que a tenhamos encontrado.

— Ela vai ficar boa?

Era a voz de Larry.

De repente, o terror envolveu Catherine mais uma vez. Era como se seu corpo estivesse cheio de nervos, aos gritos, dizendo-lhe para fugir. Seu assassino viera apanhá-la. Ela gemeu:

— Não... — Abriu os olhos. Estava na cama, no bangalô, Larry junto ao pé da cama, e a seu lado um homem que nunca vira antes. Larry moveu-se na direção dela.

— Catherine...

Ela recuou ao ver o movimento dele.

— Não toque em mim! — A voz era fraca e rouca.

— Catherine! — O rosto de Larry estava cheio de desgosto.

— Tire-o de perto de mim — suplicou Catherine.

— Ela ainda está em estado de choque — disse o estranho. — Talvez fosse melhor se o senhor esperasse na sala.

Larry observou Catherine por um momento, com o rosto inexpressivo.

— É claro. O que for melhor para ela. — Virou-se e saiu.

O estranho fechou a porta. Era um homem baixo e gordo, com um rosto agradável e sorriso simpático. Falava inglês com um sotaque carregado.

— Sou o Dr. Kazomides. A senhora passou por uma experiência muito desagradável, Sra. Douglas, mas lhe asseguro que vai ficar boa. Teve uma leve concussão e um choque violento, mas em poucos dias ficará boa, como nova. — Ele suspirou. — Deviam fechar aquelas malditas cavernas. É o terceiro acidente neste ano.

Catherine começou a sacudir a cabeça e parou quando ela começou a latejar violentamente.

— Não foi acidente — disse com a voz grave. — Ele me tentou matar.

O médico olhou para ela.

— Quem tentou matar a senhora?

Sua boca estava seca, e a língua, grossa. Era difícil fazer as palavras saírem.

— M-meu marido.

— Não — disse ele.

Não acreditava nela. Catherine engoliu em seco e tentou outra vez:

— Ele me deixou na caverna para que eu morresse.

Ele sacudiu a cabeça.

— Foi um acidente. Vou dar-lhe um sedativo e, quando acordar, vai se sentir muito melhor.

Uma onda de medo a dominou.

— Não! — suplicou ela. — Não compreende? Não vou acordar nunca mais. Tire-me daqui. Por favor!

O médico sorria, tentando acalmá-la.

— Eu lhe disse que vai ficar boa, Sra. Douglas. Tudo que precisa é dormir bem, um longo sono. — Apanhou uma maleta preta e começou a procurar a seringa.

Catherine tentou sentar-se, mas uma dor penetrante tomou-lhe a cabeça e imediatamente ficou banhada de suor. Caiu de volta na cama, com a cabeça latejando de maneira insuportável.

— Não deve tentar mover-se ainda — advertiu o Dr. Kazomides. — A senhora passou por um terrível suplício. — Apanhou a seringa, enfiou a agulha num frasco com um líquido cor de âmbar, encheu-a e virou-se para ela. — Vire-se por favor. Quando acordar vai se sentir outra pessoa.

— Não vou acordar — murmurou Catherine. — Ele me matará enquanto eu estiver dormindo.

O rosto do médico tinha uma expressão preocupada. Ele foi até junto dela.

— Por favor, vire-se, Sra. Douglas.

Ela olhou para ele com os olhos obstinados.

Com gentileza ele virou Catherine de lado, levantou a camisola e ela sentiu uma picada na nádega.

— Pronto.

Ela se virou e murmurou:

— O senhor acaba de me matar. — Os olhos estavam cheios de lágrimas, desamparados.

— Sra. Douglas — disse o médico com suavidade. — Sabe como a encontramos? Seu marido nos levou até a senhora. — Ela olhou para ele, sem compreender o que ele dizia. — Ele tomou o caminho errado e se perdeu na caverna — explicou. — Quando não conseguiu encontrá-la, ficou desesperado. Chamou a polícia e nós organizamos um grupo de busca imediatamente.

Ela olhou para ele, ainda sem compreender.

— Larry... pediu ajuda?

— Ele estava num estado terrível. Culpava-se pelo que acontecera.

Catherine ficou deitada ali, tentando compreender, tentando adaptar-se àquela nova informação. Se Larry tivesse tentando matá-la, não teria organizado um grupo de busca para encontrá-la, não teria ficado desesperado. O médico a observava com um olhar simpático.

— Vai dormir agora — disse ele. — Voltarei para vê-la de manhã.

Ela havia acreditado que o homem que amava era um assassino. Sabia que tinha de contar a Larry e pedir que a perdoasse, mas a cabeça estava ficando pesada e os olhos iam se fechando. *Eu direi a ele depois*, pensou ela, *quando acordar. Ele compreenderá e me perdoará. E tudo será maravilhoso de novo, da mesma maneira que era...*

FOI ACORDADA PELO som de um estalar penetrante e repentino e seus olhos se abriram, o pulso acelerado. Uma torrente de chuva martelava com selvageria a janela do quarto e um feixe de luz iluminava tudo com uma luz azul-clara que fazia o quarto parecer uma fotografia exposta além do tempo necessário. O vento que arranhava a casa, uivando, tentando abrir caminho, e a chuva que batia no telhado e nas janelas soavam como milhares de pequenos tambores. De poucos em poucos segundos havia o rugir terrível de um trovão, seguido pelo clarão de um raio.

Tinha sido o som de um trovão que acordara Catherine. Ela se esforçou para sentar e olhou para o pequeno relógio ao lado da cama. Estava estonteada por causa do sedativo que o médico lhe dera e precisava apertar os olhos para distinguir os números no mostrador. Eram 3 horas da madrugada. Estava sozinha. Larry devia estar na sala, acordado, preocupado com ela. Tinha de vê-lo para pedir desculpas. Com cuidado, Catherine escorregou os pés da beira da cama e tentou ficar de pé. Uma onda de tontura a dominou. Começou a cair e apoiou-se na cabeceira da cama até que passasse. Andou em passos inseguros até a porta, os músculos enrijecidos como por falta de uso, e o latejar da cabeça era uma palpitação dolorosa. Ficou ali um momento, agarrando-se à maçaneta da porta para se apoiar e então a abriu e entrou na sala.

Larry não estava lá. Havia luz na cozinha e ela cambaleou naquela direção. Larry estava de pé, de costas para ela, e ela chamou: "Larry!" Mas a voz foi apagada pelo grande estrondo de um trovão. Antes que pudesse chamar de novo, surgiu uma mulher em seu campo de visão. Larry dizia:

— É perigoso para você... — O uivar do vento carregou o resto das palavras.

— Tinha de vir. Eu precisava ter certeza de que você...

— ...nos ver juntos. Ninguém nunca...

— ...eu disse a você que cuidaria de...

— ...deu errado. Não há nada que possam...

— ...agora, enquanto ela está dormindo.

Catherine ficou ali paralisada, incapaz de se mover. Era como ouvir sons estroboscópicos, palavras que se enviam em frases rápidas como pulsações. O resto das frases perdia-se no uivar do vento e no estrondo dos trovões.

— ...precisamos agir depressa antes que ela...

Todos os velhos terrores voltaram, fazendo seu corpo tremer, envolvendo-a num pânico inominável e doentio. O pesadelo tinha sido real. Ele estava tentando matá-la. Tinha de sair dali antes que a descobrissem, antes que a matassem. Devagar, com o corpo todo tremendo, começou a recuar. Esbarrou num abajur e este começou a cair, mas conseguiu apanhá-lo antes que se quebrasse no chão. O bater de seu coração era tão alto que teve medo de que pudessem ouvi-lo, apesar do ruído dos trovões e da chuva. Alcançou a porta da frente, abriu-a e o vento quase a arrancou de suas mãos.

Catherine saiu para a noite e fechou, rápido, a porta atrás de si. Imediatamente ficou ensopada com a chuva forte e gelada e pela primeira vez percebeu que vestia apenas uma camisola fina. Não tinha importância. Tudo que importava era escapar. Através da chuva torrencial, podia ver as luzes da recepção do hotel, a distância. Podia ir até lá e pedir ajuda. Mas acreditariam nela? Lembrou-se da expressão do rosto do médico quando lhe dissera que Larry estava tentando matá-la. Não, pensariam que estava histérica e a levariam de volta para Larry. Precisava sair daquele lugar. Dirigiu-se então para o caminho rochoso e íngreme que levava ao vilarejo.

A tempestade torrencial transformara o caminho num atoleiro lamacento e escorregadio, onde os pés nus se afundavam e fazia com que andasse devagar, de forma que tinha a impressão de estar correndo num pesadelo, em vão tentando escapar em marcha lenta enquanto os perseguidores corriam atrás dela. Continuou escorregando e caindo no chão e os pés sangravam por causa das pedras pontudas do solo, mas ela nem percebia. Estava em estado de choque, movendo-se como um autômato, caindo quando uma rajada de vento a projetava no chão, levantando-se e retomando o caminho para a cidade, sem perceber por onde corria. Não tinha mais consciência da chuva.

O caminho desembocava de repente numa rua escura e deserta, na extremidade do vilarejo. Ela continuou cambaleando como um animal acossado, inconscientemente pondo um pé na frente do outro, aterrorizada pelos sons horríveis que rasgavam a noite e pelos clarões dos relâmpagos que transformavam o céu num inferno.

Alcançou o lago e ficou ali, olhar fixo, o vento fustigando a camisola fina em torno de seu corpo. A água calma se transformara num oceano agitado e fervilhante, movido por ventos demoníacos, que levantavam ondas altas que se batiam com brutalidade umas contra as outras.

Catherine ficou parada, tentando lembrar o que estava fazendo ali. E, de repente, a memória lhe voltou. Estava indo ao encontro de Bill Fraser, que esperava por ela em sua bela mansão, para que pudessem se casar. Do outro lado do lago, viu de relance uma luz amarela através da chuva violenta. Bill estava lá, esperando. Mas como chegaria até ele? Olhou para baixo e viu os barcos a remo amarrados aos postes, girando na água turbulenta, lutando para se soltarem.

Soube então o que tinha de fazer. Com dificuldade desceu até um dos barcos e saltou nele. Lutando para manter o equilíbrio, desamarrou a corda que o prendia ao cais. Imediatamente o barco afastou-se, adernando com a liberdade repentina, e Catherine foi jogada no fundo. Ergueu-se até o assento e apanhou os remos, tentando lembrar-se de como Larry os usava. Mas não havia nenhum Larry. Devia ser Bill. Sim, podia lembrar-se de Bill remando com ela. Estavam indo encontrar os pais dele. Tentou então usar os remos, mas as ondas gigantescas continuavam atirando o barco de um lado para o outro, fazendo com que ele girasse, e os remos foram arrancados de suas mãos e sugados pela água. Ficou sentada ali, vendo-os desaparecer. Os dentes de Catherine começaram a bater de frio e ela começou a tremer, num espasmo incontrolável. Sentiu alguma coisa lambendo-lhe os pés, olhou para baixo e viu que o barco estava se enchendo de água. Começou a chorar, porque o vestido ia ficar molhado. Bill Fraser o comprara para ela e agora ele ficaria zangado.

Usava um vestido de noiva porque ela e Bill Fraser estavam numa igreja e o ministro que se parecia com o pai de Bill disse: *Se alguém tem algum impedimento contra este casamento fale agora...* e então uma voz de mulher disse *...agora, enquanto ela está dormindo,* e as luzes se apagaram e Catherine estava de volta à caverna e Larry a segurava e a mulher atirava água nela, afogando-a. Ela olhou em volta, procurando a luz amarela da casa de Bill, mas tinha sumido. Ele não queria mais casar-se com ela e agora não tinha mais ninguém.

A praia estava muito longe, escondida em algum lugar além da grossa chuva torrencial, e Catherine estava sozinha na noite tempestuosa, com o uivar agourento do *meltemi* em seus ouvidos. O barco começou a balançar traiçoeiramente, enquanto as grandes vagas batiam contra ele. Mas Catherine não estava mais com medo. Seu corpo se estava se enchendo, devagarinho, de um calor delicioso, e a chuva caía como um veludo suave sobre sua pele. Ela juntou as mãos à frente de si e, como uma criança pequena, começou a recitar a oração que aprendera quando era garotinha:

"Agora eu me deito para dormir... peço ao Senhor que guarde minha alma... Se eu morrer antes de acordar... peço ao Senhor que leve minha alma."

Sentiu-se tomada por uma felicidade maravilhosa, porque sabia que afinal tudo ia dar certo. Estava a caminho de casa.

Naquele momento, uma grande onda pegou a popa do barco, que começou a virar lentamente no negro lago sem fundo.

LIVRO TERCEIRO

O Julgamento

Atenas: 1947

23

Cinco horas antes de começar o julgamento de Noelle Page e Larry Douglas por assassinato, a sala 33 do Palácio da Justiça Arsakion, em Atenas, estava abarrotada de espectadores. O Tribunal é um enorme prédio cinzento, que toma todo um quarteirão na rua da Universidade e dos Estádios. Das trinta salas de audiências do edifício, só três são reservadas para julgamento de crimes: as salas 21, 30 e 33, e esta fora escolhida por ser a maior. Os corredores fora da sala 33 estavam cheios de gente, e policiais com uniformes cinzentos e camisas da mesma cor se postavam nas duas portas de entrada para controlar a multidão. O balcão de sanduíches vendera todo o estoque nos primeiros cinco minutos e havia uma fila enorme diante da cabina telefônica.

Georgios Skouri, o chefe de polícia, supervisionava pessoalmente a organização da segurança. Fotógrafos de jornais por toda parte, e Skouri conseguia ser fotografado com uma frequência agradável. Os passes de entrada para a sala de audiência estavam a preços incríveis. Durante semanas, os membros do Judiciário grego tinham sido assediados com pedidos de amigos e parentes. Os funcionários que tinham conseguido passes trocavam-nos por outros favores e os vendiam aos serventes que, como cambistas, os negociavam por até 500 dracmas cada.

Na realidade, o cenário do julgamento era banal. A sala de audiências 33, no segundo andar do Palácio da Justiça, era mofada e velha, e tinha sido a arena de milhares de batalhas legais que haviam se realizado ao longo dos anos. Media cerca de 15 metros de largura por 100 de comprimento. Os assentos estavam divididos em três grupos, distantes dois metros um do outro, com nove bancos de madeira em cada grupo.

Na frente da sala havia uma plataforma elevada, atrás de uma divisão de mogno polido de dois metros, com cadeiras de couro de encosto alto para os três juízes-presidentes. A cadeira do centro era para o presidente da Corte e acima dela havia um pequeno espelho quadrado e sujo que refletia uma parte da sala.

Defronte à plataforma ficava o banco das testemunhas, um pequeno estrado elevado no qual havia um atril fixo, com uma bandeja de madeira para se colocarem papéis. No atril, folheado a ouro, havia um crucifixo, Jesus na cruz com dois discípulos a seu lado. Junto à parede, na outra extremidade, ficava a bancada do júri, ocupada agora pelos dez jurados. Na extrema esquerda estava o banco dos réus. Defronte ao lugar reservado aos acusados ficava a mesa dos advogados.

As paredes da sala eram de estuque e no chão havia linóleo, contrastando com o chão de madeira gasta das salas do primeiro andar. No teto havia uma dúzia de lâmpadas, cobertas com globos de vidro. No canto do fundo da sala, subia para o teto o cano de um sistema de aquecimento antigo. Uma parte da sala tinha sido reservada para a imprensa e lá se encontravam representantes da Reuters, United Press, International News Service, Agência Shsin Hau, France Presse e Agência Tass, entre outros.

As circunstâncias do julgamento em si já seriam bastante sensacionais, mas os personagens eram famosos e os espectadores excitados não sabiam para onde olhar primeiro. Era como um circo com três arenas. Na primeira fila de bancos via-se Philipe Sorel, o astro, que segundo rumores era um antigo amante de Noelle Page. Sorel tinha quebrado uma câmera quando ia a caminho da sala de audiências e se recusara terminantemente a falar com a imprensa. Sentava-se agora em seu lugar, pensativo e silencioso, com uma parede invisível em torno de si. Na fila seguinte à de Sorel sentava-se Armand Gautier. O diretor de cinema, alto e melancólico, estava constantemente esquadrinhando a sala, como se estivesse tomando notas mentalmente para seu próximo filme. Perto de Gautier encontrava-se Israel Katz, o famoso cirurgião francês e herói da Resistência.

A duas cadeiras de distância sentava-se Bill Fraser, assistente especial do presidente dos Estados Unidos. Ao lado de Fraser havia uma cadeira reservada e, como fogo na palha, corria um boato pela sala de audiências de que Constantin Demiris estaria presente.

Para todos os lados que os espectadores olhassem havia um rosto conhecido: um político, um cantor, um escultor de renome, um escritor internacionalmente famoso. Mas, embora o espetáculo do tribunal estivesse cheio de celebridades, o principal foco de atenção era o centro da arena.

Numa extremidade do banco dos réus estava sentada Noelle Page, em sua beleza perfeita, a pele cor de mel um pouco mais pálida que o normal e vestida como se tivesse acabado de sair da loja de madame Chanel. Noelle tinha uma qualidade real, uma presença nobre, que dava dignidade dramática ao que acontecia com ela, e isso estimulava a animação dos espectadores, aumentando-lhes a sede de sangue.

Como um semanário americano expressaria:

A EMOÇÃO QUE *fluía para Noelle Page, vinda da multidão que fora assistir a seu julgamento, era tão forte que se tornou quase uma presença física na sala de audiências. Não era um sentimento de simpatia ou de inimizade, era simplesmente um sentimento de expectativa. A mulher sendo julgada por homicídio pelo Estado era uma supermulher, uma deusa num pedestal de ouro, que estava no alto, acima deles, e todos estavam ali para ver seu ídolo ser baixado ao nível deles e ser destruído. A emoção dos espectadores na sala de audiências deve ter sido a mesma que havia nos corações dos camponeses que viram Maria Antonieta a caminho do carrasco na carroça.*

Noelle Page não era, porém, o único personagem no circo da lei. Na outra extremidade do banco dos réus encontrava-se Larry Douglas, cheio de uma raiva incontida. O rosto bonito estava pálido e ele tinha emagrecido, mas tais detalhes só serviam para acentuar-lhe as feições esculturais e muitas das mulheres presentes sentiam um impulso de tomá-lo nos braços e consolá-lo de alguma maneira. Desde que Larry fora preso, recebera centenas de cartas de mulheres de todo o mundo, dúzias de presentes e propostas de casamento.

O terceiro astro do circo era Napoleon Chotas, um homem que era tão conhecido na Grécia quanto Noelle Page. Napoleon Chotas era considerado um dos maiores advogados criminais do mundo. Tinha defendido clientes variando desde chefes de governo apanhados desfalcando os cofres públicos até assassinos apanhados em flagrante pela polícia, e nunca perdera uma grande causa. Era magro, de aparência emaciada, e observava os espectadores com grandes olhos tristes de sabujo num rosto arruinado. Quando Chotas dirigia a palavra ao júri, sua fala era lenta e hesitante e ele tinha dificuldade de se expressar. Às vezes ficava em tal agonia e embaraço que um jurado, para ajudá-lo, dizia a palavra que Napoleon procurava e, quando isso acontecia, o rosto do advogado se enchia de tamanho alívio e tão inexprimível gratidão que todo o júri sentia uma onda de afeição pelo homem. Fora do tribunal, Chotas era um orador resoluto e incisivo, com domínio consumado da língua e da sintaxe. Falava fluentemente sete idiomas e, quando sua agenda permitia, fazia conferências para juristas por todo o mundo.

Sentado à mesa dos advogados, a pequena distância de Chotas, estava Frederick Stavros, o advogado de defesa de Larry Douglas. Os peritos concordavam em que, embora Stavros fosse bastante competente para manejar questões de rotina, estava inapelavelmente desqualificado para um caso como aquele.

Noelle Page e Larry Douglas já tinham sido julgados nos jornais e na imaginação do povo e tinham sido condenados. Ninguém duvidava da culpa deles, nem por um momento. Jogadores profissionais estavam fazendo apostas de 30 para 1 de que os réus seriam condenados. Ao julgamento, então, juntava-se o espetáculo de ver o maior advogado criminal da Europa usar sua mágica contra enormes dificuldades.

Quando fora anunciado que Chotas defenderia Noelle Page, a mulher que havia traído Constantin Demiris e o expusera ao ridículo público, a notícia provocara furor. Por mais poderoso que fosse, Constantin Demiris era centenas de vezes mais poderoso e ninguém podia imaginar que diabo possuíra Chotas para que ele fosse contra Constantin Demiris. A verdade era ainda mais interessante que os rumores contraditórios que corriam de boca em boca.

O advogado aceitara a defesa de Noelle Page a pedido pessoal de Demiris.

TRÊS MESES ANTES da data marcada para o julgamento, o próprio diretor do presídio fora à cela de Noelle, na prisão São Nikodemous, para dizer a ela que Constantin Demiris havia pedido permissão para visitá-la. Noelle tinha se perguntado quando Demiris apareceria. Não houvera uma palavra dele desde que tinha sido presa, apenas um profundo e agourento silêncio.

Ela vivera com Demiris tempo suficiente para saber como era profundo seu senso de *amour-propre*, e como ele ia longe para se vingar até da menor injúria. Ela o humilhara como nenhuma outra pessoa jamais o fizera antes e ele era bastante poderoso para exigir uma terrível retribuição. A única pergunta era: como o faria? Noelle tinha certeza de que Demiris desdenharia qualquer coisa tão simples como subornar um júri ou os juízes. Não se satisfaria com menos que algum plano maquiavélico para executar sua vingança e ela ficara acordada no catre de sua cela, noite após noite, colocando-se no lugar de Demiris, abandonando uma estratégia após outra, da mesma forma que ele devia ter feito, procurando o plano ideal. Era como jogar um xadrez mental com Demiris, só que ela e Larry eram os peões e os prêmios eram morte e vida.

Era provável que Demiris a quisesse destruir e a Larry, mas Noelle conhecia melhor que ninguém a sutileza da mente de Demiris, portanto também era possível que ele planejasse destruir só um dos dois, de forma que o outro vivesse e sofresse.

Se Demiris arranjasse para que os dois fossem executados, teria tido a sua vingança, mas teria terminado rápido demais — nada mais restando para ele saborear. Noelle examinara com cuidado cada possibilidade, cada variação possível do jogo e parecia-lhe que Constantin Demiris talvez fizesse com que Larry morresse e a deixasse viver, ou na prisão ou sob seu controle, porque seria a maneira mais segura de prolongar indefinidamente sua vingança. Primeiro, Noelle sofreria a dor de perder o homem que amava e depois teria de suportar todas as agonias refinadas que Demiris tivesse planejado para seu futuro. Parte do prazer que ele experimentaria em sua vingança estaria em dizer a Noelle antes, de forma que ela pudesse sentir toda a medida do desespero.

Não foi portanto nenhuma surpresa para Noelle quando o diretor do presídio apareceu na cela para lhe dizer que Constantin Demiris queria vê-la.

ELA FOI A PRIMEIRA a chegar. Tinha sido introduzida no gabinete particular do diretor do presídio, onde fora deixada discretamente sozinha com uma bolsa de maquiagem trazida por uma das guardas, para que se preparasse para a visita de Demiris.

Noelle ignorou os cosméticos, pentes e escovas que estavam sobre a escrivaninha, andou até a janela e olhou para fora. Era a primeira vez que via o mundo exterior em três meses, exceto por rápidos relances, quando fora levada da cadeia São Nikodemous para o Arsakion, o Palácio da Justiça, no dia da citação. Fora transportada para o Tribunal numa camioneta da prisão com barras e escoltada até o subsolo, onde um elevador estreito e gradeado a levara junto com as guardiãs para o corredor do segundo andar. A audiência fora realizada e ela fora posta em detenção preventiva até o julgamento, voltando para a prisão.

Agora, Noelle olhava pela janela e observava o tráfego abaixo, na rua da Universidade, homens, mulheres e crianças apressando-se para ir para casa, para se juntarem a suas famílias. Pela primeira vez em sua vida, Noelle sentiu medo. Não tinha ilusões sobre as chances de ser absolvida. Tinha lido os jornais e sabia que aquilo ia ser mais que um julgamento. Seria um banho de sangue, em que ela e Larry serviriam de vítimas para satisfazer a consciência de uma sociedade ofendida. Os gregos a odiavam porque ela zombara da santidade do matrimônio, invejavam-na porque era jovem, bela e rica, desprezavam-na porque sentiam que era indiferente a seus sentimentos. No passado, Noelle dera pouco valor à vida, esbanjando o tempo descuidadamente, como se fosse eterno; mas agora alguma coisa nela mudara. A perspectiva da morte iminente fizera com que percebesse pela primeira vez o quanto queria viver. Havia um medo nela que era como câncer crescendo e, se pudesse, estava pronta a fazer um acordo em troca de sua vida, mesmo sabendo que Demiris encontraria maneiras de torná-la um inferno na Terra. Enfrentaria aquilo quando acontecesse. Quando chegasse a hora, descobriria uma forma de vencê-lo.

Nesse meio-tempo, precisava dele para continuar viva. Tinha uma vantagem: sempre considerara de maneira descuidada a ideia da morte, por isso Demiris não sabia o quanto a vida significava para ela. Se ele soubesse, certamente a deixaria morrer. Noelle perguntou-se, novamente, que teias ele estivera tecendo para ela durante aqueles últimos meses e, no mesmo momento em que se perguntava isso, ouviu a porta do gabinete se abrir, virou-se e viu Constantin Demiris de pé na porta e então, depois de um momento de choque enquanto o olhava, soube que não tinha mais nada a temer.

Constantin Demiris envelhecera dez anos nos poucos meses decorridos desde a última vez em que Noelle o vira. Estava magro e abatido, e as roupas estavam frouxas em seu corpo. Mas eram os olhos dele que prendiam sua atenção. Eram os olhos de uma alma que passara pelo inferno. A essência de poder que fora parte de Demiris, o âmago dinâmico e dominador de vitalidade, tinha desaparecido. Era como se um interruptor de luz tivesse sido desligado e tudo que sobrara era a sombra apagada de uma memória de brilho. Ele ficou ali, olhando para ela com os olhos cheios de dor.

Por uma fração de segundo, Noelle perguntou-se se aquilo poderia ser algum tipo de truque, parte de um plano, mas nenhum homem no mundo poderia ser tão bom ator. Foi ela quem quebrou o silêncio.

— Sinto muito, Constantin — disse.

Demiris assentiu devagar, como se o movimento lhe custasse um esforço.

— Eu queria matar você — disse numa voz cansada, e era a voz de um homem velho. — Tinha tudo planejado.

— Por que não matou?

Ele respondeu numa voz baixa:

— Porque você me matou primeiro. Eu nunca tinha precisado de ninguém antes. Acho que, na realidade, nunca tinha sofrido antes.

— Constantin...

— Não. Deixe-me acabar primeiro. Não sou homem de perdoar. Se eu pudesse passar sem você, acredite-me, eu o faria. Mas eu não posso. Não suporto mais. Quero você de volta, Noelle.

Ela lutou para nada demonstrar do que sentia por dentro.

— Isso não está mais nas minhas mãos, está?

— Se eu pudesse fazer com que você fosse libertada, você voltaria para mim? Para ficar?

Para ficar. Um milhão de imagens passou pela mente de Noelle. Nunca mais veria Larry, nunca mais o tocaria, o abraçaria. Ela não tinha escolha, mas, mesmo se tivesse, viver era melhor. E, enquanto estivesse viva, haveria sempre uma chance. Olhou para Demiris.

— Sim, Constantin.

Demiris olhou para ela com o rosto cheio de emoção. Quando falou, sua voz estava rouca:

— Obrigado — disse ele. — Nós vamos esquecer o passado. Passou, e nada o modificará. — A voz dele animou-se. — É no futuro que estou interessado. Vou contratar um advogado para você.

— Quem?

— Napoleon Chotas.

E aquele foi o momento em que Noelle realmente soube que havia vencido a partida de xadrez. Xeque. Xeque-mate.

AGORA, NAPOLEON CHOTAS estava sentado na longa mesa de madeira dos advogados, pensando na batalha que ia ser travada. Teria preferido mil vezes que o julgamento se realizasse em Ioannina em vez de Atenas, mas era impossível, visto que, de acordo com a lei grega, um julgamento não podia realizar-se no distrito onde o crime fora cometido. Chotas não tinha a menor dúvida sobre a culpabilidade de Noelle Page, mas aquilo não tinha importância para ele, pois, como todos os advogados criminais, sentia que a culpa ou inocência de um cliente era imaterial. Todos tinham direito a um julgamento justo.

O julgamento que ia ter início, entretanto, era uma coisa diferente. Pela primeira vez em sua vida profissional, Napoleon Chotas permitira-se um envolvimento emocional com um cliente: ele estava apaixonado por Noelle Page. Tinha ido vê-la a pedido de Demiris e, embora conhecesse a imagem pública de Noelle, estava totalmente despreparado para a realidade. Ela o recebera como a um convidado fazendo uma visita social. Não demonstrara nem nervosismo nem medo e, de início, Chotas atribuíra isso a sua falta de compreensão do estado desesperador de sua situação. O oposto provou ser a verdade. Noelle era a mulher mais inteligente e fascinante que jamais conhecera e, com certeza, a mais bonita. Chotas, embora a sua aparência o desmentisse, era um conhecedor de mulheres e reconheceu as qualidades especiais que Noelle possuía. Era uma alegria para ele apenas sentar-se e conversar com ela. Discutiam leis, arte, crime e História, e ela era uma surpresa constante. Podia compreender bem a ligação de Noelle com um homem como Constantin Demiris, mas o relacionamento dela com Larry Douglas o deixava perplexo. Sentia que ela estava muito acima de Douglas, mas achava que devia haver alguma química inexplicável que fazia com que as pessoas se apaixonassem pelos parceiros menos prováveis. Cientistas brilhantes casavam-se com louras de cabeça oca, grandes escritores, com atrizes burras, estadistas inteligentes se uniam a vagabundas.

Chotas lembrou-se do encontro com Demiris. Conheciam-se socialmente havia muitos anos, mas o escritório de advocacia de Chotas nunca fizera trabalho algum para ele. Demiris convidara Chotas para ir a sua casa em Varkiza e entrara direto no assunto, sem preâmbulos. "Como deve saber", dissera ele, "tenho profundo interesse nesse julgamento. A Srta. Page é a única mulher na minha vida que amei realmente." Os dois homens tinham conversado durante seis horas, discutindo todos os possíveis aspectos do caso, todas as estratégias viáveis. Ficou decidido que Noelle se declararia inocente. Quando Chotas se levantou para ir embora, um negócio tinha sido fechado: por aceitar a defesa de Noelle, Napoleon Chotas receberia o dobro de seus honorários normais e o seu escritório se tornaria a principal consultoria jurídica do vasto império de Constantin Demiris, uma mina que valia incontáveis milhões.

— Não me interessa como você o fará — concluíra Demiris, com crueldade. — Apenas proceda de forma que nada saia errado.

Chotas aceitara a barganha e, então, por ironia, se apaixonara por Noelle Page. Ele era um celibatário, embora tivesse um cordão interminável de amantes e, agora, quando encontrara a única mulher com quem desejaria casar-se, ela estava fora de seu alcance. Olhou para Noelle naquele momento, sentada no banco dos réus, linda e serena. Ela usava um costume simples, de lã preta, com uma blusa branca lisa, de gola alta, e parecia uma princesa saída de um conto de fadas.

Noelle virou-se, viu Chotas olhando para ela e deu-lhe um sorriso cálido. Ele retribuiu o sorriso, mas sua mente já estava voltada para a difícil tarefa que tinha diante de si. O oficial de justiça estava pedindo ordem na corte.

Os espectadores levantaram-se quando dois juízes em vestes talares entraram e tomaram seus lugares na tribuna. O terceiro juiz, presidente da corte, os seguiu, ocupou o assento do meio e entoou: *I synethriassis archetai.*

O julgamento havia começado.

PETER DEMONIDES, PROMOTOR especial do Estado, levantou-se nervoso para fazer o discurso de abertura para o júri. Demonides era um promotor eficiente e capaz, mas já se confrontara com Napoleon Chotas antes — muitas vezes, na verdade — e os resultados eram invariavelmente os mesmos: o velhaco era invencível. Quase todos os advogados nos tribunais intimidavam as testemunhas hostis, mas Chotas as tratava com carinho, as cultivava e as amava, e antes que tivesse terminado elas estavam se contradizendo de todas as maneiras, tentando ajudá-lo. Tinha um jeito de transformar as provas em especulações e estas em mera fantasia, e possuía o raciocínio jurídico mais brilhante que Demonides jamais encontrara. Era a maior autoridade em jurisprudência, mas não era esta sua força. Sua força era o conhecimento que tinha de gente. Um repórter uma vez perguntara a Chotas como aprendera tanto sobre a natureza humana.

— Eu não sei coisa alguma sobre a natureza humana — respondera Chotas. — Só sei sobre *gente.* — E o comentário fora muito citado.

Somado a todo o resto, havia o fato de que aquele era o tipo de julgamento feito sob medida para Chotas defender diante de um júri, cheio como era de magia, paixão e morte. De uma coisa Demonides estava certo: Napoleon Chotas não deixaria de forma alguma que algo o impedisse de ganhar aquele caso. Mas nem Demonides o faria. Sabia que tinha um caso forte, baseado em provas contra os réus, e, embora Chotas fosse capaz de enfeitiçar o júri, fazendo-o negligenciar as provas, não poderia manejar os três juízes na mesa. Portanto, foi com um sentimento de determinação, misturado com apreensão, que o promotor especial do Estado começou seu discurso de abertura.

Em traços precisos e experientes, Demonides delineou o caso do Estado contra os dois réus. Segundo a lei, o primeiro membro do júri, composto de dez homens, era um advogado e por isso Demonides dirigiu a ele os comentários legais, fazendo os comentários de ordem geral ao resto do júri.

— Antes de este julgamento estar terminado, o Estado provará que estas duas pessoas conspiraram juntas para assassinar a sangue-frio Catherine Douglas, porque ela estava no caminho de seus planos. Seu único crime foi ter amado o marido e, por isso, ela foi morta. Os dois acusados estavam na cena do crime. São os únicos que tinham o motivo e a oportunidade. Provaremos além de qualquer sombra de dúvida...

Demonides fez um discurso breve e objetivo e chegou a vez do advogado de defesa.

Os espectadores na sala de audiências observaram Napoleon Chotas enquanto ele juntava desajeitado seus papéis e preparava-se para fazer o discurso de abertura. Devagar, ele se aproximou da tribuna do júri, numa atitude hesitante e difícil, como se estivesse assustado com o ambiente em que se encontrava.

Observando-o, William Fraser não pôde deixar de maravilhar-se com sua habilidade. Se não tivesse, uma vez, passado uma noite com Chotas numa festa na embaixada britânica, Fraser também teria sido enganado pela atitude do homem. Podia ver os jurados obsequiosamente inclinando-se para a frente, para apanharem as palavras que saíam com suavidade dos lábios de Napoleon Chotas.

— Esta mulher em julgamento — dizia Chotas aos jurados — não está sendo julgada por homicídio. Não houve homicídio. Se *tivesse havido* um homicídio, tenho certeza de que meu brilhante colega do Estado teria tido a bondade de nos mostrar o corpo da vítima. Ele não o fez, portanto devemos presumir que não há corpo. E portanto não há homicídio. — Ele parou e coçou o lado da cabeça, como se estivesse tentando lembrar-se de onde havia parado. Balançou a cabeça para si mesmo e então ergueu os olhos para o júri. — Não, senhores, não é sobre isto este julgamento. Minha cliente está sendo julgada porque violou *outra* lei, uma lei não escrita, que diz que não se deve fornicar com o marido de outra mulher. A imprensa já a condenou e agora pedem que ela seja punida.

Chotas parou para puxar um grande lenço branco, olhou-o por um momento, como se estivesse se perguntando como ele fora parar ali, assoou o nariz e recolocou o lenço no bolso.

— Muito bem — continuou. — Se ela violou uma lei vamos puni-la. Mas não por homicídio, senhores. Não por um homicídio que nunca foi cometido. Noelle Page era culpada de ser amante de — ele fez uma pausa delicada — um homem muito importante. O nome dele é um segredo, mas se tiverem de saber, podem encontrá-lo na primeira página de qualquer jornal.

Houve um riso divertido por parte dos espectadores.

Auguste Lanchon virou-se em sua cadeira e olhou furioso os assistentes, os olhinhos cobiçosos cintilando de raiva. Como ousavam rir de sua Noelle! Demiris nada significava para ela, nada. O homem a quem uma mulher entregava sua virgindade era aquele a quem ela sempre amava. O pequeno comerciante gordo de Marselha não conseguira ainda comunicar-se com Noelle, mas pagara 400 preciosas dracmas por um bilhete de entrada e poderia ver sua amada o dia todo. Quando ela fosse absolvida, Lanchon apareceria e tomaria conta de sua vida. Voltou a atenção para o advogado.

— Foi dito pela acusação que os dois réus, a Srta. Page e o Sr. Lawrence Douglas, assassinaram a esposa do Sr. Douglas para que pudessem se casar. Olhem para eles.

Chotas virou-se para olhar para Noelle Page e Larry Douglas e todos os olhos no tribunal fizeram o mesmo.

— Estão eles apaixonados um pelo outro? É possível. Mas será que isto faz deles conspiradores, maquinadores e assassinos? Não. Se há vítimas neste julgamento, os senhores estão olhando para elas agora. Examinei todas as provas com muito cuidado e me convenci, como convencerei os senhores, de que estas duas pessoas são inocentes. Por favor, deixem-me tornar claro para o júri que não represento Lawrence Douglas. Ele tem seu próprio advogado, por sinal muito capaz. Mas foi alegado pela acusação que são companheiros de conspiração, que planejaram e cometeram o assassinato juntos. Portanto, se um é culpado, ambos são culpados. Eu lhes direi agora que ambos são inocentes. E nada menos que o corpo de delito me fará mudar de ideia. E este não existe.

A voz de Chotas ficou mais zangada.

— Isto é pura ficção! Minha cliente sabe tanto quanto os senhores se Catherine Douglas está viva ou morta. Como saberia ela? Nunca a viu sequer, quanto mais fez algum mal a ela. Imaginem a monstruosidade de ser acusado de ter matado alguém em quem nunca se pôs os olhos. Há muitas teorias sobre o que poderia ter acontecido à Sra. Douglas. Que ela foi assassinada é uma delas. Mas *apenas* uma. A teoria mais provável é a de que, de alguma forma, ela descobriu que seu marido e a Srta. Page se amavam e, por ter-se sentido ferida, não com medo, senhores, ferida, ela fugiu. A coisa é simples assim e, por isso, não são executados uma mulher inocente e um homem inocente.

Frederick Stavros, o advogado de Larry, deu um suspiro de alívio. Seu pesadelo constante fora que Noelle Page fosse absolvida enquanto seu cliente fosse condenado. Se isso acontecesse, ele se tornaria o palhaço dos advogados. Stavros estivera buscando uma maneira de valer-se da superioridade de Napoleon Chotas e agora Chotas o fizera para ele. Ao ligar os dois acusados, como acabara de fazer, tornara a defesa de Noelle a defesa de seu cliente. Se ganhasse o julgamento, todo o futuro de Frederick Stavros se modificaria, teria tudo que sempre quisera. Estava cheio de um sentimento de gratidão pelo velho mestre.

Stavros notou, com satisfação, que o júri estava atento a cada palavra de Chotas.

— Esta não é uma mulher interessada em coisas materiais — dizia Chotas com admiração. — Estava pronta a desistir de tudo, sem hesitação, pelo homem que amava. É claro, meus bons amigos, que este não é o caráter de uma assassina traiçoeira e dissimulada.

À medida que Chotas continuava, as emoções do júri se moviam como uma maré visível, dirigindo-se para Noelle Page com crescente simpatia e compreensão. Lenta e habilidosamente, o advogado construiu o retrato de uma bela mulher que era a amante de um dos homens mais poderosos e ricos do mundo, que tinha todos os luxos, privilégios e prodigalidades, mas que, no fim, sucumbira ao seu amor por um jovem piloto sem tostão, que conhecia havia apenas pouco tempo.

Chotas tocava as emoções do júri como um grande músico, fazendo-os rir, trazendo-lhes lágrimas aos olhos e sempre mantendo-lhes a atenção cativada. Quando o discurso de abertura terminou, Chotas voltou desajeitado para a mesa comprida e sentou-se de maneira desastrada e os espectadores fizeram um esforço para não romper em aplausos.

LARRY DOUGLAS, SENTADO no banco dos réus, ouvia Chotas defendê-lo e estava furioso. Não precisava de ninguém para defendê-lo. Não fizera nada errado, todo este julgamento era um erro estúpido e, se havia alguma culpa, era de Noelle. Fora tudo ideia dela. Olhou para ela naquele momento, bela e serena, mas não sentiu nenhuma pontada de desejo, só a lembrança de uma paixão, uma leve sombra emocional, e espantou-se de ter arriscado a vida por aquela mulher. Seus olhos dirigiram-se para o lugar reservado à imprensa. Uma jovem e atraente repórter, nos seus 20 anos, olhava para ele. Deu-lhe um pequeno sorriso e observou o rosto dela se iluminar.

PETER DEMONIDES INTERROGAVA uma testemunha.

— Por favor, diga seu nome à Corte.

— Alexis Minos.

— Ocupação?

— Sou advogado.

— Olhe para os acusados sentados no banco dos réus, Sr. Minos, e diga à Corte se já viu qualquer deles antes.

— Sim, senhor. Um deles.

— Qual?

— O homem.

— O Sr. Lawrence Douglas?

— Correto.

— Diga-nos, por favor, em que circunstâncias viu o Sr. Douglas.

— Ele foi ao meu escritório há seis meses.

— Ele foi consultá-lo em sua capacidade profissional?

— Sim.

— Em outras palavras, ele requisitou algum serviço?

— Sim.

— E nos diria, por favor, que era que ele queria que fizesse?

— Pediu-me que tratasse do seu divórcio.

— E ele o contratou com esse objetivo?

— Não. Quando me explicou as circunstâncias, disse-lhe que seria impossível obter o divórcio na Grécia.

— E quais eram as circunstâncias?

— Primeiro ele disse que não devia haver nenhuma publicidade e, depois, que sua esposa não lhe queria dar o divórcio.

— Em outras palavras, tinha pedido o divórcio a sua mulher e ela recusara?

— Isso foi o que ele me disse.

— E explicou a ele que não podia ajudá-lo? Que, a menos que a mulher dele consentisse em lhe dar o divórcio, seria difícil ou mesmo impossível obtê-lo e que era bastante provável que houvesse publicidade?

— Correto.

— Portanto, a menos que tomasse medidas desesperadas, não havia nada que o acusado pudesse...

— Objeção!

— Sustentada.

— A testemunha é sua.

NAPOLEON CHOTAS LEVANTOU-SE da cadeira com um suspiro e andou devagar até onde se encontrava a testemunha. Peter Demonides não estava preocupado. Minos era um advogado experiente demais para ser enganado pelos truques da retórica de Chotas.

— O senhor é advogado, Sr. Minos.

— Sou.

— E um advogado excelente, tenho certeza. Estou surpreso por nossos caminhos profissionais não terem se cruzado antes. O escritório em que estou lida com diversos ramos do Direito. Talvez conheça um dos meus sócios em algum litígio envolvendo corporações?

— Não. Não trabalho em questões que envolvam corporações.

— Desculpe-me. Talvez algum caso de tributação, então?

— Não sou advogado tributário.

— Oh! — Chotas começava a parecer espantado e pouco à vontade, como se estivesse passando por idiota. — Seguros?

— Não. — Minos estava começando a se divertir com a humilhação do advogado. Seu rosto tomou uma expressão presunçosa e Peter Demonides começou a ficar preocupado. Quantas vezes vira aquela expressão no rosto de testemunhas que Napoleon Chotas estava preparando para o matadouro?

Chotas coçava a cabeça, frustrado.

— Desisto — disse com ingenuidade. — Em que ramo do Direito o senhor se especializou?

— Casos de divórcio. — A resposta era como uma seta farpada, lançada com perfeição.

Uma expressão de pesar apareceu no rosto de Chotas e ele sacudiu a cabeça.

— Eu deveria ter sabido que meu bom amigo, o Sr. Demonides, traria um perito.

— Muito obrigado. — Alexis Minos não fez nenhuma tentativa de ocultar seu convencimento. Nem todas as testemunhas tinham a oportunidade de bater Chotas e, em sua mente, Minos já enfeitava a história para contá-la no clube aquela noite.

— Nunca trabalhei num caso de divórcio — confessava Chotas numa voz constrangida. — Por isso terei de recorrer a sua habilidade.

O velho advogado rendera-se por completo. Ia ser uma história ainda melhor do que Minos havia antecipado.

— Aposto como é muito ocupado — disse Chotas.

— Trato de tantos casos quanto posso manejar.

— Tantos quanto possa manejar! — Havia franca admiração na voz de Chotas.

— Às vezes até mais. — Peter Demonides olhou para baixo, para o chão, incapaz de continuar vendo o que acontecia. A voz de Chotas tomou um tom respeitoso:

— Não quero me intrometer em seus negócios particulares, Sr. Minos, mas, como simples curiosidade profissional, quantos clientes diria que passam por sua porta num ano?

— Bem, isto é bastante difícil de dizer.

— Ora, Sr. Minos. Não seja modesto. Faça uma estimativa.

— Creio que uns duzentos. Aproximadamente, compreende?

— Duzentos divórcios por ano! Só o trabalho com a papelada deve ser de matar.

— Bem, na realidade não há duzentos divórcios.

Chotas esfregou o queixo, perplexo.

— Como?

— Não são *todos* divórcios.

Uma expressão de espanto apareceu no rosto de Chotas.

— O senhor não disse que só trabalhava em casos de divórcio?

— Sim, mas... — a voz de Minos vacilou.

— Mas o quê? — perguntou Chotas sem compreender.

— Bem, o que quero dizer é que nem todos se divorciam.

— Mas não é para isso que procuram o senhor?

— Sim, mas alguns deles... bem... mudam de ideia por qualquer razão.

Chotas assentiu, em repentina compreensão.

— Ah! Quer dizer que há uma reconciliação ou alguma coisa do gênero?

— Exato — disse Minos.

— De forma que o que está dizendo é que... O quê? dez por cento acabam por não ir adiante com a ação de divórcio?

Minos mexeu-se na cadeira, pouco à vontade.

— A percentagem é um pouco mais alta.

— Quanto mais alta? Quinze por cento? Vinte?

— Perto dos quarenta por cento.

Napoleon Chotas olhou para ele com espanto.

— Sr. Minos, está nos dizendo que quase a metade das pessoas que vão ver o senhor decide não se divorciar?

— Sim.

Gotículas de suor apareciam na testa de Minos. Ele se virou para Peter Demonides, mas este se concentrava firmemente numa rachadura no chão.

— Bem, tenho certeza de que não é por falta de confiança em sua habilidade — disse Chotas.

— Por certo que não — disse Minos na defensiva. — Com frequência eles me procuram num impulso idiota. O marido ou a mulher têm uma briga e pensam que se odeiam, acham que querem o divórcio, mas quando se chega à coisa propriamente dita, na maior parte dos casos eles mudam de ideia.

Ele parou de repente, ao perceber a importância de suas palavras.

— Obrigado — disse Chotas com gentileza. — O senhor ajudou muito.

PETER DEMONIDES interrogava a testemunha.

— Qual é o seu nome, por favor?

— Kasta. Irene Kasta.

— Senhora ou senhorita?

— Senhora. Sou viúva.

— Qual é a sua ocupação, Sra. Kasta?

— Sou caseira.

— Onde trabalha?

— Trabalho para uma família em Rafina.

— É uma cidadezinha perto do mar, não é? A uns 100 quilômetros ao norte de Atenas?

— Sim.

— Por favor, quer olhar para os dois acusados sentados no banco dos réus? Já os viu alguma vez antes?

— Claro. Muitas vezes.

— Nos diria em que circunstâncias?

— Eles moram numa casa ao lado da *villa* onde trabalho. Vi *eles* muitas vezes na praia. Estavam nus.

Houve um suspiro por parte dos espectadores e então um rápido zumbido de conversa. Peter Demonides olhou para Chotas, para ver se ele ia objetar, mas o velho advogado estava sentado à mesa com um sorriso sonhador no rosto. O sorriso fez com que Demonides ficasse ainda mais nervoso. Voltou-se para a testemunha.

— Tem certeza de que estas são as duas pessoas que viu? Sabe que está sob juramento.

— São os dois, sim.

— Quando estavam juntos na praia pareciam ser íntimos?

— Bem, não agiam como irmãos.

Os espectadores riram.

— Obrigado, Sra. Kasta. — Demonides virou-se para Chotas. — A testemunha é sua.

Napoleon Chotas assentiu com amabilidade, levantou-se e dirigiu-se devagar para a mulher na tribuna das testemunhas.

— Há quanto tempo trabalha nessa *villa*, Sra. Kasta?

— Há sete anos.

— Sete anos! Deve ser muito competente em seu trabalho.

— Pode apostar que sou.

— Talvez possa recomendar-me uma boa caseira. Ando pensando em comprar uma casa na praia de Rafina. Meu problema é que preciso de isolamento para poder trabalhar. Que eu me lembre, aquelas *villas* são todas grudadas umas nas outras.

— Ah, não, senhor. Cada *villa* é separada da outra por um muro alto.

— Ah, bom. E não são muito próximas uma da outra?

— Não, senhor, nem um pouco. As *villas* ficam a pelo menos uns 50 metros uma da outra. Conheço uma que está à venda. O senhor teria todo o isolamento de que precisa e posso recomendar minha irmã para ser caseira para o senhor. Ela é boa, é limpa e sabe cozinhar.

— Bem, obrigado, Sra. Kasta, parece ótimo. Talvez eu possa telefonar para ela esta tarde.

— Ela trabalha fora durante o dia. Estará em casa às seis.

— Que horas são agora?

— Não tenho relógio.

— Há um grande relógio naquela parede ali. Que horas está marcando?

— Bem, é difícil de distinguir. Está do outro lado da sala.

— A que distância diria que está aquele relógio?

— Cerca de, hum, 15 metros.

— Sete metros, Sra. Kasta. Não tenho mais perguntas a fazer.

ERA O QUINTO DIA do julgamento. A perna amputada do Dr. Israel Katz estava doendo outra vez. Enquanto operava, podia ficar de pé com a perna mecânica durante horas, e nunca o incomodava. Mas sentado ali, sem a intensa concentração para distrair sua atenção, as extremidades do nervo ficavam mandando mensagens de memória para um membro que já não existia mais. Katz ajeitou-se impaciente na cadeira, tentando diminuir a pressão no quadril. Tentara ver Noelle todos os dias desde que chegara a Atenas, mas não tivera sucesso. Falara com Napoleon Chotas e o advogado havia explicado que Noelle estava perturbada demais para ver velhos amigos e que seria melhor esperar até que o julgamento estivesse terminado. Israel Katz pedira a ele que dissesse a Noelle que estava ali para ajudá-la como pudesse, mas não tinha certeza de que ela tinha recebido o recado. Tinha estado sentado na Corte dia após dia, esperando que Noelle olhasse em sua direção, mas nunca, nem de relance, ela olhava os espectadores.

Israel Katz devia a vida a ela e sentia-se frustrado porque não havia forma alguma pela qual pudesse ajudar, pagando-lhe a dívida. Não tinha ideia de como o julgamento ia, ou se Noelle seria condenada ou absolvida. Soubera por Chotas que, segundo a lei grega, só havia dois veredictos possíveis: inocente ou culpada. Se Noelle fosse julgada inocente, seria libertada. Se fosse culpada, seria executada.

UMA TESTEMUNHA da acusação estava fazendo o juramento.

— Qual é o seu nome?

— Christian Barbet.

— O senhor é cidadão francês, Sr. Barbet?

— Sim.

— E onde reside?

— Em Paris.

— Por favor, diga à Corte, qual é a sua ocupação?

— Sou dono de uma agência de detetives particulares.

— E onde está localizada essa agência?

— O escritório central é em Paris.

— Com que tipo de casos trabalha?

— Diversos tipos... furtos comerciais, pessoas desaparecidas, vigilância para maridos ciumentos ou esposas...

— Monsieur Barbet, queira olhar para este tribunal e diga-nos se alguém nesta sala já foi seu cliente.

Ele deu um longo e lento olhar em torno da sala.

— Sim, senhor.

— Por favor, nos diria quem é essa pessoa?

— A senhora que está sentada ali. Senhorita Noelle Page.

Houve um murmúrio de interesse por parte dos espectadores.

— Está nos dizendo que a Srta. Page o contratou para trabalhar para ela?

— Sim, senhor.

— E nos diria com exatidão no que consistia esse trabalho?

— Sim, senhor. Estava interessada num homem chamado Larry Douglas. Queria que eu descobrisse tudo que pudesse sobre ele.

— Seria o mesmo Larry Douglas que está sendo julgado nesta Corte?

— Sim, senhor.

— E a Srta. Page o pagou por isso?

— Sim, senhor.

— Queira, por favor, olhar estes documentos em minha mão. São estes os recibos dos pagamentos que lhe foram feitos?

— Correto.

— Diga-nos, *monsieur* Barbet, como obteve essas informações sobre o Sr. Douglas?

— Foi muito difícil. O senhor vê, eu estava na França e o Sr. Douglas estava na Inglaterra e depois nos Estados Unidos, e com a França ocupada pelos alemães...

— Como disse?

— Eu disse, com a França ocupada...

— Espere um momento. Quero ter certeza de que compreendo o que está dizendo, Monsieur Barbet. Nos foi dito pelo advogado da Srta. Page que ela e Larry Douglas só se conheceram há poucos meses e ficaram loucamente apaixonados. Agora o senhor está dizendo a esta Corte que a ligação amorosa deles começou... há quanto tempo?

— Há pelo menos seis anos.

Pandemônio.

Demonides lançou um olhar triunfante a Chotas.

— A testemunha é sua.

Napoleon Chotas esfregou os olhos, levantou-se da mesa comprida onde estava sentado e andou até a tribuna das testemunhas.

— Não vou detê-lo por muito tempo, Sr. Barbet. Sei que deve estar ansioso para voltar para sua família na França.

— Pode usar quanto tempo quiser, senhor — disse ele, convencido.

— Obrigado. Desculpe-me a intimidade, mas é um belo terno esse que está usando, Sr. Barbet.

— Obrigado.

— Foi feito em Paris, não foi?

— Sim, senhor.

— Cai muito bem. Não pareço ter sorte com meus ternos. Já experimentou os alfaiates ingleses? Dizem que também são excelentes.

— Não, senhor.

— Com certeza, já esteve na Inglaterra muitas vezes?

— Bem... não.

— Nunca?

— Não, senhor.

— Já esteve nos Estados Unidos?

— Não.

— Nunca?

— Não, senhor.

— Já visitou o Pacífico Sul?

— Não, senhor.

— Então o senhor deve ser mesmo um detetive fantástico, Sr. Barbet. Tiro o meu chapéu para o senhor. Estes seus relatórios cobrem as atividades de Larry Douglas na Inglaterra, nos Estados Unidos e no Pacífico Sul, e no entanto o senhor nos diz que nunca esteve em nenhum desses lugares. Só posso presumir que o senhor é vidente.

— Permita-me corrigi-lo. Não me era necessário ter ido a nenhum desses lugares. Eu utilizo o que chamamos de agências correspondentes na Inglaterra e nos Estados Unidos.

— Ah, perdoe-me a ignorância. É claro! Portanto, na realidade foram *aquelas* pessoas que cobriram as atividades do Sr. Douglas?

— *Exactement.*

— E, portanto, o fato é que o senhor mesmo não tem conhecimento pessoal dos movimentos de Larry Douglas.

— Bem... não, senhor.

— Portanto, em realidade, suas informações são de segunda mão.

— Acho que... num certo sentido, sim.

Chotas virou-se para o júri.

— Faço uma moção no sentido de que todas as declarações desta testemunha sejam eliminadas, sob o fundamento de que constituem boato, Meritíssimos.

Peter Demonides ergueu-se de um salto.

— Objeção! Meritíssimo! Noelle Page contratou o Sr. Barbet para obter informações sobre Larry Douglas. Isto não é boato...

— Meu prezado colega apresentou os relatórios como provas — disse Chotas, com suavidade. — Estou pronto a concordar em aceitá-los se ele quiser trazer os homens que, de fato, se ocuparam da vigilância do Sr. Douglas. De outra forma, terei de pedir à Corte que presuma que tal vigilância não existiu e que considere o testemunho do Sr. Barbet inválido.

O presidente da Corte virou-se para Demonides.

— Está preparado para trazer as testemunhas aqui? — perguntou ele.

— É impossível — disse Peter Demonides, confuso. — O Sr. Chotas sabe que levaria semanas para que fossem localizadas!

O presidente virou-se para Chotas.

— Moção aceita.

467

PETER DEMONIDES interrogava.

— Por favor, qual é o seu nome?

— George Mousson.

— Qual é sua ocupação?

— Sou empregado da recepção do Hotel Palace, em Ioannina.

— Queira olhar, por favor, os dois acusados sentados ali no banco dos réus. Já os viu antes?

— Já vi o homem. Foi hóspede do hotel em agosto do ano passado.

— Era o Sr. Lawrence Douglas?

— Sim, senhor.

— Ele estava sozinho quando se hospedou no hotel?

— Não, senhor.

— Diga-nos, com quem ele estava?

— Com a esposa dele.

— Catherine Douglas?

— Sim, senhor.

— Eles se registraram como Sr. e Sra. Douglas?

— Sim, senhor.

— Alguma vez conversou com o Sr. Douglas sobre as grutas de Perama?

— Sim, senhor, conversamos.

— Foi o senhor quem tocou no assunto ou foi o Sr. Douglas?

— Que eu me lembre, foi ele. Perguntou-me a respeito e disse que a senhora dele estava ansiosa para que ele a levasse lá. Disse que ela adorava grutas. Achei estranho.

— Por quê?

— Bem, as mulheres em geral não se interessam por explorações e coisas assim.

— Por acaso não falou alguma vez com a Sra. Douglas sobre as grutas?

— Não, senhor. Só com o Sr. Douglas.

— E o que disse a ele?

— Bem, lembro-me de ter dito que as grutas podiam ser perigosas.

— Disse alguma coisa a respeito de um guia?

O empregado assentiu.

— Tenho certeza de que sugeri que ele contratasse um guia. Eu recomendo isso a todos os nossos hóspedes.

— Não tenho mais perguntas. A testemunha é sua, Sr. Chotas.

— HÁ QUANTO TEMPO trabalha no hotel, Sr. Mousson?

— Há mais de vinte anos.

— E antes era psiquiatra?

— Eu? Não, senhor.

— Psicólogo, então?

— Não, senhor.

— Ah! Então o senhor não é uma autoridade no comportamento feminino?

— Bem, posso não ser um psiquiatra, mas trabalhando em hotéis se aprende muito sobre as mulheres.

— O senhor sabe quem é Osa Johnson?

— Osa...? Não.

— É uma exploradora famosa. Já ouviu falar de Amelia Earhart?

— Não, senhor.

— Margaret Mead?

— Não, senhor.

— É casado, Sr. Mousson?

— Agora, não. Mas já me casei três vezes, portanto sou bastante conhecedor de mulheres.

— Ao contrário, Sr. Mousson. Acho que se fosse de fato um conhecedor de mulheres teria sido capaz de manter pelo menos *um* casamento. Não tenho mais perguntas.

— QUAL É O SEU NOME, por favor?

— Christopher Cocyannis.

— Qual é a sua ocupação?

— Sou guia nas grutas de Perama.

— Há quanto tempo trabalha como guia lá?

— Há dez anos.

— É um bom negócio?

— Muito bom. Milhares de turistas vão ver as grutas todos os anos.

— Por favor, olhe para o homem sentado naquele banco. Já viu o Sr. Douglas antes?

— Sim, senhor. Ele foi ver as grutas em agosto.

— Tem certeza?

— Tenho.

— Ora, na verdade isto espanta todos nós, Sr. Cocyannis. Dentre todos os milhares de pessoas que vão às grutas, é capaz de se lembrar de um homem?

— Tenho minhas razões para não esquecê-lo.

— Por que isto, Sr. Cocyannis?

— Primeiro, porque ele não quis contratar guia.

— Todos os visitantes contratam guias?

— Os alemães e os franceses são pães-duros demais, mas os americanos sempre contratam.

Risos.

— Compreendo. Houve alguma outra razão para que se lembrasse do Sr. Douglas?

— Pode apostar que sim. Não o teria notado em especial exceto pelo negócio do guia, e a mulher que estava com ele pareceu ficar meio embaraçada quando ele recusou. Então, cerca de uma hora depois, eu o vi saindo apressado e ele estava sozinho, parecendo muito preocupado, e pensei que talvez a mulher tivesse sofrido um acidente ou coisa assim. Fui até ele e perguntei se a senhora estava bem, e ele olhou para mim meio esquisito e perguntou: "Que senhora?", e eu disse: "A senhora que entrou nas grutas com o senhor." E ele ficou branco e pensei que fosse bater em mim. Então começou a gritar: "Eu a perdi. Preciso de ajuda!" E começou a agir como um louco.

— Mas ele não pediu ajuda até que o senhor perguntou onde a mulher estava?

— Isso mesmo.

— O que aconteceu depois?

— Bem, chamei os outros guias e começamos uma busca. Algum idiota tinha tirado o cartaz de *Perigo* da parte nova. Não está aberta para o público. Foi lá que a encontramos afinal, cerca de três horas depois. Ela estava num estado um bocado ruim.

— Uma última pergunta. E responda com muito cuidado. A princípio, quando o Sr. Douglas saiu da gruta, ele estava olhando em volta procurando alguém para ajudá-lo ou teve a impressão de que ele estava indo embora?

— Ele estava indo embora.

— A testemunha é sua.

A voz de Chotas era muito gentil.

— Sr. Cocyannis, o senhor é psiquiatra?

— Não, senhor. Sou guia.

— E não é vidente?

— Não, senhor.

— Pergunto porque, na semana passada, tivemos recepcionistas de hotéis que são autoridades em comportamento humano, testemunhas visuais que não enxergam, e agora o senhor nos diz que pode olhar para um homem que atraiu sua atenção porque parecia estar agitado e ler os pensamentos dele. Como *soube* que ele não estava procurando ajuda quando se aproximou e falou com ele?

— Não pareceu que estivesse.

— E pode lembrar-se tão bem do comportamento dele?

— Claro que sim.

— É óbvio que tem uma memória notável. Quero que olhe para as pessoas aqui no tribunal. Já viu alguém que esteja nesta sala antes?

— O acusado.

— Sim. E além dele? Não precisa ter pressa.

— Não.

— Se tivesse visto, se lembraria?

— Claro que sim.

— Já me viu alguma vez antes de hoje?

— Não, senhor.

— Por favor, queira examinar este pedaço de papel. Pode me dizer o que é?

— É um bilhete de entrada.

— Para onde?

— Para as grutas de Perama.

— E qual é a data marcada nele?

— Segunda-feira. Há três semanas.

— Sim. Este bilhete foi comprado e usado por mim, Sr. Cocyannis. Havia mais cinco pessoas no meu grupo. O senhor foi nosso guia. Não tenho mais perguntas.

— Qual é a sua ocupação?

— Sou mensageiro do Hotel Palace, em Ioannina.

— Por favor, olhe para a acusada sentada ali, no banco dos réus. Já a viu antes?

— Sim, senhor. No cinema.

— Já a viu pessoalmente antes do dia de hoje?

— Sim, senhor. Ela foi ao hotel e perguntou-me em que quarto estava o Sr. Douglas. Disse a ela que teria de perguntar na recepção e ela disse que preferia não incomodá-los, por isso eu dei a ela o número do bangalô.

— E quando foi isso?

— No dia 1º de agosto. O dia do *meltemi*.

— E tem certeza de que é a mesma mulher?

— Como a esqueceria? Ela me deu uma gorjeta de 200 dracmas.

O JULGAMENTO ENTRAVA em sua quarta semana. Todos concordavam em que Napoleon Chotas estava fazendo a melhor defesa que já tinham testemunhado. Mas, apesar disso, a teia da culpa estava sendo apertada cada vez mais.

Peter Demonides construía um quadro de um casal de amantes desesperados para ficarem juntos, para se casarem, com apenas Catherine Douglas impedindo o seu caminho. Devagar, dia após dia, Demonides laborava no plano para assassiná-la.

O advogado de Larry Douglas, Frederik Stavros, tinha abdicado de sua posição com prazer em favor de Napoleon Chotas. Mas agora, até Stavros começava a sentir que seria preciso um milagre para obter uma absolvição. Stavros olhou para a cadeira vazia na sala de audiências lotada de gente e perguntou-se se Constantin Demiris ia mesmo aparecer. Se Noelle Page fosse condenada, o magnata grego provavelmente não viria, pois aquilo significaria que fora derrotado. Por outro lado, se ele soubesse que haveria absolvição, era provável que aparecesse. A cadeira vazia tornava-se um símbolo, indicando para que lado o julgamento iria.

A cadeira permaneceu vazia.

FOI NUMA SEXTA-FEIRA que o caso finalmente explodiu.

— Quer nos dizer seu nome, por favor?

— Dr. Kazomides. John Kazomides.

— Encontrou alguma vez o Sr. ou a Sra. Douglas, doutor?

— Sim, senhor. Ambos.

— Em que ocasião?

— Recebi um chamado para ir às grutas de Perama. Uma mulher estivera perdida e, quando o grupo de busca a encontrou, estava em estado de choque.

— Estava ferida fisicamente?

— Sim. Havia contusões múltiplas. As mãos e os braços dela tinham se arranhado muito nas rochas. Tinha caído e batido com a cabeça, e diagnostiquei uma provável concussão. Imediatamente apliquei uma injeção de morfina por causa da dor e ordenei que ela fosse levada para o hospital local.

— E foi para lá que ela foi levada?

— Não, senhor.

— Diria ao júri por que não?

— Devido à insistência do marido dela, foi levada de volta ao bangalô onde estavam hospedados, no Hotel Palace.

— Isso lhe pareceu estranho, doutor?

— Ele disse que ele mesmo queria cuidar dela.

— Assim, a Sra. Douglas foi levada para o hotel. O senhor a acompanhou até lá?

— Sim. Insisti em acompanhá-la até o bangalô. Queria estar ao lado dela quando acordasse.

— E estava lá quando ela acordou?

— Sim, senhor.

— A Sra. Douglas lhe disse alguma coisa?

— Sim, disse.

— Queira dizer à Corte o que ela disse.

— Disse-me que seu marido havia tentado matá-la.

Passaram-se cinco minutos antes que conseguissem acalmar o tumulto na Corte, e apenas quando o presidente ameaçou fazer evacuar a sala foi que o murmúrio afinal se calou. Napoleon Chotas tinha andado até o banco dos acusados e estava tendo uma conferência apressada com Noelle Page. Pela primeira vez, ele parecia estar preocupado. Demonides continuava com o interrogatório.

— Doutor, o senhor disse em seu testemunho que a Sra. Douglas estava em estado de choque. De acordo com sua opinião profissional, ela estava lúcida quando lhe disse que o marido havia tentado matá-la?

— Sim, senhor. Eu já tinha lhe dado um sedativo nas grutas e ela estava relativamente calma. Entretanto, quando lhe disse que lhe ia dar outro sedativo, ela ficou muito agitada e suplicou-me que não o fizesse.

O presidente da Corte inclinou-se para a frente e perguntou:

— Ela explicou por quê?

— Sim, Meritíssimo. Ela disse que o marido a mataria enquanto estivesse dormindo.

O presidente tornou a recostar-se na cadeira, pensativo, e disse para Peter Demonides:

— Pode continuar.

— Dr. Kazomides, o senhor afinal administrou um segundo sedativo à Sra. Douglas?

— Sim.

— Enquanto ela estava na cama, no bangalô?

— Sim.

— E como foi que o administrou?

— Com uma injeção. Na nádega.

— E ela estava dormindo quando o senhor foi embora?

— Sim.

— Havia alguma possibilidade de que a Sra. Douglas acordasse a qualquer instante nas horas seguintes, levantasse da cama sozinha, se vestisse e saísse da casa sem ajuda?

— No estado em que estava? Não. Seria muito pouco provável. Tinha tomado um sedativo muito forte.

— Isto é tudo, obrigado, doutor.

Os jurados olhavam para Noelle Page e Larry Douglas e seus rostos tinham ficado frios e inamistosos. Um estranho poderia ter entrado na Corte e sabido, de imediato, para que lado o caso pendia.

Os olhos de Bill Fraser estavam brilhantes de satisfação. Depois do testemunho do Dr. Kazomides, não podia haver a menor dúvida de que Catherine tinha sido assassinada por Larry Douglas e Noelle Page. Não havia nada que Napoleon Chotas pudesse fazer para arrancar da mente dos jurados a imagem de uma mulher aterrorizada, drogada e indefesa, suplicando que não fosse deixada nas mãos de seu assassino.

Frederick Stavros estava em pânico. Com satisfação havia deixado que Chotas dirigisse o caso, seguindo sua liderança com uma fé cega, confiante de que Chotas conseguiria obter uma absolvição para sua cliente e, portanto, para o seu próprio cliente. Agora, sentia-se traído. Tudo estava caindo em pedaços. O testemunho do médico constituíra um dano irreparável, tanto pelo impacto evidencial como pelo impacto emocional. Stavros olhou ao redor da sala. Exceto pelo único assento misteriosamente reservado, o recinto estava repleto. A imprensa mundial estava ali, esperando para relatar o que acontecesse a seguir.

Stavros teve uma visão momentânea de si mesmo levantando-se, confrontando o médico e, de maneira brilhante, reduzindo a pedaços o seu testemunho. Seu cliente seria absolvido e ele, Stavros, se tornaria um herói. Sabia que esta seria sua última oportunidade. O resultado daquele julgamento significava a diferença entre a fama e a obscuridade e ele podia mesmo sentir os músculos das coxas se contraindo, urgindo para que se pusesse de pé. Mas não podia se mover. Ficou sentado ali, paralisado pelo espectro aniquilador do fracasso. Virou-se para olhar para Chotas. Os profundos olhos tristes no rosto de sabujo estudavam o médico na tribuna das testemunhas, como se tentando chegar a alguma decisão.

Devagar, Napoleon Chotas se pôs de pé. Mas, em vez de andar até a testemunha, foi em direção dos juízes e dirigiu-se a eles com tranquilidade.

— Sr. presidente, Meritíssimos, não quero contrainterrogar a testemunha. Com permissão da Corte, gostaria de pedir um recesso, de forma a poder conferenciar *in camera* com a Corte e o promotor público.

O Presidente da Corte virou-se para o promotor.

— Sr. Demonides?

— Nenhuma objeção — disse Demonides com a voz circunspecta.

A Corte entrou em recesso. Nenhuma pessoa saiu de sua cadeira.

TRINTA MINUTOS DEPOIS, Napoleon Chotas voltou à sala de audiências sozinho. No instante em que ele passou pela porta, todo mundo no tribunal sentiu que alguma coisa importante tinha acontecido. Havia um ar de secreta satisfação consigo mesmo no rosto do advogado, seu andar estava mais rápido e mais jovem, como se alguma charada tivesse terminado e não fosse mais necessário representar. Ele foi até o banco dos réus e olhou para Noelle. Ela ergueu o olhar para o seu rosto, os olhos cor de violeta inquisitivos e ansiosos. E, de repente, um sorriso aflorou aos lábios do advogado. Pelo brilho em seus olhos, Noelle soube que, de alguma forma, ele o fizera, realizara o milagre a despeito de todas as provas, a despeito de todos os obstáculos. A justiça triunfara, mas era a justiça de Constantin Demiris. Larry Douglas também olhava para Chotas, cheio de medo e de esperança. O que quer que Chotas tivesse feito teria sido para Noelle. Mas, e ele?

Chotas dirigiu-se a Noelle numa voz cautelosa e neutra:

— O presidente da Corte me deu permissão para falar com você na sala dele. — Virou-se para Frederick Stavros, que estava sentado numa agonia de incerteza, sem saber o que acontecia. — Você e seu cliente têm permissão para juntar-se a nós, se quiserem.

Stavros assentiu.

— É claro. — Levantou-se apressado, quase derrubando a cadeira em sua ansiedade.

Dois guardas os acompanharam até a sala vazia do presidente. Quando os guardas saíram e eles ficaram a sós, Chotas virou-se para Frederick Stavros.

— O que vou dizer — disse com lentidão — é para benefício de minha cliente. Entretanto, porque eles são corréus, consegui que fosse acordado ao seu cliente o mesmo privilégio concedido à minha.

— Diga-me! — instou Noelle.

Chotas virou-se para ela. Falou devagar, escolhendo as palavras com grande cuidado.

— Acabei de conferenciar com os juízes — disse ele. — Estão impressionados com o caso que a Promotoria tem contra você. Entretanto — ele fez uma pausa, com delicadeza — consegui persuadi-los de que os interesses da justiça não ficariam satisfeitos em puni-la.

— O que vai acontecer? — perguntou Stavros numa febre de impaciência.

Havia uma nota de profunda satisfação na voz de Chotas quando continuou:

— Se os acusados concordarem em modificar suas declarações para "culpado", os juízes concordaram em dar a cada um deles uma pena de cinco anos. — Ele sorriu e completou: — Dos quais quatro anos serão suspensos. Na realidade, não terão de cumprir mais que seis meses de pena. — Virou-se para Larry: — Porque é americano, Sr. Douglas, será deportado. Nunca mais terá permissão para voltar à Grécia.

Larry assentiu, inundado de alívio.

Chotas tornou a virar-se para Noelle.

— Isto não foi coisa fácil de ser conseguida. Devo lhe dizer, com honestidade, que a principal razão para a clemência da Corte é o interesse de seu ex-protetor. Acham que ele já sofreu em excesso com toda esta publicidade e estão ansiosos para ver tudo isto terminado.

— Compreendo — disse Noelle.

Napoleon Chotas hesitou, embaraçado.

— Há mais uma condição.

Ela olhou para ele.

— Sim?

— Seu passaporte será apreendido. Nunca mais poderá deixar a Grécia. Ficará aqui sob a proteção de seu amigo.

Então, a coisa tinha sido feita.

Constantin Demiris cumprira sua parte da barganha. Noelle não acreditava nem por um momento que os juízes estivessem sendo clementes porque se achavam preocupados com o fato de Demiris ter sido exposto a uma publicidade desagradável. Não, ele tinha tido de pagar um preço pela liberdade dela, e Noelle sabia que devia ter sido muito alto. Mas, em troca, Demiris a tinha de volta e o conseguira de forma que ela nunca pudesse deixá-lo. Ou ver Larry de novo. Ela se virou para Larry e viu alívio em seu rosto. Ia ser libertado e isso era tudo o que lhe interessava. Não havia nenhum pesar por perdê-la ou pelo que havia acontecido. Mas Noelle o compreendeu, porque compreendia Larry, pois ele era o seu segundo eu, seu *Doppelgänger*, e ambos tinham a mesma ânsia pela vida, os mesmos apetites insaciáveis. Eram espíritos irmãos, unidos para além da morte, acima das leis, que não tinham feito e que nunca cumpriram. A sua maneira, Noelle sentiria muita falta de Larry e, quando ele se fosse, uma parte dela iria com ele. Mas sabia como a vida era preciosa para ela e como ficara aterrorizada pela ideia de perdê-la. E assim, em perspectiva, era uma ótima barganha e ela aceitou, agradecida. Virou-se para Chotas e disse:

— É satisfatório.

Chotas olhou para ela e havia uma certa tristeza em seus olhos, junto com a satisfação. Noelle também compreendia aquilo. Estava apaixonado por ela e tivera de usar toda a sua habilidade para salvá-la para outro homem. Deliberadamente, Noelle havia encorajado Chotas para que se apaixonasse por ela, porque precisava dele para ter certeza de que não se deteria diante de nada para salvá-la. E tudo dera certo.

— Acho que é absolutamente maravilhoso — gaguejava Frederick Stavros. — Absolutamente maravilhoso.

Na realidade, Stavros sentia que era um milagre, quase tão bom quanto a absolvição, e, embora fosse verdade que Napoleon Chotas colheria a maior parte do crédito, ainda seria tremendo o que sobraria para ele. Daquele momento em diante, poderia escolher os clientes e, sempre que contasse a história do julgamento, seu papel nele ficaria cada vez mais importante.

— Parece um bom negócio — dizia Larry. — A única coisa é que não somos culpados. Nós não matamos Catherine.

Frederick Stavros virou-se para ele, furioso.

— E quem dá a menor importância ao fato de você ser inocente ou não? — gritou ele. — Nós estamos lhe dando sua vida de presente. — Lançou um olhar rápido para Chotas, para ver se ele reagira ao "nós", mas o advogado ouvia. Sua atitude era de isolada neutralidade.

— Quero que compreenda — disse Chotas a Stavros — que estou aconselhando apenas a *minha* cliente. Seu cliente está livre para tomar sua própria decisão.

— O que aconteceria a nós sem este acordo? — perguntou Larry.

— O júri teria... — começou Frederick Stavros.

— Quero que *ele* o diga — interrompeu Larry com rispidez, virando-se para Chotas.

— Num julgamento, Sr. Douglas — respondeu Chotas —, o fator mais importante não é a inocência ou a culpa, mas a *impressão* de inocência ou de culpa. Não existe verdade absoluta, existe apenas a interpretação da verdade. Neste caso, não importa se o senhor é inocente do crime de assassinato, o júri tem a impressão de que é culpado. É por isto que seria condenado, e no fim, acabaria morto da mesma maneira como se fosse culpado.

Larry olhou para ele por um longo momento, então concordou.

— OK. — disse ele. — Vamos acabar com isto.

Cinco minutos depois, os acusados estavam de pé diante da bancada dos juízes. O presidente da Corte sentava-se no centro, ladeado pelos dois juízes. Napoleon Chotas estava junto de Noelle Page e Frederick Stavros ao lado de Larry Douglas. O tribunal estava carregado de uma tensão elétrica, pois correra na sala o rumor de que um desenvolvimento dramático iria sobrevir. Mas, quando este veio, apanhou todos desprevenidos. Numa voz formal e pedante, como se não tivesse acabado de concluir um acordo secreto com os três juristas na tribuna, Napoleon Chotas disse:

— Senhor presidente, Meritíssimos, minha cliente quer mudar sua declaração de *inocente* para *culpada*.

O presidente da Corte recostou-se na cadeira e olhou para Chotas com surpresa, como se estivesse ouvindo a notícia pela primeira vez.

Ele vai fingir até o fim, pensou Noelle. *Quer merecer o seu dinheiro, ou o que quer que seja com que Demiris lhe está pagando.*

O presidente inclinou-se e consultou os outros dois juízes, numa rajada de murmúrios. Eles concordaram com a cabeça e o presidente baixou o olhar para Noelle e disse:

— Quer mudar sua declaração para culpada?

Noelle balançou a cabeça e disse em voz firme:

— Quero.

Frederick Stavros falou depressa, como se tivesse medo de ficar fora da jogada.

— Meritíssimo, meu cliente deseja mudar sua declaração de *inocente* para *culpado*.

O presidente da Corte virou-se para olhar para Larry.

— Quer mudar sua declaração para culpado?

Larry olhou para Chotas e então assentiu.

— Sim.

O presidente observou os dois réus com o rosto grave.

— Seus advogados lhes avisaram que pela lei grega a penalidade para o crime de homicídio premeditado é a execução?

— Sim, Meritíssimo. — A voz de Noelle estava forte e clara.

O presidente virou-se e olhou para Larry.

— Sim, senhor — disse ele.

Houve outra consulta cochichada entre os juízes. O presidente da Corte virou-se para Demonides.

— O promotor do Estado tem alguma objeção quanto à mudança de declarações?

Demonides olhou para Chotas por um longo momento e depois disse:

— Nenhuma.

Noelle perguntou-se se ele também tinha sido subornado ou se apenas estava sendo usado como uma garantia.

— Muito bem — disse o presidente. — Esta Corte não tem outra escolha senão aceitar a mudança de declaração. — Virou-se para o júri. — Cavalheiros, tendo em vista o novo rumo do caso, os senhores estão com isto liberados de seus deveres de jurados. Na realidade, o julgamento chegou ao fim. A Corte dará a sentença. Obrigado por seus serviços e por sua cooperação. A Corte ficará em recesso por duas horas.

No momento seguinte, os repórteres começaram a sair desordenadamente da sala, correndo para os telefones e teletipos para relatarem a última e sensacional reviravolta do julgamento de Noelle Page e Larry Douglas por assassinato.

Duas horas depois, quando a Corte tornou a se reunir, a sala de audiências estava lotada a ponto de transbordar. Noelle olhou de relance para o rosto dos espectadores presentes. Olhavam para ela com expressões de ansiosa expectativa e ela mal pôde conter o riso ante a ingenuidade deles. Aquelas pessoas eram gente do povo, a massa, e realmente acreditavam que a justiça era distribuída com equidade, que numa democracia todos os homens nasciam iguais, que um homem pobre tinha os mesmos direitos e privilégios que um homem rico.

— Agora os acusados queiram levantar-se e aproximar-se da tribuna.

Graciosamente, Noelle levantou-se e andou em direção à tribuna com Chotas a seu lado. Pelo canto do olho, viu Larry e Stavros adiantando-se.

O presidente da Corte falou:

— Este foi um julgamento longo e difícil — começou ele. — Em casos de pena capital, quando há uma dúvida razoável sobre a culpabilidade, a Corte se inclina sempre a deixar que os acusados tenham o benefício da dúvida. Devo admitir que, neste caso, sentimos que tal dúvida existia. O fato de que o Estado não conseguiu apresentar um *corpus delicti* era um ponto muito forte em favor dos acusados. — Ele se virou para olhar Napoleon Chotas. — Tenho certeza de que o hábil advogado de defesa bem sabe que as Cortes gregas nunca determinaram a pena de morte num caso em que não se tenha provado definitivamente que o homicídio foi cometido.

Uma leve sensação de mal-estar começava a brotar em Noelle, nada de alarmante ainda, apenas o mais leve murmúrio, a mais vaga insinuação de uma ideia. O presidente continuou:

— Meus colegas e eu ficamos, por esta razão, francamente surpreendidos quando os réus decidiram mudar suas declarações para *culpado,* a meio do julgamento.

A sensação agora estava na boca do estômago de Noelle, crescendo, movendo-se para cima, começando a apertar-lhe a garganta, de forma que ela estava de repente sentindo dificuldades para respirar. Larry olhava para o juiz ainda sem compreender por inteiro o que estava acontecendo.

— Apreciamos o torturante exame de consciência que cada um enfrentou, antes que se decidissem a confessar sua culpa perante esta Corte e perante o mundo. Entretanto, o alívio de suas consciências não pode ser aceito como uma compensação para o terrível crime que admitiram ter cometido, o assassinato a sangue-frio de uma mulher indefesa e desamparada.

Foi naquele momento que Noelle soube, com uma certeza repentina e esmagadora, que tinha sido enganada. Demiris tinha montado uma encenação para acalmá-la, levando-a a um sentimento de falsa segurança, para que ele pudesse fazer aquilo com ela. Era esse o seu jogo, essa era a armadilha que havia preparado. Ele *tinha* sabido o quanto estivera aterrorizada com a ideia de morrer, assim oferecera-lhe a esperança de viver e ela a aceitara, acreditara nele e ele a vencera. Demiris tinha querido sua vingança *agora*, não depois. A vida dela poderia ter sido salva. Era evidente que Chotas sabia que ela não seria condenada à morte, a menos que um cadáver fosse apresentado. Não havia feito acordo algum com os juízes. Engendrara toda aquela defesa para enganar Noelle, levando-a à morte. Ela se virou para olhá-lo e ele levantou os olhos para encontrar o seu olhar; seus olhos estavam cheios de uma tristeza genuína. Ele a amava e a assassinara e, se tivesse de fazer tudo de novo, faria a mesma coisa, pois no fim era o homem de Demiris, da mesma forma que ela era a mulher de Demiris, e nenhum dos dois podia lutar contra o seu poder.

O presidente falava:

— ...e, assim, com os poderes que me foram dados pelo Estado e de acordo com suas leis, eu ordeno que a sentença dos dois acusados, Noelle Page e Lawrence Douglas, seja executada dentro de 90 dias, a contar desta data.

O tribunal tornara-se um pandemônio, mas Noelle não ouviu nem viu. Alguma coisa a fizera virar-se. O lugar desocupado não estava mais vazio. Fora ocupado por Constantin Demiris. Tinha o cabelo impecável e acabara de ser barbeado. Estava vestido com um terno de seda natural azul, usava uma camisa azul-clara e uma gravata de seda. Os olhos negro-oliva estavam brilhantes e vivos. Não havia nenhum sinal do homem derrotado e esmagado que fora visitá-la na prisão, porque aquele homem nunca existira.

Constantin Demiris viera para ver Noelle no momento de sua derrota, saboreando o terror que a dominava. Seus olhos negros estavam presos aos dela e, por uma fração de segundo, ela viu neles uma profunda e maligna satisfação. E havia algo mais. Pesar, talvez, mas desapareceu antes que pudesse distinguir o que era e, além disso, de qualquer maneira, era tarde demais.

O jogo de xadrez terminara, afinal.

LARRY TINHA OUVIDO as últimas palavras do presidente numa descrença chocada, e, quando o guarda se adiantou e o tomou pelo braço, soltou-se e virou-se novamente para o tribunal.

— Esperem um minuto! — gritou ele. — Eu não a matei! Eles me incriminaram falsamente!

Um guarda acorreu e os dois homens seguraram Larry. Um deles puxou um par de algemas.

— Não! — gritava Larry. — Escutem-me! Eu não a matei!

Tentava desvencilhar-se dos guardas, mas as algemas se fecharam em seus pulsos e ele foi arrastado para fora da sala.

NOELLE SENTIU UMA pressão em seu braço. Uma guardiã esperava para acompanhá-la para fora do tribunal.

— Estão esperando pela senhora, Srta. Page.

Era como uma chamada de teatro. *Estão esperando pela senhora, Srta. Page.* Só que desta vez, quando a cortina descesse, nunca mais se levantaria. Noelle foi atingida pela percepção de que aquela era a última vez em sua vida que estaria em público, a última vez que estaria com outras pessoas, em liberdade. Aquela era sua aparição de despedida, aquele imundo e triste tribunal grego, seu último teatro. *Bem*, pensou num desafio, *pelo menos tenho a casa cheia.* Olhou pela última vez em volta, para a sala de audiências lotada. Viu Armand Gautier olhando-a num silêncio atônito, por uma vez na vida arrancado de seu cinismo.

Lá estava Phillipe Sorel, o rosto forte tentando com empenho dar um sorriso encorajador, sem conseguir.

Do outro lado do tribunal estava Israel Katz, com os olhos fechados e os lábios se movendo, como se estivesse rezando uma prece silenciosa. Noelle lembrou-se da noite em que o havia escondido na mala do carro do general, debaixo do nariz do oficial albino da Gestapo, e do medo que sentira então. Mas aquilo não era nada comparado com o terror que a dominava agora.

Os olhos de Noelle dirigiram-se para o outro lado da sala e pousaram no rosto de Auguste Lanchon, o dono da loja. Não se lembrava do nome dele, mas recordava-se do rosto porcino e do corpo balofo e atarracado, do horrível quarto de hotel em Viena. Quando ele viu que ela o olhava, piscou e baixou os olhos.

Um homem alto e bem-apessoado, que parecia ser americano, estava de pé olhando fixo para ela, como se estivesse querendo lhe dizer alguma coisa. Noelle não tinha ideia de quem fosse.

A guardiã puxava-lhe o braço agora, dizendo:

— Vamos embora, Srta. Page...

FREDERICK STAVROS ESTAVA em estado de choque. Não só fora testemunha de uma incriminação falsa, feita a sangue-frio, como tomara parte nela. Iria ao presidente da Corte e lhe diria o que havia acontecido: o que Chotas tinha prometido. Mas acreditariam nele? Aceitariam sua palavra contra a palavra de Napoleon Chotas? Realmente não importava, pensou Stavros com amargura. Depois daquilo, estaria acabado como advogado. Ninguém, nunca mais, o contrataria. Alguém disse o seu nome, ele se virou e Chotas estava perto dele dizendo:

— Se estiver livre amanhã, por que não vem almoçar comigo, Frederick? Gostaria que você conhecesse meus sócios. Acho que tem um futuro muito promissor.

Por sobre o ombro de Chotas, Frederick Stavros podia ver o presidente da Corte retirando-se pela porta que levava a sua sala particular. Agora era o momento de falar com ele, de explicar o que havia acontecido. Stavros voltou-se para Napoleon Chotas, sua mente ainda cheia de horror pelo que aquele homem fizera, e então se ouviu dizendo:

— É muito gentil de sua parte, senhor. Qual seria a hora conveniente?...

DE ACORDO COM A LEI grega, as execuções se realizam na pequena ilha de Ageana, a uma hora do porto de Pireu. Um barco especial do governo transporta os prisioneiros condenados para a ilha. Uma série de pequenos penhascos cinzentos leva ao porto, e alto, sobre uma colina, fica um farol construído num afloramento da rocha. A prisão de Ageana fica no lado norte da ilha, não sendo visível do pequeno porto onde barcos de excursões derramam com regularidade turistas animados para uma hora ou duas de compras e passeios, antes de navegarem para a próxima ilha. A prisão não está no roteiro dos passeios e ninguém se aproxima dela, exceto para tratar de negócios oficiais.

ERAM 4 HORAS de uma madrugada de sábado. A execução de Noelle estava marcada para as 6 horas da manhã.

Tinham levado seu vestido favorito, para que ela o usasse, um Dior cor de vinho, avermelhado, de lã natural, e sapatos de couro vermelho combinando. Tinham-lhe dado roupas de baixo novas, de seda, e um lenço branco de seda veneziana para o pescoço. Constantin Demiris mandara a cabeleireira favorita de Noelle para penteá-la. Era como se ela estivesse se preparando para ir a uma festa.

Em sua consciência, Noelle sabia que não haveria suspensão da pena no último minuto, que dentro de pouco tempo seu corpo seria brutalmente violado e seu sangue derramado no chão. Entretanto, emocionalmente não podia se impedir de esperar que Constantin Demiris fizesse um milagre e lhe poupasse a vida. Não teria nem de ser um milagre — bastava apenas um telefonema, uma palavra, um aceno de sua mão de ouro. Se a poupasse agora, voltaria para ele. Faria qualquer coisa. Se apenas pudesse vê-lo, diria a ele que nunca mais olharia para outro homem, que se devotaria a fazê-lo feliz pelo resto da vida. Mas sabia que não adiantava implorar. Se Demiris viesse a ela, sim. Se ela tivesse de ir a ele, não.

Ainda restavam duas horas.

LARRY DOUGLAS ESTAVA em outra parte da prisão. Desde que fora condenado, sua correspondência aumentara. Choviam cartas de mulheres de todas as partes do mundo e o guarda, que se considerava um homem avançado, ficou chocado com algumas delas.

Era provável que Larry Douglas tivesse se divertido com elas, se delas tivesse tomado conhecimento, mas estava num mundo drogado de penumbra, onde nada o tocava. Durante os primeiros dias na ilha, estivera num estado violento, gritando dia e noite que era inocente e exigindo um novo julgamento. O médico da prisão, afinal, ordenara que fosse mantido sob a ação de tranquilizantes.

Às 4h50 da manhã, quando o carcereiro da prisão e quatro guardas foram à cela de Larry, ele estava sentado no catre, quieto e ausente. O carcereiro teve de chamar seu nome duas vezes antes que Larry percebesse que tinham ido buscá-lo. Levantou-se com movimentos sonâmbulos e letárgicos.

O carcereiro o conduziu para o corredor e andaram numa procissão lenta em direção a uma porta gradeada no fundo do corredor. Quando alcançaram a porta, o guarda a abriu e saíram para um pátio murado. O ar da madrugada estava frio e Larry tremeu ao sair. No céu, havia uma lua cheia e estrelas brilhantes, que lhe lembraram as madrugadas nas ilhas do Pacífico Sul, quando os pilotos deixavam as camas quentes e se reuniam sob as estrelas frias para a instrução de último minuto antes da decolagem. Podia ouvir o som do mar a distância e tentou lembrar-se de em que ilha estava e qual era sua missão. Alguns homens o levaram para um poste diante da parede e amarraram-lhe as mãos às costas.

Não havia mais raiva nele agora, apenas uma espécie de interrogação entorpecida sobre como seria feita a instrução. Estava cheio de uma grande moleza, mas sabia que não devia cair no sono porque tinha de chefiar a missão. Levantou a cabeça e viu homens uniformizados alinhados. Estavam apontando armas para ele. Velhos instintos enterrados começaram a agir. Iam atacar de direções diferentes e tentar separá-lo do resto do esquadrão, porque tinham medo dele. Viu um movimento no quadrante direito e soube que vinham para apanhá-lo. Esperavam que inclinasse o avião lateralmente, saindo do alinhamento, mas em vez disso empurrou o manche até o fundo e entrou num parafuso e que quase perdeu as asas do avião. Arrancou no fundo do mergulho e executou uma manobra rápida para a esquerda. Não havia sinal deles. Tinha conseguido despistá-los. Começou a subir e abaixo viu um Zero. Riu alto e deu uma guinada para a direita com o leme do avião, até centrar o Zero na mira de suas armas. Então, mergulhou sobre ele como um anjo vingador, diminuindo a distância numa velocidade estonteante. Seu dedo começou a apertar o botão do gatilho quando uma dor repentina e lancinante esmagou-lhe o corpo. E outra. E outra. Podia sentir a carne se rasgando e as entranhas se derramando, e ele pensou: *Oh, meu Deus, de onde foi que ele veio?... Existe um piloto melhor que eu... Gostaria de saber quem é ele...*

E, então, de repente, ele começou a girar no espaço e tudo foi ficando escuro e silencioso.

ESTAVAM PENTEANDO o cabelo de Noelle na cela, quando ela ouviu o matraquear de um trovão lá fora.

— Vai chover? — perguntou.

A cabeleireira olhou-a de maneira estranha por um momento e viu que, realmente, ela não sabia o que era aquele barulho.

— Não — disse com tranquilidade. — Vai ser um lindo dia.

E então Noelle soube.

E ela era a próxima.

ÀS 5H30 DA MANHÃ, 30 minutos antes da hora marcada para a execução, Noelle ouviu passos que se aproximavam da cela. Seu coração deu um salto involuntário. Tinha tido certeza de que Constantin Demiris viria vê-la. Sabia que nunca estivera tão bonita e talvez quando ele a visse... talvez... O diretor da prisão apareceu, acompanhado por um guarda e uma enfermeira carregando uma maleta preta de médico. Noelle procurou ver Demiris atrás deles. O corredor estava vazio. O guarda abriu a porta da cela e o diretor e a enfermeira entraram. Noelle viu que seu coração martelava e a onda de medo começava a invadi-la de novo, afogando a leve esperança que havia surgido.

— Ainda não está na hora, está? — perguntou.

O diretor pareceu pouco à vontade.

— Não, Srta. Page. A enfermeira está aqui para lhe fazer uma lavagem intestinal.

Ela olhou para ele sem compreender.

— Não quero lavagem intestinal.

Ele pareceu ficar ainda mais incomodado.

— Evitará que fique... constrangida.

E então Noelle compreendeu. E o medo transformou-se numa agonia avassaladora, rasgando-lhe o estômago. Ela concordou e o diretor virou-se e saiu da cela. O guarda trancou a porta e, mostrando tato, foi para o fundo do corredor, fora de vista.

— Não queremos estragar este lindo vestido — dizia a enfermeira. — Por que não o tiramos e a senhora se deita bem ali? Levará apenas um minuto.

A enfermeira começou a trabalhar nela, mas Noelle nada sentiu.

Estava com seu pai e ele dizia: *Olhem para ela, um estranho diria que tem sangue real.* E as pessoas estavam brigando para pegá-la e carregá-la no colo. Um padre estava no quarto e disse: "Gostaria de fazer sua confissão a Deus, minha filha?" Mas ela sacudiu a cabeça impaciente, porque seu pai estava falando e queria ouvir o que dizia: *Você é uma princesa, e este é o seu reino. Quando crescer vai se casar com um belo príncipe e viverá num grande palácio.*

Estava andando por um corredor com alguns homens, alguém abriu uma porta e ela saiu para um pátio frio. Seu pai a carregava no colo junto de uma janela e podia ver os altos mastros dos navios na água.

Os homens a levaram até um poste diante de uma parede, amarraram-lhe as mãos às costas e prenderam-na pela cintura no poste e seu pai disse: *Vê aqueles barcos, princesa? Aquela é a sua frota. Um dia eles a levarão a todos os lugares mágicos do mundo.* E ele a abraçou e ela se sentiu segura. Não conseguia lembrar-se por quê, mas ele tinha estado zangado com ela. Agora, estava tudo bem, e ele novamente a amava. Virou-se para ele, mas seu rosto estava indistinto e não conseguiu lembrar-se do rosto de seu pai.

Estava cheia de uma tristeza esmagadora, como se tivesse perdido alguma coisa preciosa, e soube que tinha de se lembrar dele ou morreria, e começou a se concentrar com determinação, mas antes que pudesse vê-lo houve um ruído estrondoso e milhares de facas de agonia penetraram-lhe a carne e sua mente gritou: *Não! Já, não! Deixem-me ver o rosto de meu pai!*

Mas tudo se perdeu para sempre na escuridão.

Epílogo

O HOMEM E A MULHER andavam pelo cemitério, com seus rostos manchados pela sombra dos altos e graciosos ciprestes que cercavam o caminho. Andavam devagar, no calor resplandecente do sol do meio-dia.

A irmã Theresa disse:

— Quero dizer-lhe mais uma vez como estamos gratas por sua generosidade. Não sei o que teríamos feito sem o senhor.

Constantin Demiris ergueu a mão numa censura.

— *Arkayto* — disse ele. — Não foi nada, irmã.

Mas a irmã Theresa sabia que, sem aquele salvador, o convento ter-se-ia fechado há anos. E certamente era uma mensagem do céu que agora pudesse retribuir-lhe, de alguma forma. Era um *thriamvos*, um triunfo. Tornou a agradecer a São Dionísio por ter permitido que as irmãs tivessem salvado a amiga americana de Demiris das águas do lago naquela terrível noite da tempestade. Era verdade que alguma coisa tinha acontecido com a mente da mulher e ela ficara como uma criança, mas tomariam conta dela. O Sr. Demiris havia pedido à irmã Theresa que mantivesse a mulher ali, entre aquelas paredes, protegida do mundo exterior para o resto de sua vida. Era um homem tão bom e tão generoso.

Tinham chegado ao fim do cemitério. Um caminho serpenteava até um promontório onde a mulher se encontrava, olhar fixo para o lago calmo, cor de esmeralda, lá embaixo.

— Lá está ela — disse a irmã Theresa. — Eu o deixarei agora. *Hayretay.*

Demiris observou a irmã Theresa ir caminhando em direção ao convento. Desceu, então, pelo caminho até onde a mulher estava.

— Bom-dia — disse com brandura.

Ela se virou devagar e olhou para ele. Seus olhos eram inexpressivos e vagos, e em seu rosto não havia qualquer sinal de reconhecimento.

— Trouxe algo para você.

Ele tirou uma pequena caixa do bolso e estendeu para ela. Ela olhou para a caixa como uma criança pequena.

— Vá, pegue-a.

Lentamente ela pegou a caixa. Levantou a tampa e dentro, envolto em algodão, estava um lindo passarinho em miniatura, de ouro, com os olhos de rubi e as asas abertas em posição de voo. Demiris observou enquanto a criança-mulher o tirava da caixa. O sol brilhante refletiu o brilho do ouro e o cintilar dos olhos de rubi, lançando pequenos arco-íris coloridos pelo ar. Ela virou o passarinho de um lado para o outro, observando as luzes dançando em torno dela.

— Eu não a verei mais — disse Demiris. — Mas você não precisa preocupar-se, pois ninguém lhe fará mal agora. As pessoas más estão mortas.

Enquanto ele falava, o rosto dela estava virado para ele, e, por uma fração de segundo, pareceu-lhe que um clarão de consciência e um ar de felicidade lhe vieram aos olhos, mas um momento depois aquilo tinha desaparecido e havia apenas o olhar vago e inconsciente. Poderia ter sido uma ilusão, um artifício criado pela luz do sol refletindo o brilho do passarinho de ouro nos olhos dela.

Ele pensava naquilo enquanto subia devagar a colina e saía pelo grande portão de pedra do convento, onde seu carro o esperava para levá-lo de volta a Atenas.

Chicago
Londres
Paris
Atenas
Ioannina
Los Angeles

Este livro foi composto na tipografia
Minion Pro Regular, em corpo 11/15, e impresso em
papel off-white no Sistema Digital Instant Duplex
da Divisão Gráfica da Distribuidora Record.